dtv

Paul Grote

Am falschen Ufer der Rhône

Kriminalroman

dtv

**Ausführliche Informationen über
unsere Autoren und Bücher
www.dtv.de**

Von Paul Grote
sind bei dtv u. a. erschienen:
Der Portwein-Erbe (21082)
Der Wein des KGB (21160)
Tod in Bordeaux (21536)
Bitterer Chianti (21537)
Die Insel, der Wein und der Tod (21645)
Rioja für den Matador (21698)

Originalausgabe 2017
2. Auflage 2019

Umschlaggestaltung: dtv unter Verwendung von Fotos
von gettyimages/Richard Susanto und
aus dem Privatbesitz des Autors
Karte: www.landkarten-erstellung.de
Gesetzt aus der Minion 10/12˙
Gesamtherstellung: Druckerei C.H.Beck, Nördlingen
Gedruckt auf säurefreiem, chlorfrei gebleichtem Papier
Printed in Germany · ISBN 978-3-423-21691-3

Je größer die Beute, desto größer die Gier.

Kapitel 1

Mit sicherer Hand griff sie ins Weinlaub, fasste den wilden Trieb direkt am Stock, brach ihn ab und ließ ihn fallen. Die Triebe waren kurz, sie hatten gerade mal das Fünf-Blatt-Stadium erreicht, waren zart und ließen sich leicht brechen, ohne größere Verletzungen im Holz zu hinterlassen, die dem Weinstock schadeten. Beim Winterschnitt hatten sie die Bogrute auf acht oder zehn Augen gekürzt, und aus diesen Augen oder Knospen sprossen jetzt die neuen Triebe in saftigem Grün. Eine zweite Fruchtrute blieb stehen, wurde auf zwei Augen gekürzt, sie würde im nächsten Jahr die Trauben tragen. Guyot-Methode nannte man diese Technik, bei der die Fruchtrute an den untersten Draht des Drahtrahmens gebunden wurde. Simone Latroye hatte den Winterschnitt zum zweiten Mal in Folge mit Martin hinter sich gebracht, sie erinnerte sich gut, wie sie tagelang der Februarkälte getrotzt hatten, die Schere in der Hand, die ihr beinahe aus den klammen, blau gefrorenen Fingern gefallen war. Trotzdem hatte es ihr Spaß gemacht.

Zugesehen hatte Simone bei diesen Arbeiten schon immer; es war, als wäre sie zwischen diesen Weinstöcken, die sie jetzt umgaben, aufgewachsen. Manchmal, wenn sie hier im Weinberg oberhalb des Hauses unterwegs war, glaubte sie, jeden einzelnen dieser Weinstöcke zu kennen, die ihr Vater zusammen mit Martin gepflanzt hatte. Hier war sie als Kind herumgekrabbelt und hatte ihren Vater von der Arbeit abgehalten, was er sich gern hatte gefallen lassen. Hier war sie ihm heute noch immer nah, hier vermisste sie ihn besonders schmerzlich, auch wenn er bereits seit dreizehn Jahren tot war.

Seit dem frühen Morgen hatte sie sich langsam, aber stetig durch die Rebzeilen gearbeitet, bis auf eine kurze Mittagspause. Wieder griff sie zielsicher ins Laub und brach den nächsten Doppeltrieb, manche ließen sich beinahe abstreifen, so zart waren sie, besonders die Kümmertriebe unten am Stamm. Als langweilig empfand sie diese Arbeit keineswegs. Ab Mitte April war sie mindestens einmal täglich durch ihre Weinberge gelaufen, nur darauf wartend, dass die Augen am Stock sich öffneten und die ersten Blätter sich hervorwagten. Jetzt würde es sich auch zeigen, ob sie beim Winterschnitt Fehler gemacht hatte. Eine Rebzeile hatte Martin ihr überlassen, er hatte ihren Schnitt nicht einmal kontrolliert, sie ganz allein war für das Ergebnis verantwortlich.

Ich habe den richtigen Zeitpunkt zum Ausbrechen gewählt, sagte sich Simone, richtete sich auf und bog den Rücken durch. Begann man zu früh, erwischte man nicht alle Beiaugen, dann wuchsen neue Triebe nach, und man musste die Arbeit wiederholen. Ging man zu spät durch, waren die Triebe länger als zehn Zentimeter, dann verletzte man den verholzten Stock, und später Frost drang durch die Wunde ein. Aber damit rechnete niemand mehr in diesem Jahr. Vorsichtshalber hatte sie Martin gestern angerufen. Sie hatte ihm den Zustand der Weinstöcke beschrieben, ihm mitgeteilt, dass sie heute mit dem Ausbrechen beginnen würde, und sich seine Zustimmung dafür geholt. Schließlich war er der Chef, mochte er auch ihr Patenonkel sein.

Eines Tages würde sie das Weingut erben. Außer ihr kam niemand infrage, auf gar keinen Fall ihr Bruder Daniel. Martin und Charlotte hatten keine eigenen Kinder. Doch sie würden es sicher nicht Greenpeace vermachen.

Heute noch wollte Martin aus Deutschland zurückkommen, ab morgen würden sie hier gemeinsam arbeiten. Sie freute sich darauf, sie freute sich auch auf ihre Gespräche, die sie bei diesen Arbeiten führten, obwohl ihr Martin zurzeit auf die Nerven ging. Er ließ nicht locker, ritt ständig auf demselben Thema herum: Sie solle auch anderswo arbeiten, Erfahrungen sammeln, wenn schon nicht im Ausland – in Italien oder Spanien, es müsse ja nicht Deutschland sein –, dann doch bitte wenigstens in einem der vielen anderen französischen Weinbaugebiete.

Simone sah hinüber zum Haus von Charlottes Eltern. Madame Lisette und Monsieur Jérôme waren schon damals so etwas wie Großeltern für sie geworden, denn die leiblichen Großeltern hatte sie so gut wie nie gesehen, und nach dem Tod ihres Vaters, als sie mit ihrer Mutter wieder nach Saint-Chinian gezogen war, hatte es mit ihrer leiblichen Großmutter dauernd Streit gegeben. Ständig hatte sie an ihr herumgemeckert, aber Simones Bruder, der war der König gewesen, der wurde für jeden Blödsinn gelobt, sogar für die Abiturprüfung, die er nur mit Ach und Krach geschafft hatte. Dass sie das Abitur mit Auszeichnung bestanden hatte, war als Selbstverständlichkeit hingenommen worden. Sie ärgerte sich noch immer darüber. Als Ausgleich hatten ihr Madame Lisette und Monsieur Jérôme ein wundervolles Geschenk gemacht: Sie hatten ihr den Führerschein bezahlt. Heute Abend würde sie jedoch nicht hinübergehen, heute wollte sie hören, wie es Martin auf der Reise ergangen war.

Seit einem Jahr verkauften sie nicht nur den Merlot, einen Garagenwein, den ihr Vater damals kreiert hatte, sondern produzierten auch eine Cuvée. Martin hatte zu experimentieren begonnen und drei Hektar mit Cabernet Franc bestockt, hinzu kamen die drei Hektar Cabernet Sauvignon, die Charlottes Eltern gehörten. Sie konnte die Rebanlagen von hier aus sehen und mittlerweile sogar die drei Rebsorten am Blatt unterscheiden. Merlot reifte zuerst, dann war Cabernet Franc an der Reihe, zuletzt der Cabernet Sauvignon.

Sie bearbeiteten insgesamt neun Hektar, somit hielt sich der Stress in Grenzen, es waren neun Tage Arbeit zu je zehn Stunden. Man hätte auch Helfer mit dem Ausbrechen beauftragen können, aber Martin legte Wert auf den Augenschein, nur so wusste er, wie sich ihr Weinberg entwickelte.

Simone bückte sich, sie hatte einen Trieb am Stamm übersehen. Das alles interessierte ihre Mutter Caroline sehr wenig, nein, ganz und gar nicht. Nach dem Tod ihres Mannes war sie mit den Kindern nach Saint-Chinian zurückgegangen und wieder bei ihrer Mutter eingezogen. Und dann hatte sie diesen Mann kennengelernt, Jean-Antoine! Geschieden, in leitender Position bei einer Großkellerei, der es auf Absatz und nicht auf Qualität ankam, eigenes Haus mit Garten und Gärtner in Narbonne, zwei Söhne, *prétentieux*, eingebildete Schnösel – was auch ihr Onkel Jean-Claude fand, der in Narbonne als Professor lehrte. Für die beiden Schnösel war Simone mit ihrem Hang zur Landwirtschaft das »Bauernmädchen«, *la paysanne*, wie sie sie hämisch nannten.

Auch wenn die finanziellen Sorgen mit der neuen Ehe ihrer Mutter ein Ende hatten und Jean-Antoine es auf seine Art vielleicht gut meinte, konnte Simone ihn weder leiden noch riechen. Er roch schlecht, unangenehm, sie hielt es in seiner Nähe nicht aus, besonders schlimm war es, wenn er sie ansprach. Wie nur konnte ihre Mutter seine Küsse ertragen?

Simone reckte sich, steckte dabei ihr bis auf den Rücken reichendes blondes Haar im Nacken wieder zusammen und schätzte die Strecke ab, die sie in der letzten halben Stunde geschafft hatte. Sie war zufrieden. Sie kam sehr schnell voran heute, darauf war sie stolz. Einen Hektar wollte sie geschafft haben, und Martin würde sie dafür loben. Er schimpfte nie, jedenfalls nicht mit ihr, erklärte alles mit einer Engelsgeduld, die er bei Charlotte manchmal vermissen ließ, obwohl ihn sonst selten etwas aus der Ruhe brachte.

Sie sah einen Weinstock, der sich nicht gut entwickelte, er

war zurückgeblieben. Ein Jahr würde er noch durchalten, sie sollten ihn möglichst rasch ersetzen, doch dafür war es jetzt zu spät. Das war das Schöne bei dieser Arbeit. Simone lächelte vor sich hin. Man konnte seinen Gedanken nachhängen, irgendwann waren zwar die Arme und Hände müde, das Kreuz schmerzte, der Nacken wurde hart, aber der Kopf blieb frei, und niemand nervte sie hier.

Da meldete sich ihr Smartphone, das in der Seitentasche ihrer grünen Arbeitshose steckte. Sie griff danach, schaute aufs Display und musste zugeben, dass ihr letzter Gedanke falsch gewesen war. Mit so einem Gerät in der Tasche konnte man überall genervt werden. Noch dazu war es die Telefonnummer ihrer Mutter. Simone zögerte. Sollte sie das Gespräch annehmen? Schicksalsergeben drückte sie die Taste.

»Ja?«

»Hallo, mein Liebling.«

Es war tatsächlich ihre Mutter. Liebling? Das war doch ihr Bruder … Was mochte sie von ihr wollen?

»Wie geht es dir?«

»Gut, danke.«

»Wo bist du?«

»Im Weinberg.«

»Was machst du gerade?«

»Ausbrechen, Wasserschosse, Doppeltriebe …«

Was sollte diese Frage? Es interessierte sie doch überhaupt nicht. Die schwierigen Aufbaujahre hatte Caroline in schlechtester Erinnerung. Heute wollte sie allerdings nicht mehr wahrhaben, wie sehr der Tod ihres Mannes sie aus der Bahn geworfen hatte.

»Geht es gut voran?«

»Ja.« Simone musste sich zwingen, einigermaßen verbindlich zu klingen. »Es geht gut voran, und es macht Spaß.«

»Das freut mich zu hören. Und mit Martin und Charlotte läuft alles gut?«

»Bestens. Nun sag schon, weshalb rufst du an?«

»Ich wollte dir sagen, dass wir für drei Wochen in die Ferien fahren, mit Jean-Antoine …«

»Klar. Und – nehmt ihr Daniel mit?«

»Das geht leider nicht, dein Bruder hat eine neue Position im Unternehmen, er wird Assistent der Geschäftsleitung.« Der Stolz in der Stimme war deutlich zu hören. »Er muss sich auf die neue Position vorbereiten.«

Karrieregeil – das war Daniel. Er hatte sich schon immer zu wichtig genommen. Protektion, das war alles, worauf er zählen konnte, Protektion durch den Stiefvater. Sonst stellte er nicht viel auf die Beine.

»Wir hatten überlegt, dich mitzunehmen …«

Oh Gott, bloß nicht! Weshalb sagte sie das? Drei Wochen mit den beiden würde sie nicht überleben.

»… aber du bist ja immer so beschäftigt. Ich hoffe, du kommst uns nach dem Urlaub mal wieder besuchen.«

»Aber gewiss doch, *maman*.« Sie würde höchstens einen Tag opfern, aus Anstand, am Geburtstag. »Dann wünsche ich euch ganz schöne Ferien. Wo geht's hin?« Simone fragte es lediglich der Höflichkeit halber.

»Nach Florida, Fort Lauderdale und Key West. Du weißt doch, Jean-Antoine ist ein großer Hemingway-Fan.«

Nicht nur das. Wie Hemingway trank ihr Stiefvater auch zu viel. »Wusstest du, dass es im Hemingway-Haus von Katzen wimmelt? Bist du nicht gegen Katzen allergisch?« Unter dieser Allergie litt Caroline erst, seit sie mit Jean-Antoine zusammen war. Simone sagte es im Ton tiefer Besorgnis, aber innerlich ein wenig gehässig, sie hatte sich die letzte Bemerkung einfach nicht verkneifen können.

Bevor ihre Mutter weiter nachfragen konnte, verabschiedete sich Simone. »*Maman*, ich muss hier weitermachen, ich muss heute fertig werden. Auf jeden Fall wünsche ich euch schöne Ferien!

Die rote Taste auf dem Smartphone war ihr äußerst lieb, und sie steckte das Gerät wieder in die Tasche. Sie hatten im

Englischunterricht Hemingway gelesen, und das mit den Katzen hatte sie irgendwo aufgeschnappt. Sie wusste, dass ihre Mutter jetzt mit Jean-Antoine eine Debatte beginnen würde. Schadenfreude war eigentlich nicht Simones Ding, aber nach all den Jahren, in denen ihre neue Familie ihr einen fremden Lebensstil aufgezwungen hatte, tat sie irgendwie gut.

Obwohl sie schneller weiterarbeitete als zuvor, kamen die unliebsamen Erinnerungen gnadenlos zurück. Jean-Antoine hatte sich damals sofort in die Rolle des Familienoberhauptes gedrängt. Sie war es nicht gewohnt, auf Befehle, die als Ratschläge getarnt waren, zu reagieren – und sie hatte zugemacht, sich verschlossen, abgekapselt. Wieso ihre Mutter diesen Mann hatte akzeptieren können, war ihr schleierhaft. Er war das absolute Gegenteil ihres Vaters. Hatte das Geld sie überzeugt? War ihr Leben dadurch leichter geworden? Martin meinte immer, dass viel Geld schlimmer sei als Dynamit. Oder war es Jean-Antoines herrisches Wesen und dass er ihrer Mutter die Entscheidungen abnahm? Nach dem ersten gemeinsamen Wochenende hatte auch Daniel vor ihm den Diener gemacht, er fand ihn »große Klasse«, bewunderte ihn und machte sich mit seinen Söhnen gemein. Die drei Jungen zusammen waren ätzend. Daniel bekam auch gleich für die Zeit nach dem Studium einen Job in der Großkellerei versprochen. Und jetzt arbeitete er unter seinem Stiefvater, machte den Rücken krumm und redete ihm nach dem Mund. Dass sie, seine Schwester, jeden Respekt vor ihm verloren hatte, interessierte ihn einen Dreck.

Nach dem zweiten gemeinsamen Wochenende war zum ersten Mal die Rede davon gewesen, zusammen in ein Haus zu ziehen. Eine Woche später war Simone nach Saint-Émilion getrampt, war verschwunden, ohne ein Wort zu sagen. Abends hatte sie vor ihrem ehemaligen Elternhaus gestanden, das inzwischen Charlotte und Martin gehörte, vor jener Tür, deren Knarren sie so gut kannte. Nur Martin war zu

Hause gewesen. Sie war ihm verzweifelt um den Hals gefallen, hatte sich bei ihm ausgeweint und geschworen, nie wieder fortzugehen. Fast auf Knien hatte sie Martin angebettelt, bleiben zu dürfen. Doch ebenso wie Lisette und Jérôme, die später herübergekommen waren, vertrat er die Ansicht, sie müsse zurück zu ihrer Mutter. Betreten hatten die drei zu ihren Klagen geschwiegen. Schließlich hatte Martin ihre Mutter angerufen und ihr mitgeteilt, dass Simone bleiben wolle und er damit einverstanden sei. Aber ihre Mutter war es nicht. Sie hatte sogar mit der Polizei gedroht. Simone musste zurück nach Saint-Chinian.

Drei Jahre Gefangenschaft hatte sie durchgestanden. Nachdem sie die Schule mit Bravour beendet hatte, war sie sofort wieder in Saint-Émilion aufgekreuzt. Hier war sie zu Hause. Zwei Jahre lang hatte sie eine Ausbildung zur Weinbautechnikerin gemacht, und seit zwei Jahren arbeitete sie nun mit Martin und Charlotte zusammen. Martins Frau kümmerte sich hauptsächlich ums Büro, wenn sie nicht auf politischen Kongressen weilte, mit Politikern stritt oder für NGOs auf Reisen ging. Es war kaum vorstellbar, dass sie in Paris mal Staatssekretärin gewesen war, im Kostüm oder im Hosenanzug, und der Sozialistischen Partei angehört hatte, deren gesamte Führung sie für korrupt hielt.

Zwei Rebzeilen fehlten noch. Bei der vorletzten hingen die Spanndrähte durch, die sie wieder richtete, wobei die unangenehmen Erinnerungen verblassten. Die schönen Erinnerungen blieben an diesem lauen Nachmittag, der einen herrlichen Sommer versprach. Die Tage waren lang, aber auch sie gingen zu Ende, die Sonne sank, das Licht wurde weich, es schmeichelte dem Weinlaub, glitt vorüber, legte sich sanft auf die Blätter und die Bäume, die Martin in den Weinberg gesetzt hatte. Sogar die Pyramiden aus grauem Feldstein, die er errichtet hatte, um die Monotonie der Monokultur aufzubrechen und das Leben in den Weinberg zurückzuholen, glühten in der Sonne des Nachmittags.

Simone griff nach der Wasserflasche und trank genussvoll. Was für ein Glück, dass ich hier bin, sagte sie sich. Hier war sie zu Hause, sie wollte nicht weg von hier. Sie hatte den richtigen Beruf gewählt, und sowohl Martin als auch Charlotte hatten ihr versichert, dass sie das Weingut eines Tages übernehmen werde. Aber sie würde es nicht geschenkt nehmen, sie würde es sich erarbeiten. Allein deshalb musste sie hierbleiben und konnte sich keine Ausreißer erlauben, wie Martin es ihr nahegelegt hatte. Was sollte sie auch an der Rhône? Bei irgendwelchen fremden Leuten auf einem Weingut hospitieren, das sie nichts anging? Was sollte sie dort lernen, was sie sich nicht auch hier aneignen konnte? Hier kannte sie jeden Stock, jeden Stein, sie spürte das Wetter Tage vorher. Die Reben, das waren ihre Freunde, Merlot, Cabernet Sauvignon und neuerdings auch Cabernet Franc. Das waren schon drei Rebsorten, mit denen sich experimentieren ließ. Aber alle um sie herum predigten, wie wichtig es sei, den Horizont zu erweitern, dass sie Erfahrungen machen müsse, mit Weinbergen wie mit Menschen und so weiter … Und sie? Sie fürchtete sich vor dem Alleinsein. Das war es, wovor sie Angst hatte, denn das kannte sie. Die Jahre in Narbonne waren schrecklich gewesen: die Mutter mit dem neuen Mann, die drei idiotischen Jungs, alle superpotent, gegen die hatte sie keine Chance gehabt.

Da hörte sie ein Geräusch, zwar nur leise, aber sie kannte es. Ein Wagen war vorgefahren. Das musste Martin sein. Am liebsten wäre sie gleich zum Haus gelaufen, aber nein, sie wollte mit diesem Hektar fertig sein. Ab morgen würde Martin mitmachen und Monsieur Jérôme auch, und dann mussten sie dringend mit dem Mulchen beginnen. Gräser und Kräuter zwischen den Reben waren kräftig gewachsen, und was sie herausgebrochen hatten, musste in den Boden eingearbeitet werden. Wegen des Traktors hatte sie längst mit dem Nachbarn gesprochen, sie teilten sich die Maschine, alles war vorbereitet, sie war hier unabkömmlich …

Kapitel 2

Der Kies knirschte unter den Reifen. Martin Bongers war das Geräusch vertraut wie kaum ein anderes, er hatte es vor zwanzig Jahren zum ersten Mal gehört, damals, als Gaston den Kies hatte aufschütten lassen, um die Zufahrt zum Haus und zur Kellerei zu befestigen. Zuerst hatte Martin das Geräusch selten wahrgenommen, vielleicht einmal im Monat, wenn er zu Besuch gekommen war, später dann täglich, während der Weinlese, bei der er Gaston geholfen hatte. In den Wintermonaten waren die Intervalle länger gewesen, bis er schließlich ganz hierher übergesiedelt war, nachdem er mit Charlotte das Weingut gekauft hatte. Während der Lese, er erinnerte sich, klang ihm nichts anderes als dieses Knirschen in den Ohren (außer dem Lärm der Maschine zum Entrappen der Trauben), denn der Kies reichte von der Straße bis zum Haus und weiter zur Garage, wohin sie die Trauben brachten. Obwohl er den Weinkeller inzwischen um mehr als die Hälfte des ursprünglichen Grundrisses erweitert und unterkellern hatte lassen, nannten alle die Kelterhalle und das Lager für seine Barriques weiterhin die Garage. Hier hatten sie angefangen, da war das Wohnhaus noch eine Baustelle gewesen. Und Gaston hatte noch gelebt.

Martin glaubte nicht an Gespenster. Er glaubte vielmehr, dass der Geist eines Menschen gegenwärtig sein konnte, an einem Ort, den der Verstorbene zu einem wesentlichen Teil geprägt hatte. Manche nannten es das Fluidum eines Ortes, für andere wieder war es der Spiritus Loci, der Geist des Hauses. In den ersten Jahren nach Gastons Tod war es Martin oft schwergefallen, in den Räumen zu leben, die von seinem Freund und dessen Frau geschaffen worden waren. Bei einigem hatte Martin mitreden können, seine Vorschläge beim Bau des Hauses waren beachtet und umgesetzt worden, selbstverständlich auch, was die Anlage des Gärkellers betraf. Gaston hatte damals zu eng gedacht, zu klein, er hatte für den Moment geplant, nicht die Zukunft in sein Kalkül einbezogen und seine Möglichkeiten unterschätzt.

Martin ärgerte sich, dass er schon wieder an Gaston dachte, genau in diesem Moment, hier in der Zufahrt zu seinem Haus. Also war es noch immer nicht sein Haus? War das überhaupt wichtig? Während der Fahrt von Frankfurt nach Saint-Émilion hatte er sich nur Gedanken darüber gemacht, wann er endlich wieder einmal mit Charlotte Ferien machen und Simone dazu bewegen konnte, bei Didier Lamarc in Châteauneuf-du-Pape für ein Jahr – oder zumindest ein halbes – zu hospitieren. Der Winzer war ihm aus seinen Zeiten als Weinhändler in guter Erinnerung.

Charlotte erwartete ihn in der Haustür, herabgebeugt, damit sie ihn durchs Wagenfenster sehen konnte. Sie lächelte, oh, wie er dieses Lächeln liebte. Es hatte ihm gefehlt.

»Wenn du nicht aussteigst, muss ich mich zu dir setzen.« Mit diesen Worten öffnete sie die Beifahrertür und ließ sich auf den Sitz fallen, ungeachtet der dort ausgebreiteten Papiere. Sie umarmte ihn: »Es ist gut, wenn du mal weg bist. Es ist aber auch schön, wenn du wieder da bist.«

»Wenn's anders wäre, müssten wir uns Sorgen machen.«

»Die kannst du dir machen. Sorge ist vielleicht ein wenig übertrieben, aber Simone will nicht gehen. Ich hab's versucht, mit Engelszungen geredet ...«

»Das habe ich erwartet.« Martins Bewegung der Hand zum Kopf, um sich ratlos daran zu kratzen, kam angesichts Simones Starrköpfigkeit häufiger vor. Simone hatte auch vor seiner Reise jedes Gespräch verweigert. Wenn seine Patentochter etwas nicht wollte, blieb sie so stur wie einst ihr Vater.

»Ich habe sie bearbeitet, aber nicht überzeugen können«, bedauerte Charlotte. »Ich dachte, dass du zu viel Druck machst. Aber nein, und überreden lässt sie sich schon gar nicht. Ich glaube, sie weiß gar nicht genau, weshalb sie nicht will, doch das ist ihr egal. Wir können nur an ihre Einsicht appellieren.«

Martin würde sich damit nicht zufrieden geben. Es wäre gegen seine Überzeugung. Simone trug das Herz nicht unbedingt auf der Zunge, auch darin ähnelte sie ihrem Vater Gaston.

Im Haus läutete das Telefon, Charlotte machte sich aus der Umarmung frei und lief hinein. Martin sah ihr und ihren fliegenden Haaren nach. Das tat er gern, seit dem Tag, als er sie kennengelernt hatte, hier in diesem Haus, in der Küche, am Tag von Gastons Beerdigung. Ihr Geburtshaus stand weiter oben, auf der Anhöhe, es war das mit dem schönsten Garten in der Umgebung. Martin stieg schwerfällig aus, lediglich eine Pause hatte er sich auf der mehr als tausend Kilometer langen Strecke gegönnt. Er blickte hinüber zum Haus seiner Schwiegereltern, er ging gern hinauf, abends, nach der Arbeit, und plauderte mit Madame Lisette über ihren neuen Kräutergarten und über Hildegard von Bingen, deren Schriften sie kürzlich für sich entdeckt hatte. Sie war bei Weitem liebenswürdiger als seine leibliche Mutter, die nicht einmal zur Hochzeit mit »seiner Französin« erschienen war. Es war ein tolles Fest gewesen, hier auf dem Land hatten sie gefeiert, bei strahlendem Sonnenschein, so wie jetzt, Mitte Mai. Der Maler Pieter Bruegel der Ältere hätte seine Freude daran gehabt und reichlich Motive gefunden.

Martin stopfte die zerknitterten Unterlagen vom Beifahrersitz in seine Aktentasche. Der Papierkram nahm immer mehr Raum ein. Er hatte geglaubt, dass sich die Schreibarbeit als Winzer gegenüber seiner früheren Tätigkeit als

Weinhändler verringern würde, doch das war ein Trugschluss: Obwohl Winzer und Weinbauern ohne Zuschüsse der EU wirtschaften mussten, war der bürokratische Aufwand enorm, egal, ob es um Düngeverordnungen ging, den Spritzplan oder um die Nachweispflicht für den Einkauf und die Ausbringung von Pflanzenschutzmitteln – die Nachtarbeit am Schreibtisch nahm zu. Die französischen Behörden und die EU schienen sich gegenseitig mit Formularen und Verordnungen überbieten zu wollen. Aus dem Grund verzichtete Martin wie viele andere Winzer auch auf ein Ökosiegel, obwohl ihre Betriebe die Bedingungen dafür erfüllten.

Er stellte sein Reisegepäck im Flur ab, direkt unter den Fotos von Gaston und Caroline. Mit ihr war der Umgang schwierig, seit sie mit diesem Mann verheiratet war, der für Martins Weine nichts übrighatte. Unter einer Million Flaschen lief bei ihm nichts, alles darunter betrachtete er als »Kinderkram«. Dass Carolines Foto auch dort hing, störte Simone. Aber das war kein Grund, es abzuhängen. Caroline hatte das hier alles mitgeschaffen.

In der oberen Reihe hingen auch die Bilder von Daniel und Simone, in zweiter Reihe erst kamen sie, Charlotte und er selbst. Er hatte die Bilder lange nicht so ausführlich betrachtet wie heute. Normalerweise rannte er daran vorbei, und nur aufmerksame Besucher erkundigten sich nach den dort hängenden Porträts.

Martin holte die Akten aus dem Auto und brachte alles ins Büro. Charlotte lächelte ihm von ihrem Schreibtisch aus zu, den Hörer am Ohr, sie bedeutete ihm hierzubleiben, doch Martin winkte ab. Er wollte erst richtig ankommen, bevor er sich wieder dem Alltag zuwandte.

»Der Journalist«, raunte ihm Charlotte zu, »ihr habt für heute ein Interview vereinbart.«

Martin stöhnte, das hatte er vergessen oder verdrängt. Er mochte es nicht, ausgefragt zu werden und über seine Weine zu reden. Die Leute sollten probieren und dann sagen, ob sie ihnen schmeckten und ob sie bereit waren, für eine Flasche vierzig Euro zu zahlen. Was er zu sagen hatte, fand man auf seiner Homepage. Gaston hatte damals fünfzig Euro pro Flasche für seinen Garagenwein verlangt und auch bekommen, trotz des Preises war der Pechant bereits ein Jahr im Voraus ausverkauft, mehr als zwanzigtausend Flaschen. Martin hatte später die Erntemenge erhöht und den Preis gesenkt.

Sein neuer Wein, der Mémoire, war vom Handel sofort gut angenommen worden, die »Erinnerung« an seinen Freund Gaston, eine klassische Bordelaiser Cuvée. Über sie wollte der Journalist sicher nicht sprechen.

»Morgen! Morgen soll er kommen«, flüsterte Martin, heute stand ihm nicht der Sinn nach diplomatischem Gerede und Eigenlob. Und das Wenige, was es hier zu sehen gab, war seiner Meinung nach keinen Artikel wert. Bisher waren alle Interviews mit Weinjournalisten ähnlich verlaufen. Sie fragten nach den Vorfällen um Gastons Tod und wie er, Martin, zu dem Weingut gekommen war. Dreizehn Mal ist es seitdem Frühling geworden, dachte er, genauso oft hat es den Austrieb gegeben, dreizehn Mal war es Sommer und wieder Herbst geworden, der sich stets anders zeigte und nie dem des Vorjahres glich. Jedes Jahr lasen sie die Trauben zu einem anderen Zeitpunkt, mal waren fünf Lesedurchgänge nötig gewesen, im folgenden Jahr reichten vier. Immer fielen die Trauben anders aus, und im Keller waren andere Maßnahmen nötig.

»Ich habe keine Lust auf ein Interview!« Es hing ihm zum Hals heraus.

Charlotte hingegen hielt jede Erwähnung in den Gazetten für wichtig. Also würde er ihr den Gefallen tun und den Mann empfangen. Er verließ das Büro und setzte den Wagen bis vors Tor der Garage, um die übrig gebliebenen Probeflaschen ins Lager zu bringen. Er sah sich um. Simone hielt den Laden in Schuss. Doch so konsequent sie sich einbrachte, so konsequent wehrte sie sich, das Weingut, das ihren Namen trug, Domaine Latroye, zu verlassen, und sei es nur für sechs Monate. Er verstand es nicht. Wo war Simone jetzt?

»Im Weinberg – wo sollte sie sonst sein«, sagte Charlotte lachend. »Sie hat mit dem Ausbrechen begonnen, als ich noch geschlafen habe; sie will bis zum Abendessen einen Hektar geschafft haben. Bleib hier«, sagte Charlotte schnell, als sie bemerkte, dass Martin nach den Arbeitsschuhen griff. »Lass sie gewähren, sie will es sich beweisen, sie will es dir beweisen.«

»Das muss sie nicht, und das weiß sie.« Niemand kannte Simone so gut wie Martin.

»Es geht ihr auch darum klarzustellen, dass sie unabkömmlich ist, dass sie hier nicht wegkann. Andernfalls würde das Weingut zusammenbrechen.«

»Nichts bricht zusammen«, brummte Martin unwirsch, die Debatte um Simones Praktikum ging ihm auf die Nerven. Er hatte sich eine Lösung ausgedacht. Aus der linken Innentasche seiner Anzugjacke zog er einen dicken braunen Umschlag. Er blickte kurz hinein, grinste Charlotte an, die wusste, dass es sich um die Einnahmen aus den Schwarzverkäufen handelte, und legte den Umschlag ganz hinten in ein Schreibtischfach. Es war das Geld, das er als Prämie für Hilfskräfte brauchte, für all das, was bezahlt werden musste und steuerlich nicht anzurechnen war. Die Steuerbehörden wurden immer gieriger, die Verfolgung des Mittelstands immer rigoroser, während die Konzernchefs ihre Finanzminister überredet zu haben schienen, ihre Steuern auf quasi null zu senken.

»Als du weg warst«, sagte Charlotte, die Martins kleine Geschäfte billigte und selbst davon profitierte, »haben bei einigen Kollegen Hausdurchsuchungen stattgefunden. Man hat bei Betriebsprüfungen festgestellt, dass die Anzahl der gekauften Korken und Kapseln höher war als die Zahl der verkauften Flaschen. Dann haben sie die restlichen Korken und Kapseln gezählt, und jetzt sollen die Kollegen Auskunft geben, wieso es zu dieser Differenz kommt. Und sie prüfen gleichzeitig die Rechnungen der Kork- und Kapselproduzenten.«

»Bis August arbeiten wir nur für den Staat und seine Beamten.« Es war ein Thema, bei dem Martin sich gern in Rage redete. »Würden sie mit gutem Beispiel vorangehen, würde niemand meckern. Aber was leistet so ein Abgeordneter? Fürs Reden und Handhochheben kriegt er dreizehntausend Euro im Monat! Du weißt doch selbst, was du damals als Staatssekretärin verdient hast, das waren knapp siebzehntausend. Da wundert sich niemand mehr, dass die Schattenwirtschaft wächst. Wenn sie tatsächlich das Bargeld abschaffen und wir gänzlich den Banken ausgeliefert werden, werden wir eben unsere eigenen Zahlungsmittel erfinden.«

»Seit wann bist du so radikal?« Charlotte sah ihn verdutzt an. »Sonst wirfst du mir vor, ich sei extremistisch, und jetzt bist du es selbst.«

»Viertausendsechshundert sind in dem Umschlag. Das hilft uns eine Weile weiter. Simone braucht ein Auto, und der Betrieb gibt es momentan nicht her ...«

»... weil du ständig in neue Weinberge investierst.«

»Es ist die einzige Möglichkeit, Steuern zu sparen.«

»Und wir sind bis über unseren Tod hinaus verschuldet. Wir werden nie schuldenfrei sein. Ein Hektar hier amortisiert sich höchstens in dreißig Jahren. Wenn uns was passiert, fällt alles an die Banken.«

»Ich würde jetzt lieber kochen.« Martin stand auf.

»Immer wenn es heikel wird, verziehst du dich in die Küche.«

»Es entspannt. Du kannst ja mitkommen ...«

Während des Essens berichtete Martin von der Reise nach Deutschland und richtete besondere Grüße von Sichel aus, mit dem ihn eine lange Freundschaft verband, der hier seine Ferien verbrachte und mithalf, wie es Martin einst getan hatte. Simone stellte unendlich viele Fragen, sie wollte alles haargenau wissen und wurde dabei deutlich nervöser, wie Martin bemerkte. Er dachte auch jetzt wieder, dass sie zu gut war für diese Welt, zu weich, zu anständig. Mit dieser Spezies von Allesfressern, Allesnutzern und Allesverschmutzern auszukommen, war nicht einfach.

Bei allem, nach dem Simone sich erkundigte, war ihr das Wichtigste, dass er eine Weile blieb, möglichst lange. »Charlotte kann ja zur nächsten Messe fahren, und du bleibst hier.«

Mit ihm fühlte sie sich sicher. Ihre Mutter kannte sie nur neun Monate länger. Am Tag nach ihrer Geburt hatte er sein Patenkind auf dem Schoß gehalten. Seit sie wieder hier in dem Haus lebte, in dem sie aufgewachsen war, zeigte sie sich immer wieder verstört, wenn er verreisen musste.

»Ich glaube, es hat damit zu tun, dass du immer wieder zurück nach Deutschland musstest, und dann warst du weg. Ich fand es schwer, mich darauf einzustellen.«

Und als Charlotte und er schließlich das Weingut übernommen hatten, hatte Caroline die Kinder und die Koffer gepackt und war nach Saint-Chinian ins Languedoc verschwunden. Damals hatten sie sich noch hervorragend verstanden, doch dann hatte Caroline auf Betreiben ihrer Mutter einen Prozess wegen Betruges gegen ihn angezettelt. Dahinter stand der Anwalt des korrupten Bankiers Fleury, der die Domaine für seinen nichtsnutzigen Sohn erwerben wollte.

Schließlich signalisierte Charlotte Martin mit ihrem Blick, dass er sich nicht länger vor dem leidigen Thema Praktikum drücken konnte.

»Da du ja leider selbst keine Vorschläge machst, habe ich mir etwas ausgedacht, das dir behagen wird.«

»Du brauchst mich gar nicht so falsch anzulächeln, ich weiß genau, was jetzt kommt. Aber ich sag's dir gleich: Ich gehe nicht!« Trotzig erwiderte Simone den Blick.

»Hör erst mal zu. Ich habe damals in Frankfurt die Weine von Didier Lamarc verkauft. Er hat sein Gut an der Rhône in Châteauneuf-du-Pape. Es ist viermal so groß wie das unsrige, vierzig Hektar oder mehr. Ich bin darauf gekommen, weil ich bei einem Weinhändler in Darmstadt die Weine gesehen habe. Sie gehören zur Spitzenklasse, und ich kannte Didier recht gut, wir haben uns bei verschiedenen Gelegenheiten getroffen. Er ist verheiratet und hat zwei oder drei Kinder, die müssten inzwischen erwachsen sein. Sein Château liegt außerhalb des Ortes, keine fünf Autominuten vom Ortskern entfernt. Nachbarn gibt es auch, soweit ich mich erinnere …«

Entnervt stöhnte Simone auf. »Warum wollt ihr mich unbedingt loswerden? Bin ich euch bei irgendwas im Weg?«

Für einen Moment hatte Martin den Eindruck, dass seine Patentochter den Tränen nahe war. Und dass sie das Gefühl hatte, abgeschoben zu werden, ließ ihn betroffen innehalten. Jetzt war sie wieder das kleine Mädchen, das er so gut kannte, und nicht die junge, selbstbewusste Frau.

»Niemand will dich loswerden oder abschieben, Simone.« Charlotte griff nach ihrer Hand, doch Simone zog sie schnell weg und verschränkte die Arme. »Wir brauchen dich hier, und du gehörst dazu. Wie kommst du auf eine solche Idee? Bitte – sag es mir, sag es uns. Wir wissen es wirklich nicht.«

Bei diesen Worten brach Simone in Tränen aus. Martin stand auf, trat hinter sie und umarmte sie. Simone ließ es geschehen, und nach einer Weile beruhigte sie sich.

»Früher, als Papa noch lebte, wohnten wir alle hier, und alles war in Ordnung. Und dann, als wir nach Saint-Chinian gezogen sind, war Oma da, verspritzte ihr Gift und funkte bei allem dazwischen. Und dann kam dieser Mann, *le grand chef*. Es war eine schreckliche Zeit. Aber seit ich hier bin, bei euch, bin ich glücklich, versteht ihr? Versteht ihr das wirklich? Ich werde in Ruhe gelassen, endlich, nach all den Jahren. Ich will nichts anderes, ich fühle mich wohl. Und ihr redet davon, dass ich weggehen soll. Das tut unheimlich weh.« Seufzend lehnte sie sich zurück und wischte sich mit der Hand über die Augen.

»Wir wollen dich nicht weghaben, Simone. Wir möchten, dass du mehr lernst, als du von uns lernen kannst, damit du dich später leichter behauptest. Der Weinbau wird komplizierter, der Klimawandel schreitet voran, die Konkurrenz wird härter. Um mehr zu lernen, musst du in eine andere Umgebung, musst sehen, was die anderen Winzer tun, musst ihre Beweggründe kennen und sehen, wie sie ihr Wissen umsetzen. Die Rhône und Bordeaux – dazwischen liegen Welten.«

»Wieso muss es denn die Rhône sein? Das ist so weit weg.« Simone hörte sich an, als wollte man sie mitten in der Wüste dem Verdursten aussetzen.

Auf das Argument der Entfernung war Charlotte vorbereitet. »Es sind sechs Stunden mit dem TGV von Avignon hierher. Mit dem Auto dauert es kaum kürzer.«

»Dann braucht man aber mindestens noch mal eine Stunde bis Saint-Émilion, und ihr müsstet mich abholen.«

Die Argumente wurden schwächer, fand Martin. Vielleicht drang er doch zu ihr durch, denn in Sachen Weinbau vertraute sie ihm völlig.

»Dort unten praktizieren viel mehr Winzer als hier ökologischen Weinbau – wegen des wärmeren Klimas …«

»Du predigst doch immer, dass es so etwas nicht gibt, beim Einsatz von Schwermetallen gegen Pilze.«

Martin lächelte, Simone hatte gut zugehört, sie nutzte seine Argumente gegen ihn. Er führte ein weiteres Argument ins Feld. »Die Winter werden wärmer, die Krankheiten nehmen zu. An der Rhône regnet es deutlich weniger, es ist ein anderes Wassermanagement nötig, künstliche Bewässerung zum Teil – dann die anderen Rebsorten. Dreizehn sind es statt drei, wie bei uns. Das ist eine Welt für sich. Stell dir vor, welche Geschmacksbilder sich ergeben und wie die Kollegen dort unten damit umgehen. Außerdem«, mit der Hand wehrte er Simones Aufbegehren ab, »außerdem findest du gänzlich andere Böden, völlig uneinheitlich, der Rebschnitt ist auf die Rebsorten abgestellt, ähnlich wie auch diverse Erziehungsmethoden und nicht nur das einheitliche Guyot-System wie hier. Nur aus der kreativen Zusammensetzung des Erlernten lässt sich Neues oder Besseres gestalten.«

»Hört sich sehr intelligent an. Und wie gut kennst du diesen … Wie heißt er noch?«

Die Frage klang bereits etwas kleinlaut. Martin spürte, wie Simones Widerstand nachließ. »Didier Lamarc. Er müsste in etwa so alt sein wie ich. Ein freundlicher Typ und wirklich ein Spitzenwinzer. Die Familie betreibt Weinbau seit Generationen.«

Simone gab noch nicht auf. »Der kennt mich doch gar nicht. Womöglich kann er mich nicht leiden. Und wo sollte ich wohnen? Haben die überhaupt Platz auf dem Weingut? Würden die mir was bezahlen oder mich nur ausnutzen wie alle Praktikanten?«

Wenn sie sich bereits auf praktische Fragen einließ, war viel gewonnen. »Das ist wie alles andere Verhandlungssache. Verhandeln gehört zu unserem Beruf, mit Banken, mit Kunden, mit Behörden und Lieferanten.«

»Ansonsten zahlen wir dir die Differenz zu deinem jetzigen Gehalt«, fügte Charlotte hinzu.

»Und wie komme ich da hin? Ich will es mir vorher ansehen und die Leute kennenlernen.«

Erstaunt bemerkte Simone, dass Martin aufstand und den Raum verließ. Er ging ins Büro, holte den Umschlag aus dem Schreibtisch und legte ihn vor Simone auf den Tisch. »Mach ihn auf!«

Verwirrt blickte sie ihn an, wog den Umschlag in der

Hand und zog ein Bündel Geldscheine heraus, das sie verständnislos betrachtete. »Was soll ich damit?«

»Das ist für dein Auto. Damit du meines nicht mehr brauchst und uns besuchen kommen kannst.«

Mit offenem Mund starrte Simone von Martin zu Charlotte. »Ihr Lumpen, ihr wollt mich kaufen?«

»Bestechen«, sagte Charlotte mit gespieltem Ernst. »Geld öffnet alle Türen.«

Die Vorstellung vom eigenen Auto schien Simones Widerstand zu brechen, doch sie war noch nicht restlos überzeugt.

»Würdest du diesen … diesen Monsieur Lamarc anrufen, Martin?«

»Selbstverständlich.«

»Ist das wirklich ein netter Mensch? Seine Familie auch?«

»Sehr angenehme Zeitgenossen, soweit ich das beurteilen kann.«

»Kannte Papa ihn? Weiß er, was ihm zugestoßen ist? Auf Mitleid kann ich verzichten«, erwiderte sie widerborstig.

»Ich glaube nicht, dass er davon weiß.«

»Würdest du mitkommen und mit mir das Weingut anschauen?«

»Auch das.«

»Wenn es mir nicht gefällt, kann ich Nein sagen?«

»Das erwarte ich sogar von dir, alles andere hätte keinen Sinn.« Martin sah auf die Uhr. Es war noch früh am Abend. »Wenn du willst, rufe ich ihn jetzt sofort an.«

Simone stimmte zu, jedoch immer noch halbherzig. »Na gut. Vielleicht erübrigt sich die Debatte, und er will keine Praktikanten haben.«

»Freu dich nicht zu früh.« Mit diesen Worten stand Martin auf und ging ins Büro. Er hatte nicht die geringste Vorstellung, wie Lamarc reagieren würde. Das Weingut gab es noch, und den Winzer auch, er hatte ihn zuletzt vor vier Jahren auf der Vinexpo in Bordeaux getroffen. Martin überlegte, wo er die Visitenkarte abgelegt hatte. Nach einigem Suchen fand er sie, setzte sich ans Telefon und wählte.

Kurz darauf meldete sich eine Frauenstimme. »Domaine Didier Lamarc, *bonjour*?«

Martin stellte sich vor und erklärte, dass er gern mit Didier sprechen wolle. Er erinnerte sich daran, dass man sich geduzt hatte.

»Mit Didier wollen Sie sprechen?« Erstaunen oder Befremden schwangen in der Stimme mit.

»Ja sicher, ich bin doch richtig bei Didier Lamarc?«

Eine Pause entstand, als ob sie sich die Antwort erst zurechtlegen müsste. »Ja – aber wissen Sie es denn nicht?«

Jetzt meinte Martin, etwas wie Bitterkeit aus der Stimme herauszuhören. »Was soll ich wissen? Hat er … hat er etwa verkauft?«

»Nein, keineswegs, Didier … Didier wird seit zwei Jahren vermisst. Er verschwand im Juli, von einem Tag auf den anderen. Niemand hat seitdem jemals wieder von ihm gehört.«

Nur um seine Bestürzung zu überspielen, fragte Martin, mit wem er spreche.

»Ich bin … seine Ehefrau, ich führe jetzt das Weingut.« Die Stimme fand zu einem festen Ton zurück. »Didier hatte gerade den ersten Preis beim Concours de la St. Marc gewonnen, beim Wettbewerb für die besten Weine von Châteauneuf-du-Pape. Drei Tage später verschwand er. Seit damals gibt es nicht eine Spur von ihm.«

Kapitel 3

Bis vor wenigen Tagen hatte die Erinnerung an die Rhône irgendwo in seinem Hinterkopf geschlummert, verblichen wie Fotos, die zu lange in einem Schaukasten der Sonne ausgesetzt gewesen waren. Jetzt, als er sein Gepäck voller Zorn in den Kofferraum knallte, gewannen die Bilder wieder Konturen und Farbe. Vor zehn Jahren hatte ihn sein Vater auf eine seiner Geschäftsreisen mitgenommen, nach Châteauneuf-du-Pape, nach Tavel und Lirac, er erinnerte sich an Namen wie Gigondas und Vacqueyras, wo die Winzer die Namen ihrer Dörfer auf den Etiketten ihrer Weine nennen durften. Damals hatte er auch Alain kennengelernt, Alain Dupret. Sie waren im gleichen Alter, Alain arbeitete bereits im elterlichen Weingut in Lirac mit, in der Gewissheit, eines Tages die Weinberge zu übernehmen sowie die Kellerei weiterzuführen. Bis vor Kurzem waren Thomas' Pläne ähnlich gewesen …

Die Reisetasche mit den persönlichen Dokumenten und seinem Diplom als Önologe kam auf den Vordersitz des Wagens. Zu jener Zeit, damals, vor zehn Jahren, hatte er sich mit dem Gedanken herumgeschlagen, Betriebswirtschaft zu studieren. Aber dann war alles anders gekommen. Beim Praktikum in der Champagne hatte das Unglück sozusagen seinen Lauf genommen, da hatte er Blut geleckt beziehungsweise Champagner, ein Teufelszeug. Er hatte immer geglaubt, dass jeder seines Glückes Schmied sei. Wenn dieser Satz seines Vaters richtig war, was war dann mit dem Unglück? Schmiedete man das auch? Das hatte ihm sein Vater verschwiegen.

Hatte er etwas Wichtiges vergessen? Thomas glaubte, an alles gedacht zu haben, und wenn nicht, so würde er Verena bitten, es ihm nachzuschicken. Die Frau seines Vaters hatte er noch vor ihm in seinem Plan eingeweiht.

Die Rhône – jetzt war sie sein Fluchtpunkt –, dabei hatte er kaum noch eine Vorstellung von diesem Fluss. Alles, was ihm in den Sinn kam, waren die bunten Schönwetterbildchen in den Prospekten und auf den Websites der Winzer. Er hatte immer geglaubt, dass die Rhône im Genfer See entsprang, doch sie kam aus einem Gletscher in den Schweizer Alpen, ähnlich wie der Rhein, nur war die Rhône längst nicht so lang. Weshalb machte er sich Gedanken darüber, wie lang der Fluss war? Es war völlig egal, und es war auch unwichtig, und jetzt, wo er versuchte, sich diesen Fluss vorzustellen, irgendein Bild entstehen zu lassen und es festzuhalten, hatte er wieder den Rhein vor Augen. Der war ihm näher, der war gegenwärtig, drei Jahre lang war er Woche für Woche montags mit der Fähre von Bingen nach Rüdesheim übergesetzt und am Freitag zurückgekehrt. Und wenn es erforderlich gewesen war, hatte er die Fähre am Abend benutzt, nur um über Nacht eine wichtige Arbeit auf dem Weingut zu erledigen, und war am nächsten Morgen – müde wie ein Hund – zurück zur Hochschule nach Geisenheim gefahren.

Ja, die Rhône war verblasst, war zu einem Wort verkümmert, ausgetrocknet, mit diesem Fluss verband sich kein Gefühl. Oder doch? Jetzt, auf dem Weg zu neuen Ufern, nahm die Rhône wieder Gestalt an. Knapp drei Kilometer soll sie von Lirac entfernt sein. Von ihrem Weingut bis zum Rhein war es dreimal so weit. Und Lirac? Alain hatte ihm einige Bilder auf sein Smartphone geschickt: Ein Dorf wie viele, ein französisches, typisch und auch wieder nicht, doch typisch wofür? Das Internet berichtete von 888 Einwohnern. Und eine winzige Kneipe soll es geben, ein Café. Die Kirche interessierte ihn weniger.

Ich muss aufhören zu denken, sagte sich Thomas, ich werde noch irrsinnig, ich muss hier weg, sonst werde ich verrückt.

Leise öffnete er das Tor und warf einen zaghaften Blick zurück auf das Haus. Sein Haus? Nein, das war es nicht mehr, obwohl ihm davon ein Drittel gehörte – auf dem Papier. Blickte ihm jemand nach? Er ärgerte sich, dass er sich das fragte, dass es ihm nicht gleichgültig war, und raste mit dem Wagen bis an den Rand der Landstraße, stieg aus und schloss das Tor, diesmal ohne auf das Haus zurückzuschauen. Nichts gab es hier, bei dem er nicht selbst Hand angelegt hatte, trotzdem wollte er es nicht sehen. Es tat ihm weh, zu gehen, Verzweiflung und Zorn wechselten sich ab. Am liebsten hätte er das Tor zugeschmissen. Was dort drinnen geschah, ging ihn nichts mehr an. Dabei wusste er, dass er sich belog. Denn außer diesem Drecksack und der falschen Schlange wohnten auch sein Vater und Verena dort. Wieso hatten ihn die beiden nicht gewarnt?

Mit quietschenden Reifen fuhr er los, sah sich nicht einmal um, warf keinen Blick mehr auf seine geliebten Weinberge, er starrte zwanghaft auf den Asphalt und fuhr durch das schlafende Dorf, das ihm so blass erschien wie der frühe Morgenhimmel, so ausgestorben wie sein Inneres.

Erst gestern Abend, nach dem Kofferpacken, hatte er es seinem Vater eröffnet. »Ich gehe nach Frankreich, morgen früh fahre ich. Es ist alles mit Alain Dupret besprochen. Du kennst das Weingut. Du hattest früher mit ihnen zu tun. Ich werde dort arbeiten, Alain braucht Hilfe, sein Vater schwächelt, wie er sagte.« Ihm stehe eine kleine möblierte Wohnung zur Verfügung. Die müsse er allerdings von seinem Gehalt bezahlen, was ihm egal war, um Geld war es ihm nie gegangen. »Dann sehen wir weiter …«

Sein Vater war bleich geworden, fassungslos hatte er ihn angestarrt. »Und wir?«, hatte er bloß gefragt. »Und wir?«

Thomas' Achselzucken war kein Zeichen von Gleichgültigkeit, es war vielmehr sein Ausdruck seiner Hilflosigkeit, aber er konnte nicht bleiben.

»Wo willst du hin? Nicht, dass ich dich daran hindern wollte. Aber – wo willst du hin?«

»An die Rhône, zu Alain Dupret, wie ich sagte, mit ihm ist alles besprochen.«

»Ich meine das anders, nicht örtlich, vielmehr …« Sein Vater hatte gestammelt, hatte hilflos gewirkt, so ratlos, wie er ihn nie zuvor gesehen hatte. »Liegt das Weingut nicht, soweit ich mich erinnere, in Lirac?«

Die Frage hatte er nur gestellt, um etwas zu sagen.

Thomas hatte genickt, sein Gesicht so verschlossen wie in den letzten Wochen. Er wusste, was kommen würde, er kannte die Einstellung seines Vaters. Wieso er seinen Traum aufgeben würde.

»Lirac liegt am falschen Ufer der Rhône. Du solltest nach Châteauneuf-du-Pape gehen, ans linke Ufer, da sind die Weine …«

Thomas' Blick, auch wenn er nicht böse war, hatte seinen Vater verstummen lassen. Philipp Achenbach wusste auch keinen Rat, wie er seinem Sohn in dieser Situation hätte helfen können. Die Ereignisse brachten ihr gesamtes Projekt in Gefahr, die Arbeit von Jahren stand auf der Kippe. »Setz dich mit den beiden auseinander, daran kommst du nicht vorbei. Verprügel Manuel von mir aus, aber Flucht ist keine Lösung!«

Was gab es auseinanderzusetzen, wenn man bereits gänzlich auseinandergerückt war? Kamila hatte beschlossen, sich mit seinem besten Freund, seinem ehemaligen Studiengefährten und heutigen Teilhaber ihres Weingutes, zusammenzutun, war von einem Bett ins andere gewechselt und hatte dazu nicht einmal das Haus verlassen müssen, lediglich das

Stockwerk! Gleichzeitig hatte sie jedes Gespräch verweigert. »So ist es eben!« Das war ihr einziger Kommentar. »Ich liebe dich nicht mehr«, hatte sie als fadenscheinige Begründung nachgeschoben. Als wenn das helfen würde. Friss, Vogel, oder stirb. Er hätte Manuel wirklich verprügeln und Kamila rauswerfen sollen. Nichts von beidem hatte er getan, wie gelähmt war er gewesen.

Bad Dürkheim schlief noch, nicht einmal die Bäcker hatten geöffnet. Thomas entschied sich, nicht die Autobahn über Kaiserslautern zu nehmen, sondern über Straßburg und Colmar weiter nach Besançon zu fahren, schnell raus aus Deutschland.

Angefangen hatte alles vor einem halben Jahr, wie er inzwischen wusste, im letzten Herbst, als Manuel die Erbschaft gemacht hatte: zwei Millionen und ein Haus mit Garten am Tegernsee. Er, Thomas, hätte es merken können, es merken müssen. Die Unruhe hatte er gespürt, nur der Grund dafür war ihm nicht klar gewesen. Hätte Manuel nur sein verdammtes Maul gehalten – dann wäre er nie darauf gekommen, wie Kamila wirklich dachte. Hatte sie fünf lange Jahre mit ihm das Leben geteilt und wirklich nur auf diesen Augenblick gewartet? Dass Manuel aus sehr reichem Hause stammte, hatte sie von Anfang an gewusst …

Auf der A65 bis Kandel herrschte kaum Verkehr, er hatte fast das Gefühl, wie in Trance zu fahren, unwirklich zog die Landschaft an ihm vorbei, als würde die Erde unter ihm weggedreht. Sein gebrauchter Kombi machte noch gut seine hundertfünfzig.

Ihre Klagen über die Fülle der täglichen Arbeiten auf dem Weingut hatten sich gehäuft, er hatte ihre Lustlosigkeit gespürt, sich dem Diktat dieses Betriebs zu beugen, ihre Einsicht in das Notwendige hatte im Vergleich zu ihrem anfänglichen – vorgespielten? – Enthusiasmus deutlich abgenommen. Sie hatte weniger Zeit für ihn gefunden, und es war ihm nicht aufgefallen, dass sie sich an Manuel herangemacht hatte. Und er, Thomas Achenbach, war der Idiot, der Stiesel, schwer von Begriff, hatte sich darüber gefreut, dass sein bester Freund sich mit seiner Freundin so gut verstand. Bis er sie vor einer Woche im Keller überrascht hatte, im Keller …

»Als Nächste seid ihr dran«, hatte Verena noch lachend an dem Tag prophezeit, an dem sie seinen Vater geheiratet hatte. Das war vor drei Jahren gewesen. Verena war schwer in Ordnung, sie war pfiffig, das musste sie bei seinem Vater auch sein. Er hatte nicht auf sie gehört, und Kamila war ihm nie mit Heiratsplänen gekommen. Hätte ihn das stutzig machen müssen? Wie konservativ sie dachte, hatte er erst im Laufe der Zeit begriffen, katholisch und konservativ, so wie ihre gesamte Familie. Sie hatte ihm unmissverständlich klargemacht, dass ihre gemeinsame Zeit zu Ende war und sie jetzt mit Manuel zusammen sei, sie müsse ihr Herz sprechen lassen. Es sprach auf Geld an – wie Thomas einsehen musste –, es schlug mit erhöhter Frequenz.

Die Szene im Keller hatte er noch immer vor Augen: Rechts standen die neuen Barriques, links die Fuder mit dem Riesling vom letzten Jahr. Er gärte noch, ab und zu stieg ein Bläschen durchs Gärröhrchen, und in der Stille nach der grausigen Eröffnung hatte Thomas das Blubbern hören können.

Manuel hatte schweigend zu Boden gestarrt, seine Fingernägel betrachtet und gelangweilt getan, hatte dann Kamila angeblickt und sie bewundert, dass sie sich der Konfrontation stellte. Bei starken Frauen wurde Manuel schwach. Also war alles von ihr ausgegangen, er hatte sich wieder gefügt, so wie bei Alexandra. Offensichtlich hatte Manuel aus der damaligen Katastrophe nichts gelernt. Änderten sich die Menschen niemals? Lernten sie nichts dazu?

Thomas dachte darüber nach, welches Schimpfwort auf Manuel passte. Er fand keines. Waschlappen? Das war altmodisch, aber es traf den Kern. Oder das, was ich dafür halte, sagte er sich.

Von Kandel aus stellte ein Stück Landstraße die Verbindung zur Autobahn nach Straßburg her. An der Grenze stauten sich die Wagen, seit der Anschläge in Paris und Nizza wurde wieder an der Grenze kontrolliert. Sie kontrollierten immer zu spät. Hier liefen die Polizisten mit umgehängten Maschinenpistolen herum, als würden sich Terroristen zur Passkontrolle anstellen.

Hinter der Grenze atmete er auf, als wären seine Probleme zurückgeblieben, als gelänge es ihm, sich davonzustehlen. Er wich aus, klar, gleichzeitig wusste er, dass er in Gesellschaft von Manuel und Kamila, die ihm den Teppich unter den Füßen weggezogen hatten, niemals zu einer vernünftigen Entscheidung kommen würde. Es ging um sein Haus, seine Kellerei und seine Weinberge. Fünf Jahre hatte er dafür geschuftet. Nein, er würde den beiden das Weingut niemals überlassen. Sein Vater würde auch nicht mitspielen. Die beiden mussten gehen. Dann jedoch würde Manuel seine Investitionen zurückfordern, und ihn auszuzahlen, war bei ihrem Schuldenberg unmöglich. Sie würden verkaufen müssen.

Zwei Millionen hat Manuel geerbt, dachte Thomas, fast drei, als er durch Straßburg fuhr. Dagegen gab es keine Argumente. Woher hatte Kamila es gewusst? Lediglich sein Vater Philipp und er selbst hatten die Summe gekannt, sie sollten es für sich behalten, so war es abgesprochen. Dabei war die Erbschaft dieser Großtante erst der Anfang. Von seinem Vater, obwohl mit ihm zerstritten, hatte Manuel weit mehr zu erwarten. Thomas hingegen musste sich krumm machen und hatte für die nächsten zwanzig Jahre Schulden, ach, für dreißig …

Zwei Millionen waren selbst für die stärkste Liebe zu viel, wenn sie ihn denn geliebt hatte. War alles eine Farce gewesen, war Manuel schon immer Kamilas Ziel gewesen, und er hatte lediglich als Brücke fungiert? Konnte man sich selbst fünf Jahre lang etwas vormachen? Er war zu beschäftigt mit dem Aufbau ihres Weingutes gewesen, mit dem Studium und wollte das anwenden, was er gelernt hatte. Einen Weinstock wachsen und Früchte tragen zu sehen, war spannend – nein, eben nicht für jeden. So zu denken war sein Fehler gewesen. Er hatte die letzten Jahre nichts anderes gekannt als Arbeit.

Es war nicht richtig, dass er jetzt ging, aber er konnte nicht anders. Es war Mitte Mai, der Austrieb der Reben hatte vor drei Wochen eingesetzt, er hatte bereits fünf Blätter am Trieb gezählt, für Mitte Mai war das ideal. Der Weinberg war seine Domäne. Manuel hingegen fehlte die geübte Hand, ihm fehlte die Ausdauer, und Kamila hatte sich immer geziert, draußen zu arbeiten. Thomas hingegen war schnell, konnte gut allein arbeiten, ging rasch vor, geplant, seine Hand war sicher, wusste, wohin sie greifen musste. Beim Winterschnitt war er dabei, egal, bei welcher Temperatur, und auch wenn sie bezahlte Helfer einsetzten, begleitete er sie bei der Arbeit.

In Lirac würde es ähnlich sein, hoffte er. Nur die dortigen Rebsorten waren ihm ein Rätsel. Ihre Namen kannte er, jedoch nicht ihre Eigenschaften. Er hatte die Weine von dort probiert, auch die von Alain Dupret, die ihm gefallen hatten, andernfalls würde er nicht zu ihm fahren. Vielleicht würden sie Freunde werden? Er würde sich rasch eingearbeitet haben, denn wenn er wütend war, das wusste Thomas, arbeitete er doppelt so gut und doppelt so schnell. Zu Hause werden sie feststellen, wie sehr ich fehle, dachte er mit Genugtuung und schämte sich gleichzeitig für sein Selbstmitleid. Ach, es war zum Kotzen.

Es war falsch, dass er Manuel das Feld überließ. Doch der Abstand war nötig. Er brauchte eine andere Welt um sich, eine andere Landschaft, andere Weinberge, sogar eine andere Sprache, Gesichter, die er nicht kannte, Menschen, die er nie zuvor gesehen hatte und die ihn forderten, ihn auf andere Gedanken brachten, andernfalls würde er verrückt werden. Außer Alain kannte er nur dessen Vater. Von seiner Schwester Marianne hatte Alain erzählt, als sie sich auf irgendeiner Weinmesse getroffen hatten, zuletzt im März in Düsseldorf, aber da war die Katastrophe noch nicht offenkundig gewesen, zumindest nicht für ihn. Und jetzt, zwei Monate später, ließ er ein Trümmerfeld zurück. Erst wenn Manuel und Kamila für immer verschwunden wären, würde er zurückkommen, das hatte er seinem Vater gesagt, als der meinte, er müsse das alles mit Manuel ausmachen. Doch Manuel war nicht nur feige, er war schwach, ein Schwächling, schon damals, als er sich nicht einmal gegen falsche Vorwürfe hatte zur Wehr setzen können.

Langsam rollte Thomas auf die Mautstelle zu, hielt vor der Schranke, schob seine Kreditkarte falsch herum in den Schlitz, die Fahrer hinter ihm hupten, dann brachte er die Karte richtig herum hinein, die Schranke öffnete sich, und die neunspurige Fahrbahn schrumpfte wieder auf zwei Spuren zusammen. Das Schild am Straßenrand sagte ihm, dass es noch zweihundert Kilometer bis nach Lyon waren, bis nach Lirac war es noch einmal genauso weit. Es war an der Zeit, eine Pause einzulegen, an diesem strahlenden, viel zu schönen Tag, doch erst kurz vor Beaune im Burgund hielt er an einem Rasthaus.

Der Kaffee war gut, das Croissant bedeutend schmackhafter als das von ihrem Bäcker, die anderen Gäste schienen guter Stimmung, und er freute sich, ihre Sprache zu hören. Bei ihrem Klang fühlte er sich leichter, sie schoben die düsteren deutschen Worte, die er in seinem Kopf wälzte, beiseite. Französisch war nach Englisch seine zweite Fremdsprache gewesen, Frankreich war im Zusammenleben mit seinem Vater und wegen dessen Beruf als Einkäufer französischer Weine immer präsent, wie ein guter Nachbar. Und mit seinem Freund Pascal Bellier, dem sie wegen seines Übereifers bei der Polizei in Metz ständig mit Rausschmiss drohten, sprach er sowieso nur Französisch.

Von Lirac aus rufe ich ihn an, sagte sich Thomas, vielleicht kommt er ein Wochenende runter, besucht mich, mit Pascal konnte er über alles reden. Erleichtert über diese Idee fuhr er weiter. Die Tafel Schokolade auf dem Beifahrersitz reichte ganze fünf Minuten, danach war ihm schlecht, aber er musste sich auf den Verkehr konzentrieren. Lyon kam in Sicht, das Navi führte ihn über Schnellstraßen und Autobahnen um die Stadt herum und zuletzt durch sie hindurch. Dann war die Rhône da, gewaltig, eindrucksvoll, tief und breit zwängte sie sich durch ein Tal, die Autobahn wechselte vom einen aufs andere Ufer und wieder zurück. In der warmen Sonne des Nachmittags lagen die ersten Weinberge da, steil und grün und Vertrauen erweckend. Dort, wo der Wein wuchs, fühlte er sich zu Hause. Zum ersten Mal auf dieser Fahrt keimte etwas wie Neugier in ihm auf, gepaart mit der Erwartung auf Alain und die Menschen, die er in Lirac treffen würde, und die Aufgaben, die sich ihm stellen würden. Dem fühlte er sich gewachsen, im Gegensatz zu dem, was Kilometer um Kilometer weiter hinter ihm zurückblieb. Die Zweifel, die Krise zu bewältigen, schwanden nicht, aber das Licht des Südens, warm und weich gegen Abend, überzog die Hügel und Ebenen mit einem rötlichen Hauch.

Der Verkehr rollte auf der dreispurigen Strecke gemächlich dem Mittelmeer zu, nie schneller als hundertzehn Stundenkilometer, und Thomas stellte zum ersten Mal, seit er losgefahren war, das Radio an. Die Musik hob seine Laune weiter, schließlich befand er sich auf der Autoroute du Soleil und fuhr der Sonne entgegen. Vielleicht finde ich eine Lösung, dachte er, vielleicht gibt es einen Weg. Nichts lässt sich ungeschehen machen, von vorn kann man nie beginnen, aber es gibt Anfänge für etwas Neues. Nein, mein Weingut werde ich nicht aufgeben, es niemals Manuel überlassen. Der hätte nicht die Kraft, es mit Philipp zu führen, ihm täglich gegenüberzutreten und seine Auffassung vom Wein durchzusetzen. Dabei war Manuel ebenfalls Önologe, sie hatten gemeinsam studiert und zusammengewohnt.

Die beiden weißen, schräg stehenden Wolken rechts der

Autobahn ließen Thomas stutzen. Wolken dieser Form standen über Kühltürmen. Und eine Minute später sah er sie tatsächlich und erinnerte sich mit Schrecken, dass zwischen Lyon und dem Mittelmeer vier Atomkraftwerke am Ufer der Rhône standen. Zwei weitere standen östlich von Lyon. In Avignon sollte es Messstationen für Radioaktivität geben, doch wenn dort die Geigerzähler tickten, war es bereits zu spät.

Hinter der Ausfahrt Montélimar-Nord kamen die vier Kühltürme von Cruas in Sicht, bedrohlich, gefährlich und noch gewaltiger als die vorherigen, ein stilles Glühen, das bei dem kleinsten technischen Defekt oder bei geringstem menschlichem Versagen in einem finalen Inferno enden würde. Tschernobyl war jüngst wieder für hundert Jahre versiegelt worden und kochte doch weiter. Philipp hatte ihn früh auf die Gegnerschaft eingeschworen, er war ein glühender Verfechter erneuerbarer Energien, für ihr innovatives Energiemanagement auf dem Weingut waren sie ausgezeichnet worden. Und hier, wo die Sonne endlos schien, wo waren die Sonnenkollektoren? Nichts, nirgends, auch keine Windräder. In jedem pfälzischen Dorf gab es mehr. Doch, bei Tricastin kamen drei oder vier in Sicht, auf der anderen Seite des Kanals, gegenüber dem AKW. Hier standen nur zwei Kühltürme. Die dazugehörigen Anlagen verschleierten mit ihrem zivilen Aussehen die lauernde Gefahr. Wollte die französische Regierung das Rhônetal verseuchen? Hier hatten bereits die Phönizier fünfhundert Jahre vor Christus die ersten Reben gepflanzt. Die Römer taten es ihnen nach, bis Tricastin unter ihrer Herrschaft eines der wichtigsten Weinbaugebiete im besetzten Gallien wurde.

Seit dreitausend Jahren waren die Völkerscharen durch dieses Tal gezogen: Ligurer, Kelten und Griechen. Hannibal soll hier in der Nähe mit seinen Elefanten die Rhône überschritten haben, Römer eroberten die gesamte Provence, dann herrschten die Goten, ihnen folgten die Franken, dann kamen Araber und Burgunder, und für vierhundert Jahre markierte die Rhône die Grenze zwischen Frankreich und dem Heiligen Römischen Reich Deutscher Nation. Sieben Päpste ließen sich nicht lumpen und mischten mit, dann prügelten sich die Habsburger hier mit den Bourbonen. Natürlich durfte Napoleon im Reigen des allgemeinen Gemetzels nicht fehlen, und zuletzt marschierten 1942 deutsche Truppen hier durch.

Ein einziger Störfall, und das Rhônetal wäre erledigt, für Touristen oder für Urlauber auf der Durchreise zum Mittelmeer. Und keine Sau würde jemals wieder eine Flasche mit der Herkunftsbezeichnung Côtes du Rhône anrühren, geschweige denn öffnen. Fünfzigtausend Hektar, das entsprach der Hälfte des deutschen Weinanbaugebietes, wären verseucht, siebentausend Weinbaubetriebe und Kellereien könnten dicht machen und die Jahresproduktion von vierhundert Millionen Liter gleich in die Rhône schütten.

Wenn ich weiter so denke, kann ich gleich umkehren, sagte Thomas sich, lieber verdränge ich das alles, so wie die Einheimischen hier, die ihre nukleare Umgebung fatalistisch hinnahmen wie die Urmenschen den Säbelzahntiger. Trotzig fuhr er weiter, insgeheim auf die Kühltürme oder Schornsteine der Anlage von Marcoule wartend, wo bis vor einigen Jahren einerseits Strom produziert und andererseits Tritium für Wasserstoffbomben hergestellt wurde. Von Protesten der Bevölkerung hatte Thomas nie gehört. Alain Dupret müsste es wissen, der schien ihm an derartigen Fragen interessiert zu sein. Aber gegen den französischen Staat aufbegehren?

»Das ist völlig zwecklos«, hatte Pascal Bellier Thomas deutlich zu verstehen gegeben. »Frankreich ist ein Klassenstaat: konservativ, zentralistisch, militaristisch und träumt von längst vergangener Grandezza.«

Von Marcoule bekam Thomas nichts zu sehen, der Fluss war zu weit entfernt, das AKW lag am jenseitigen Ufer, und er musste sich konzentrieren, denn die Autobahn teilte sich.

Links ging es an Avignon vorbei nach Marseille, er hingegen hielt sich auf der Languedocienne, verließ am Péage Roquemaure die Autobahn – und zahlte die Maut. Über sein Gehalt hatte er mit Alain nicht gesprochen. Es war ihm egal, was er verdiente, auf jeden Fall würde das Geld knapp werden, er musste seine Kohle zusammenhalten, das war er gewohnt. Von zu Hause war nichts zu erwarten, er würde sich hüten, seinen Vater danach zu fragen, obwohl ihm ein Teil der Einnahmen aus den Verkäufen zustand. Wenn sein Vater eine Arbeitskraft einstellen musste, würde zuerst die davon bezahlt.

Die Beschilderung war hilfreich, und Thomas fand sofort den Wegweiser nach Lirac, wo er fünf Minuten später ankam.

Das Weingut war ein ehemaliger Bauernhof. Noch vor drei Generationen hatten Alains Vorfahren Milchwirtschaft betrieben, Schweine gehalten, Getreide und Gemüse angebaut und Wein für den Eigenbedarf produziert. Im Laufe der Jahrzehnte hatten sein Großvater und auch der Vater die Produktion umgestellt und sich spezialisiert, wie so viele ehemalige Bauern hier im Gard. Nach dem Zweiten Weltkrieg hatte ihnen die Landflucht geholfen, ihren Besitz zu vergrößern, sie hatten den Kleinbauern das Land abgekauft, das diese nicht mehr bearbeiten wollten.

Das eiserne, mit Stacheln besetzte Tor war offen, und im Hof stand neben einem Lieferwagen und zwei Pkw der Traktor mit dem Gebläse zum Ausbringen der Bordelaiser Brühe. Das Gerät mit seinen vier oder sechs Armen erinnerte Thomas immer an die indische Göttin Kali, den Tod verkörpernd und gleichzeitig die Kraft der Erneuerung. Auf dem Schutzblech wie auch an der Heckklappe eines der Autos entdeckte Thomas einen bekannten Aufkleber: die lachend rote Sonne und darüber das Wort *Nucléaire*? Darunter: *Non Merci*. Hier war er richtig.

Unter Kali, anders als in der indischen Mythologie, ragte

nicht Shiva heraus, sondern ein Paar langer Beine in Jeans. Daneben stand eine Werkzeugkiste. Das war wie zu Hause, es war eine Umgebung, die Thomas lächeln ließ, und gleichzeitig gab ihm die Szene einen Stich.

»Bonjour, mon ami.«

Sein Gruß ließ die Beine zappeln, und ein schlaksiger junger Mann mit einem Ölstreifen im Gesicht robbte unter dem Traktor hervor. Alain rappelte sich auf und wollte mit ausgebreiteten Armen auf seinen neuen Mitarbeiter zugehen, besann sich aber, als er seine schmutzigen Hände sah.

Thomas zeigte auf den gelben Anti-Atom-Aufkleber.

»Das kommt davon, wenn man einen General zum Präsidenten macht«, sagte Alain. »Charles de Gaulle hat das Atomwaffenprogramm einst gestartet. Unter Georges Pompidou, vorher als Bankier bei den Rothschilds, wurde das zivile Atomprogramm geschaffen, in erster Linie, um kernwaffentaugliches Plutonium und Tritium herzustellen. *Voilà!*«

Sie hatten sich lange nicht gesehen, die Freundschaft war nicht so gefestigt, dass Thomas sofort in die Atom-Debatte eingestiegen oder mit unter den Traktor gekrochen wäre und sich an der Reparatur beteiligt hätte. Alain schien es ebenso zu betrachten, deshalb fragte er Thomas ein wenig befangen, wie die Reise gewesen sei und ob er einen Kaffee anbieten könne. Er nahm ihn mit in die große Küche, wo er ihn seiner Mutter vorstellte und wo es angenehm duftete, denn Madame Dupret bereitete das Abendessen. Und während erst einmal die Kaffeemaschine ihre Arbeit tat, sagte Madame Dupret, wie froh sie seien, dass er ihnen zu Hilfe komme, denn wegen der Krankheit ihres Mannes blieben viele Arbeiten unerledigt.

»Sie werden es selbst sehen, Alain zeigt Ihnen alles, der arme Kerl schuftet nur noch, hat kein Wochenende mehr frei, und gut ausgebildete und zuverlässige Arbeitskräfte sind schwer zu bekommen. Mein Mann, Donatién, kümmert sich derweil um die leichte Arbeit, er darf sich nicht anstrengen.«

Alain war aus dem Bad gekommen.

»*Bienvenue!*« Jetzt ging er mit offenen Armen auf Thomas zu, umarmte ihn, wies auf einen Stuhl an dem Tisch, an dem mindestens acht Personen Platz fanden, und schob Thomas den Kaffee zu.

Alain war kaum kleiner als Thomas, er wirkte jedoch untersetzt und stämmig, der Körper eines Bauern mit dem Kopf eines Intellektuellen, dachte Thomas und betrachtete die Hände, die gut zupacken konnten. Seine Augen strahlten eine gewisse Wurstigkeit aus, als würde kaum etwas existieren, das ernst genommen zu werden sich lohnte, und als sei ihm keine Aufgabe zu schwer. Gleichzeitig waren sie wachsam, ein Funken von Misstrauen glomm in ihrem Hintergrund, Bauernschläue, er war jemand, der nicht alles glaubte, was man ihm erzählte.

Er hielt seine Neugier glücklicherweise zurück, bis seine Mutter die Küche verließ. Dann ließ er sich von Thomas die Hintergründe seines übereilten Aufbruchs schildern. Thomas begann zögerlich, zum einen kannte er Alain nicht so gut, zum anderen wollte er andere Menschen nicht mit seinen Problemen belästigen, doch Alain fragte nach, er wollte mehr wissen, zum Beispiel, wieso Thomas diese Kamila nicht durchschaut hatte. Und was er gar nicht verstand, war, dass man seinen Besitz kampflos aufgab.

»Du wirst jetzt annehmen«, sagte Thomas schließlich zu Alain, »dass ich nur so lange bleibe, bis die Situation zu Hause geklärt ist. Das ist richtig und falsch. Wenn ich sage, ich bleibe ein halbes Jahr, also bis November, dann kannst du dich darauf verlassen. Bis dahin habe ich längst entschieden, ob ich länger bleibe. Das hängt auch davon ab, ob du jemanden findest, der deinen Vater ersetzt.«

»Der ist unersetzlich.« Das war mit viel Ernst vorgebracht. »Außerdem stehen uns seine Erfahrungen zur Verfügung. Er kann zwar keinen Traktor mehr fahren und mit seinem Rücken keine Kiste voller Trauben mehr heben, aber ein Glas kann er halten, und bei der Zusammenstellung der Cuvées ist er unentbehrlich. Ohne ihn wäre ich aufgeschmissen. So weit bin ich längst nicht. Wir arbeiten hier mit Grenache, mit Cinsault, Syrah und Mourvèdre. Auch bei den Weißen machen wir keinen rebsortenreinen Wein, wie ihr in Deutschland. Meine Cuvée enthält Bourboulenc, Grenache blanc, Roussanne und Clairette.«

Dann sprach er über die Familie und ihr kompliziertes Gefüge. Sein Vater komme gleich, er nehme neuerdings Alains Mutter die Arbeit weg. »Er hat das Kochen entdeckt und imitiert die großen Sterneköche. Er ist einer der wenigen Menschen, die ich kenne, die sich einen Geschmack vorstellen und ihn dann auch erzeugen. Das gilt fürs Essen wie für den Wein. So, jetzt zeige ich dir dein Quartier.«

Sie traten aus dem rückwärtigen Tor und standen vor einem wogenden Meer grünen Weinlaubs. Von dort ging der Blick, wie sollte es anders sein, auf einen steil ansteigenden bewaldeten Hang, darüber stand senkrecht eine graue Wand.

»Kalkstein ist das, zu Urzeiten war hier ein Meer. Der Kalk im Wasser und der von Schalentieren haben in Jahrmillionen das Massiv geformt. Wir haben ganz andere Böden hier, du wirst es sehen, morgen zeige ich dir alle unsere Lagen. Jetzt richte dich ein, wir essen gegen acht Uhr. Dabei machen wir dann die erste Probe. Von allen Weinen findest du jeweils einen in deinem Apartment.«

Die Anderthalb-Zimmer-Wohnung lag im ersten Stock des seitlichen Anbaus. Alain trug einen der Koffer hinauf. Die Einrichtung war simpel, geradezu spartanisch, Ikea gab's auch in Frankreich. In das halbe Zimmer passten gerade mal Bett und Kleiderschrank, Duschbad und Toilette waren glücklicherweise getrennt. Die Kochzeile befand sich im Wohnzimmer, man war vom Herd mit zwei Schritten am Esstisch, und vor dem Fenster stand ein Tischchen mit zwei Sesseln. Von dort schaute Thomas auf eine Reihe von Zypressen, dahinter führte ein Weg vor einer hohen Mauer entlang.

»Sie gehört zum Château des Trois Verres, Besitzer ist Gustave Vitrier, ein ziemlich guter Typ, er hat viel drauf, ist hilfsbereit, hält viel von guter Nachbarschaft und hat meistens gute Laune. Du wirst ihn kennenlernen. Wir arbeiten häufig zusammen. Sein Bruder Maurice ist ziemlich berühmt, und seine Weine sind sehr gefragt. Was wir für fünfundzwanzig Euro verkaufen, reißen ihm seine Kunden für siebzig aus den Händen. Ihm gehört das Château des Trois Anges drüben in Châteauneuf-du-Pape, am anderen Ufer.«

Thomas fiel auf, dass Alain über diesen Maurice keine Bewertung abgegeben hatte. War er neidisch auf ihn, oder konnte er ihn aus einem anderen Grund nicht leiden?

Thomas' Zweifel, seinen kritischen Blick interpretierte Alain anders. »*Bon courage, mon ami*«, sagte er. »Kopf hoch! Jemand wie du findet sich hier bestimmt gut zurecht.«

Kapitel 4

Simone liebte den frühen Morgen. Die Welt war sauber, sie war frisch, der Tag erst angebrochen und noch gesund, nicht verschmutzt von Lügen, von vielen dummen Worten, die sie als Beleidigungen verstand, obwohl sie für andere normal waren. Ihr Bruder hatte sich über sie lustig gemacht, wenn sie früh aufgestanden war und derartige Gedanken geäußert hatte. Er hatte ihr ein grandioses Scheitern vorausgesagt, wenn sie bei dieser Einstellung bliebe.

»Damit kommt man nicht durchs Leben«, lautete einer seiner dämlichen Sprüche. Er war ein Klugscheißer, gerade mal zwei Jahre älter als sie, und meinte zu wissen, wie das Leben funktionierte. »Nur die Arten, die es geschafft haben, sich anzupassen, konnten überleben.«

Er war ein Idiot. Sie sei nicht von dieser Welt und nicht für dieses Leben geschaffen, sie sei zu gut dafür, dabei zog er das »zu gut« stets ins Lächerliche. Daniel hatte den Hasstiraden ihrer Großmutter zu oft gelauscht, von ihr hatte er die negativen Weisheiten bezogen, die niemandem halfen. Seine bösartigen und verletzenden Angriffe hatten letztlich dazu geführt, dass sie sich nicht nur von ihm immer mehr zurückgezogen hatte. Dabei war er doch ihr Bruder! Es machte sie traurig, mutlos, niedergeschlagen.

Doch nicht an Tagen wie diesem. Sie konnte sich dagegen wehren, sie wusste, wo sie war, und sie wusste, dass sie genau hier richtig war. Wenn sie den Tag auf diese Weise beginnen konnte, war er gerettet. Dann konnte nichts schiefgehen.

Wie immer glitten ihre Hände flink an den Stöcken und Trieben entlang, fanden sicher alles Überflüssige und brachen es aus. Gegen sieben Uhr würde Martin zu ihr stoßen, er schlief für gewöhnlich etwas länger, gerade nach einer langen Reise. Sie würden zusammen bis neun Uhr arbeiten, dann hatte Charlotte das Frühstück fertig. Wenn auch sie hier draußen oder in der Garage mitarbeitete, gingen sie vormittags zu Lisette hinauf, zu Charlottes Mutter, die an solchen Tagen »die Versorgung der Equipe«, wie sie es nannte, übernahm. Vor niemandem hier brauchte sie ein Blatt vor den Mund zu nehmen, wie die Deutschen es ausdrückten. Deutsch war in der Schule ihre zweite Fremdsprache gewesen, das war natürlich Martin geschuldet. Wäre er nicht gewesen, sie hätte sich für Spanisch entschieden. Es war bedeutend einfacher zu lernen. Da oben bei Lisette und Jérôme konnte sie sagen, was sie dachte, tun, wonach ihr der Sinn stand, und mochten ihre Fragen noch so abwegig sein, sie wurden beantwortet.

Doch seit Martin und Charlotte die unselige Debatte über ein Praktikum vom Zaun gebrochen hatten, fühlte sie sich unsicher und fremd, zumal auch Charlottes Eltern gleicher Ansicht waren. Und in ihr tobten die Widersprüche. Es gab dieses Einerseits und Andererseits, ein Möglicherweise, ein Obwohl und das Hingegen. Es waren zu viele Zweifel. Sie liebte es eindeutig. Gedankenverloren war Simone stehen geblieben. Der Rebstock vor ihr sah nicht gesund aus, für seine achtzehn Jahre zu mickerig, auch im Vergleich zu den anderen. Zeigte er die ersten Symptome von Esca? Sie notierte seine Position, damit sie Martin sagen konnte, wo sie einen neuen Stock zu pflanzen hätten. Mit den Krankheitsbildern von Rebstöcken kannte sie sich kaum aus. Es gab so viele Krankheiten …

Die Gedanken daran, was sie alles nicht wusste, hatten sie gestern lange am Einschlafen gehindert. Insgeheim war sie Martin böse, dass er diese Praktikumsdebatte losgetreten hatte. Es war unfair, ihr, die gerade mal dreiundzwanzig Jahre alt war, Unkenntnis vorzuwerfen. Nein, er warf es ihr nicht vor, niemand warf es ihr vor, sie selbst tat es. Ach, es war schrecklich …

Ja, sie hatten recht, in allem, was sie sagten, sicher, aber sie wollte einfach nicht weg. Wenn sie Saint-Émilion verließe, würde sie vor Heimweh umkommen, egal, wie lange sie bliebe, wie damals, als sie hier weggezogen waren. Martin hatte ihr sogar ein Praktikum in Deutschland vorgeschlagen, im Rheingau, in Rheinhessen – was für ein absurder Gedanke. Da würde sie noch einsamer sein. Konnten Martin und Charlotte sie nicht so lassen, wie sie war und wo sie war? Musste ständig jemand an ihr herumzerren und herumerziehen, sie weiterbilden wollen?

Zu allem Unglück hatte Charlotte damit angefangen, dass sie woanders vielleicht einen netten jungen Mann kennenlernen würde, der sie bestimmt auf andere Gedanken brächte. Nein. Ihre ersten Erfahrungen mit netten jungen Männern hatten in einem Desaster geendet. Betrunkene Kerle von zwanzig Jahren waren grauenhaft. Besonders seit ihren Erfahrungen mit ihrem Bruder und den beiden nichtsnutzigen Sprösslingen ihres Stiefvaters machte sie einen Bogen um nette junge Männer. Sie waren selten nett. In ihrer präpotenten Art gingen sie ihr nur auf die Nerven. Auch die sogenannten Jungwinzer, die Shootingstars, die meinten, den Wein erfunden zu haben und dass die Menschheit in den Jahrhunderten zuvor lediglich Fusel getrunken habe, bildeten keine Ausnahme.

Simone erschrak, denn das, was sie eben gedacht hatte, war das beste Argument, dass es auch für sie an der Zeit war, sich anderswo umzuschauen. Dann zögerte sie, sich dieser Vorstellung weiter hinzugeben, und erinnerte sich, wie entgeistert Martin gestern Abend aus dem Büro gekommen war, nachdem er diesen Didier Lamarc angerufen hatte. Zuerst hatte er sie und Charlotte wortlos angestarrt, verwirrt und erschrocken, ihnen von dem Verschwinden des Winzers erzählt, den restlichen Abend war er in sich gekehrt geblieben.

Einen Moment lang hatte sie sich gefreut, als er sagte, dass aus ihrem Praktikum bei Lamarc nichts würde, doch als er den Grund nannte, war auch sie entsetzt. Was bedeutete es, wenn jemand seit zwei Jahren verschwunden war, ohne dass irgendjemand ein Lebenszeichen von ihm erhalten hatte? Entweder, so jedenfalls sah Martin den *Fall*, wie er es nannte, war Monsieur Lamarc freiwillig gegangen. Das aber konnte Martin sich kaum vorstellen. Ein Winzer, der soeben den wichtigsten Wettbewerb seiner Appellation gewonnen hatte, verschwand nicht spurlos. In das, was möglicherweise in der Familie vorgefallen war, hatte natürlich ein Außenstehender keinen Einblick. Und wenn er nicht freiwillig gegangen war?

»Das Schlimmste für die Angehörigen ist die Ungewissheit.« Charlotte sah es wie üblich politisch. Von ihrer Arbeit her kannte sie viele ähnlich geartete Fälle aus den Diktaturen und den sogenannten Demokratien der Dritten Welt.

»Man fragt sich, wo der oder die Verschwundenen sind, ob sie entführt wurden, von wem, weshalb, ob sie ermordet wurden, ob es einen persönlichen oder politischen Hintergrund gibt, denn in einigen Ländern werden auch private Fehden auf diese Weise ausgetragen. Dann kommen die Zweifel. Mir erzählte eine Mutter, dass sie noch zwanzig Jahre nach dem Verschwinden ihres Sohnes zusammenzuckte, wenn es an der Tür klingelte. Es könnte er sein. Die Hoffnung bleibt immer.«

Martin hatte wenig gesagt, er wirkte niedergeschlagen. Das Verschwinden von Didier Lamarc ging ihm anscheinend sehr nahe, obwohl er ihn, wie er erklärte, nur flüchtig gekannt hatte. Lediglich ein einziges Mal hatte er ihn auf seinem Weingut in Châteauneuf-du-Pape besucht, so wie er damals, zu Zeiten seines Weinhandels, die meisten Winzer besuchte, deren Weine er vertrieb. Dann hatte es noch einige Zusammentreffen bei Veranstaltungen gegeben.

Simone war nicht weiter in ihn gedrungen, es schien ihr unpassend, sie hatte auch nicht gefragt, ob nun, da der Kontakt hinfällig geworden sei, sie besser hierbliebe oder andere Praktikumsplätze in Betracht kämen. Martin wirkte viel zu abwesend, als dass ein Gespräch weiterführend gewesen wäre, und für sie wäre es beschämend gewesen, in irgendeiner Weise zu triumphieren. Vielmehr spürte sie, dass die Verpflichtung gewachsen war, jetzt erst recht ein Praktikum zu beginnen.

Martin hatte sich ins Büro verzogen und darum gebeten, ihn allein zu lassen, er habe zu arbeiten, müsse die Unterlagen seiner Reise auswerten, was weder sie noch Charlotte ihm glaubten. Mit ihr zusammen räumte sie den Tisch ab und die Küche auf. Es war klar, dass sich ihr Gespräch weiter um dasselbe Thema drehte.

»Man müsste mehr über die Umstände wissen«, hatte Charlotte gesagt, »über die persönlichen Verhältnisse, die Hintergründe. Wenn jemand verschwindet, muss es sich nicht unbedingt um ein Verbrechen handeln. Wer weiß, es kann durchaus sein, dass sein Weingut überschuldet war und er sich keinen anderen Ausweg vorstellen konnte, als unterzutauchen. Oder er hat eine andere Frau kennengelernt und betreibt jetzt mit ihr ein Weingut in Georgien?«

»So etwas passiert wirklich?« Simone konnte es sich nicht vorstellen. Sie war entsetzt. »Das wäre doch die allergrößte Schweinerei, die man sich vorstellen kann. Er hat Kinder und eine Frau …«

Charlotte hatte sie beruhigt und gemeint, dass sie es nicht auf Didier Lamarc bezogen, sondern ganz allgemein gesprochen hätte. »In jedem Jahr verschwinden einige Tausend Menschen in unserem Land. Manche bereiten ihren Abgang jahrelang vor, andere wieder entscheiden sich spontan zu einem derartigen Schritt.«

Langsam richtete Simone sich auf, sie stand am jenseitigen Ende der Rebzeile und blickte über das dichter werdende

Weinlaub in Richtung Haus. Von dort kam Martin auf sie zu. Aber er bog noch einmal ab und strich aufmerksam durch die vorderen Rebzeilen.

»Gut hast du es gemacht«, sagte er, als er auf gleicher Höhe war, nur getrennt durch eine Rebzeile. »Sehr gut. Das hätte niemand besser hingekriegt. Diese Reihe bringen wir gemeinsam hinter uns, dann kriegt jeder seine eigene.« Er bog das Laub zurück, das über Nacht zu wachsen schien, und begann mit der Arbeit.

Simone empfand das Schweigen als bedrückend, sie musste etwas sagen. »Wann kommt eigentlich dieser Journalist?« Wie Charlotte versprach sie sich vom Interview Vorteile für das Weingut, denn es konnte nicht sein, dass anders als positiv über ihre Weine berichtet wurde. Sie hielt Martins Haltung für falsch.

Er aber blickte sie zerknirscht an. »Ich halte wenig von derartigen Interviews. Diese Leute schneien hier rein, alles muss schnell gehen, sie verbreiten eine Aura der Hektik und Wichtigkeit und haben bereits den nächsten Termin im Kopf. Sie rattern ihre Fragen herunter und probieren auf die Schnelle, ohne den Blick vom Laptop zu heben, und zu den Fragen gehört in unserem Fall selbstverständlich die Geschichte deines Vaters. Darauf sind sie am schärfsten, auf das Drama. Zuletzt geben sie dir ihre Privatanschrift.«

»Wozu das?«

Martin lachte. »Da sollst du ihnen die zwei Kisten Wein hinschicken.«

Ungläubig blickte Simone ihren Patenonkel an. »Ich kann mir nicht vorstellen, dass alle so sind.«

»Nein, nicht alle, das muss zu ihrer Ehrenrettung gesagt werden. Aber ich hätte mich nicht auf dieses Interview heute eingelassen. Leider hat Charlotte zugesagt. Was nützt es uns? Nichts. Mich langweilt die Prozedur, sie steigen nie in die Tiefe, solange man nicht zu den Winzern gehört, die Furore machen. Bitte, wer macht Furore? Man muss zu denen gehören, die in der Szene en vogue sind oder zu den Shootingstars gehören, den Newcomern. Weinjournalisten müssen Aufmerksamkeit erregen. Wenn Brad Pitt und Angelina Jolie in der Provence einen drittklassigen Rosé produzieren, vielmehr ihre Angestellten, dann erregt das die Gemüter. Vier Millionen Flaschen soll es jährlich davon geben. Das sind Fabrik- oder Industrieweine. Aber wenn jemand über uns schreibt, dann schadet uns das. Wir können nicht liefern, wir sind immer ausverkauft, und damit schafft man sich keine Freunde. Weinfälschungen hingegen werden kleingeredet oder gar nicht erwähnt, die Verantwortlichen verschwiegen. Das würde all jene verärgern, die darauf reingefallen sind, und die Branche beschmutzen.«

Langsam arbeiteten sie sich vor, jeder auf seiner Seite derselben Rebzeile, sich ergänzend, Hand in Hand; was der eine nicht bemerkte, sah der andere. Das war es, was Simone so liebte, und das wollte sie nicht aufgeben.

»Charlotte hat mir erzählt, dass du sogar den Besuch von diesem Weinpapst Parker abgelehnt hast.« Simone hatte eigentlich das Thema wechseln wollen, erstaunt darüber, wie Martin sich ereiferte, aber dieser Parker war doch wichtig, weil in Bordeaux viele über ihn redeten.

»Das ist ein Thema für sich. Glücklicherweise sind viele Kollegen davon abgekommen, seine Beurteilungen wichtig zu nehmen und sich weiter dem US-Geschmack zu unterwerfen.«

»Und wie ist der?«

»Zäh, dick, fett, opulent, sodass man nach dem ersten Glas kein weiteres mag, und der Wein muss nach Holz schmecken.«

»Aber der Geschmack vom Barrique verflüchtigt sich doch nach einigen Jahren durch die Alterung.«

»Nicht immer, bei einem guten Wein verbindet sich alles zu einer neuen Dimension, bei schlechten Weinen fällt alles auseinander und wird fad. Leute wie Parker sind dazu da, anderen die Entscheidungen abzunehmen. Das gefällt mir nicht. Er hat sich längst aus Bordeaux zurückgezogen, er hat seine Firma und seinen Namen an Investoren in Singapur verkauft. Da bewerten jetzt andere in seinem Namen die Weine. Einen Skandal wegen Bestechung von Testern hatte es zuvor in Spanien gegeben.«

»Papa hätte damals sicher tolle Bewertungen bekommen.« Simone bedauerte, dass sie fast nichts mehr von den ganz alten Jahrgängen übrig hatten. »Aber deine sind auch toll, vielmehr unsere«, korrigierte sie sich. Schließlich hatten auch Charlotte und deren Vater Jérôme daran Anteil.

»Unsere Kunden brauchen keine Punkte. Es sind weder Punkte- noch Etikettentrinker, du kennst ja die Bezeichnung. Wenn wir mehr Land hätten, könnten wir mehr produzieren, und das würden wir problemlos verkaufen. Aber die Bank will uns keinen Kredit geben, wir seien sowieso überschuldet, wie die Chefs meinen.«

Simone blieb stehen, sie wartete auf Martin, der zwei Schritte hinter ihr war und langsamer vorankam. »Wieso pachten wir nicht einfach was dazu?«

Martin bog den schmerzenden Rücken durch, Simone sah es mit Sorge. Sie wusste um sein Problem. Aus diesem Grund hatte er das Laufen aufgegeben. Das Billardspiel war keineswegs als Ausgleichssport geeignet. Und einen Ersatz fürs Laufen hatte er bisher nicht gefunden.

»Pachten? Keine schlechte Idee. Dann brauchen wir eine richtige Kellerei, die Garage wäre zu klein, wir müssten Fässer kaufen, in Maschinen investieren; die gepachteten Flächen sollten nah beieinanderliegen, um die Wege kurz zu halten, damit die Trauben unterwegs nicht oxidieren. Wir bräuchten einen Lieferwagen …«

So war es immer. Sie oder Charlotte oder Jérôme äußerten eine Idee, und schon prüfte Martin, ob sie realisierbar war. »Ein Traktor mit Anhänger tut es auch …« Doch diesmal hatte sie das Gefühl, dass die Worte an ihm vorbeigingen.

»Wir reden ein andermal darüber weiter«, schlug Simone diplomatisch vor. »Dir geht etwas ganz anderes durch den Kopf. Es ist wegen dieses Winzers, nicht wahr? Didier …«

»… Lamarc, Lamarc. Man fragt sich natürlich, was dahintersteckt, ich frage mich das. Er führte eine glückliche Ehe, soweit ich weiß, die Kinder sind gut geraten, der Betrieb ist schuldenfrei, Erfolg auf ganzer Linie und auch noch Sieger beim Concours de la St. Marc.«

»Vielleicht gönnte ihm jemand den nicht!«

»Du meinst, er ist nicht … man hat ihn verschwinden lassen?«

»Ist doch möglich, oder?« Simone reagierte mit einem Achselzucken, als verschwänden täglich Winzer. »Ja, es gibt Seiten an mir, die du nicht erwartest«, sagte sie, als er sie verdutzt betrachtete.

Das Mobiltelefon in Martins Hosentasche gab Geräusche von sich, es war Charlotte, die sie zum Frühstück rief.

Die Journalistin war eine jener Ausnahmen. Simone fand, dass sie sich gut vorbereitet hatte, sie kannte sich leidlich im Weinbau aus und stellte keine Fragen zu dem, was Gaston Latroye vor dreizehn Jahren zugestoßen war. Dafür war sie beglückt, seine Tochter hier anzutreffen. Sie kaprizierte sich deutlich mehr auf Simone als auf Martin, was ihm bei seiner ablehnenden Haltung nicht ungelegen kam. Von Martin wollte sie lediglich wissen, ob er an eine Erweiterung des Weingutes dachte und wie er mit den Rebsorten Merlot, Cabernet Franc und Cabernet Sauvignon zurechtkam. Als sie fragte, ob er als Deutscher in der Bordelaiser Gesellschaft akzeptiert werde, wurde es interessant, da er vieles, vor allem Vorurteile, nicht bestätigte.

Die Weinprobe überließ Martin gänzlich Simone und ging aus dem Raum. Bisher war er immer dabei gewesen, jetzt war es an der Zeit, dass sie sich selbst der Aufgabe stellte. Sie war ein wenig aufgeregt, dabei ergab sich im Laufe der Verkostung – es waren nur vier Weine – ein persönliches Gespräch, bei dem sie auf ihre Ausbildung und die der Journalistin zu sprechen kamen, die es als großen Vorteil sah, bei verschiedenen Sendern und Zeitungen im Land hospitiert zu haben. Simone fragte besonders danach, wie sie sich so allein gefühlt habe, und deutete ihr Problem an. Die Journalistin machte ihr Mut.

»Sie haben schon jetzt das Glück, in der Weinwelt zu arbeiten, das mir erst später zuteilwurde. In dieser Branche sind die Menschen zugänglich, man trinkt gern, legt Wert auf guten Geschmack und gutes Essen – und auf entsprechende Umgangsformen. Das gilt auch für den Umgang mit den Mitarbeitern. Man arbeitet Hand in Hand, der Winzer muss wissen, dass die Arbeit in seinem Sinne durchgeführt wird. Fehler sind kaum wiedergutzumachen.«

»Kennen Sie die Rhône?«, fragte Simone.

»Man kommt nicht drum herum, besonders wenn man auf Rotwein spezialisiert ist, so wie ihr es seid. Bordeaux ist mit hunderttausend Hektar zwar größer und bekannter, an erster Stelle steht sogar Languedoc-Roussillon mit dreihundertsechzigtausend Hektar. Aber was die Vielfalt der Rebsorten angeht und die Fähigkeit, sie zu interessanten Cuvées zu assemblieren, ist die Rhône einzigartig. Ich empfehle Ihnen Châteauneuf-du-Pape. Es ist ein netter Ort, historisch interessant und belebter auf jeden Fall als die anderen Dörfer, wo die Crus entstehen, wie Gigondas oder Lirac zum Beispiel.«

»Wenn Sie dort gearbeitet haben«, fragte Simone, noch immer nicht überzeugt, »kennen Sie bestimmt einige Winzer, ich meine Menschen wie meinen Patenonkel und Charlotte, wo ich ein Praktikum machen könnte, wo man auch, wie soll ich sagen …?« Sie suchte nach den richtigen Worten, um ihre Angst nicht zu offenbaren. »Also Menschen, mit denen man reden kann, nette Leute meine ich.«

»Ich kann Sie beruhigen, die gibt es, zweifelsohne. Aber man muss wissen, dass es auch Winzer gibt, die ihre Praktikanten schamlos ausnutzen, und es gibt solche, die möchten ihr Wissen gern an junge Leute weitergeben und bieten so etwas wie Familienanschluss. Man will sich ja nicht verloren vorkommen, *n'est-ce pas?* Ich verstehe Sie vollkommen.«

Die Journalistin kramte in ihrer riesigen Handtasche nach ihrem Smartphone, und als sie die Adressdatei geöffnet hatte, sagte sie kopfschüttelnd: »Ich fahre heute noch zurück nach Paris. Besser, ich schicke Ihnen morgen von dort einige Adressen, die ich wirklich empfehlen kann. Sehen Sie sich die Weingüter erst einmal im Internet an und fragen Sie Monsieur Bongers. Er verfügt sicherlich über beste Kontakte. Châteauneuf-du-Pape ist eine Chance. Es wird Sie auszeichnen, dort gelernt zu haben. Es ist eine Appellation, die jeder kennt. Entscheidend ist, dass man das richtige Ufer des Flusses wählt.« Lachend ließ sie das Smartphone wieder verschwinden.

Sie lacht, als wüsste sie immer, welches das richtige Ufer ist, dachte Simone. Wie lange braucht man, um zu begreifen, welches das richtige Ufer ist? Zurzeit war sie sich nur ihrer Zweifel gewiss.

Kapitel 5

Sechs Stunden benötigten sie von Saint-Émilion über Toulouse und Montpellier bis zur Mautstelle Roquemaure, an der sie die Autobahn verließen und weiter über die Landstraße in Richtung Roquemaure fuhren, einem kleinen Ort am rechten Ufer der Rhône. Im Zentrum machten sie noch einmal Halt. Simone wollte in der örtlichen Drogerie einkaufen, bevor sie Châteauneuf-du-Pape erreichten. Martin wartete derweil im Café nebenan und erledigte Telefonate, was er lieber bei einem Kaffee als im fahrenden Auto tat, obwohl er Simone die gesamte Strecke von knapp sechshundert Kilometern das Steuer seines Wagens überlassen hatte. Einen eigenen Wagen hatte sie sich von dem Geld aus Martins Nebeneinkünften noch nicht gekauft. Sie hatte zwar den entsprechenden Typ gefunden, doch die Farbe hatte ihr nicht gefallen. Martin war davon überzeugt, dass sie in dieser ländlichen Umgebung kaum das Richtige finden würde. Außerdem schien es keinen zu stören, wenn die Kotflügel Kratzer aufwiesen und die Türen Beulen. Das war auf dem Parkplatz gegenüber vom Café deutlich sichtbar und bei den engen Straßen der Dörfer unvermeidlich.

Es war sechzehn Uhr. In zwei Stunden waren sie auf der Domaine Vincent Clément in Châteauneuf-du-Pape angemeldet, aber Simone war am Morgen derart aufgeregt gewesen, dass sie unbedingt früher hatte losfahren wollen. Jetzt ließ sie sich Zeit, und er saß hier herum und hing seinen Gedanken nach.

Seit zwei Jahren arbeiteten sie zusammen, eigentlich seit vier Jahren, denn in der Zeit ihrer Ausbildung zur Weinbautechnikerin hatte sie sich bereits in den Betrieb eingefunden und die letzte Erweiterung mitgemacht. Vier Jahre waren eine lange Zeit, es war eine gute Zeit gewesen, und Martin spürte etwas wie Abschiedsschmerz. Auch Charlotte, die so kühl sein konnte, wenn sie ein hungerndes afrikanisches Dorf besuchte, wo sie im Rahmen ihrer Arbeit für Oxfam France hingeschickt worden war, hatte bei ihrer Abreise am Morgen ein paar Tränen sehen lassen. Simone würde ihnen fehlen. Es war nicht klar, wer ihre Arbeit übernehmen würde, er müsste jemanden einstellen oder sich selbst um einen Praktikanten kümmern. Es wäre interessant, einen Deutschen zu nehmen. Martin dachte daran, die Hochschule in Geisenheim zu kontaktieren, wo Önologen ausgebildet wurden. Dort würde man ihnen weiterhelfen. Jacques wollte er nicht auf Dauer um sich haben. Nicht dass es ihn gestört hätte, dass er Charlottes erster Lover gewesen war, nein, er war ihm trotz seiner achtundvierzig Jahre zu flippig. Was er machte, machte er gut, doch man wusste nie, ob er einen Auftrag tatsächlich ausführen würde. Er hatte häufig ausgeholfen, das würde er auch jetzt tun. Zumindest mit dem Ausbrechen waren sie durch. Jetzt kam die Blüte, dann … Martin war gespannt, wie weit der Jahreszyklus hier bereits vorangeschritten war. Bordeaux lag mit den Temperaturen immer ein wenig hintendran, aber an der Rhône schien meistens die Sonne.

In den vergangenen Tagen waren sie von morgens bis abends im Weinberg gewesen, an den Abenden hatten sie am Rechner gesessen, das Telefon in der Hand, und mit Winzern Kontakt aufgenommen. Marcel Clément war eine der Empfehlungen der Pariser Journalistin, die sich mit seinen Kontakten deckte.

Marcel Clément erinnerte sich gut an den Besuch der Journalistin, an einen früheren Kunden namens Bongers in

Frankfurt jedoch weniger. Der Winzer bewirtschaftete, so wie er am Telefon gesagt hatte, siebzig Hektar. Das war das Siebenfache dessen, was die Domaine Latroye ihr Eigen nannte. Zum Betrieb gehörten auch Lagen in den Appellationen Saint-Gervais und Chusclan auf der anderen Seite der Rhône, das machte den Betrieb interessanter. Marcel, mit dem er sich gleich gut verständigt hatte – man duzte sich sofort –, beschäftigte mehrere Mitarbeiter, je nach Saison, und hatte bereits Erfahrung mit Praktikanten gemacht, eine junge Frau sei allerdings neu für sie. Ehefrau Louanne und er würden sich um sie kümmern. Er freue sich, dass Martin Simone begleiten würde, dann könne man sich kennenlernen und Erfahrungen austauschen, am besten bei einem gemeinsamen Abendessen im Familienkreis.

Alles hörte sich vielversprechend an. Simone hatte bei dem Gespräch mitgehört und fand die Stimme des Mannes, mit dem sie anschließend selbst gesprochen hatte, recht angenehm. Ihr Widerstand war weiter gebröckelt. Der Internetauftritt machte einen guten Eindruck. Hier fanden sie auch Fotos des Winzerpaares. Der erste Eindruck war immens wichtig. Der Winzer war ein sympathischer Endvierziger, selbstverständlich von seiner besten Seite aufgenommen, eigentlich viel zu gut aussehend: ein markantes Gesicht, ein ausdrucksvolles, wohlwollendes Lächeln, schwarzes, an den Schläfen leicht ergrautes Haar, und die Lippen ließen den Genießer vermuten.

Martin hatte Simone aus den Augenwinkeln beobachtet, ihr kaum merkliches Stirnrunzeln zeigte eine gewisse Skepsis. Madame Clément war um einiges jünger und wirkte ziemlich sportlich, mit einem mütterlichen Zug. Die Perlenkette verlieh ihr Status, dazu das Weinglas, auf das sie versonnen blickte. Vielleicht hatte sie das Weingut geerbt, er hatte eingeheiratet und war damit zu einem Vermögen gekommen? Die unterschiedlichsten Interpretationen waren möglich. Es gab Kinder, vom vermuteten Alter her waren sie gerade aus dem Haus und studierten irgendwo, vielleicht Önologie? Also stimmten die Voraussetzungen.

»Aber die endgültige Entscheidung solltest du erst treffen, nachdem du die zukünftigen Arbeitgeber kennengelernt hast«, hatte ihr Charlotte geraten.

Simone kam zurück und stellte zwei Plastiktüten unter den Kaffeehaustisch, sie bestellte ein Sandwich und eine Cola. Martin sah ihr zu, ein wenig wehmütig war ihm ums Herz. Er hatte das bedrückende Gefühl, sie in der Fremde zurückzulassen. Er hatte nicht damit gerechnet, dass ihm der bevorstehende Abschied so schwerfallen würde, und erinnerte sich, wie ihre Mutter sie ihm am Tag nach ihrer Geburt in den Arm gelegt hatte. Er war Zeuge gewesen, wie sie das Laufen gelernt und sich dabei an seinen Hosenbeinen hochgezogen hatte, begierig, den aufrechten Gang zu lernen – in jeder Hinsicht.

»Ich habe drei Eltern«, hatte sie am Tag ihrer Einschulung vor der Klasse gesagt, »Mama, Papa und Martin.« Dann war der Tag der Beerdigung ihres Vaters gekommen, sie war damals zehn Jahre alt gewesen und hatte von einem Tag auf den anderen verstehen müssen, was der Tod bedeutet.

»Was denkst du?«, fragte sie und blickte Martin besorgt an. »Du machst ein Gesicht zum Fürchten, total zerknirscht. Was ist los?«

Er sagte ihr immer die Wahrheit, immer. Er fand es schrecklich, dass Kinder, angeblich um sie zu schonen oder weil die Eltern zu feige waren, permanent über den Zustand der Welt belogen wurden. Er würde Simone auch jetzt sagen, was ihm gerade durch den Kopf ging.

»Wieso denkst du hier«, sie wies mit der Hand auf den Platz gegenüber, eingefasst von riesigen Platanen, »an den Tod meines Vaters? Die Sonne scheint, wir haben eine schöne Tour hinter uns, haben gut gegessen, und du hast mich endlich so weit gebracht, deinen Rat zu befolgen. Darf ich eine Vermutung äußern?«

»Aber sicher doch.«

»Dich beschäftigt das Verschwinden dieses Winzers.«

Martin wollte ihr das Herz nicht schwer machen, deshalb meinte er, sie ausnahmsweise anlügen zu dürfen. Das ungeklärte Schicksal von Didier Lamarc berührte ihn stärker, als er sich eingestehen wollte. Hier jedoch kam es ihm als Ausrede gelegen, um nicht über seine Gefühle reden zu müssen.

»Gewiss, es beschäftigt mich seit Tagen.«

»Du kannst dich ja mal umhören, was die anderen Winzer dazu sagen«, meinte Simone augenzwinkernd.

Sie wusste von seiner Neigung, sich mit verzwickten Sachlagen zu beschäftigen, um nicht zu sagen: Kriminalfällen. Beim Tod ihres Vaters war es ihm um die Aufklärung der Todesumstände seines besten Freundes gegangen. Aber wie sehr sie ihn auch bedrängt hatte, ihr zu erzählen, was damals in Rumänien geschehen war, er hatte eisern geschwiegen, genau wie Charlotte, die über alles im Bilde war. Rumänien – er erinnerte sich mit Grauen –, schlimmer konnte es nicht kommen.

Martin schüttelte diese Gedanken ab und kehrte zum eigentlichen Thema zurück. »Ich dachte eben an die Momente in deinem und meinem Leben, die uns besonders verbunden haben«, sagte er. »Ich kann dir versichern, dass du mich zu jeder Zeit anrufen kannst, egal, ob Tag oder Nacht, und ich komme sofort, wenn du mich brauchst.«

Er beugte sich zu ihr, zog ihren Kopf an seine Schulter und gab ihr einen Kuss auf die Wange. Das trug ihm einen verächtlichen Blick der Frau ein, die in diesem Moment an ihrem Tisch vorüberging und wohl annahm, einen Fünfzigjährigen mit seiner zwanzigjährigen Geliebten vor sich zu haben.

Simone dachte das Gleiche wie er, sie lachte laut auf, umarmte ihn fester, er stimmte ins Lachen mit ein, seine Traurigkeit verflog, er zahlte, und sie gingen zum Wagen.

Am Ortsausgang von Roquemaure führte die Straße unterhalb einer steilen Klippe entlang. Es war eine Kalkformation wie die, die Martin von der Autobahn aus gesehen hatte, nur bedeutend höher und mächtiger, doch ähnlich bewaldet. Die Rhône musste hier eine Rinne in Jahrmillionen ausgewaschen haben, denn wenig später überquerten sie den Fluss, der breit und ruhig und grün dahinfloss. Am linken Ufer wandelte sich das Bild, die Hügel waren weniger schroff, und der Wald machte einer ausschließlich mit Reben bestandenen weiten Ebene Platz, aus deren Mitte der Hügel mit dem Dorf und der Ruine des Châteaus weithin sichtbar aufragte. Im Hintergrund des Landschaftsbildes erhoben sich wieder die Berge, die wie spitz gefeilte Zähne aufragenden Dentelles de Montmirail, weit im Hintergrund meinte Martin, den kahlen Kegel des Mont Ventoux entdeckt zu haben.

Wie der Landsitz der Päpste von Avignon einst ausgesehen hatte, der zwischen 1318 und 1333 gebaut worden war, davon hatte er keine Vorstellung. Er hatte weder ein Gemälde noch einen Stich aus jener Zeit zu sehen bekommen, vielleicht war auch nie einer angefertigt worden, denn der ursprüngliche Landsitz wurde in den Hugenottenkriegen des 16. Jahrhunderts zerstört. Er wurde immer nur als Ruine dargestellt: Eine hohe, frei stehende Giebelwand mit toten Fensterhöhlen und Teile des Bergfrieds waren übrig geblieben.

Die zum Ort ansteigenden Rebflächen reichten bis an die ersten Häuser. Sie waren weder besonders ansehnlich noch historisch wertvoll: bröckelnder Putz in Ocker und verblasstem Grau, graublau auch die Fensterläden, die meisten trotz des noch frühen Abends bereits geschlossen, was dem Ort etwas Unzugängliches gab. Rechts lag das Hotel, in dem er zwei Einzelzimmer bestellt hatte, denn er hielt es für möglich, dass Simone, ihren Entschluss bereuend, absprang und mit ihm zurückkehrte.

»Wenn Sie an den Brunnen kommen, liegen rechts und links zwei Restaurants, die Tische stehen draußen«, hatte der Winzer gesagt. »Dort biegen Sie rechts ab und fahren die Avenue Baron le Roy den Berg hinunter, dann über die Kreuzung und weiter geradeaus auf der Route de Bédarrides.«

Eine Avenue war die Baron le Roy wahrlich nicht, mehr eine steile Gasse bergab, und einige Hundert Meter hinter der Kreuzung ging der Ort wieder in Weinberge über. Die Straße wand sich eine Anhöhe hinauf, dann sahen sie links das Château des Trois Anges, rechts wies ein Schild zur Domaine Clément. Vorsichtig, als könnte sie irgendwo anecken, bog Simone in den staubtrockenen Schotterweg ein, fuhr durch ein Tor mit weit geöffneten eisernen Flügeln und hielt am Parkplatz des beinahe herrschaftlich anmutenden Hauses.

»Sollte es dir hier nicht gefallen, fragen wir auf der anderen Straßenseite nach.« Martin hoffte, dass seine Worte, spaßeshalber gesagt, sich nicht bewahrheiteten.

Seinem ersten und positiven Eindruck nach war die Domaine Vincent Clément seit Langem in Familienbesitz. Hier wohnte keine Familie, die auf eine bäuerliche Tradition zurückblickte, Winzer, die früher mal Bauern gewesen waren. Hier lebte eine Bürgerfamilie in einem stilvollen Wohlstand, der erarbeitet sein wollte und der fundierte Entscheidungen erforderte. Dagegen war sein Betrieb fast eine Klitsche zu nennen und sein zweistöckiges Haus eine Bauernkate.

Rechts lag das Wohnhaus mit hohen Fenstern und schmalen Austritten davor, eine Freitreppe führte hinauf, auf jeder Stufe ein großer Blumentopf, den Fuß der Treppe flankierten riesige Pflanzkübel mit Zitronenbäumchen. Erst beim zweiten Blick bemerkte Martin, dass die Terrakottakübel bereits gesprungen waren, die Bemalung verblasst war und dass ein rostiger Draht die Kübel am Auseinanderbrechen hinderte. Also war es mit dem Wohlstand doch nicht so weit her, was der Schönheit dieses Ensembles keineswegs Abbruch tat. Vor ihnen lag der Eingang zum Büro und zum »Tasting«.

Also schaute hier ein internationales Publikum zum Probieren vorbei. Das würde Simones Horizont erweitern, man würde sie auf die deutschen Gäste ansetzen, sie sprach mittlerweile recht gut Deutsch. Die breite Flügeltür daneben führte sicherlich ins Lager, denn dem Tasting folgte unweigerlich der Akt des Kaufs. Der rechte Gebäudeflügel war nicht einsehbar, die Fenster im ersten Stock ließen darauf schließen, dass dort jemand wohnte.

Zögernd stieg Simone aus. Dort, wo das Schild »Tasting« hing, vermuteten sie das Büro. Eine Glocke über der Tür schlug an, ihr Ton klang nach, es war ein schöner Ton, kein billiges Bimmeln.

»Hier sieht es aus wie zu Hause«, sagte Simone grinsend, während sie sich durchs Fenster die Papierstapel auf den Schreibtischen besah.

»Es wird überall nur mit Wasser gekocht«, Martin lächelte beruhigend, »nur sind die Töpfe mal kleiner, mal größer. Unsere sind eben kleiner. Aber es schadet keinesfalls, zu sehen, was in den großen herumschwimmt.«

Die hintere Tür öffnete sich, und die Frau, die sie bereits von der Homepage her kannten, trat heraus. Heute trug sie keine Perlenkette. Madame Clément sah angestrengt und müde aus. Die Arbeitstage auf Weingütern konnten hart sein.

Martin setzte sein gewinnendes Lächeln auf, zumindest dachte er, dass es so wirkte. »Madame Clément?« Er deutete eine Verbeugung an.

»Monsieur Bongers, wie ich vermute? Und das ist unsere neue Praktikantin, Simone Latroye?« Ein freundlicher Blick tastete Simone ab, nicht abschätzend, nicht herablassend, nur neugierig, erstaunt, dass sie aufblicken musste, weil die junge Frau größer war als sie, doch der Blick blieb wohlwollend. »Ich freue mich, dass unsere Fraktion Verstärkung bekommt. Jetzt werden sich die Männer in Acht nehmen müssen. Mein Mann wird jeden Moment da sein, er hat Ihren Wagen gehört. Er sucht nur noch die Weine fürs Abendessen aus. Sie essen doch mit uns? Die Mitarbeiter sind bereits gegangen. Sie müssen entschuldigen, ich rieche nach Küchendunst, ich komme geradewegs von dort. Können Sie kochen, Simone?«

»Ich würde gern, ich darf leider nur in die Küche, wenn Martin auf Geschäftsreise ist. Sonst kocht er immer mit Charlotte, seiner Frau. Die beiden liefern sich kulinarische Schlachten. Und ich profitiere davon.« Sie sprach frei und ungehemmt, was Martin beruhigte.

»Und wer von beiden kann's besser?«

»Ich!«, sagte Martin schmunzelnd und war angenehm überrascht, gleich ein Thema gefunden zu haben.

Madame Clément führte sie durch das Büro und über ein Treppchen hinauf in den Wohntrakt im Hochparterre. In einem langen Korridor hingen die Bilder der Ahnen, der Gründerväter, der Großeltern und Eltern sowie der Kinder. »Wer das alles ist, erzähle ich Ihnen ein andermal.« Sie öffnete die Tür zu einem Salon, in dem vermutlich die draußen eingerahmten Großeltern bereits ihre Gäste empfangen hatten.

Martin trat an eines der Fenster. »Wer gestaltet denn den Garten? Er ist sehr schön. Sie oder …«

»Ich natürlich. Mein Mann hat nur Sinn für die Weine, damit hat er wahrlich genug zu tun. Da kommt er.«

Marcel Clément trug in jeder Hand zwei Flaschen, es waren zwei Rote, ein Weißer und ein Rosé. Er hob die letzten beiden wie Trophäen in die Höhe. »Ich bringe sie eben in die Küche, der Weiße und der Rosé sind nicht kalt genug. Ist noch Zeit bis zum Essen?« Er fragte es mit einer so tiefen und ausdrucksstarken Stimme, wie man sie bei einem Märchenerzähler erwartet hätte, nicht aber bei einem mittelgroßen, recht unauffällig wirkenden Mann.

»Es dauert noch eine halbe Stunde. Bring uns schon mal den Weißwein von gestern und eine Flasche Wasser. Unsere Gäste werden durstig sein.« Aufmerksam beäugte Madame

Clément ihren Mann, dessen Blick seinerseits auf Simone ruhte, anscheinend ausdruckslos, undefinierbar und dabei so leer, als blicke er gefühllos auf eine weiße Wand.

Simone hingegen bemerkte nichts davon, sie war ans Fenster getreten und betrachtete den Garten, fragte, ob man ihn betreten dürfe, und erzählte von Madame Lisettes Garten.

Als Monsieur Clément mit dem Wasser und dem Wein zurückkam und seine Frau die Gläser geholt hatte, setzte man sich. Das Winzerpaar begann, Simone nach ihren beruflichen Erfahrungen zu befragen, nach den Weinen, die Martin produzierte, und diversen Techniken sowie ihren Erfahrungen im Zusammenstellen von Cuvées oder Assemblages. Das sei nämlich die Stärke der Winzer an der Côtes du Rhône und auch ihr Geheimnis. Martin hatte seinerseits einige Flaschen mitgebracht, aber sie waren von der Fahrt derart durchgerüttelt, dass man sie besser einen Tag lang ruhen ließ. Simone könne sie dann interpretieren, schlug er vor. Schließlich sei sie auf einem Weingut geboren und aufgewachsen. Daher kam das Gespräch auch auf Simones Familie und den Tod ihres Vaters.

Monsieur Clément glaubte, sich zu erinnern, seinerzeit darüber gelesen zu haben. »Ist er nicht unter einen Stapel Paletten geraten und dabei umgekommen? Es war eine große Sache, da hing noch viel mehr daran. Waren Sie, Monsieur Bongers, nicht auch darin involviert?«

»Martin hat alles aufgeklärt«, sagte Simone nicht ohne Stolz. »Seitdem interessiert er sich für Kriminalfälle.«

»Ganz so ist es nicht«, entgegnete Martin. »Man gerät manchmal ungewollt in heikle Situationen, aus denen man sich befreien muss, und die Aufklärung ist lediglich die Folge davon.«

»Wir haben hier ja auch einen ungelösten Fall«, meinte der Winzer. »Wenn Sie Interesse haben, können Sie sich gern daran versuchen. Die Polizei hat's nicht hingekriegt.«

»Wir reden nachher weiter.« Madame stand auf, energisch und bestimmt. »Bei Tisch möchte ich derartige Themen ausklammern. Ihr beiden«, sie meinte ihren Mann und Simone, »ihr helft mir in der Küche. Wenn Sie gern kochen, Simone, hätte ich nichts dagegen, aber ohne Konkurrenz.« Wieder traf einer dieser unergründlichen Blicke ihren Mann.

Jetzt ging Martin zum Fenster und blickte in den Garten. Wer ihn angelegt hatte, verstand viel von Formen, Farben und den Jahreszeiten. Die musste man kennen, um die jeweils blühenden Sträucher und Stauden richtig zu kombinieren. Dieser Garten war weit größer als der seiner Schwiegermutter, aber auch dieses Weingut war größer als seines. Doch er hätte es nie im Leben gegen irgendein anderes getauscht. Nichts durfte so sehr wachsen, dass man es selbst nicht mehr gestalten konnte.

Dass als Erstes ein Rosé auf den Tisch kam, war ungewöhnlich. Martin stand Überraschungen selten ablehnend gegenüber, außerdem glaubte er nicht, dass der Winzer einem Kollegen etwas Unpassendes vorsetzte. Ob er zu seiner Zeit als Weinhändler bei Clément auch den Rosé geordert hatte, wusste er nicht mehr. Doch der Winzer klärte ihn auf.

»Wir haben erst vor zehn Jahren drüben in Tavel, auf der anderen Seite, einige Hektar gepachtet. Manche meinen, es sei die falsche Seite«, er lachte, »der Ansicht war ich lange, weil ich Châteauneuf-du-Pape für den Nabel der Welt hielt. Nachdem ich dann meinen Rosé probiert hatte, wusste ich's besser. Wir Franzosen haben begriffen, dass auch in anderen Ländern hervorragende Weine entstehen. Mir macht das Experimentieren mit neuen Rebsorten Freude. Grenache stellt zwar den Hauptanteil bei diesem Wein, doch Picpoul und Bourboulenc sowie Clairette bieten auf der anderen Seite Möglichkeiten, die ich in unserer Appellation d'Origine Contrôlée nicht habe.«

Madame forderte die Gäste auf, die Suppe zu probieren.

»Es ist Zucchini und Lauch, etwas Knoblauch dazu, Muskat – und dann nehmen Sie einen Schluck vom Rosé. Ach, wem sag ich das.« Sie lachte ein wenig schamhaft. Das Eis war gebrochen.

Die Frau des Hauses war Martin sympathischer als der Mann. Wer hier das Sagen hatte, war ihm jedoch nicht klar. Sie im Haus und er in Sachen Wein? Martin nahm einen Schluck. Rosé war nicht unbedingt sein bevorzugter Wein, aber es gab sehr gute Gewächse, und dieses war eines davon. Er war begeistert und zeigte es auch. Ein Rosé mit dieser Tiefe und Vollmundigkeit war selten, ebenso ein derart vielschichtiger Duft von roten Früchten, wobei die helleren wie Johannisbeere und Himbeere überwogen, kraftvoll und doch ohne die Aufdringlichkeit des Bonbonhaften oder des Faden, was sonst Leichtigkeit suggerieren sollte. Dabei war der Wein vollkommen durchgegoren, er war absolut trocken. Das gab es nur in Tavel.

»*Formidable*«, sagte er, »fantastisch. Ich weiß sofort wieder, weshalb ich hier bei Ihnen bin. Und was die Suppe angeht – auch von Ihrer Kochkunst wird Simone viel lernen. Wir werden ihr nach ihrer Rückkehr wohl mehr Platz in der Küche einräumen müssen.«

Auch die nächste Verbindung war neu für Martin. Ein weißer Châteauneuf zur Schweinshaxe? Fisch hätte er erwartet, doch keinesfalls im Ofen gebackenes Schweinefleisch.

»Es wird immer häufiger weißer Châteauneuf nachgefragt, wir könnten mehr verkaufen, als wir davon produzieren«, sagte Marcel Clément bedauernd. »Es sind die Rebsorten Clairette, weiße Grenache, dazu Roussanne, Bourboulenc und Picpoul. Ich könnte auch einen rebsortenreinen Grenache machen, doch mit den anderen erreicht er eine größere Komplexität. Er wird runder, weicher, und diese Weine können Sie wie einen Riesling jahrelang lagern. Dieser hier ist drei Jahre alt, der wird in den nächsten Jahren nur noch besser.«

»Und wann kippt er um, wann ist seine Zeit vorüber?« Simone war bei der Aufzählung der für sie unbekannten Reben ein wenig kleiner geworden.

Erstaunt blickte sie der Winzer an, doch es war kein Erstaunen über ihre Frage, es war vielmehr ihre Anwesenheit, die ihn verwirrte. »Vorüber? Der? Der kann bis zu fünfzehn Jahren gut bleiben, er ist mit seinen drei Jahren noch ein Jüngling. Lassen Sie sich Zeit, wir haben genug Wein sämtlicher Jahrgänge in unserer Schatzkammer, wir produzieren genug, um es uns leisten zu können.«

Syrah, Mourvèdre und Grenache waren für den eigentlichen Châteauneuf verwandt worden. Seiner Wucht konnte nur ein kräftiges Gericht wie ein Rehbraten mit Lorbeer, Rosmarin und schwarzem Pfeffer in der dunklen Soße etwas entgegensetzen.

»Diesen Wein habe ich früher länger auf der Maische stehen gelassen, da brauchte es vier Jahre, bevor man ihn trinken konnte. Durch verkürzte Standzeit ist er früher trinkreif. Und heutige Kunden mögend derartige Granaten immer weniger. Wie gefällt er Ihnen?« Diesmal war die Frage direkt an Simone gerichtet, und auch Madame Clément sah sie neugierig an. Der prüfende Blick zu ihrem Mann hin dauerte nur ein Augenzwinkern.

»Er gefällt mir, er ist sehr schön, er hat Tiefe und viele Aromen, die Tannine sind noch etwas hart, aber sie werden sich glätten, denn der Wein ist reif, vielmehr die Trauben müssen bei der Lese absolut reif gewesen sein. Er ist würzig, man könnte meinen, dass irgendwo Pfeffer mitschwingt, da sind sehr dunkle Früchte, wie schwarze Kirschen …« Sie steckte die Nase wieder ins Glas, dann sah sie Martin an.

Ihm gefiel, was sie sagte, seine Augen signalisierten Zustimmung.

»Sehr gut, junge Frau, ausgezeichnet. Traktor fahren kann sie auch? Ich glaube, Sie sind bei uns richtig. Nicht wahr, *ma chère?*«

Die Angesprochene erhob sich und bat Simone, mit ihr den Tisch abzuräumen. »Ihr geht in den Salon, wir kommen dann mit dem Kaffee. Wie nehmen Sie ihn, Monsieur Bongers?«

Die Männer standen auf, brachten Geschirr und Gläser in die hypermoderne Küche und wechselten wieder in den Salon. Sie wird Hilfe im Haushalt haben, dachte Martin, allein schafft Madame das hier nie. Hoffentlich missbraucht sie Simone nicht, wenn sie sie bereits jetzt derart mit Beschlag belegt. Oder war es ein Test?

»Ein Essen wie an einem Festtag.« Martin ließ sich zufrieden und träge in einen der Sessel fallen.

»Das ist nur heute so. Ab morgen gibt's für Praktikanten Bohnen- und Kartoffelsuppe im Wechsel. Wie wär's mit einem Cognac – oder lieber ein Whisky?«

Als er das Glas in der Hand hielt, stellte Martin die Frage, die ihn seit der Ankunft bewegte. »Sie sprachen eingangs von einem ungelösten Kriminalfall, Monsieur. Meinten Sie damit das Verschwinden eines Winzers? Didier Lamarc?«

»Oh, Sie scheinen gut informiert zu sein. Nein, daran dachte ich nicht. Vielleicht ist er nur verschwunden, hat sich wer weiß wohin aufgemacht, er war im Wagen unterwegs und hatte seine Kletterausrüstung dabei. Ist doch möglich, dass er die nur zur Tarnung mitgenommen hat, damit man vermutet, er sei abgestürzt, und in Wirklichkeit baut er in Australien den schönsten Shiraz an, Syrah wie wir ihn nennen. Damit kannte er sich aus. Schließlich hat er den Concours de la St. Marc vor zwei Jahren gewonnen, nicht zuletzt wegen seines Syrah. Nein, ich meinte den Fall Bergerac, Joseph de Bergerac, ein Kollege.«

»Was ist ihm passiert?«

Marcel Clément schwieg einen Moment. »Jetzt, da Sie mich so direkt darauf ansprechen, kommt mir das schon sehr merkwürdig vor.« Er zögerte wieder und rieb sich das Kinn, nachdenklich in sein Glas blickend. »Es ist schwer vorstellbar, dass jemand nach dem Triumph verschwindet wie Didier. So einen Erfolg will man auskosten, oder etwa nicht? Auch Joseph hat den St. Marc gewonnen, im letzten Jahr. Ja, das ist sehr eigentümlich. Joseph starb wenige Tage nach dem Concours, er wurde überfahren. Man fand ihn tot an der Landstraße. Er ist wohl abends nochmals los, um einen Weinberg anzusehen. Sein Weingut liegt ebenfalls an der Straße nach Bédarrides. Der Fahrer, der den Unfall verursacht hat, konnte nie ermittelt werden, die Polizei weiß lediglich, dass es ein weißes Fahrzeug gewesen sein muss. Zeugen gibt es nicht. Wahrscheinlich war der Fahrer betrunken. Aber ob die Gendarmerie in dem Fall noch ermittelt? Ich weiß es nicht!«

Kapitel 6

Er hatte geschlafen wie ein Stein. Als er aufwachte, wusste er nicht, wo er war. Es war stockdunkel, die Fensterläden waren geschlossen, und alles um ihn herum war fremd. Nur langsam kam er zu sich, kehrte die Erinnerung zurück. Er war in Lirac, und er hatte bis tief in die Nacht mit Alain und dessen Vater probiert und diskutiert. Es hatte ihm gutgetan, über nichts als über Wein zu reden. Schließlich, als der Vater gegen Mitternacht zu Bett gegangen war, hatten sie nur noch getrunken und weitergeredet, doch nicht über Wein. Es war der Beginn ihrer Freundschaft. So wie mit Alain hatte er sich seit der Katastrophe mit niemandem ausgesprochen, nicht einmal mit seinem Vater. Aber Philipp war involviert, er war betroffen und beleidigt, er war parteiisch, es ging auch um seine Existenz.

Alain hatte Thomas geraten, zu kämpfen. »Zuerst machst du Pause und gewinnst Abstand. Hier ist zwar nicht alles neu für dich, aber anders. Dabei kommst du auf andere Gedanken, ich habe es vorhin bemerkt, als mein Vater dabei war. Er freut sich übrigens sehr, dass du da bist. Wenn er über Wein spricht, vergisst er auch seinen Kummer, das sagte er mir, als du kurz draußen warst. Aber zurück zu deinem Problem. Das ist in Deutsch entstanden. Hier aber sprichst du nur noch Französisch, irgendwann denkst du auch nur noch in unserer Sprache. Mit Abstand baust du die Brücke zu deinem Vater besser auf. Es ist verständlich, dass dein Vater enttäuscht ist. Du haust ab und lässt ihn zurück mit einem wankelmütigen Schwächling, wie du ihn geschildert hast. So jemand ist kein Freund, der seinen Partner einer Frau wegen verrät. Ich kenne das hier aus der Gegend. Im Nachbardorf hat sich kürzlich ein Paar getrennt. Irgendwer hat ihn mit seiner Geliebten in Avignon gesehen und es der Frau gesteckt. Und was passierte? Das Weingut ging sofort den Bach beziehungsweise die Rhône hinunter. Du kannst es kaufen, ziemlich günstig.«

Es war wenig hilfreich, mit diesen Gedanken den neuen Tag zu beginnen. Thomas griff nach der Wasserflasche auf dem Nachttisch, sein Mund fühlte sich trocken an, spröde und rissig. Die Tannine im Rotwein hatten ihn ausgetrocknet. Sie wären besser beim Rosé und beim Weißen geblieben, aber die Roten aus Lirac waren spitze. Es waren Weine zum Essen, als Begleiter, und nicht geeignet, um sie solo zu trinken. Die Gebäckstangen von Alains Mutter hatten ein wenig geholfen. Käse hingegen hätte den Rotwein erschlagen. Gerade wollte Thomas sich noch einmal umdrehen, als es an irgendeine Tür klopfte. Er rief sich erst den Schnitt seiner neuen Wohnung ins Gedächtnis, um das Geräusch einer Entfernung und der Wohnungstür zuzuordnen. Er hatte wirklich viel getrunken, sonst hätte er nicht derart viel von sich preisgegeben. Sie hätten auch nicht so viel über Frauen geredet. Wahrscheinlich sowieso nur dummes Zeug. Alain hatte in Orange eine Freundin, drüben, am anderen Ufer, dem falschen, nein, für die dort drüben lebten sie hier am falschen … Verdammt, ich muss sehen, wer da klopft und wo. Thomas schwang die Beine aus dem Bett, zog den Bademantel über, stieß die Fensterläden auf, warf einen kurzen Blick aus dem Fenster, wo er sowieso nur Wein erwartete, aber da war dieser Parkstreifen, dahinter die Reihe Zypressen, die sich im Wind bogen und eine hohe Mauer verdeckten. Dass es stürmisch geworden war, hatte er letzte Nacht bereits gemerkt.

»Gutte Moge«, sagte Alain auf Deutsch, dann auf Französisch mit einer Kommandostimme: »*Il est temps de se lever!* Sonst gibt es kein Frühstück mehr. Alles steht in der Küche«, rief er durch die geschlossene Tür. »Heute wird dir verziehen, ab morgen beginnt das Regime. Arbeitsbeginn ist bei uns um sieben Uhr! *Alors*, beeile dich. Ich muss nach Saint-Gervais, eine Winzerin besuchen, was abholen, du kannst mitkommen, dann siehst du was von der Gegend und lernst eine begabte Winzerin kennen. Und du kannst gute Weine probieren. Saint-Gervais gehört zu den Crus der Rhône. Also los!«

Als Thomas aus der Tür trat, riss der Wind sie ihm aus der Hand, und sie schlug gegen die Hauswand. Der Wind hatte sich zum Sturm ausgewachsen, und Thomas wunderte sich, wie kalt es hier im Frühsommer werden konnte. Für die Reben konnte das nicht gut sein. Es war die Zeit des Austriebs, der Wein hier würde weiter sein als zu Hause. Er kämpfte sich gegen den Wind voran und fand die Tür, die ins Wohnhaus der Duprets führte.

Kurz darauf saß Thomas in der Küche vor einer Schale Milchkaffee. Madame Dupret machte ihm schnell klar, dass sie den Ehemann und Sohn hier nur zum Essen hereinließ. Aufs Kochen werde ich dann wohl in Zukunft verzichten, seufzte Thomas innerlich, außer er nutzte seine Kochzeile oben. Doch in Gesellschaft zu essen, war ihm lieber. Genauso schön war es, von jemandem versorgt zu werden, der es verstand, wunderbare Croissants zu backen, und den Käse von den Ziegen des Nachbarn auftischte. Kurz flammte die Erinnerung an Kamila auf, die sich geweigert hatte, ihnen Frühstück zu machen, auch wenn sie während der Weinlese morgens um vier Uhr rausmussten.

Eine Schwester Alains war in Marseille verheiratet, wie Madame erzählte, und kam angeblich vor Heimweh nach dem Landleben um. Über sie und ihre Sorgen und wie sie ihr gerade jetzt fehle, wo sie schwanger sei, sprach Madame Dupret und enthob Thomas der Pflicht, artige Konversation zu betreiben, was ihm morgens besonders schwerfiel. Morgens? Himmel, es war kurz vor zehn Uhr, und Alain wartete.

Sein Auto war ein ramponierter Renault in einer Tarnfarbe. »Wenn die Staubschicht dick genug ist, sieht dich keiner mehr, und du wirst eins mit der Landschaft. Steig ein und schnall dich an. Die Bullen sind gnadenlos. Der Staat braucht Geld.«

Thomas blickte auf die Steinchen, den Sand und die trockenen Blätter im Bodenraum, die eine Art ökologische Fußmatte bildeten.

»Wenn die Schicht dick genug ist, nehme ich die Schaufel, sonst lohnt es die Mühe nicht.«

»Mach besser auf beiden Seiten die Wagentüren auf, dann weht dieser Sturm den Dreck raus, und du hast weniger Arbeit«, schlug Thomas vor. »Zieht schlechtes Wetter auf?«

»Steig ein und mach die Tür zu!«

Thomas tat, wie ihm geheißen.

»Das ist der Mistral. Mit dem leben wir, mal Freund, mal Feind. Der weht hundertzwanzig Tage im Jahr, heute ist er besonders heftig. Wenn ein Tief über dem Norden Frankreichs nach Osten hin abzieht, entsteht dieser Wind. Er weht immer aus Nordwesten. Ganz im Westen blockieren ihn die Cevennen, auf der anderen Seite die Alpen. Das presst die Luftmassen zusammen wie in einer Düse, und er bläst schneller. Hier wurden Windgeschwindigkeiten bis hundertfünfzig Stundenkilometer gemessen.«

»Das kann kaum gut für den Wein sein.«

Alain meinte, dass der Mistral sowohl positive wie negative Auswirkungen habe. »Es ist ein trockener Wind, er durchlüftet die Rebzeilen, trocknet die Blätter, kein Ambiente für Pilze. Er bläst die Wolken weg und sorgt für blauen Himmel. So kommen wir auf zweitausendachthundert bis dreitausend Sonnenstunden im Jahr, was dem Wein nur guttut. Wir nennen den Mistral auch *mange-fange*, den Schlammfresser, weil er nach dem Regen den Boden trocknet und ihm die stauende Nässe nimmt. Und er schützt vor Spätfrost. Wenn er während der Lese bläst, kühlt er die Trauben, denn die Hitze kann erbärmlich sein.«

»Also alles nur positiv?« Das konnte Thomas sich nicht vorstellen.

»Soll ich gleich mit dem Schlimmsten kommen?«, meinte Alain. »Stell dir vor, du stehst mit der Rebschere im Dezember auf einer fünfhundert Meter hohen Terrasse und musst Reben schneiden. Dir weht bei fünf Grad Außentemperatur ein Windchen mit hundert Stundenkilometern um die Nase. Das wirkt wie minus zwanzig. Die eisige Hölle, sage ich dir. Jetzt bricht er vielleicht die jungen Triebe ab, und im Sommer entzieht der Mistral dem Boden und den Pflanzen viel Feuchtigkeit. Das kann kritisch werden, genauso steigt die Waldbrandgefahr, besonders bei den trockenen Kiefern und Pinien. Also gewöhne dich an ihn, du musst, solange du hier bist, mit dem Mistral leben. Es geht, und im Hochsommer, wenn kein Lüftchen weht, dann fehlt er dir sogar.«

Sie waren mittlerweile in l'Ardoise angekommen, einem Dorf, das groß genug war, einen Bahnhof zu besitzen. Wohnhäuser längs der Landstraße wechselten sich mit Handwerksbetrieben, mit Werkstätten und Firmen für Landmaschinen ab, bevor die Weizenfelder begannen, die sich zwischen den Rebanlagen verloren. Weiter westlich, vor dem Kalkplateau des Gard, das in der Kreidezeit entstanden war, lag die Ortschaft Laudun.

»Da haben die Römer alte Steine hinterlassen, ein paar Grundmauern, ein halb zusammengefallener Turm, das ist alles, was vom Camp de César übrig ist. Von dort aus hat die römische Armee die Rhône überwacht, hier ziehen schon seit zweitausend Jahren die Völkerscharen durch, heute sind es die Deutschen und Skandinavier, die auf diesem Weg an die Costa Brava fahren, die wilde Küste.«

Laudun, erklärte er, gehöre zu den Orten der dritten Kategorie. An oberster Stelle stehe Châteauneuf-du-Pape bei den Rhône-Weinen, gefolgt von Orten wie Lirac und Tavel und Saint-Gervais auf dieser Seite. Auf der anderen seien es bedeutend mehr, solche wie Crozes-Hermitage oder Gigondas. Diese Orte führten nur ihren Namen auf dem Etikett und durften ihre Flaschen mit dem Namen prägen. Dann kämen die Appellationen, die als Côtes du Rhône Villages bezeichnet würden – mit angehängter Gemeindebezeichnung, zum Beispiel Laudun-Chusclan. Da hätten sich die Kellereien zu einer Genossenschaft zusammengefunden.

»Sag nichts gegen Genossenschaften, solange du ihre Weine nicht probiert hast. Es gibt auch Massenware, klar, leider, das ist die für einen Euro fünfzig. In der Genossenschaftskellerei in Laudun gibt es eine Art Tankstelle, da zapft man selbst, Côtes du Rhône, weiß und rot. Die Weine hier unterscheiden sich hauptsächlich vom Boden her und vom Können. Die Böden zeige ich dir auf dem Rückweg, wir sehen uns einige unserer Parzellen an, dann lernst du sie kennen.«

Die nächste Stadt war Bagnols-sur-Cèze. Sie fuhren über verstopfte Umgehungsstraßen außen herum und am Ortsende über die Brücke der Cèze. Im Flusstal ging es einige Kilometer wieder durch Weinfelder, bis sie zuletzt durch ruhige Gässchen nach Saint-Gervais hineinrollten und zuletzt in den großen Hof der Domaine Clavel einbogen.

Claire Clavel hatte als Kind bereits unten an der Landstraße gestanden und den Vorbeifahrenden Obst und Gemüse vom Hof ihrer Eltern verkauft, so wie Kinder gern mit dem Kaufmannsladen spielten. Das muss vor meiner Zeit gewesen sein, dachte Thomas, er hatte damals nur an Carrera-Autos, an Legosteine und die Playmobil-Piraten gedacht. Vielleicht hatte Claire daher das Händchen für eine gute Verkäuferin, denn heute musste sie die jährliche Produktion von zweihunderttausend Flaschen absetzen und nochmals die gleiche Menge Wein, die als Fassware an Händler verkauft wurde, die ihn zu Markenwein verarbeiteten. Zuvor aber musste der Wein produziert werden. Das zu koordinieren, war ebenfalls ihre Aufgabe und nicht leicht für eine junge Frau, die erst vor wenigen Jahren den Betrieb vom Vater übernommen hatte. Der Wechsel wird ein harter Kampf gewesen sein, Thomas erinnerte sich an die Auseinandersetzungen mit seinem Vater und mit Manuel. Lag es daran, dass sie gleichberechtig entschieden und die jeweiligen Tätigkeiten nicht klar genug voneinander abgegrenzt hatten? Claire Clavel verlangte ihm viel Respekt ab, sie arrangierte sich gut mit dem Vater, der meist im Weinberg blieb und Claire die Kellerarbeit überließ, den Verkauf und das Bei-Laune-Halten der Mitarbeiter.

Da waren der Kellermeister und seine Hilfskraft, es gab den Chef des Weinbergs und zwei ihm unterstellte Arbeiter. Salva aus Rumänien war Traktorist, er kümmerte sich um den Vollernter, den Laubschnitt und die maschinelle Entfernung des Bewuchses zwischen den Rebstöcken. Agnès half im Büro. Im Winter kam ein Trupp für den Rebschnitt und während der Lese die Helfer aus Spanien für die Cru-Lagen, Weinberge, in denen nur von Hand gelesen wurde.

»Der Betrieb entspricht in etwa unserer Größenordnung«, meinte Alain, der hier eigentlich nur ein Ersatzteil für ein Gebläse hatte holen wollen, da man mit den gleichen Fabrikaten arbeitete. Und in der Gemeinde von Chusclan grenzten Flächen aneinander, man war sozusagen Nachbar. Alain schloss sich der Führung gerne an, es gab immer etwas zu lernen und einen Trick oder eine Methode, die nachzuahmen sich lohnte.

Thomas hingegen wurde zusehends kleinlaut, denn dieser Betrieb hatte die fünffache Größe seines eigenen – ihres eigenen, wie er sich im Stillen korrigierte. Die Aufgaben waren ähnlich, aber bei dieser Größenordnung schlug die Quantität in eine neue Qualität um. Die Menge der erzeugten Weine beeindruckte ihn weniger, sie arbeiteten in der Pfalz mit vier

Rebsorten, mit Gutsweinen, Lagenweinen, mit Spätlesen und einer Beerenauslese. Claire produzierte in jedem Jahr acht Weine: zwei weiße und zwei rote hier in Saint-Gervais, dann einen roten in der wesentlich trockeneren Appellation Chusclan, wo die Weine mächtig ausfielen, und zuletzt drei schlichte Côtes du Rhône. Aber hier wurden acht verschiedene Reben gepflanzt, die sich zu zweit, zu dritt oder sogar zu fünft als Assemblage zusammenfanden. Alle wurden getrennt ausgebaut, jede Rebsorte im eigenen Tank und dann später miteinander verschnitten. Das war die Kunst. Dann waren da noch die Vorschriften des Verbandes bezüglich der Mengenbegrenzung, Farbdichte und Zusammensetzung der Weine, um das entsprechende Prädikat zu erhalten. Dabei halfen Claire die wichtigsten Mitarbeiter, und von außerhalb kam Philippe Cambie hinzu, einer der besten Önologen an der südlichen Rhône, wie sie versicherte.

Äußerst aufmerksam hörte Thomas zu, doch immer wieder schweiften seine Gedanken ab, und er verglich die hiesigen Methoden mit denen daheim. Wenn es dort nicht zum Drama gekommen wäre – er hätte auf jeden Fall herkommen müssen, um mehr zu lernen. Es überlas sich leicht in einem Prospekt, dass ein Wein fünf Rebsorten enthielt, aber wenn man sie zu kombinieren hatte, sah die Sache anders aus. Bei der Beurteilung von Wein jedoch hielt er sich für kompetent, ihm war auch bewusst, dass sein Geschmack, der eines jungen Mannes, nicht mit dem eines Fünfzigjährigen vergleichbar war. Das fiel ihm häufig bei Proben mit seinem Vater auf, der auf zwanzig Jahre Erfahrung als Weineinkäufer zurückblickte. Thomas hatte zu beurteilen gelernt, ob ein Gewächs gut war, ob es Fehler aufwies und wie es sich entwickeln konnte oder ob es nur seinen ganz persönlichen Vorstellungen entsprach. Es hieß zwar immer – und wurde von den Laien gern wiederholt –, dass Wein Geschmackssache sei. Das war für die Konsumenten durchaus richtig, doch das galt nicht für ihn. Er konnte sich auf sein Geschmacksgedächtnis verlassen, er erinnerte sich an Düfte und Gerüche, die er vor Jahren wahrgenommen hatte, und er trainierte diese Fähigkeit, gleichzeitig führte er Buch über alle Proben.

All das hat Kamila irgendwann belächelt, dachte er, als Claire die Gläser holte und den Restweinbehälter, wie der Spucknapf offiziell genannt wurde, auf den Tisch stellte. Irgendwann geht sie nach Polen zurück, aber sicher nicht, bevor sie Manuel gerupft hat. Er war schwach, er war zu gutmütig. Schwanger zu werden, wäre der Garant für eine gute Rente. Wieso hatte er eigentlich kein Kind mit ihr? Seine Gedanken kreuzten sich wirr, er musste sich wieder auf den Augenblick konzentrieren. Aber es gelang ihm nicht. Vor dem Ausspucken des Weins nach dem Probieren hatte sich Kamila geekelt und hatte Verkostungen gemieden. Aber Probieren hieß nicht trinken, und wer es trotzdem tat, wurde krank beziehungsweise süchtig. Allerdings gab es Weine, die bei Weitem zu schade waren, um sie auszuspucken. Da hätte man sogar das Glas ausgeleckt.

Régulus hieß die Linie der schlichteren Côtes du Rhône. Ein weißer, ein roter und ein Rosé gehörten dazu. Thomas gehörte nicht zu den Winzern, die Weine gedanklich auseinandernahmen, sie in ihre Geruchs-, Säure-, Zucker- und Farbbestandteile zerlegten, die die Ketten der Polyphenole aufdröseln konnten, obwohl er auf der Hochschule Derartiges gelernt hatte. Ein Wein war komplex, sollte eine runde Sache sein, sollte schmecken. Niemand kaufte einen Wein, weil er den besonderen Duft von Plattpfirsich und roter Pampelmuse aufwies, das Ganze mit einem Hauch von Limone, so wie dieser blasse Rosé vor ihm. Da waren das Etikett und die Farbe des Weins wichtiger – die technischen Belange hingegen blieben ausschließlich Sache der Leute vom Fach.

Bei den Rotweinen konnte er sich nicht entscheiden. Der Clair de Lune mit dem goldenen Halbmond auf schwarzem

Etikett hatte es ihm angetan, doch dann kam der Syrius ins Glas und relativierte alles. Grenache, Syrah und Carignan, eine gute Mischung, und obwohl er erst zwei Jahre alt war, erinnerte er ihn an das, was er aus Châteauneuf-du-Pape in Erinnerung hatte.

Was hatte Claire eingangs gesagt? Sie war in Orange auf der anderen Seite des Flusses zur Schule gegangen, und nicht eine ihrer Mitschülerinnen war jemals auf dieser Seite gewesen? Es war das falsche Ufer. Welchen Unsinn manche Menschen von sich gaben. Sie hätten herüberkommen und diese Weine probieren sollen! Er würde auf jeden Fall ans andere Ufer fahren und schauen, ob seine Erinnerung an Châteauneuf-du-Pape der Wirklichkeit entsprach. Er erinnerte sich, dass es am Rhein nicht anders war, auch dort blickten die Rheinland-Pfälzer mitleidig auf die Rheingau-Winzer und umgekehrt, wähnten den jeweils anderen am falschen Ufer.

Er hatte sich wieder verloren, war wieder abgeschweift, er war noch nicht angekommen. Gestern auf der Autobahn, die Katastrophe im Nacken, heute mitten im Geschehen, und er ertappte sich dabei, wie er Deutsch dachte und Französisch sprach, und hätte am liebsten still vor diesem Glas gesessen. Es war der Duft der *garrigue*, der Landschaft von Sträuchern, halbhohen Bäumen und mediterranen Kräutern wie Salbei, Lavendel, Rosmarin und Thymian. Und als sie später einen Abstecher durch die hoch auf den Hügeln gelegenen Weinberge machten, fand er diesen Duft wieder. All diese Pflanzen wuchsen hier, umgeben von Nadelwäldern, rahmten die Parzellen ein oder trennten sie voneinander.

»Es hat dir in Saint-Gervais gefallen, nicht wahr?« Alain saß wieder am Steuer, sie fuhren weiter, er hatte vorgeschlagen, in Goudargues essen zu gehen, er kenne ein nettes Restaurant, das seine Weine anbot. Man säße wunderbar unter den Platanen am alten Kanal. An Arbeit sei heute nicht mehr zu denken, nur das Ersatzteil musste am Abend eingebaut werden. »Dabei kannst du mir helfen. Und dann sehen wir, was morgen anliegt. Also, was ist abschließend zu sagen?«

»Es hat mir gut gefallen, die Weine ebenso. Und die Winzerin – Hut ab – eine energische Frau. Steht da irgendein Mann hinter ihr?«

»Nein. Wieso? Hast du Interesse?«

»Nein, um Himmels willen, nein!« Das war in voller Überzeugung gesagt. »Verschone mich mit Frauen.«

»Na, das kommt schon wieder, eines Tages … Übrigens sollte ich dich heute Abend unserem Nachbarn vorstellen, Gustave Vitrier, seine Weine sind großartig. Ich bin noch längst nicht so weit, ich kann nur an das anknüpfen, was mein Vater geschaffen hat, er ist bisher einer anderen Auffassung vom Wein gefolgt. Gustave ist sehr offen und hilfsbereit, du kannst ihn nach allem fragen. Er ist das Gegenteil von seinem Bruder drüben in Châteauneuf-du-Pape. Der steht zwar an der Spitze, aber er scheint mir ein verhärmter Bursche zu sein. Ich wäre überglücklich, wenn ich die Domaine des Trois Anges besäße. Gustave ist der Ältere von beiden. Er sollte dich kennen – nicht dass der dich mit einem von den Rumänen verwechselt und auf dich schießt, wenn du spät heimkommst.«

»Wieso sollte er auf mich schießen?« Ein alberner Gedanke für Thomas. »Und was sind das für Rumänen?« Er kannte die Vorurteile, in Deutschland waren sie nicht sonderlich beliebt.

»Das mit dem Schießen habe ich nur so gesagt«, wiegelte Alain ab. »Allerdings machen rumänische Banden nachts die Gegend unsicher, sie brechen in Werkstätten und Kellereien ein und räumen sogar tagsüber Wohnhäuser aus …«

Kapitel 7

Sie saßen lange am Frühstückstisch. Marcel Clément hatte früh das Haus verlassen, Madame Clément war geblieben und leistete Simone Gesellschaft, um sie nicht gleich am ersten Morgen allein zu lassen. Ihre Einfühlsamkeit ließ bei Simone das Misstrauen schwinden, das sie gewöhnlich Fremden entgegenbrachte. Feste Freundschaften hatte sie während der Technikerausbildung nicht geschlossen, und bis vor Kurzem, in Saint-Émilion, war die Kommunikation mit jungen Leuten durch die Entfernungen zwischen den Weingütern recht eingeschränkt gewesen.

»Das ist bei uns anders«, meinte Madame Clément. Sie sei zwar im weitesten Sinne ihre Chefin, doch sie verstünden sich hier auf der Domaine als eine Equipe, die zusammen arbeitete, zusammen lebte und in der sich jeder auf den anderen verlassen konnte. Wer das nicht akzeptiere, sei hier falsch. »Außerdem sind in Châteauneuf-du-Pape die Entfernungen bei Weitem nicht so groß wie bei euch in Bordeaux. Irgendwann kennt man so ziemlich alle, irgendwann begegnet man jedem auf der Straße. Zu unserer Appellation gehören lediglich fünf Gemeinden, es nutzt wenig, wenn ich Ihnen die Namen aufzähle. Prägen Sie sich besser die Karte ein. Die finden Sie im Büro, da steht auch die Fachliteratur. Jede unserer Lagen hat ihren Namen, wir bewirtschaften hundert Hektar mit mehr als siebzig einzelnen Parzellen. Sie werden sich kaum vorstellen können, welche Herkulesaufgabe bei der Lese auf uns und auch auf Sie zukommt. Wenn

Sie sich amüsieren wollen, fahren Sie nach Orange, im römischen Theater finden Shows und Konzerte statt, Rock und Klassik, die Opern sind besonders beliebt. Für alles andere müssen Sie nach Avignon. Das sind knappe zwanzig Kilometer. Für uns konzentriert sich das soziale Leben auf den Ort. Châteauneuf-du-Pape ist unser Zentrum. Die Weingüter liegen eng beieinander, wie Sie wahrscheinlich gestern gesehen haben. Unser nächster Nachbar, gerade mal auf der anderen Seite der Straße, ist das Château des Trois Anges. Der Besitzer, Maurice Vitrier, ist ein ziemlich ehrgeiziger Mensch.« Sie machte eine Geste, als hielte sie ihn für recht verschroben. »Er arbeitet wie ein Wahnsinniger, er bringt sich für den besten Wein geradezu um. Er will der Beste sein, aber er schafft es immer nur auf den zweiten Platz, leider!« Sie lachte mitleidig. »Dabei ist es ein riesiger Erfolg, Zweiter zu sein, ich fände das wunderbar. Mal sehen, wie er sich dieses Jahr schlägt. Wir sind etwas bescheidener. Wir machen, was wir können und so gut wir es hinkriegen.«

Dieser Satz ließ Simone aufatmen. Martins Ehrgeiz, der sich einigermaßen in Grenzen hielt, reichte ihr.

»Wir gehen es locker an und haben auch Erfolg«, fuhr Madame Clément fort. »Das spart Nerven, *ma chère*, und die Arbeit macht mehr Spaß. Wir haben nirgends Urkunden aufgehängt, die wir mit unseren Weinen gewonnen haben, wie andere Winzer. Marcel und ich glauben nicht, dass es unsere Kunden beeindruckt. Es dient mehr zur Pflege des Ego!«

Dann erzählte Madame Clément von ihrer Familie, ihren Kindern und dass sie hoffe, ihre Tochter Julie werde sich besinnen und eines Tages zurückkehren. Ihr traute sie eher zu als ihrem Sohn, das Weingut zu übernehmen. »Sie hat Geschäftssinn, sie liebt die Natur, und sie kann mit Menschen umgehen.«

Von ihrer Mitteilungsfreude angesteckt, begann Simone zaghaft, über sich zu sprechen, wobei sie das Gefühl hatte, dass Madame sie sehr geschickt ausfragte. Ganz besonders erkundigte sie sich nach ihrem Verhältnis zu Martin und wie er zu ihr stehe und wie seine Frau damit umgehe, was Simone verunsicherte. Von welchen Hintergedanken waren diese Fragen geleitet? War sie mal wieder übervorsichtig? Wirkten noch immer die bösen Worte ihrer Großmutter nach, dass alle Menschen schlecht seien und manche Freundschaft vorgaukelten, nur um eigene Ziele zu verfolgen?

Den heutigen Tag solle Simone nutzen, sich umzuschauen, sich einzugewöhnen. Am Nachmittag sei Monsieur Clément wieder hier, dann würde er ihr die Weinberge zeigen, die zur Domaine gehörten.

»Berge sind es nicht, es ist hügeliges Gelände und oft auch nur flach. Das Spannende aber sind die unterschiedlichen Böden, die oft innerhalb einer Lage abrupt wechseln.« Dann stünde hauptsächlich Kellerarbeit an und je nach Wetterlage das Spritzen. »Wenn der Mistral bläst, können wir darauf verzichten, andernfalls …«

Serge, der sich hier um alle Maschinen kümmere, würde ihr das Moped ihres Sohnes herrichten, so Madame Clément, »dann haben Sie einen fahrbaren Untersatz, denn bis ins Zentrum von Châteauneuf läuft man knapp zwanzig Minuten. Ich spreche mit Serge, nein, am besten stelle ich ihn Ihnen gleich vor. Er ist zwar in Rente, aber er braucht immer eine Maschine, an der er herumschrauben kann.«

Monsieur Serge war ein wortkarger, dunkler Typ mit weißem Haar und so knorrig wie ein alter Weinstock, den man niemals gefunden hätte, wenn er sich im Weinberg zwischen den Reben versteckt hätte. Simone mochte seine Augen, sie waren frei von jedem Argwohn. Der Siebzigjährige, der mehr als sein halbes Leben hier gearbeitet hatte und jetzt die Rente aufbesserte, war gern bereit, das Moped zu reaktivieren, doch Simone müsse sich gedulden, meinte er, er hätte heute anderes zu tun.

Ihr war es recht. Sie ging gern zu Fuß, da sah sie mehr und

konnte ihren Gedanken nachhängen. All das Neue um sie herum verwirrte sie.

»Sie bekommen demnächst ein Auto, hat Ihr Patenonkel gesagt«, Madame Clément schien sichtlich von Martin beeindruckt, »damit Sie beweglich sind. Mir scheint, er ist sehr besorgt um Sie.«

»So war er immer.« Es gefiel Simone, dass andere es bemerkten. »Ich bin so eine Art Tochter für ihn, Charlotte und Martin haben selbst keine Kinder. Als sie geheiratet haben, fühlten sie sich zu alt dazu. Ich fand das nicht, heute ist es sicherlich anders. Sie hätte wohl kaum den Nerv dazu.« Ach, was redete sie hier? Das waren Privatangelegenheiten.

»Wie lange sind sie zusammen?«

Eigentlich wollte Simone sagen »Was geht Sie das an«, es lag ihr auf der Zunge, doch was konnte sie stattdessen sagen, was nicht so unhöflich klang?

Madame hatte ihre Gedanken erraten. »Entschuldigen Sie, ich bin nun mal ziemlich neugierig. Ich weiß gern um den Hintergrund der Menschen, die für uns arbeiten, ich meine, die mit uns arbeiten.«

Simone zuckte zusammen. Zum ersten Mal in ihrem Leben sollte sie *für* andere arbeiten. Bislang hatte sie ausschließlich *mit* anderen gearbeitet. Sie spürte, dass es ihr nicht behagte, und dass sich Madame korrigiert hatte, zeigte ihr, wie sie wirklich dachte. Simone ahnte, dass ihr etwas genommen würde. Hatte sie sich deshalb so dagegen gewehrt, auf einem anderen Weingut ein Praktikum zu beginnen? Bei Charlotte und Martin hatte sie vom ersten Tag an das Gefühl, für sich und mit den anderen zu arbeiten, und von denen erwartete sie das Gleiche. Hier war es anders. Wenn sie für andere arbeiten sollte, musste sie mehr mitnehmen, als sie hierließ. Nein, das war auch falsch, es sollte ausgeglichen sein. Sie musste etwas geben, damit man sie lernen ließ. So hatte sie bislang nie darüber gedacht. Für andere arbeiten – war es das, was sie Ausbeutung nannten?

Jean-Claude hatte davon gesprochen, ihr Onkel, Professor an der Weinbauhochschule. Sie erinnerte sich, wie sie ihn in Narbonne besucht hatte. Er war noch der Vernünftigste von allen aus ihrer Sippe, mit ihm konnte man reden. Theoretisch war er der größte Weinfachmann, andererseits musste sie bei dem Gedanken lächeln, wie linkisch er sich beim Rebschnitt angestellt hatte, und ob eine Weinbeere von guter oder schlechter Botrytis befallen war, konnte er auch nicht unterscheiden.

Sie bedankte sich bei Madame Clément für den freundlichen Empfang und die Möglichkeit, das Moped zu nutzen. Sie schaute für einen Moment diesem Serge zu, der ein Gerät zusammensetzte, dessen Funktion sich ihr nicht erschloss. Vorsichtshalber fragte sie nicht nach, um ihr Unwissen nicht preiszugeben, doch sie hatte das Gefühl, dass diesem Serge niemand etwas vormachen konnte. Als wollte er diesen Gedanken bestätigen, nickte er ihr beruhigend zu.

Sie verließ die Werkstatt und ging vor bis zur Landstraße. Auf der anderen Straßenseite stand ein Schild mit der Aufschrift »Château des Trois Anges«, es war mindestens dreimal so groß wie das der Domaine Vincent Clément. Dieser angeblich ehrgeizige Winzer lebte wirklich in einem Château. Es war ein großer Mittelbau mit hohen Fenstern, davor schmale Austritte und eine halbrunde Freitreppe. Der linke Flügel war bewohnt, der rechte den gesellschaftlichen Ereignissen vorbehalten. Eingefasst war der Komplex von hohen Zedern, wenn sie nicht irrte. Eigentlich besagte der Begriff Château nur, dass ein Gebäude inmitten der Weinberge stehen musste, ob es nun ein Palast war oder eine umgebaute Scheune, das war gleichgültig. Wer jedoch »Château« hörte, hatte gleich einen Renaissancepalast vor Augen. Anschauen würde sie ihn sich schon, den Palast der drei Engel. Er war bestimmt sehr elegant eingerichtet.

Sie schlenderte weiter, die Straße führte leicht bergauf und der Wind griff ihr ins Haar und wirbelte es ihr ins Gesicht.

Sie fand in ihrer Handtasche eine Haarklammer, die sie an windigen Tagen im Weinberg trug, aber der Wind war zu stark, und sie nahm den braunen Zopfgummi. Das war besser, doch nicht genug. Sie beschloss, sich in Zukunft, wenn es denn hier immer so windig war, einen Zopf zu flechten.

Auf der Kuppe angekommen, sah sie noch nichts vom Dorf. Rechts verdeckten Bäume die Sicht, über die hohe Mauer links konnte sie nicht hinwegsehen. Erst als die Mauer zurückwich, tat sich Châteauneuf-du-Pape vor ihr auf. Gestern, bei der Ankunft, war sie zu aufgeregt gewesen, um richtig hinzusehen. Die Sonne warf ihr gesamtes Licht auf die blau blühenden Wiesen, ließ den roten Mohn leuchten und die frischen jungen Triebe des Weins. Er wucherte bis in die Siedlung hin, verband sich mit ihr und den einzelnen Bäumen und spitzen Zypressen, die in den Gärten zwischen den eng stehenden Häusern sprießten. Auch Letztere waren untereinander und mit dem Berg eine unlösbare Verbindung eingegangen, hoch oben über den in stumpfem Rot leuchtenden Dächern stand die Ruine vom Schloss der Päpste.

Sie hielt nicht viel vom Katholizismus. Weder war sie getauft, noch hatten ihre Eltern einst kirchlich geheiratet und ihr die Religion nahegebracht. Aber es gab Momente, Augenblicke von kurzer Dauer, in denen sie etwas spürte, was andere Andacht nannten, und das war immer draußen, unter freiem Himmel, in der Natur, im Weinberg. Da überkam sie eine Ruhe, die sie innehalten ließ. Es gab auch ein besonderes Licht, meistens spät am Nachmittag, wenn die Sonne tief stand, was ein ähnliches Gefühl in ihr auslöste. Aber wenn es um Religion ging, hatte sie immer Charlottes Worte im Ohr, dass es ein Schauplatz war, auf dem Menschen ihre Macht über Schwächere ausspielen konnten. Martin sagte nie etwas dazu, aus politischen Debatten hielt er sich sowieso heraus.

Als Simone an der nächsten großen Kreuzung den Wegweiser nach Bédarrides sah, erinnerte sie sich daran, dass

Charlotte erwähnt hatte, dass irgendwann im 10. Jahrhundert der König von Burgund und der Provence den Bischöfen von Avignon den Ort Bédarrides geschenkt hatte. Damals hatten die Bewohner nichts zu melden gehabt, die Bauern waren Leibeigene, also Sklaven der Kirchenfürsten gewesen.

»Die Kirchenleute werden sicher auch dafür eine ganz plausible Erklärung gefunden haben«, hatte Charlotte gesagt, »sie hatten und haben für alles eine plausible Erklärung. Man muss nur glauben, so einfach ist das. Und wenn ihnen nichts mehr einfiel, nannten sie es die gottgewollte Ordnung. Sie schliefen in weichen Kissen, unsere Bauern auf Stroh.«

Charlotte hatte versprochen, sie hier zu besuchen. Sie würde sicher einige Geschichten mitbringen, sie kannte immer gute Geschichten, dabei war es eigentlich Geschichte, nein, letztlich Politik, und das war ihr Dauerthema.

Es war Simone unmöglich, sich vorzustellen, wie es sich anfühlte, wenn man in einem Ort lebte, der verschenkt wurde, oder einen Mann zu heiraten, den die Eltern bestimmten. Wie ekelig. Sie schritt die Avenue Baron le Roy weiter entlang, vorbei an einer Kapelle, davor ein Parkplatz und dahinter wieder ein Weingut. Es wäre spannend zu wissen, wie weit der Ort unterkellert war, welche Weinschätze dort schlummerten. Von außen zeigten sich nur glatte und bröckelnde Fassaden, mal blaue, mal grüne Fensterläden, die Türen waren geschlossen, die Fenster meistens auch, und wie sich Bewohner von Besuchern unterschieden, dafür hatte sie längst einen Blick bekommen. Es war die Art zu gehen und die Kleidung, beziehungsweise eine Kombination von beidem. Winzer in Bermudashorts und großkalibrigen Tennisschuhen hatte sie selten zu Gesicht bekommen. Die Arbeiter arbeiteten, Leute wie Serge standen an ihrer Drehbank, und sie selbst säße vielleicht auf dem Trecker und würde pflügen. Wie das hier vonstattengehen würde, war ihr einstweilen schleierhaft. Die Weinberge, an denen sie bis jetzt vorbeigekommen war, lagen voller riesiger Steine.

Sie erinnerte sich an den Brunnen, an dem sie gestern abgebogen waren, setzte sich für einen Moment auf den Rand und sah sich um. Im Hotel gegenüber war Martin abgestiegen. Sie würden sich erst am Nachmittag treffen, er wollte vorher einige Winzer besuchen. So wie sie ihn kannte, ging er selbstverständlich der Frage nach, was es mit dem Kollegen auf sich hatte, von dem niemand je wieder etwas gehört hatte. Zwei Jahre war es her, und sie fragte sich, ob jemand nach so langer Zeit jemals wieder auftauchen würde. Was würde Madame Clément dazu sagen? Wenn sich alle Leute hier kannten, vielleicht wusste sie mehr? Martin würde es sicher interessieren.

Als einige Ausländer vorbeikamen, bemerkte sie, dass sie direkt vor der Touristeninformation saß. Sie ging hinein und bat um einen Stadtplan. Danach setzte sie sich wieder auf den Brunnenrand und studierte den Plan, in dem etliche Weingüter verzeichnet waren. Es gab eine Erklärung zur Kapelle, an der sie eben vorbeigekommen war, und etwas über den Bergfried der päpstlichen Ruine. Deutsche Truppen hatten dort einen Beobachtungsposten eingerichtet und versucht, ihn im August 1944 zu sprengen. Unten im Gemäuer sollte es einen Saal für festliche Empfänge geben. All das konnte warten, irgendwann würde sie es sich ansehen. Jetzt wollte sie erst einmal hinauf und von oben den Rundumblick genießen. Sie hatte zwar Lust auf einen Kaffee, aber den würde sie sich auf dem Rückweg gönnen.

Sie kam an einer Bäckerei vorbei, daneben war ein Weinladen. Gegenüber war ebenfalls ein Weinladen: Trintignant & Fils, Vente – Dégustation. Stirnrunzelnd betrachtete sie die Preisschilder. Was war in den Flaschen, wenn der niedrigste Preis bei siebenundfünfzig Euro lag, der höchste bei neunzig? Wer kaufte das Zeug? Die vielen meist älteren Leute, die hier herumliefen oder im Cabriolet vorbeidröhnten und notgedrungen den Geländewagen Platz machten, die nicht einmal Winzer für nötig erachteten? Es musste sich bei Trintignant um einen *négociant* handeln, einen Händler, wie sie ihrem Smartphone entnahm. Das war das Gute an den Dingern, man konnte sofort in die Recherche einsteigen. Man bekam natürlich nur das zu sehen, was andere ins Netz gestellt hatten.

Um die Ecke befand sich die Polizeiwache, gegenüber, in dem Haus mit der Nationalflagge und der europäischen Fahne, die Mairie, das Bürgermeisteramt. Daran schloss sich der nächste Weinladen an, davor ein großes rotes Schild, oben drüber die Papstmütze mit gekreuzten Schlüsseln, ähnlich waren die Flaschen der hiesigen Weine geprägt.

Bei der Anordnung des Wappens soll es feine und doch wichtige Unterschiede geben. Wer Produzent war, wer Händler – alle hatten andere Symbole. Wer sich nicht auskannte, fiel rein. Die Preisliste hier war für Sterbliche, da kostete die Flasche des zwei Jahre alten Rotweins lediglich fünfzehn Euro, die des drei Jahre alten sechzehn und so weiter. Aber dreizehn Rebsorten sollen in dem Wein verarbeitet sein? Im nächsten Weinladen begannen die Preise bei achtundzwanzig Euro, dann wurde es Simone langweilig, die Preise zu vergleichen. Was ging es sie an? Es gab Bordeaux-Weine, die mehr als eintausend Euro kosteten. So etwas hatte sie nie probiert, sie sollte Martin danach fragen, der kam billiger an das Zeug, durch seine kleinen Nebengeschäfte. Aber ihr reichte der Wein, den sie kelterten, den sie bei den Nachbarn vorgesetzt bekam, für sie war das allemal gut genug. Manchmal hatte sie den Eindruck, dass die Welt total verrückt war. Leider stimmte ihr darin nur Charlotte zu. Martin grinste lediglich und zuckte mit den Achseln. Manchmal ging er ihr mit seinem Phlegma auf die Nerven, er hätte sich wirklich mehr engagieren sollen. Na ja, was er nicht tat, das tat Charlotte dann doppelt.

Die Straße führte weiter bergauf, an der Kirche vorbei, an

einem Krämerladen, dann war da ein Restaurant, doch es war am Vormittag noch geschlossen. Mit ihr zogen Touristen hinauf zur Ruine, vor jedem Weinladen verweilend. Wo sollte man mit den Proben beginnen? Fast jedes Haus war eine Vinothek, jeder zweite Keller ein Probenraum. Waren das alles Touristenfallen, wie Martin meinte? Andere Besucher kamen bereits von oben zurück, sie hatten die nötigen Fotos gemacht oder fuchtelten noch mit ihren Tablets für Selfies zwischen sich und irgendwelchen Objekten in der Luft herum.

Simone war sparsam mit den Bildern, sie fotografierte nur, was unbedingt nötig war, denn je mehr Bilder sie machte, Speicherplatz war reichlich vorhanden, desto beliebiger wurden sie. »Ich kann sie ja löschen«, hieß es immer. Wozu dann überhaupt draufdrücken? Schließlich erreichte sie die Kuppe, den Bergfried im Rücken und das Rhônetal vor sich. Es war ein grandioser, ein wunderschöner Ausblick. Sie überblickte den Ort, schaute auf die Weinfelder, fühlte sich eingebettet in diese Landschaft und vergaß die Menschen um sich herum. Von oben betrachtet, schien Châteauneuf-du-Pape eine Gartenlandschaft zu sein, die vielen versteckten Gärten hatte sie von der Straße aus nicht gesehen. Im Westen, der blaue Steifen, das musste die Rhône sein, und weiter im Süden, waren das die Zinnen von Avignon? Unterhalb ihres Aussichtspunktes lag ein Restaurant, laut Martin war es das beste am Ort, »Le Verger des Papes«, der Päpstliche Obstgarten. Sie würde sich das niemals leisten können, außer Martin lud sie ein, der Ärmste. Von jetzt an würde sie mehr denn je auf ihr Geld achten müssen. Hier würde sie so wenig verdienen, dass es mal gerade eben zum Leben reichen würde. Sie musste erst zeigen, dass sie eine vollwertige Arbeitskraft war und auch so bezahlt werden wollte.

Sie setzte sich auf einen Stein und starrte vor sich hin, dann blieb ihr Blick in der Ferne an einem riesigen, kegelförmigen Berg hängen. Das musste der Mont Ventoux sein, auf den sich die Fahrer der Tour de France hinaufquälen mussten: zweitausend Meter. Die taten es für Geld. Dass man damit prahlte, den Berg mit dem Rad besiegt zu haben, war ihr unverständlich. Wer quälte sich da freiwillig rauf? Ein Berg war unbesiegbar, der stand da noch in zehntausend Jahren! Die Sicht von oben musste grandios sein, irgendwann würde sie rauffahren, aber ganz bestimmt nur mit dem Auto, wenn Martin sein Versprechen wahr machen würde und ihr den Wagen besorgte. Dann war sie nicht gezwungen, an freien Tagen auf dem Weingut zu hocken.

Wollte sie wirklich hierbleiben, oder tat sie nur Martin und Charlotte den Gefallen? Sie war sich nicht sicher, und sie war nicht entschieden. Sie wusste es nicht. Was kam auf sie zu? War es der Mühe wert? Würde sie sich nicht sehr allein fühlen? Wen würde sie kennenlernen? An den Gedanken, dass sie vielleicht sogar auf einen netten Jungen treffen würde, wagte sie sich nicht heran. Wie würde sie sich mit den anderen Mitarbeitern der Domaine Vincent Clément verstehen?

Alles ließ sich recht gut an, und sie empfand sogar eine gewisse Neugier. Wie würden sich ihre Chefs beim ersten Konflikt zeigen? Nun, sie würde es aushalten. Sie war nicht dumm, sie kannte sich im Weinbau aus und scheute sich vor keiner Arbeit. Konflikte allerdings machten ihr Angst. Außerdem stieß sie andere Menschen nicht gern vor den Kopf. Sie mochte nicht kämpfen. Jahrelang hatte sie sich gegen ihren Bruder und die Söhne ihres Stiefvaters wehren müssen. Ach, dachte sie und atmete etwas leichter, zur Not setze ich mich in mein Auto und bin in sechs Stunden zu Hause … Am unangenehmsten war ihr der Blick des Winzers gewesen. Vor Marcel Clément fürchtete sie sich und vor der Gier in seinen Augen.

Kapitel 8

Sophie Lamarc sah von ihrem Schreibtisch auf, als er den Raum betrat. Ein geschäftsmäßiges Lächeln, das lediglich die Mundwinkel hob, die Augen jedoch nicht erreichte, huschte über ihr strenges Gesicht. Der nächste Blick galt ihrer Mitarbeiterin, die neben ihr saß und auf den Tasten eines Computers herumhackte, als wollte sie sagen: »Lass uns allein.«

Madame Lamarc stand auf und kam um den Schreibtisch herum. »Monsieur Bongers? Eine gute Reise gehabt? Wie geht's in Bordeaux?«

Martin streckte ihr die Hand entgegen. Sein Lächeln war echt, die Frau war ihm sympathisch, obwohl sie allzu ernst dreinschaute. Das Haar, in der Mitte gescheitelt, zeigte graue Strähnen, die nicht nachgefärbt waren. Das Gesicht war blass, sie hätte dringend etwas Sonne gebrauchen können, die ohne Unterlass die Rebstöcke draußen beschien, aber nicht bis hinter den Schreibtisch vordrang, an dem Madame Lamarc wie hinter einer Mauer saß. Martin hatte den Eindruck, als verrichte sie hier ihre Pflicht – ohne jegliches Vergnügen, geschweige denn mit Hingabe an den Beruf –, nur um das Weingut nicht untergehen zu lassen. Sie trug einen dunkelgrauen Pulli, dazu eine Hose in der gleichen Farbe. Bis zum tiefen Schwarz der Trauer war es nur ein kleiner Schritt. Wie würden unter diesen Bedingungen die Weine ausfallen? Es käme auf den Kellermeister an. Die Sekretärin in Rosa hingegen wirkte im Vergleich zu ihr wie ein Sonnenaufgang.

»Lassen Sie uns ins Nebenzimmer gehen, da werden wir nicht von Telefonen gestört.« Sie meinte wohl die Sekretärin. »Möchten Sie einen Kaffee oder gleich etwas probieren?«

Martin deutete eine Verbeugung an. »Gern. Doch zuerst, wenn es möglich ist, hätte ich lieber ein Wasser.« Er spülte sich vor dem Probieren stets den Mund aus.

»Selbstverständlich.« Wieder zeigte sich das Lächeln der unteren Gesichtshälfte.

Im Nebenraum mit einem Tisch, an dem eine Reisegesellschaft Platz gefunden hätte, wurden die Weine verkostet. Musterflaschen standen nebeneinander auf einem Sockel auf der Anrichte. Darüber hing ein großes Schwarz-Weiß-Foto des Mannes, den Martin vage in Erinnerung hatte. Er war hier gewesen, das war etwa vierzehn Jahre her, damals als Weinhändler. Die Erfahrungen machte er sich zunutze, indem er für einige Weingüter als Agent auftrat und sie in Deutschland an Weinhändler vermittelte. Wurde eine Bestellung aufgegeben, so verdiente er an jeder Lieferung einige Prozente. Ein derartiges Angebot wollte er Madame Lamarc unterbreiten, wobei es ihm letztlich als Vorwand galt, sich nach dem Verbleib ihres Mannes zu erkundigen. Er erklärte ihr den Grund für sein Hiersein, er habe seine Patentochter zur Domaine Clément begleitet, wo sie in Zukunft arbeiten werde, und sprach über seine momentane Tätigkeit, als Winzer wie auch als Agent für Weingüter, und bot Madame Lamarc an, für sie tätig zu werden, da er die Weine in bester Erinnerung habe. Er wandte sich um und wies auf die dort stehenden Flaschen. »Aber was Sie gegenwärtig produzieren, kann ich nicht beurteilen.«

»Wir sind im Laufe der Jahre immer größer geworden, wie Sie wohl wissen. Wie die meisten hier bewirtschaften wir auch Flächen drüben, auf der anderen Seite der Rhône, in Tavel, dort kommt unser Rosé her. Und Lirac ist eine hervorragende Lage für unseren Lirac Rouge. Der reicht an den Châteauneuf heran, hat aber einen gänzlich anderen Charakter. Unsere Weine hier sind konzentrierter, die Reben älter. Wollen Sie das alles probieren?«

So empört, wie sie es sagte, beschränkte Martin sich auf die schlichten Weine und die Top-Produkte. Anders als die meisten Kollegen probierte sie keinen der Weine mit, die sie ihm einschenkte. Die Unterschiede in der Qualität waren nicht sehr gravierend, wobei die schlichten Roten in Bezug auf Fülle, Komplexität und Struktur selbstverständlich nicht mit den Top-Weinen zu vergleichen waren. Châteauneuf-du-Pape – das war der Wein für den großen Anlass, den kräftigen Festtagsbraten. Den Wein aus Lirac setzte man am Sonntag seinen Gästen vor, so gut war er. Der einfache Côtes du Rhône war exzellent für alle Tage. Der Rosé hatte Klasse, war aromatisch und trocken, Martin dachte dabei an Spaghetti mit Scampis, Venusmuscheln und Kirschtomaten oder Räucherlachs in Weißwein-Sahne mit frisch gemachten Tagliatelle.

»Die Roten, bis auf die der letzten beiden Jahrgänge, sind noch unter der Ägide meines Mannes entstanden, bei den Weißen ist es ähnlich, da bestimmt unser neuer Önologe die Richtung.«

Nur mit halbem Ohr hörte Martin zu. Was war mit Didier Lamarc geschehen? Das interessierte ihn. Seit Gastons Tod gab es für ihn keine einfachen Antworten mehr. Er hatte gestern, nachdem er Simone bei ihrem neuen Arbeitgeber abgeliefert hatte, lange auf der Terrasse des Restaurants gegenüber vom Hotel gesessen und darüber nachgedacht. Weshalb war Didier Lamarc verschwunden? Er wusste zu wenig über ihn, er musste mehr erfahren. Hier durfte er sich gefahrlos einmischen, niemand würde ihm seine Fragen übel nehmen, sie waren in Frankreich, alles ging zivilisiert vonstatten, ein Kinderspiel im Vergleich zu dem, was er in Rumänien erlebt hatte. Dieses Trauma schleppte er mit sich herum. Aber in Frankreich war er zu Hause, hier fühlte er sich sicher, auch wenn die Zeitungen und das Fernsehen nach den Anschlägen der Islamisten der Bevölkerung suggerierten, dass sie nicht sicher war.

»Ich war entsetzt, als ich hörte, dass Ihr Mann verschwunden ist«, erklärte er, ohne sie anzusehen. »Ich war so … so konsterniert, dass ich mich nicht getraut habe, weiter nachzufragen. Habe lange darüber nachgedacht, was einen Menschen dazu bewegt, einfach unterzutauchen, wegzugehen, ohne eine Nachricht oder Spuren zu hinterlassen. Es hat mir keine Ruhe gelassen. Haben Sie irgendeine Idee, was ihn bewogen haben könnte … Ist es richtig, dass er gerade den Concours de la St. Marc gewonnen hatte?« Er wich ihrem forschenden Blick aus und betrachtete die mit Urkunden dekorierte Wand. Zwischen dem Großen Berliner Gold und der Urkunde vom österreichischen Magazin ›Falstaff‹ hingen die 94 Parker-Punkte. Dann blickte er auf das Foto hinter sich. Es zeigte Didier Lamarc im Smoking, ein Mann in den besten Jahren. Martin hatte den Eindruck, als betrachte der Winzer auf dem Foto hinter ihm seine gegenüber gerahmten und aufgehängten Erfolge – und ein Schauder packte Martin, denn er hatte das Gefühl, als sei es ein Blick aus dem Jenseits.

»Warum interessieren Sie sich für das Schicksal meines Mannes?« Argwohn ließ die Stimme von Madame Lamarc leicht zittern. Sie duckte sich, als fürchte sie die Antwort.

»Halten Sie es nicht für verständlich, dass man beunruhigt ist und dass man an dem Schicksal der Menschen, mit denen man zu tun hatte, Anteil nimmt?«

»Nein.«

Die brüske Antwort ließ Martin zögern. »Ich dachte an Ihren Mann und hatte ihn und Ihre Weine in derart guter Erinnerung, dass ich meiner Patentochter vorschlug, auf Ihrem Weingut ihr Praktikum zu absolvieren, ich wollte sie Ihnen anvertrauen. Und nun muss ich erfahren, dass dieser Mann, den ich persönlich kannte, spurlos verschwunden ist. Sollte mir das gleichgültig sein?«

Wieder kam nur ein kurzes »Nein«, diesmal leiser und nicht so vorwurfsvoll, was ihm signalisierte, dass sie mit diesem Verlust längst nicht abgeschlossen hatte, falls das überhaupt möglich war. Er wusste nicht, was er entgegnen sollte. War es besser, das Gespräch abzubrechen?

Madame Lamarc ersparte ihm die Peinlichkeit dieses Schritts. »Dieses Ereignis hat unser aller Leben total auf den Kopf gestellt, mein eigenes, das der Kinder, das unser beider Eltern und auch das der Mitarbeiter. Jeder von uns hatte seinen eigenen Schmerz und hat versucht, ihn auf seine Weise zu bewältigen. Wer mir am meisten geholfen hat, waren die Kinder und die Mitarbeiter. Sie alle haben mich aufgefangen, bei ihnen bin ich danach sozusagen in die Lehre gegangen, sie haben mir gezeigt, was ich tun musste, um den Betrieb zu retten. Gut, es war auch in ihrem eigenen Interesse, aber nichts spricht dagegen, die Hilfe anzunehmen.«

»Und die Behörden, die Polizei?«

»Die Gendarmerie?« Sie seufzte, beinahe vorwurfsvoll. »Peinlich, Monsieur, das ist eine Behörde, die nicht dazu dient, einen zu trösten. Ein erwachsener Mann verschwindet, und sofort wird Ihnen unterstellt, Sie hätten Eheprobleme. Der Betrieb wird untersucht, ob man etwas vertuschen will, einen betrügerischen Konkurs plant. Die Steuerbehörde ist über mich hergefallen, als würden wir mit dubiosen italienischen Gaunern gefälschte Weine produzieren, als sei mein Mann das Opfer seiner dubiosen Machenschaften geworden, als hätte ihn einer seiner windigen Geschäftspartner verschwinden lassen. Sie haben den Betrieb auseinandergenommen. Außerdem, so hieß es, sei ein Erwachsener normalerweise Herr seines eigenen Willens. Jeder kann gehen, wohin er will. Und vielleicht hat er genau das getan, sagte man mir, da auch sein Wagen nicht gefunden wurde.«

»Es wurde also nach Ihrem Mann gesucht?«

»Ja, schon, aber …«, sie zögerte, »ich fand die Suche, wie soll ich sagen, recht halbherzig.« Madame Lamarc erwachte aus ihrer anfänglichen Starre. »Es war bekannt, dass er gern klettert. Er war Anhänger des sogenannten Freeclimbings, also ohne Haken und Seil; diese Dinge dienten ihm nur zur Sicherung. Mit keinem in der Familie teilte er diese gefährliche Leidenschaft. Ich bat ihn, besonders nach der Geburt unserer Kinder, damit aufzuhören. Aber vergeblich. Es war für Didier eine Art der Meditation. Beim Klettern vergaß er alles. Deshalb wurde vermutet, er sei abgestürzt. Da ich seine Ausrüstung nicht kannte, wusste ich nicht, ob er irgendwelche Seile mitgenommen hatte oder ein Paar seiner speziellen Schuhe. Freunde und Bekannte und die Gendarmerie suchten alle bekannten Kletterwände in der Region ab, besonders drüben, auf der anderen Seite, Sie haben sicher die Kalksteinwände gesehen. In den Cevennen gibt es sehr enge und steile Schluchten. Wir waren jeden Tag aufs Schlimmste gefasst – aber er wurde nie gefunden.«

Madame Lamarc schwieg für einen Moment und trank etwas Wasser. »Was bleibt einem, außer der Hoffnung, außer der Ungewissheit? So versucht man, sein Leben neu einzurichten, zwischen Hoffen und Zweifeln. Die Kinder sind groß, ich habe zwei Töchter, die jüngere hilft bereits im Betrieb, die ältere studiert in Montpellier. Sie will Tierärztin werden.«

»Wie kommen die beiden mit dem Verlust zurecht?«

Madame Lamarc hatte die Ellenbogen auf die Tischplatte gestützt und rieb sich die Hände, als müsste sie eine Handcreme einmassieren. Dass Martin die Reaktion der Kinder ansprach, musste für sie heikel sein. Sie saß ihm gegenüber, also fiel ihr Blick immer wieder auf das Foto ihres Mannes. Seufzend riss sie sich von seinem Bild los.

»Ich glaube, genau kann ich es nicht sagen, dass die Kinder es gar nicht verarbeitet haben. Das hat keiner von uns, besonders nicht seine Mutter. Sie leidet seitdem unter Depressionen. Sie hat bereits einen …« Mitten im Satz brach sie den Gedanken ab. »Das geht zu weit, das wollen Sie nicht wissen. Nun gut, wir sind alle zusammengerückt. Ein Psychologe meint, für eine Therapie sei es noch zu früh. Ich selbst helfe mir mit der Arbeit, ich setze das fort, was er von seinem verstorbenen Vater übernommen und fortgeführt hat.«

Martin hielt es für falsch, seinem Mitleid einen theatralischen Ausdruck zu geben. Seine Teilnahme äußerte sich in seinem Interesse. Er erinnerte sich, wie er damals ähnlich reagiert hatte.

»Als mein bester Freund Gaston in einem Weinlager umkam, habe ich mich erst mal um sein Weingut gekümmert und um seine Familie. Das war meine Art, damit umzugehen, meine Therapie. Heute fühle ich mich für seine Tochter verantwortlich, außerdem ist sie mein Patenkind. Gastons Frau und der Sohn haben sich in ein neues, gänzlich anderes Leben gestürzt. Jeder wird auf seine Weise mit den Katastrophen des Lebens fertig – oder auch nicht.«

»Fertig? Glauben Sie tatsächlich, dass man damit jemals fertigwird? Die Ungewissheit bringt einen um, besonders bei Nacht, wenn man nicht schlafen kann und auf die Geräusche draußen hört, auf das Klappen einer Autotür, und sich fragt, ob er plötzlich wieder vor der Tür steht.« Die Schrecken dieser Nächte zeigten sich für einen Moment sehr deutlich in ihrem Gesicht. »Ich will nicht sagen, dass es der Familie von Joseph de Bergerac besser geht, aber seine Frau und die anderen Verwandten haben zumindest eine Gewissheit.«

»Eine Gewissheit? Wie meinen Sie das?«

»Der Tod ist nach dem Leben die größtmögliche Gewissheit, und man kann etwas abschließen.«

Etwas zu vorschnell äußerte Martin seine Gedanken. »Könnte dieser Unfall irgendetwas mit dem Verschwinden Ihres Mannes zu tun haben?«

»Wieso sollte es das?« Madame erschrak, Martin deutete es als Zeichen dafür, dass sie sich diesen Gedanken vom Leib hielt. »Nein, mein Mann ist verschwunden, und Monsieur

Bergerac wurde überfahren. Ich sehe da keinen Zusammenhang. Wie – wie kommen Sie darauf?«

»Es gibt da eine Parallele …«

»Ach – Sie meinen, weil beide den Concours gewonnen haben? Nein«, meinte sie voller Überzeugung, »nein, das ist lächerlich, Entschuldigung, abwegig meinte ich. Wer sollte denn …« Wieder zögerte sie und rang sich dann zu einem abschließenden Nein durch. »Wenn es so wäre, würde niemand mehr mitmachen. Allerdings werden dumme Witze gerissen, sehr dumme, was zum Beispiel dem Sieger in diesem Jahr alles zustoßen könnte. Davon erfährt man hintenherum. Es ist pietätlos, geradezu widerlich.«

»Nehmen Sie am Concours teil?«

»Auf keinen Fall. Das würde uns zu nahegehen, und wir befinden uns auch in Sachen Qualität längst nicht auf dem Niveau, das mein Mann erreicht hatte.«

Danach äußerte sie sich ganz allgemein zur Gewissenlosigkeit der heutigen Zeit, in der für nichts mehr Verantwortung übernommen würde, nicht einmal mehr für ein Menschenleben. »Der Mann, der Monsieur Bergerac überfahren hat, hat nicht einmal angehalten und Hilfe geleistet. Das hat die örtliche Polizei anhand der Spuren herausgefunden. Nicht einmal die hat einen ähnlichen Verdacht geäußert wie Sie.«

»Der Mann, sagten Sie, der Mann. Woher weiß man, dass der Fahrer ein Mann war?«

Sie habe es nur so gesagt, meinte Madame Lamarc, und die Familie de Bergerac kenne sie nur dem Namen nach, schließlich gebe es dreihundert Winzer in der Appellation Châteauneuf-du-Pape. »Aber mir kommt ein gänzlich anderer Gedanke. Sie sagten, Ihre Patentochter sei gelernte Weinbautechnikerin und hätte bei Ihnen zwei Jahre gearbeitet? Sagen Sie ihr, wenn es ihr auf der Domaine Clément nicht gefallen sollte, kann sie sich gern bei uns vorstellen. Gute Leute werden immer gesucht. Aber ich nehme an, sie wird sich eher an Maurice Vitrier wenden, schließlich wohnt er gegenüber, und sein Können hat auch er beim Concours unter Beweis gestellt. Er war bereits zweimal hintereinander Zweiter.«

»Sie sprechen vom Château des Trois Anges?«

Sie nickte. »Vitrier versteht sein Handwerk. Zwischen dem ersten und dem zweiten Platz, ehrlich gesagt, besteht kein großer Abstand. Da ist es mehr Glück, wie die Jury entscheidet.«

Martin kannte das Problem. Es war entscheidend, mit welchem Wein man die Prüfung begann, ob er einen Standard setzte, nach oben oder nach unten, und es kam darauf an, was man vorher gegessen hatte, wie die allgemeine Konstitution an jenem Tag war, wie man sich fühlte, ob der Raum einen eigenen Duft besaß und so weiter. Er erinnerte sich, wie man ihn seiner guten Nase wegen anfangs in Bordeaux genannt hatte: den deutschen Grenouille. Es war ihm höllisch gegen den Strich gegangen, mit dem Mörder aus Patrick Süskinds Roman ›Das Parfum‹ verglichen zu werden, eine Beleidigung geradezu, wusste er doch, wer diesen Namen in die Welt gesetzt hatte, um ihn in Misskredit zu bringen. Dass dieser Mann längst tot war, erfüllte ihn noch immer mit heimlicher Befriedigung, für die er sich nicht schämte.

Martin versprach, mit Simone zu reden und sie dazu zu bewegen, sich dieses Weingut anzusehen. Schließlich wollte sie lernen – er hoffte, dass sie sich nicht nur insgeheim von ihm dazu genötigt sah. Man könne sie und Madame Lamarcs Tochter zusammenbringen. Vielleicht fänden sie über den Beruf und das ähnliche Schicksal einen Weg zueinander, wobei die gegenseitige Sympathie die Voraussetzung sei. Das könne man nur ausprobieren. Es war ein Angebot, das Madame Lamarc gern annahm, lieber noch als das, von Martin in Deutschland vertreten zu werden.

Nach diesem Besuch brauchte Martin Ruhe. Das Gespräch hatte ihn aufgewühlt, hatte schmerzhafte Erinnerungen an die Oberfläche gespült. Begraben hatte er sie nie, er wusste, dass es nichts half. Sie waren wie Maulwürfe: Je mehr man sie bekämpfte, desto mehr Hügel warfen sie woanders auf. Er wäre jetzt gern gelaufen, das war stets seine Methode der Konfliktbewältigung gewesen. Leider hatte er seine Laufschuhe nicht mitgenommen, auch ließ sein Rücken langes Laufen kaum noch zu. Ein Bekannter hatte ihm das Reiten empfohlen, das sei ideal, um die Rückenmuskulatur zu stärken. Aber dazu hätte er ein Pferd besteigen müssen, und die Biester waren ihm unheimlich. Ein Schwimmbad gab es nicht bei ihnen in der Nähe, was blieb da noch? Krankengymnastik? Nein – ein Glas vom besten Rotwein und ein schöner Spaziergang. Den gönnte er sich sofort und bewältigte die Strecke bis zum Clos des Papes in der Avenue Pierre de Luxembourg in vierzig Minuten strammen Fußmarsches. Dabei bekam er den Kopf frei und freute sich, dass er die unangenehmen Themen fürs Erste beiseitelassen durfte. Ihn erwartete das eine oder andere Glas besten Rotweins, denn Clos des Papes soll zu den besonderen Weingütern gehören, der Chef, Paul-Vincent Avril, verfolgte angeblich eine moderne Linie. Außerdem lag ihm wohl der Wein im Blut – die Familie hatte hier bereits im 17. Jahrhundert mit dem Weinbau begonnen.

Von Paul-Vincent Avrils Vater stammten die alten Fotos, auf denen die Arbeiterinnen aus dem Dorf zuerst die von Hand gefüllten und verkorkten Flaschen mit einem Lappen abwischten, vorsichtig ein Etikett daraufklebten, die Flasche in Seidenpapier einwickelten und eine Hülse aus Stroh darüberstülpten. Andere machten große Holzkisten versandfertig. Im Weinberg pflügten nur Pferde. Und Arbeiter mühten sich an einer Korbpresse ab.

Paul-Vincent Avril sagte von sich, dass er Weine mache, die ihm gefielen, und nicht jene, die der Markt wünsche. Er präsentierte Martin nur einen Roten, der einzige, den er kelterte, wohl aber mehrere Jahrgänge davon. Erst als Martin den zwei Jahre alten Wein neben dem aus dem vergangenen Jahr im Glas hatte und daneben wieder den vier Jahre alten und diesen mit dem weitere drei Jahre älteren verglich, wurde ihm die einheitliche Linie und der Unterschied in den Jahren deutlich. Von der Farbe her bewegte sich der Wein vom tiefdunklen Rot mit lila Reflexen über Purpur hin auf ein leichteres Rubinrot zu. Ein einziger Wein und ausschließlich Merlot, das war auch anfänglich Gastons Linie in Bordeaux gewesen; Martin war ihr bis vor wenigen Jahren gefolgt. Aber hier war die Mischung entscheidend, die Assemblage, das richtige Verhältnis der Rebsorten zueinander. Wie lange fragte er sich, würde Simone brauchen, um das zu begreifen? Sie hatte eine gute Nase, aber darin war noch nicht genug gespeichert, und ihre Bescheidenheit und Ängstlichkeit standen ihr im Wege.

Zwei Drittel dieses Weins machte Grenache aus, die wesentliche Sorte, die Basis sämtlicher Rhône-Weine. Garnacha nannte man sie in Spanien, wo sie nach Tempranillo die zweitwichtigste Rebe war und wunderbar fruchtige Weine hervorbrachte. Ein Châteauneuf-du-Pape durfte aus dreizehn (!) Rebsorten bestehen – oder nur aus einer, alles war erlaubt, *tout était permis*.

»Meine Grenache-Reben wachsen auf Sand, und der führt zur Eleganz.«

Da hatte der Winzer aber Glück, dachte Martin, auf anderem Boden wäre ein ganz anderer Wein entstanden. Man musste nehmen, was die Erde hervorbrachte.

»Für meinen Mourvèdre brauche ich eher lehmigen Boden, denn diese Rebsorte steht mit dem Fuß am liebsten im Wasser und mit dem Kopf in der Sonne.« Ihr Anteil im Wein betrug nur zwanzig Prozent.

Insgeheim hoffte Martin, dass er später von dem profitieren würde, was Simone hier lernte. Dabei war ihm der Gedanke gar nicht lieb, dass sie womöglich Gefallen an der Gegend fand und bleiben könnte. Würde er es ihr verübeln? Wohl kaum. Aber selbst ein Weingut zu übernehmen – gab es einen größeren Anreiz für einen jungen Menschen, der dem Weinbau verfallen war? Sie würde zurückkommen …

Im roten Clos des Papes war noch ein zehnprozentiger Anteil Syrah enthalten, der Anteil von Counoise hingegen war verschwindend gering. Interessant würde es sein, wie der Wein wirkte, wenn man auf diesen Anteil verzichtete. Das würde Simone lernen, und darum beneidete er sie ein wenig.

Die zwei Jahre alte Cuvée, die trotz ihrer Jugend bereits offen war und mit leichtem Tannin überzeugte, anders als die auf Jahre verschlossenen Weine älterer Jahrgänge, überraschte Martin. Rote Früchte zeigten sich deutlich im Geschmack, hinzu kam ein Hauch von Schokolade. Einen zwei Jahre alten Wein aus dieser Gegend hätte er mindestens noch drei Jahre liegen lassen, wobei es nicht sicher war, dass die Zeit ihn harmonischer werden ließ und die Tannine sich rundeten.

Die waren bei dem vier Jahre alten Wein perfekt eingebunden. Es war ein Wein mit Klasse, mit intensiver, reiferer Frucht und deutlichen Aromen, bei dem sich in der Reife die Aromen von Gewürzen entwickelt hatten.

Dichte, Tiefe, Eleganz und Komplexität waren Begriffe, mit denen Martin den neun Jahre alten Wein belegte. Für Simone wäre das zu anspruchsvoll gewesen. Aber man sollte junge Leute nie unterschätzen. Dabei war klar, dass die Frucht mit der Zeit zurückging, Grenache verlor die Bedeutung, und die Gewürze wurden deutlicher, damit spielte der Winzer gekonnt die Rolle von Mourvèdre aus. Was diesen Vergleich der Jahrgänge so wertvoll machte, war der Umstand, dass die Zusammensetzung der Rebsorten nur minimal variierte.

Dahinter standen Experimente, zum Beispiel etwas, worauf er sich nie eingelassen hätte, nämlich zwei Rebsorten in einem Tank gären zu lassen. Gut, man musste es ausprobieren. Dieser Versuch war gelungen. Die Dichte des Weins wurde durch eine deutliche Mengenreduzierung erreicht, zweiundzwanzig Hektoliter pro Hektar, aber man durfte das Traubenwachstum nicht zu sehr einschränken, es machte die Weine plump und fett.

»Um den richtigen Lesezeitpunkt zu erwischen, habe ich sämtliche Lagen sechs Mal gecheckt, Proben genommen, die Trauben probiert, die Schalen durchgekaut – die Schale ist das Entscheidende. Dann verfügen wir über diverse Lagen in allen vier Himmelsrichtungen, da kann es passieren, dass eine sieben Kilometer entfernte Parzelle zehn Tage später reif wird.«

Mit den Weißen dieser Appellation hatte Martin keine Erfahrung. Er hatte sie damals in seinem Laden nicht angeboten, sie trafen nicht den Geschmack seiner Frankfurter Kunden. Inzwischen hatten viele Weinenthusiasten durch reife Rieslinge begriffen, wie generös ein gealterter Weißwein sein konnte. Auch hier stellte ihm Avril drei Jahrgänge vor, bestehend aus Weißer Grenache, Roussanne, Clairette, Bourboulenc, Picpoul und Picardan – alle mit dem gleichen Anteil vertreten.

Der jüngste Wein war spritzig, fruchtig, frisch, so wie man Weißweine gemeinhin kannte, Anis und Birne traten hervor, es war ein Wein, wie man ihn auf der sommerlichen Terrasse genoss. Das war bei den folgenden nicht mehr der Fall. Der Fünfjährige war bereits deutlich gereift, da waren die einzelnen Fruchtnoten kaum mehr zu unterscheiden, und es zeigten sich erste Anklänge an Petrol. Dieser Eindruck verstärkte sich beim Neunjährigen, die Aromen veränderten sich, Honig und südliche, sommerliche Gräser stiegen ihm in die Nase. Wer die Petrolnote scheute, wer sie für einen Fehler hielt, wäre hier ausgestiegen, doch nicht so Martin, dem dieser Wein am meisten zusagte. Diese Note kannte er von den großen gereiften Riesling-Weinen der Mosel und des Rheingaus.

Simone musste hier unbedingt probieren. Paul-Vincent Avril hatte etwas gesagt, das sowohl fürs Leben wie auch für die Zusammenstellung der Cuvée galt: »Die schwierigste Aufgabe ist es, die richtige Balance zu finden.« Gleichzeitig war Martin bewusst, dass er Simone gegenüber sehr diplomatisch vorgehen musste. Für pädagogische Maßnahmen besaß sie ein untrügliches Gespür. Die Jahre mit Mutter und Stiefvater hatten bei ihr ein tiefes Misstrauen gegenüber Anweisungen, Empfehlungen und Ratschlägen entstehen lassen. Je beiläufiger er etwas erwähnte, desto sicherer war er, dass es zu ihr durchdrang.

Auf dem Weg zurück ins Zentrum, wo er mit ihr zum Essen verabredet war, dachte er daran, wie sie den ersten Tag in der neuen Umgebung erlebt haben mochte, und hoffte, dass sie ihn nicht auf gepackten Koffern erwartete.

Kapitel 9

Das Klappern des Fensterladens hatte ihn geweckt. Der Wind hatte ihn losgerissen, Thomas hatte ihn nicht richtig befestigt. Er tat es jetzt und legte sich wieder hin. Das also bedeutete es, mit dem Mistral zu leben. Leider war es mit dem Schlaf vorbei, seine Gedanken überschlugen sich. Einer setzte sich hartnäckig gegen alle anderen durch, wie sehr er auch versuchte, ihn aus seinem Kopf zu verbannen. Wie ging es in der Pfalz weiter? Was passierte zu Hause? Hatte er seinen Vater mit allen Aufgaben und Entscheidungen im Stich und mit Manuel allein gelassen und ihm zusätzlich Kamila aufgebürdet? Thomas riss sich von den Gedanken an Manuel und Kamila los. Das Grübeln brachte ihn nicht weiter, im Gegenteil. Der Psychoscheiß führte zu nichts – Freud für Anfänger …

Er war jetzt hier, und hier musste er sich der Situation stellen. Alain hielt ihm alle Türen des Weingutes offen. Er war überarbeitet, er musste zu viel selbst erledigen, daher blieb manches liegen. Thomas' Eindruck nach konnte er nicht besonders gut strukturieren, handelte übereilt und etwas chaotisch. Thomas würde Ordnung schaffen, aber was für eine? War die französische Ordnung eine andere als die deutsche, eine bessere? Also musste er abwarten, beobachten und die Überlegungen hinter den Handlungen verstehen lernen.

Heute würden sie in den Weinberg gehen, der Syrah musste in den Drahtrahmen eingeflochten werden. Die

Triebe wuchsen täglich mehr als zehn Zentimeter, sie sprossen in alle Himmelsrichtungen. Bei der gestrigen Rundfahrt hatten sie sich die drei Lagen mit Syrah angesehen. Nur diese Rebe wurde am Drahtrahmen gezogen, die Hauptrebsorte Grenache wuchs als Busch. Von ihr mussten in der Appellation Lirac laut Statut mindestens vierzig Prozent in jeder Cuvée enthalten sein, ein größerer Anteil war möglich.

Sie hatten längst nicht alle Parzellen begutachtet, vier Hektar in Tavel für den Rosé und fünf in Châteauneuf-du-Pape standen auf dem Programm, aber das hatte Zeit. Thomas blickte auf seinen Wecker, es war kurz nach sechs Uhr. Da er es nicht geschafft hatte, für sich einzukaufen, war sein Kühlschrank leer, und er würde wieder mit den Duprets frühstücken. Hier allein in seinen Kaffee zu starren, ging ihm gegen den Strich. Schwermut war nichts für ihn. Nimm dir Zeit, sagte er sich und hatte das Gefühl, keine zu haben.

Nebenan, auf dem Château des Trois Verres, wurde bereits gearbeitet. Er hörte eine Maschine klappen. Es war nach ihnen das letzte Weingut an der Straße, die sich zwischen Reben verlor und an den Rändern des Kalkplateaus endete. Ihr Nachbar, Gustave Vitrier, war gestern aus London zurückgekommen, wo er seine Weine präsentiert hatte. Obwohl die Reise ihm noch in den Knochen stecke, wie Alain meinte, sei er bestimmt gern bereit, den Önologen aus Deutschland zu begrüßen.

Gustave Vitrier saß in seinem Büro hinter einem Berg von Papier. Das wird zukünftig unser Aufenthaltsort sein, dachte Thomas, nicht der Keller, nicht der Weinberg, sondern das Büro. Er brauchte einen Moment, um das leise Geräusch im Hintergrund einzuordnen. Es waren gregorianische Gesänge.

»Die hören Sie auch in meinem Keller«, meinte schmunzelnd der Winzer. »Ich mag sie, und mein Wein mag sie auch.« Er war ein gemütlich wirkender Mann, sommersprossig, mit vollem schwarzem Haar und einem Ausdruck in den Augen, als liebte er das Leben, als freute er sich auf den Tag, an dem er die Papierberge besiegen würde, als täte er gerade das, was er immer angestrebt hatte. Ähnlich hatte Alain ihn beschrieben.

»Ich freue mich auf den hoffentlich regen Austausch mit einem jungen ausländischen Önologen, denn man lernt nie genug. Es freut mich, dass Sie hier sind.« Gustave Vitriers Stimme klang ein wenig rostig, als wäre er erkältet. Vielleicht hatte er die Klimaanlage gestern im TGV von Paris nach Avignon nicht vertragen. Sein Lachen unterstrich seine Worte, es klang nicht gekünstelt. »Jede Begegnung bringt uns ein Stück vorwärts, wenn wir sie zu nehmen wissen, wobei man nie weiß, wann das sein wird.« Ohne jedes Zögern lud er Thomas zum Rundgang ein.

»Vieles muss ich Ihnen sicher nicht erklären. Die Technologie ist international, die Technik überall gleich, Deutschland und Frankreich sind wohl auf ähnlichem Niveau, nur Boden, Klima und Rebsorten hier sind andere, erfordern Erfahrung und Praxis und das Wissen, wie die Technik dabei helfen kann, schöne Weine zu machen. Die Zeiten, in denen wir Franzosen glaubten, als Einzige auf der Welt zu wissen, wie man gute Weine macht, sind längst vorbei. Irgendwann erzählen Sie mir alles über Riesling, Thomas! Sie pflanzen doch Riesling auf Ihrem Weingut? Haben Sie einige Flaschen mit? Wir könnten tauschen, ich habe eine schöne Weißweincuvée. Und ich werde Ihnen sagen, was ich über Bourboulenc weiß, über Grenache, Roussanne und Clairette und wofür sie stehen, sei es Farbe, Säure, Gewicht und Struktur.« Er sah Alain mit langem Gesicht dabeistehen. »Aber das wird unser lieber Freund Alain Ihnen besser vor Ort erklären.«

»Gustave hat uns immer sehr geholfen, besonders als mein Vater krank wurde«, bemerkte Alain, der den Winzer anscheinend bewunderte. »Gustave war immer für uns da.«

»Übertreib mal nicht, mein lieber Alain. Wenn Sie Hilfe brauchen, Thomas, dann kommen Sie bitte zu uns. Als Gegenleistung erzählen Sie uns beim Abendessen ein wenig über die Pfalz. Ihr Herr Vater, wie ich hörte, war Einkäufer französischer Weine? Er hat die Weine der Domaine Dupret bei Ihnen bekannt gemacht? Großartig. Wie lange haben Sie vor zu bleiben?«

»Mindestens ein halbes Jahr will er bleiben.« Alain blieb skeptisch, ob Thomas durchhalten würde, besonders da er die Hintergründe seines Aufenthaltes kannte. »Ich habe ihm empfohlen, er soll sich gleich bei dir vorstellen, damit du ihn nicht mit den Rumänen verwechselst.«

Der Gedanke schien Gustave Vitrier besonders zu erheitern. »Für einen Rumänen ist er viel zu groß und sein Gesicht zu offen.«

Diese Worte hatte Thomas irritiert zur Kenntnis genommen. Bis zu diesem Moment hatte er den Winzer als positiv eingestellten Menschen wahrgenommen, dass jetzt die Vorurteile durchbrachen, enttäuschte ihn. Nur weil Kamila ihn verlassen hatte, würde er nicht alle Polinnen verurteilen.

»Was haben Sie gegen Rumänen?«, fragte er eine Spur zu streng.

Der Winzer bemerkte den Stimmungswandel. »Nichts, gar nichts habe ich gegen Rumänen, seien Sie beruhigt. Angeblich setzt sich aus denen die Bande zusammen, die unsere Gegend unsicher macht, Wohnhäuser und Kellereien ausräumt und dann ihre Aktivitäten nach Deutschland oder Schweden verlagert. Nach einer Weile kommt die nächste Bande, neue Leute lösen die alten ab, ein Rotationsprinzip. Keiner weiß zu viel.«

»Woher wissen Sie, dass es sich um Rumänen handelt? Derartige Einbrüche sind nur möglich, wenn man sich auskennt. Die größten Verbrecher sind Insider, befinden sich in der Firma, nicht außerhalb. Direktoren veruntreuen Millionen, der Arbeiter nimmt höchsten mal 'ne Bohrmaschine mit nach Hause. Mehr passt nicht in die Aktentasche …«

»Ihr Glaube an die Menschheit ehrt Sie, Thomas. Ich dachte bis vor Kurzem auch so, bis die Polizei uns eines Besseren belehrte. Sie haben einige Leute geschnappt. Es waren Rumänen, aber über ihre Anführer, über die Chefs schweigen sie. Aus Angst, aus falsch verstandener Loyalität. Ich weiß, es sind arme Schweine, die auch nur ausgebeutet werden. *Bon*, ich bin überzeugt, ähnlich wie die Gendarmerie, dass die Hintermänner von hier stammen.«

»Gustave reagiert sehr empfindlich auf das Thema.« Alain versuchte zu beschwichtigen. »Seine Kellerei ist die letzte am Ortsrand.«

»Ein Bekannter von mir kam morgens in die Kelterhalle, sie war leer, nicht ein Schlauch, nicht ein Filter war mehr da, nicht ein Besen, keine Pumpe mehr … dann sieht man die Dinge anders. Alles, was nicht niet- und nagelfest war, hatten sie abtransportiert. Es muss jemand dort gewesen sein, der die Lage ausbaldowert hat. Glücklicherweise war der Winzer versichert. Auch mein Bruder Maurice hat geholfen. Er hat sein Weingut drüben, in Châteauneuf-du-Pape …«

»… am falschen Ufer der Rhône«, warf Alain grinsend ein, der meinte, einiges klarstellen zu müssen.

»Gibt es das, ein falsches Ufer?«, fragte Thomas, sich an die Worte seines Vaters erinnernd und an die nicht ganz unernst gemeinten Anfeindungen zwischen linksrheinischen Rheinhessen und den rechtsrheinischen Rheingauern, von den Rheinhessen nach einigen Gläsern gerne »Rheingauner« genannt.

»Alain zitiert nur Maurice. Er meint, dass Châteauneuf-du-Pape am richtigen Ufer der Rhône liege, wir seien am falschen, am schlechteren. Er glaubt, dass sie drüben den besseren Wein haben, besonders er, wir kämen erst lange danach. Châteauneuf wird gemeinhin als *die* Parade-Appellation der südlichen Rhône bezeichnet, besonders wenn man die mächtigeren Weine für die besseren hält. Es sind auf jeden Fall die berühmteren Weine, ohne Zweifel. Aber es sind keinesfalls die besseren, wenn man sich unser Terroir vor Augen hält. Klima und Boden sind nahezu identisch. Die Rhône hat beide Ufer geschaffen. Wenn man genau hinsieht, sind wir sogar die ältere Appellation. Im Jahr 1737 wurde es zur Regel, dass die Winzer ihre Fässer mit dem Siegel C. d. R. versahen, Côtes du Rhône. Damit wollten sie den bereits damals üblichen Fälschungen vorbeugen. Der Cru aus Lirac ist der eigentliche Namensgeber für alle Weine der Côtes du Rhône. Châteauneuf-du-Pape existierte immer nur für sich allein.«

»Maurice führt das Château des Trois Anges«, bemüßigte sich Alain zu bemerken, mit einem ironischen Ausdruck, dessen Hintergrund Thomas nicht verstand, besonders nicht nach der folgenden Bemerkung. »Er hat mehrmals beim Concours de la St. Marc den zweiten Platz belegt. Aber damit ist er nicht zufrieden. Er will der Erste sein. Goldmedaillen gewinnt er alle Jahre beim Concours Général Agricole in Paris. Aber die Weine von Gustave sind auch klasse, die liegen immer so zwischen neunzig und fünfundneunzig Punkten. Mit seinem Châteauneuf könnte er den Bruder glatt schlagen.«

»Das würde meinen Bruder nur verärgern.« Gustave winkte gelangweilt ab. »Im Grunde ist das alles Quatsch.«

»Ich wäre glücklich«, meinte Alain, »wenn ich so weit wäre wie du.«

»Dann mach mal schön zwanzig Jahre weiter, *mon ami*, und verlass dich auf dich selbst. Du bist nicht einmal dreißig, was würdest du noch vor dir haben, wenn du bereits jetzt einen Fünfundneunzig-Punkte-Wein machen würdest?«

»Mit neunzig Punkten wäre ich bereits zufrieden.«

»Gibt es für die Côtes-du-Rhône-Weine auch einen Wettbewerb?«, fragte Thomas.

»Nein.« Gustave Vitrier antwortete an Alains Stelle. »Aber

wir müssen mindestens achtzig Parker-Punkte haben oder diese achtzig vom britischen Decanter-Magazin oder vom US Wine Spectator bekommen, damit der Weinbauverband dich fördert, dich mit auf die Messen nimmt, damit man international Anklang findet. Ohne die ausländischen Märkte wären wir bettelarm. Aber von den Zeitschriften oder Parkers Nachfolgern lasse ich mich nicht bewerten. Der Verband meint, dass Weine unter achtzig Punkten keine Chance hätten, so interpretiere ich das. Dabei haben gerade die Kollegen mit weniger Punkten die Hilfe viel nötiger. An dieser Politik sieht man, wie abhängig wir vom Geschmack der Engländer oder US-Amerikaner sind. Dabei wollen die mit ihrem Handelsabkommen TTIP unsere Ursprungsbezeichnungen abschaffen, sie wollen uns mit ihren standardisierten Kunstweinen verdrängen. CETA ist nur das kanadische beziehungsweise trojanische Pferd, um TTIP in die EU einzuschleusen. Beim angeblich freien Handel gewinnt immer nur der Stärkere«, ereiferte sich Gustave. »Das wird auch ein Trump nicht ändern.«

Bei Thomas lief er bezüglich dieser Frage offene Türen ein, Alain hatte sich noch nicht entschieden.

»Die USA bauen dann unsere Rebsorten an, Kapital und Boden sind vorhanden, nicht eingezwängt von Europas Pflanzrechten. Dann mischen sie unsere Rebsorten zusammen, stellen den Wein mittels Fragmentierung technisch her und nennen ihn anschließend Côtes du Rhône. Die Methode beherrschen sie bereits jetzt, sie zerlegen den Wein in seine chemischen Bestandteile und setzen ihn danach künstlich in ihrem Sinne wieder zusammen. Soundso viele Teile Wasser, einen Schuss Farbe, Polyphenole aus der Pipette, Säure im Kanister, und die Tannine kaufen sie im Sack, den Zucker sowieso. Dann kriegen wir zum Convenience Food auch den Convenience Wine.«

Für Thomas war das längst Realität. »Aber achtzig Punkte? Die erreicht ihr doch allemal!«

Alain zuckte mit den Achseln, er ging nicht darauf ein. Stattdessen sagte er, zu Thomas gewandt, nicht ohne Bewunderung: »Gustave ist ein *veinard*.«

Da Thomas das Wort nicht kannte, fragte er nach. Es bedeutete so viel wie Glückspilz.

»Er braucht sich nicht zu bemühen«, fuhr Alain fort, »Kunden aus aller Welt reißen ihm die Weine aus der Hand, egal, ob es ein Cru aus Lirac ist, sein Rosé aus Tavel oder der Côtes du Rhône aus Laudun oder Chusclan.«

»Da irrst du, mein lieber Alain. Wenn es so einfach wäre, hätte ich mir die Reise nach London sparen können. In einer Woche bin ich in Oslo, Singapur steht auf dem Programm. Es gibt eine Weinmesse in Südkorea ...«

Thomas war mit seinen Gedanken noch immer bei den vielen Appellationen, die Gustave Vitrier bearbeitete. »Dort überall haben Sie Parzellen?« Das klang für ihn fantastisch und entsetzlich zugleich, er hatte keine Vorstellung von den Entfernungen. »Wie überblickt man das? Kann man allen Lagen die entsprechende Aufmerksamkeit widmen?«

»Man kann, wenn man hier aufgewachsen ist. Um mich haben sich meine Eltern wenig gekümmert, ich konnte herumstromern, wo ich wollte, ich war ständig bei unseren Arbeitern draußen oder im Keller. Sie sind meine Lehrer und Erzieher gewesen. Damals wurde noch mit Pferden gepflügt. Es ist für den Boden besser und damit für den Wein. Der wird von den Tieren nicht dermaßen verdichtet wie von einem schweren Traktor. Ich denke auch darüber nach. Haben Sie unsere Ungeheuer gesehen, die Traktoren auf den hohen Beinen? Ich hoffe, Alain bringt Ihnen bei, wie man sie bedient. Der Schwerpunkt liegt extrem hoch, ein wenig zu schnell in der Kurve, und Sie fallen um. Gehen wir mal nach draußen, ich habe unlängst einen neuen gekauft.«

Sie durchquerten einen Flur, wo ihnen eine Katze um die Beine strich, die auf den Hof folgte. Dort stand der neue Trecker unter dem Dach einer Remise. Zwei Arbeiter waren damit beschäftigt, die Armaturen fürs Spritzen der Weinstöcke anzubauen. Die Arbeiter standen verlegen herum, ihre Blicke wechselten von der Betriebs- beziehungsweise Bauanleitung zu den Einzelteilen, die um den hochbeinigen Traktor ausgelegt waren. Der Einstieg zur Fahrerkabine lag in Höhe von Thomas' Kopf.

»Sollen die sich damit rumschlagen, dann wissen sie später besser damit umzugehen.« Gustave sah seinen Arbeitern mit vor der Brust verschränkten Armen über die Schultern.

Der Traktor war im Grunde ein normales Fahrzeug, nur dass die Hinterräder größer und die kleineren Vorderräder von Stützen gehalten wurden. Dadurch betrug die Bodenfreiheit mindestens anderthalb Meter. Damit konnte der Traktor über die in Buschform gezogenen Grenache-Rebstöcke fahren, sie je nach Bedarf mit Spritzmitteln einnebeln oder, entsprechend umgerüstet, als Lesemaschine eingesetzt werden. Wenn Thomas sich ein wenig bückte, konnte er sogar unter dem Fahrzeug hindurchgehen. Aus anderen Regionen kannte Thomas die extrem schmalen Traktoren, wie Spielzeuge wirkten sie, nicht breiter als eine Rebzeile.

»Wir wehren uns alle gegen den vermehrten Einsatz von Maschinen, aber vergeblich.« Der Winzer meinte, keine andere Wahl zu haben. »Wir bekommen immer weniger gut ausgebildetes Personal. Also setzen wir Maschinen ein, wo es erlaubt ist. Wir holen unsere Erntehelfer bereits aus Spanien und Marokko.«

Thomas hatte mehr Augen für das skurrile Fahrzeug, das ihn an einen überdimensionalen Käfer oder eine Spinne erinnerte, zumal der Fahrer in seiner Kabine vor dem Motorblock saß.

»Bei uns wirst du auf einem älteren Modell lernen müssen«, bedauerte Alain. »Wenn du willst, fangen wir heute noch an, damit du ein Händchen dafür bekommst. Spritzen müssen wir auf jeden Fall, sobald der Mistral sich legt.«

Mittlerweile war eine Frau auf den Hof getreten, der die

Katze jetzt um die Beine strich. Madame Vitrier hatte wie üblich die Tochter zur Schule gebracht. Sie bat die Besucher auf ein kleines Frühstück ins Haus und genierte sich nicht, Kaffee, Croissants und Kuchen in der Küche anzubieten. Dabei fragte sie Thomas über seine persönlichen Hintergründe aus, wobei er sich lediglich so weit öffnete zu sagen, dass er sich mal eine Auszeit gönnen müsse, da er seit sechs Jahren täglich dieselben Gesichter um sich habe.

»Diese Dame«, Gustave Vitrier sah seine Frau schmachtend an, »habe ich seit dreiundzwanzig Jahren täglich vor Augen und habe sie längst nicht über.«

Madame Vitrier warf den Blick ihres Mannes zurück. »Am charmantesten ist er immer dann, wenn er lügt.«

Obwohl Alain mitlachte, konnte Thomas nicht beurteilen, ob es sich um ein Spiel handelte oder ob Wahrheit in den Worten steckte, deshalb kehrte er zu seinem Thema zurück.

»Von meinem Vater habe ich die frankophile Einstellung geerbt, wie man in Deutschland sagt, ich lerne gern, und freundlicherweise bietet Alain mir diese Möglichkeit.«

Mit einem Seitenblick versicherte sich Thomas bei Alain, der die wahren Gründe kannte, seines Schweigens. Und um ihm nochmals zu versichern, diesmal vor Zeugen, dass er nicht sofort wieder verschwände, wiederholte er, dass er mindestens bis zur Lese bleiben würde, besser sei noch ein ganzes Jahr, um den Zyklus zu begleiten. »Schließlich will ich sehen und schmecken, was wir aus den Weinbergen holen werden.«

Die Worte kamen auch bei seinen neuen Nachbarn gut an. Thomas war auf Entgegenkommen angewiesen. Besonders die ersten Tage waren wichtig, davon hing ab, was man im Dorf über ihn sagen würde, zumal er Ausländer war, noch dazu ein Deutscher. Immer bestand die Gefahr, mit historisch bedingten Vorurteilen konfrontiert zu werden. Er dachte auch an die Rumänen. Als sein Vater und er das Weingut in der Pfalz gekauft hatten, erzählte er, seien Jahre vergangen, bis die Nachbarn sich auf ihren Hof vorwagten, der bei Herbstfesten längst von auswärtigen Gästen und Kunden überlaufen war.

»Mein Schwager hält auf Trois Anges übrigens auch ein Sommerfest ab. Wir werden Sie auf jeden Fall mitnehmen«, versprach Madame Vitrier.

»Ob er so lange darauf warten will, diesen Ausnahmewinzer kennenzulernen?« Ein allgemeines Schmunzeln und wissende Blicke begleiteten die Worte des Winzers. »Wir sollten sowieso nach Châteauneuf rüberfahren, Thomas, egal, ob wir einen Termin bei Maurice bekommen. Sie müssen die Weine probieren, damit Sie die Unterschiede begreifen. Wenn Sie sich hier eingelebt und einen Blick für die Dinge bekommen haben, beurteilen Sie vieles anders.«

Was wollte Gustave Vitrier damit sagen? Thomas fragte nicht nach. Ihn interessierte vielmehr, wie viel Hektar jemandem zur Verfügung stehen mussten, um in vierzig Länder exportieren zu können.

»Hundert hat er, ob er zusätzlich einiges gepachtet hat, weiß ich nicht. Jeder von uns macht sein eigenes Ding. Er verkauft auch einen Teil seines Weins als Fassware an Händler.«

Für Thomas war das kaum vorstellbar. Im Vergleich dazu gehörten sie mit ihren zwanzig Hektar zur Gruppe der Kleinbauern. »Und wie viel Land haben Sie?«, fragte er in Erwartung einer noch größeren Zahl.

»Wir begnügen uns mit siebzig Hektar. Der durchschnittliche Ertrag liegt bei dreißig Hektoliter. Wir füllen im Jahr so um die hundertfünfzigtausend Flaschen ab, und die wollen verkauft werden! Nicht der Wein ist heute das Problem, es sind die Arbeitskräfte und der Verkauf, na ja, auch die Wetterkapriolen. Wir hatten einen Tornado hier, der hat mir zwanzig Hektar entlaubt. Die Hilfen vom Verband und der Regierung waren sehr großzügig«, sagte er gedehnt, »sie beliefen sich auf knapp tausend Euro.«

Diese Bemerkung trug sehr zur Erheiterung der Anwesenden bei, was Thomas nicht verstand. »Dann besitzt Ihr Herr Bruder einiges mehr an Land und hat auch entsprechend mehr Flaschen zu verkaufen?«

»Nein, drüben lesen sie weniger, die Stöcke sind auch häufig älter«, warf Madame Vitrier ein, während Alain ihr aufmerksam zuhörte. »Manche Lagen geben nicht mehr als zwanzig- bis fünfundzwanzigtausend Hektoliter her. Wir erreichen bei unseren ältesten Reben auch nur achtzehn.«

Dass die in Deutschland erlaubte Erntemenge je Hektar auf hundertfünf Hektoliter beschränkt war, verschwieg Thomas besser. Diese Zahl hätte seine Gesprächspartner lediglich in der Annahme bestärkt, dass ausschließlich Franzosen in der Lage waren, guten Wein zu erzeugen.

»Und«, fragte er, obwohl er die Antwort kannte, »ist Châteauneuf beziehungsweise der Wein Ihres Bruders doppelt so gut?«

Die Frage war ein weiterer Grund zur Heiterkeit, man lachte eben gern. »Ein kleiner Wein kann groß sein, in seiner Art, wie er ist, wie er die Traube rüberbringt. Seinen Kunden zu erzählen, dieser Wein drücke dies und das aus, den Berg, den Boden, womöglich sogar noch das Mikroklima – ich erinnere mich gut, wie Didier Lamarc gegen diese Theorie wetterte. Unsere Kunden wollen keinen Berg und kein Klima trinken, vielleicht eine Rebsorte, aber die ist auch oft nicht herauszuschmecken. Sie wollen den Wein. Und das sind immer Cuvées. Es sind Produkte aus unserer Hand, nach unseren Vorstellungen. Und ob jemand den Boden herausschmeckt, ein spezielles Terroir, dazu müsste er das Terroir kennen und über spezielle Vergleiche verfügen.«

»Wer ist denn Didier Lamarc?«

Die Heiterkeit war wie weggeblasen, fragende Blicke wurden ausgetauscht. Thomas blickte Alain an, der Winzer nickte ihm zu. »Erkläre es unserem deutschen Gast später, wir haben zu tun.« Offensichtlich war Gustave Vitrier das Thema unangenehm. Er stand auf und hielt Thomas die Hand hin. »Wir bleiben beim Sie, wir nennen uns aber alle beim Vornamen. Wie gesagt, wenn Sie Hilfe brauchen oder wir die Ihre, Sie können jederzeit auf uns rechnen.«

Die Versammlung löste sich auf, als seien Regenwolken vor die Sonne gezogen, und man verzog sich vor dem nahenden Gewitter.

»Was war das eben?«, fragte Thomas seinen Freund, als sie zu seinem Traktor gingen, dessen Funktionsweise Alain ihm erklären wollte.

»Das versteht man nur, wenn man sich hier auskennt. Didier Lamarc ist immer noch ein heißes Eisen, eine offene Wunde. Er hat vor zwei Jahren den Concours de la St. Marc gewonnen. Eine Woche später war er verschwunden.«

»Verschwunden? Wohin?«

»Das weiß niemand. Weder die Frau noch seine Kinder noch sonst wer hat ihn je wiedergesehen. Es war damals sehr unheimlich, es hat sich sogar bei uns herumgesprochen. Alle haben gesucht, jeder hat die Augen aufgehalten, wir haben zwar nicht systematisch die Wälder durchkämmt, aber wo man war, wo man fuhr, immer haben wir die Augen offen gehalten. Irgendwann ist das eingeschlafen, wie alles irgendwann einschläft.«

Dann sprach Alain über das »spezielle Verhältnis« zwischen Lamarc und Gustave Vitrier. Sie waren vor dem großen roten Traktor angekommen, ein wesentlich älteres Modell, schwerer und kompakter als die moderne Ausführung des Nachbarn.

»Lamarc hat in den Jahren vor seinem Verschwinden Madeleine, der Frau von Gustave, ständig den Hof gemacht, und das nicht einmal heimlich. Er hat nie Rücksicht darauf genommen, ob jemand dabei war oder nicht. Er hatte ein loses Maul. Er soll gesagt haben, das wird erzählt, wenn sie sich scheiden ließe, würde er sie am nächsten Tag heiraten.

Für Lamarc und Madeleine war es ein Spiel, das sie bereits als junge Leute gespielt haben.«

Madame Lamarc habe gute Miene zum bösen Spiel gemacht, Gustave allerdings, auch das wusste Alain, habe es keineswegs nur als Spiel aufgefasst. Er habe Lamarc sogar mal Prügel angedroht. Als er dann verschwand, kursierten Gerüchte, dass er, Gustave, den Nebenbuhler beseitigt habe. Aber er hatte ein Alibi, und ohne Leiche gebe es kein Verbrechen, zumal auch das Auto unauffindbar gewesen sei.

»Schluss mit dem Altweiberklatsch, wir beginnen jetzt mit den Fahrstunden.« Alain wies auf das Treppchen zur Fahrerkabine. »*Voilà*, ich lasse dir den Vortritt. Hier ist der Schlüssel.« Er ließ ihn zwischen Daumen und Zeigefinger klimpern.

Thomas konnte die Stunden, die er auf Traktoren zugebracht, in denen er gepflügt, gemulcht und gegipfelt hatte, nicht mehr zählen. Doch diese eine Stunde auf dem hochbeinigen Gefährt trieb ihm den Angstschweiß auf die Stirn. Alain hingegen ging damit um wie mit seinem Pkw.

Unendlich erleichtert stieg Thomas ab und verabschiedete sich kurz, um zu duschen und die Kleidung zu wechseln. Kaum war er in sein winziges Apartment gelangt, meldete sich das Smartphone. Es war sein Vater.

»Manuel und Kamila sind ausgezogen!«, sagte er. »Sie haben heute früh unser Weingut verlassen. Sie wohnen jetzt in einem Hotel in Mutterstadt. Kamila wollte nach Ludwigshafen, weil es größer ist. Manuel war dagegen.«

Weil sie da shoppen gehen und Manuels Millionen ausgeben kann, dachte Thomas, dem nur noch Böses zu ihr einfiel. »Und, wie gefällt dir das?«, fragte er, sich den Kommentar verkneifend.

»Es entspannt die Lage. Manuel kommt am Nachmittag wieder, er will hier weiterarbeiten, hat er versprochen. Er will, so wie ich ihn verstanden habe, das Weingut nicht aufgeben, zumindest so lange, bis du wieder hier bist. Sie werden sich in Mutterstadt eine gemeinsame Wohnung nehmen. Und was deine fehlende Arbeitskraft angeht, so hat er das Angebot gemacht, eine Arbeitskraft einzustellen, am besten einen Weinbautechniker, den er allein bezahlen will, aus seinem privaten Vermögen. Ich glaube, es geht ihm gar nicht gut. Er beginnt langsam zu begreifen, worauf er sich eingelassen hat. Er tritt ziemlich kleinlaut auf. Ich lasse ihn allein arbeiten. Wenn diese Frau nicht mehr an ihm herumzerrt, kommt er vielleicht zur Besinnung. Es wäre zu hoffen, es würde für uns vieles erleichtern.«

»Und – wirst du auf sein Angebot eingehen?«

»Was bleibt mir übrig? Oder denkst du bereits an Rückkehr?«

»Nein, vorerst nicht. Es ist gut hier, auch mit den Nachbarn. Es ist stimmig. Ich habe mich für ein halbes Jahr verpflichtet. Daran werde ich mich halten. Wahrscheinlich bleibe ich sogar länger …«

Kapitel 10

Für Simone war klar, dass Martin nur unter einem Vorwand am Sonntag einen Termin bei Madame de Bergerac-Rousselle bekommen hatte. Er spielte mit den Vorwänden wie ein Falschspieler mit Karten, er hatte immer einen im Ärmel. Früher war er nicht so leichtfertig damit umgegangen, aber Charlotte mit ihrer politischen Vergangenheit hatte ihm die Skrupel genommen, seinen Vorteil zu nutzen, solange es anderen nicht schadete. Das war ihre Bedingung. Normalerweise waren die Sonntage auf den Weingütern heilig, außer während der Lese, sie gehörten der Familie, und Gäste sowie Besucher oder sogar Kunden waren unerwünscht. Das war bei ihnen in Saint-Émilion nicht anders.

Martins Beziehungen zu deutschen Weinhändlern hatten also wieder dafür herhalten müssen, die Türen zu öffnen. Doch erst im Verlauf des Besuchs auf der Domaine Honoré de Bergerac begriff sie, dass es ihm um etwas ganz anderes ging.

Es war ihr lieb, dass sie ihm das Gespräch überlassen durfte, sie traute sich nicht – noch nicht –, allzu viele Fragen zu stellen. Martin war da ganz ungeniert, obwohl er meinte, dass es auch dumme Fragen gebe. Das seien die, die man sich bei einigem Nachdenken selbst beantworten konnte. Es gab noch einen weiteren Grund, der es ihr schwer machte, ein unbefangenes Gespräch zu führen. Madame wirkte unglücklich, belastet von Problemen, sie war blass, sah überarbeitet aus, und ihren Augen fehlte der Glanz. Im Übrigen wirkte sie in eleganten grauen Hosen und einem schwarzen Mohair-pulli sehr damenhaft, im winzigen Ausschnitt blitzte eine silberne Halskette auf, die gepflegten Hände, die sicher nicht mit Schläuchen und Wannen und Pumpen hantierten, zierten silberne Ringe, zwei davon mit einem Diamanten besetzt. Simone mochte die Frau gut leiden, aber ihre Zerbrechlichkeit machte sie scheu.

Um den Besuch nicht persönlich wirken zu lassen, hatte Madame de Bergerac-Rousselle die Besucher im Büro empfangen, da konnte man sich wunderbar hinter einem großen Bildschirm verstecken. Eine Weile hatten sie ihr gegenübergesessen, Martin hatte die Fragen gestellt, und sie hatte zugehört. Wie viele andere Weingüter hier war die Domaine Honoré de Bergerac um ein Vielfaches größer als ihr kleines Garagenweingut. Sechzig Hektar nannte Madame ihr Eigen. Offen gab sie zu, dass sie damit überfordert sei, denn seit dem Tod ihres Mannes wäre alles an ihr hängen geblieben, hundert Entscheidungen hätten getroffen werden müssen …

Was war das denn wieder? Schon wieder ein plötzlicher Tod? »… und ich wusste gar nicht, was in diesem oder jenem Fall zu tun war und was dem Weingut nicht schaden würde.« In einer fast verzweifelt wirkenden Geste strich sich Madame de Bergerac-Rousselle eine Strähne aus dem Gesicht. »Ich stamme nicht aus einer Weinbauernfamilie, wie Joseph. Mein Vater hat sein Geld im Holzgeschäft verdient, er belieferte Küfer mit dem Rohstoff für Weinfässer. Ich musste mich als junge Frau in alles hineinfinden, alles war neu, und auch heute fällt es mir schwer. Meine beiden Söhne, der jüngere ist etwa in Ihrem Alter, Simone, sind mir eine große Hilfe. Von ihnen lerne ich, aber auch die Mitarbeiter benehmen sich sehr anständig, besonders der Kellermeister. Ohne ihn wären wir aufgeschmissen. Meine Söhne wollen um alles in der Welt das Weingut halten, ich hingegen würde am liebsten verkaufen oder verpachten, aber vorerst jedenfalls nicht. Deshalb wäre ein weiterer Vertriebsweg in Deutschland nicht uninteressant, Monsieur Bongers. Langfristig eignet sich unsere Domaine als Feriendomizil für Weintouristen. Kommen Sie, ich zeige Ihnen das Haus.«

Sie führte sie über den mit Kopfsteinen gepflasterten Hof, auf dem neben Martins Wagen noch drei weitere Autos parkten. Von dieser Seite der Gebäude hatte man nicht den Eindruck, dass es sich um ein Weingut handelte. Es hätte sich durchaus in ein Hotel umwandeln lassen. Für Simone war die Vorstellung abscheulich, von morgens bis in die Nacht verwöhnte Gäste bedienen und unterhalten zu müssen und sich ihr Gemecker anzuhören, Menschen, die so viel besaßen, dass ihnen nichts mehr Freude machte. Wenn Besucher zu ihnen nach Saint-Émilion kamen, musste sie sich geradezu überwinden, denen ihre Weine vorzustellen. Wie viel schöner war es, auf ihrem kleinen Traktor zu sitzen, die Kopfhörer auf den Ohren, gute Musik im Kopf, und zu pflügen oder Trauben zu schneiden. Auch das Auswaschen der Fässer war ihr lieber. Aber sie merkte auch, dass sie häufiger als früher die Nähe von Menschen suchte, sonst hätte sie es auf der Domaine Clément nie ausgehalten.

Links vom Haupthaus waren die ehemaligen Pferdeställe, die Madame de Bergerac gern in Gästezimmer umgewandelt hätte. Begeistert sprach sie von dieser Idee. Martin machte zu allem ein freundliches Gesicht, es war bewunderungswürdig, wie er es verstand, auf andere Menschen zuzugehen und auf das hinzusteuern, was sein eigentliches Ziel war. In den Jahren, die sie zusammenarbeiteten, begriff sie seine Strategie immer besser. Konsequent stellte er Fragen, ohne unhöflich zu wirken. So landeten sie dort, wo der Wein war – im Keller.

Simone kannte viele, die großen, berühmten, modernen, die heiligen Hallen von Bordeaux, wo jedes Barrique wie ein Kleinod gehütet wurde – echt krass und überdreht, wie sie fand –, wo Besucher in Ehrfurcht erstarrten. Sie hatte es gesehen, ihr war es egal, ihr konnte man damit nicht imponieren, in den Fässern der berühmtesten Châteaus wie Cheval Blanc, Margaux und Latour war auch nur Wein drin. Aber die Show war gut.

Dieser Keller war gänzlich anders gestaltet. Es waren keine heiligen Hallen, es waren alte Gewölbe unter dem Herrenhaus, in denen gearbeitet wurde und in denen der verstorbene Ehemann experimentiert hatte, wie Madame erklärte. Hier hatte er den Weg beschritten, der ihn zum Ziel geführt hatte, den Concours de la St. Marc zu gewinnen …

»Nicht, um später einen irrsinnigen Preis zu verlangen, nicht, um es den Kollegen zu zeigen, nein, so war Joseph nicht. Für ihn war es Sport, sportlicher Ehrgeiz, und er tat es aus Freude. Er liebte gute Dinge und besonders guten Wein.«

Die Mittel dazu muss man erst einmal aufbringen, dachte Simone und staunte, welche Möglichkeiten dem Winzer in diesem Keller zur Verfügung gestanden hatten: Edelstahltanks diverser Größen, um während der Gärung die Temperatur zu kontrollieren und auch die Rebsorten einzelner Lagen getrennt ausbauen zu können. In den großen Tanks aus Zement, zwischen fünf- und zehntausend Liter fassend und nur teilweise mit Epoxidharz ausgekleidet, wurden die zuvor ausgebauten Weine zusammengeführt. Die mindestens ein halbes Jahr dauernde Ruhephase danach diente ihrer Harmonisierung, erst dort verbanden sie sich zu einem Wein. Die Mikrooxidation der hochwertigen Kreszenzen fand in kleinen Barriques statt. Es waren bei Weitem nicht Tausende, wie in den Bordelaiser Kellereien, alle sahen gebraucht aus, also musste Monsieur Bergerac mit neuem Holz umsichtig gewesen sein. Darauf zu achten, hatte Martin ihr beigebracht. Der Wein durfte nicht nach Holz schmecken. Viel langsamer verlief der Prozess der Mikrooxidation in den großen Holzfässern, im *foudre*. Ihrer Einschätzung nach fassten sie sechshundert und tausend Liter und sogar fünftausend Liter. So was hatten sie nicht in der Garage, sie hätten keinen Platz dafür gefunden. Bei ihnen war sowieso alles viel zu eng, sie müssten längst wieder angebaut haben.

Im angrenzenden Gewölbe, im ältesten Teil der Kellerei, war sehr zu Simones Erstaunen ein Erdhügel aufgeschichtet, in der Oberfläche waren nebeneinander einige fast schulterbreite Öffnungen gelassen, als wäre es der Einstieg in ein Tunnelsystem. Die Beleuchtung war so spärlich, dass der Zweck dieser Anlage im Dunkeln blieb.

»Wir betreten das zweite Jahrtausend vor Christus«, sagte Madame de Bergerac-Rousselle, und zum ersten Mal lächelte sie. »Das wäre Josephs nächstes Projekt gewesen: einen Amphoren-Wein zu keltern. Auf diese Weise wurde einige Tausend Jahre lang in Georgien der Wein gemacht.«

Simone hatte davon in einer Fachzeitschrift gelesen, hier sah sie zum ersten Mal die Amphoren, leider gab es nichts zu probieren.

»In diesem Erdhügel sind fünf Amphoren zu je fünfhundert Liter vergraben. So weit ist er gekommen. Die Trauben wurden damals entrappt oder auch nicht, Archäologen haben Hinweise auf beide Methoden gefunden. Dann kam ein Deckel drauf, Erde wurde darübergeschüttet – ein halbes Jahr später sollte der Wein fertig sein. Dazu ist es ja, wie Sie wissen, nicht gekommen.«

»Ihr Mann wurde überfahren, kurz nachdem er den Concours gewonnen hatte?«

Simone sah Martin an, und ein Ausdruck des Unwillens huschte über ihr Gesicht. Er spürte ihren Blick und zuckte nur für sie wahrnehmbar mit den Augenbrauen. Es war, so gut kannte sie ihn, sein Ausdruck dafür, dass es ihm gleichgültig war, was andere dachten.

Lag hier der eigentliche Grund für den Besuch, allein in dieser Frage? Simone war sich sicher, dass Martin ihr eine ehrliche Antwort nicht verweigern würde. Er vermutete hinter allem und jedem ein Verbrechen, immer wenn die Todesumstände nicht eindeutig waren.

»Ja, es war vier Tage nach dem Concours, seinem bislang größten Erfolg. Er war glücklich, wir haben mit dem zweiten und dritten Sieger zusammen gefeiert. Maurice war noch dabei, Maurice Vitrier. Zu ihm sollten Sie gehen, vielleicht gewinnt er in diesem Jahr, verdient hat er es längst. Ich gönne es ihm. Kennen Sie Vitrier, das Château des Trois Anges –«

»Ich weiß, ich kenne es«, unterbrach Simone, »ich meine, ich bin daran vorbeigekommen. Ich arbeite gegenüber bei Marcel Clément.«

»Mögen Sie darüber sprechen?«, fragte Martin Madame de Bergerac-Rousselle. Bevor sie antworten konnte, stellte er die nächste Frage, die seine erste überflüssig machte. »Wie ist es geschehen? Es war ein Autounfall?«

Madame schüttelte nur den Kopf. »Nein.« Sie atmete tief, als müsse sie Luft holen, bevor sie die Frage beantwortete. »Jemand fand Joseph leblos auf der Straße nach Bédarrides. Wir haben dort eine Lage mit Mourvèdre, und auf der anderen Straßenseite wächst Roussanne. Ich habe mitbekommen, dass jemand anrief, bevor er losfuhr. Was geredet wurde und wer es war, weiß ich nicht, jedenfalls sagte mir Joseph, er müsse noch mal los, sei aber bald wieder da. Als er um elf Uhr nicht zurück war, haben wir uns Sorgen gemacht, und dann kam der Anruf … Die Gendarmerie meinte, dass ihn jemand auf der Straße gefunden habe. Ich bin sofort mit den Kindern hin … sie wollten mich nicht allein gehen lassen, ich wollte es ihnen eigentlich nicht zumuten … woher man in solchen Momenten die Kraft nimmt … er war … sie hatten ihn bereits … und beim Bestatter habe ich ihn dann gesehen.« Während sie sprach, zogen sich ihre Mundwinkel immer weiter nach unten.

Simone fürchtete, dass sie in Tränen ausbrechen könnte. Es war ein schrecklicher Besuch. Wie hätte sie ahnen können, dass ihr Gespräch diese Richtung nahm? Martin war ein Scheusal.

Er ließ Madame keine Zeit für Tränen, seine nächste Frage

forderte sie zu einer längeren Antwort. »Was weiß man über den Hergang des Unfalls?«

Wie konnte er nur auf die Idee kommen, die arme Frau so zu quälen? Simone war entsetzt. Manchmal benahm Martin sich unmöglich, sie musste mit Charlotte darüber sprechen.

Madame jedoch nahm die Frage gelassen hin. »Joseph lag auf der Straße neben seinem Wagen, die Autotür stand offen … und das Licht brannte. Der Aufprall muss fürchterlich gewesen sein, den Verletzungen nach, der Fahrer war viel zu schnell. Ich glaube, ich habe mich in die Details gestürzt, um nicht … also … wie sagen es die Behörden immer? Er hat nicht leiden müssen. Als wenn das ein Trost wäre.«

»Und von dem Täter, also von dem Fahrer«, korrigierte sich Martin, »von ihm gibt es keine Spur?«

Madame schüttelte nur langsam den Kopf.

Simone starrte Martin an. Er vermutet wieder irgendein Verbrechen dahinter, sagte sie sich und erinnerte sich, dass ihre Mutter ihr erzählt hatte, dass nur er so hartnäckig die Gründe für den Tod ihres Vaters aufgedeckt habe, bis alles geklärt war. Sonst wäre gar nichts geschehen. Sogar in Lebensgefahr habe er sich deshalb gebracht. Und sein Weinladen in Frankfurt war niedergebrannt worden.

Endlich rang sich Madame de Bergerac-Rousselle ein tonloses »Nein« ab.

»Was ist mit Spuren?«

»Es gab keine, nicht einmal Bremsspuren. Da ist jemand stur geradeaus gefahren, dabei muss der Fahrer den Aufprall bemerkt haben. Es muss einen fürchterlichen Schlag getan haben, und das Fahrzeug müsste eine Beule haben. Die Polizei hat dann versucht, über Handyortung festzustellen, wer zur fraglichen Zeit, es war so gegen zehn Uhr abends, auf der Route d'Orange in Richtung Châteauneuf-du-Pape unterwegs gewesen war. Es kamen nur fünfzehn Fahrer infrage. Die entsprechenden Autos wurden auf Spuren untersucht, wie genau das geschah, weiß ich natürlich nicht, aber man fand nichts. Dann wird der Fahrer kein Mobiltelefon bei sich gehabt haben, meinte die Gendarmerie.«

»Was ist mit Zeugen?«

»Die gibt es nicht. Niemand hat etwas gesehen, das nächste bewohnte Haus ist hundert Meter entfernt.«

»Und wer hat ihn angerufen? Könnte ihn jemand dorthin bestellt haben?«

»Daran habe ich auch gedacht. Das ist das Mysteriöse an dem Unfall. Die Rufnummer des letzten Anrufers konnte nicht ermittelt werden. Der Kommissar, der die Ermittlungen leitete, hat es mir erklärt, aber ich verstehe nichts von diesen Dingen.«

Obwohl Simone es unmöglich fand, wie Martin Madame de Bergerac-Rousselle ausfragte, hörte sie gespannt zu. Dabei ging es sie im Grunde überhaupt nichts an. Derart schreckliche Ereignisse trafen Menschen immer unvorbereitet, brachten ihr Leben völlig durcheinander, so wie der Tod ihres Vaters die ganze Familie durcheinandergerüttelt und auseinandergebracht hatte.

Sie war mit ihren Gedanken abgeschweift, hatte nicht mehr zugehört. Zuletzt bekam sie nur noch mit, dass Madame sehr gut von ihrem neuen Arbeitgeber sprach, Marcel Cléments Wein lobte und ihr anbot, dass sie jederzeit gern bei ihr vorbeikommen könne, wenn sie Rat benötigte oder Hilfe brauchte.

»Was meinte sie damit – wenn ich Hilfe bräuchte?« Simone saß neben Martin im Auto, sie waren bei seinem Hotel vorbeigefahren, er hatte seinen Koffer geholt und wollte sie zur Domaine Clément zurückbringen, bevor er sich auf den Heimweg machte.

»Ich glaube, dass du ihr sympathisch bist, dich mit Wein auskennst und vielleicht eine Kandidatin für einen ihrer Söhne bist. Oder sie hätte gern bei zwei Söhnen auch eine Tochter gehabt.«

Simone fuhr ärgerlich auf: »Könnt ihr eigentlich an nichts anderes denken, als mich mit irgendeinem grünen Bubi zu verkuppeln?«

Martin lachte glucksend, ihre Reaktion erheiterte ihn sehr, was sie noch mehr erboste, sie fühlte sich nicht ernst genommen.

»Mit einem Bubi will dich garantiert niemand verheiraten«, sagte Martin, »erstens bist du dafür zu klug und zweitens viel zu streitbar. Dass eine Mutter jedoch, die über die Zukunft ihres Weingutes nachdenkt und zwei Söhne vorweisen kann, nach entsprechenden Partnerinnen Ausschau hält, finde ich verständlich. Sie hat was zu bieten. Eine Frau, die auf ein Weingut einheiratet, sollte wissen, worauf sie sich einlässt, sonst geht es schief. Wie die Burschen letzten Endes geraten sind, musst du selbst rausfinden.«

»Die Kerle interessieren mich nicht die Bohne. Und mit einem Weingut kann man mich nicht locken, ich habe selber eins.« Selbstbewusst warf sie den Kopf in den Nacken. »Falls ich einen Mann brauche, werdet ihr es rechtzeitig merken!«

Vielleicht hatte sie ein wenig zu heftig reagiert, aber es machte sie wahnsinnig, wenn andere über ihr Leben entschieden. Den Gedanken, dass sie von heute an hier allein sein würde, hielt sie von sich fern. Sie rettete sich mit der Frage, die sie seit dem Besuch bei Madame de Bergerac bewegte: »Hältst du es für schicklich, fremden Menschen derart intime Fragen zu stellen wie die nach dem Tod des Ehemannes?«

Es dauerte einen Augenblick, bis Martin antwortete. »Durchaus. Außenstehende mögen es für unpassend halten. Die Betroffenen selbst sehen es mehr als Anteilnahme.«

»War es bei dir Anteilnahme …«, Simone zögerte, sie hoffte, dass Martin sich nicht auf den Schlips getreten fühlte, »oder war es deine Neugier? Wenn du meinst, dass nicht alles mit rechten Dingen zugeht, hängst du dich rein.«

»Es gibt durchaus einige Ungereimtheiten. Wahrscheinlich ist es das falsche Wort, vielleicht ist Koinzidenz besser, da fallen zwei Ereignisse zusammen, dass nämlich beide Winzer kurz nach ihrem Sieg beim Concours umgekommen sind.«

»Und was sollte es deiner Meinung nach bedeuten? Der eine ist gar nicht umgekommen, der ist einfach verschwunden. Der andere hatte einen tödlichen Unfall. Das muss nichts miteinander zu tun haben. Hier hat auch niemand davon gesprochen. Nur du siehst wieder irgendwelche Zusammenhänge.«

»Warum sollte jemand wie Didier Lamarc verschwinden? Ich würde mich erst einmal zurücklehnen und meinen Triumph auskosten.«

»Es sind nicht alle Leute wie du.«

»Ja, das ist wahr, da hast du recht, Simone, leider.«

Nahm er sie überhaupt ernst?

»Außerdem ist es egal, was ich denke. Was mich irritiert, ist der Umstand, dass der Fahrer, der ihn überfahren hat, kein Mobiltelefon haben soll. Diese Dinger hat heute jeder in der Tasche. Und der Anrufer, der ihn in den Weinberg bestellt hat, muss einen triftigen Grund dafür gehabt haben. Wer geht sonst noch am Abend aus dem Haus? Und ob er ihn tatsächlich dorthin bestellt hat, ob der Anruf etwas damit zu tun hatte, schien Madame ja nicht zu wissen. Bleibt noch die Frage offen, weshalb jemand seine Telefonnummer unterdrückt.«

»Das machst du auch, manchmal jedenfalls. Entweder war es jemand, der sein Telefon so eingestellt hat, oder nicht wollte …«

»Genau, das ist es, dieses Oder. Das macht mich stutzig. Er hat das Gespräch angenommen, was nicht heißt, dass er den Anrufer kannte. Und wir wissen genauso wenig, ob das Telefonat mit dem späten Aufbruch in Zusammenhang steht. Aber es ist bereits spät, Simone, das können wir heute nicht mehr klären, vor Mitternacht bin ich kaum zu Hause. Die Autobahn wird heute am Sonntag ziemlich voll sein.«

»Besonders die Mautstellen«, meinte Simone, die sich vor dem Moment fürchtete, in dem Martins Wagen vorn an der Einfahrt der Domaine verschwand, in die sie soeben eingebogen waren.

»Mautstellen? Die sind meist mit Kameras ausgestattet. Da müsste eigentlich zu sehen sein, ob dieser Verschwundene irgendeine Autobahn benutzt hat.«

»Martin! Du nervst. Kannst du an nichts anderes denken als an tote und verschwundene Winzer?«

»Doch mein Schatz, an dich, und ich lenke mich davon ab, dass ich von jetzt an auf deine geschätzte Anwesenheit auf unserem kleinen Weingut verzichten muss. Glaub nur nicht, dass es Charlotte und mir leichtfällt. Uns wäre es lieber, du wärest geblieben.«

»Das sagst du jetzt?«, empörte sich Simone.

»Wann hätte ich es sonst sagen sollen? Hätte ich es früher gesagt, hättest du dich niemals dazu durchgerungen, herzukommen.«

»Kommst du noch mal mit rauf, mein Zimmer besichtigen?«

Martin schaute nach dem Stand der Sonne, Simone wusste, dass er ungern bei Nacht fuhr, er sah nicht mehr so gut wie früher, aber jetzt, Anfang Juni, blieb es bis weit in die Nacht hell.

Martin legte ihr den Arm um die Schultern, und sie gingen zusammen ums Haus herum durch den großen Garten bis zum Anbau, wo für Simone ein kleines Apartment zur Verfügung stand. An der Mauer davor lehnte ein blitzblank geputztes uraltes Moped. Daneben stand ein winziges Tischchen mit einem Stuhl.

»Siehst du, wie gut für dich gesorgt wird? Und der Ausblick – ist er nicht phänomenal? Ist ja wie zu Hause.« Martin wies auf die fast bis an den Anbau reichenden Reben. »Für eine derartige Bleibe zahlen Touristen hundert Euro pro Tag.«

Simone schloss auf, betrat den Raum und stieß die Fensterläden auf. Das Apartment war nicht groß: ein breites Bett, ein runder Tisch, ein wackliger Stuhl, der Schrank war nicht das neueste Modell, aber der Fernseher war's. Und auf einer kleinen Anrichte standen neben dem Weißwein und dem Rotwein ein Wasserkocher und eine Tasse nebst Teebeuteln und Instantkaffee. Das Schönste jedoch war ein üppiger Feldblumenstrauß in Blau, Lila und Weiß.

»Die Hausherrin mag dich.« Rasch warf Martin noch einen Blick ins winzige Bad mit Dusche. »Ich bin zufrieden, ich hoffe, du bist es auch. Hast du dein Telefon? Hast du genügend Geld? Hast du alle wichtigen Rufnummern? Erkundige dich gleich morgen nach einem Arzt und Zahnarzt …«

»Martin! Ist gut, ja? Ich komme klar. Ich bin kein Kind mehr. Nun fahr endlich ab. Charlotte wird sich sorgen. Ich rufe sie gleich an.« Simone kämpfte mit den Tränen. Sie hätte nicht gedacht, dass ihr der Abschied so schwerfallen würde.

Viel Zeit, sich über das Alleinsein Gedanken zu machen, hatte sie nicht. Draußen hörte sie Schritte, es waren die eines Mannes, und das Hecheln eines großen Hundes, der ungefragt in ihre neue Wohnung lief und an ihr hochsprang. Simone schreckte zurück und blieb stocksteif stehen.

»Er heißt Flaubert«, sagte Marcel Clément, »er ist überaus freundlich, viel zu freundlich. Es ist ein Epagneul Picard, eine französische Rasse. Ihr Patenonkel ist bereits auf dem Heimweg? Und – Sie richten sich häuslich ein?« Er trat neben Simone und legte ihr den Arm um die Schultern. Es war eine unangenehme Berührung, und als er dann noch mit seinem Gesicht etwas näher kam, machte sie einen Schritt nach vorn und tat, als müsse sie den Blumenstrauß neu arrangieren.

»Die hat meine Frau für Sie gepflückt. Sie grüßt schön. Falls Sie etwas brauchen, sollen Sie es ruhig sagen.«

Darüber konnte Simone noch gar nicht nachdenken, sie war damit beschäftigt, ihre Gefühle zu sortieren, bezüglich ihres neuen Chefs und des Hundes. Sie hatten nie einen Hund besessen, sie konnte mit Tieren nicht umgehen. Die meisten machten ihr Angst, doch dieser große braun-weiße Hund hatte sich vor sie hingesetzt und schien harmlos und freundlich zu sein. Zögerlich streckte sie die Hand nach ihm aus.

»Er bleibt heute Nacht vor Ihrem Apartment und bewacht Sie, falls Sie es wünschen.« Marcel Clément änderte den Ton, er wurde ganz Chef. »So, ich muss mir gleich noch vier oder fünf Parzellen ansehen, damit ich den Arbeitsplan für nächste Woche aufstellen kann. Es geht um weiße Sorten, um Picpoul Blanc, um Bourboulenc und Grenache Blanc, die letztere ist die wichtigste. Bei dem herrschenden feuchtwarmen Klima wächst alles rasend schnell. Am besten kommen Sie gleich mit. Je schneller man mit der neuen Arbeit beginnt, desto besser findet man sich zurecht. Wir treffen uns in zehn Minuten vorn auf dem Parkplatz.«

So blieb Simone keine Zeit, ihre Einsamkeit zu bejammern.

Kapitel 11

Er hatte ein schlechtes Gewissen. Er starrte auf die Fahrbahn, sah die Rücklichter der vorausfahrenden Wagen und dachte darüber nach, ob es richtig gewesen war, Simone in Châteauneuf-du-Pape zurückzulassen. Für Simone fühlte er sich über alle Maßen verantwortlich. Sie war beinahe wie ein Vermächtnis, die Tochter seines toten Freundes Gaston. All das kam ihm hinter dem Steuer in den Sinn, denn der Tempomat hatte die Kontrolle übernommen.

Martin hielt es aber auch gut für möglich, dass sie sich nach anfänglichen Schwierigkeiten in der neuen Umgebung zurechtfand. Monsieur Clément war der Winzer, seine Frau war die Chefin. Sie würde auf Simone achtgeben. Was ihr die Anpassung leichtmachen würde, war ihre Neugier auf alles, was mit Wein zu tun hatte, ob es die Menschen waren, neue Schnitttechniken, die Einflüsse des Klimas und ganz besonders die Rückstandsforschung. Was blieb vom Industriedreck, vom Dieselruß und den Agro-Giften wie Glyphosat und vom Kupfer, der Bordelaiser Brühe, im Boden? Was wurde in die Traube transportiert und gelangte letztlich in den Magen des Weintrinkers? Was gelangte an Phosphaten aus landwirtschaftlicher Überdüngung in die Flüsse und von dort wieder in die Bewässerungssysteme? Mit derartigen Fragen hatte sie sich in Saint-Émilion bei Kollegen unbeliebt gemacht.

Die Autobahn war frei, mit der elektronischen Mautbox kam er auf der Spezialspur sowieso ohne Halt direkt durch das Tor mit dem »t« hindurch – die Gebühr wurde vom Firmenkonto abgebucht.

»Dabei wirst du elektronisch erfasst«, hatte ihn Charlotte gewarnt. Sie stand lieber in der Schlange. Dann gab sie ihre Steuererklärung ab, und da war der Beleg dabei, wann sie diese oder jene Stelle passiert hatte. »So oder so, sie kriegen dich immer!«, hatte er geantwortet.

Es war elf Uhr abends, als er an der Ausfahrt Loupiac-de-la-Réole die Autobahn verließ. Auf der dunklen Landstraße begann das unangenehmste Stück. Er rief Charlotte an, in einer Stunde würde er zu Hause sein und freue sich, dass sie auf ihn warten würde.

Als der Scheinwerfer den Wegweiser nach Castillon-la-Bataille aus der Dunkelheit riss, dachte Martin an den Chef vom Bistro an der dortigen Tankstelle. Martin vermisste ihn, alle vermissten ihn. Er, den alle nur Patrón genannt hatten, war im letzten Jahr verstorben. Seitdem war es mit dem Bistro abwärtsgegangen. Der Frau des Patróns hatte die Kraft gefehlt, die Arbeit allein fortzusetzen, sie war nach dem langen Leben zwischen Küche und Tresen erschöpft. Der Sohn hatte kein Händchen für die illustren Gäste. Er kam mit der Mentalität der Lastwagenfahrer, der Weinbauern, der Vertreter für Landmaschinen und Spritzmittel sowie der lokalen Handwerker überhaupt nicht zurecht, schon gar nicht mit den nordafrikanischen Migranten. Sie waren ihm zu primitiv und neuerdings zu gefährlich, wie er Martin nach einigen Bieren Verständnis heischend gestanden hatte. Martin hatte gebrummt, das tat er immer, wenn er sich nicht äußern wollte. Er kam prima mit allen Leuten aus, die hier verkehrten, denn wer nicht hierherpasste, ging von allein.

Martin hatte Jacques, den rheumatischen Kellermeister – und Charlottes erste Liebe –, als Nachfolger ins Spiel gebracht und dafür nur Spott geerntet. Kneipier war der einzige Beruf, den Martin für ihn als geeignet erachtete. Martin hatte sich hier mit ihm getroffen, und gemeinsam hatten sie die Profispieler der Reihe nach ausgetrickst. Die machten inzwischen einen Bogen ums Bistro. Jetzt hatte Jacques endlich die geeignete Frau gefunden und betrieb das Bistro mit ihr zusammen. Genau da aber lag das Problem. Er war durchaus treu, aber nie länger als ein halbes Jahr. Ob ihn die neue Flamme länger faszinierte?

Es hatte sich zugezogen. Im Bordelaise, etliche Hundert Kilometer weiter westlich, herrschte ein anderes Klima als an der südlichen Rhône. Hier dominierte der Atlantik, dort herrschten das Mittelmeer und der Mistral, der die Wolken wegblies. Bordeaux lag bei zweitausend Sonnenstunden pro Jahr mit Berlin etwa gleichauf. Da, im märkischen Sand bei Werder, glaubte Martin, würde man in absehbarer Zeit mehr Wein anbauen, der sandige Boden würde den Wein säureärmer und damit weicher werden lassen, was bei weniger Sonne wünschenswert war. Der Klimawandel kam nicht erst, er war längst da! Auch an der Rhône zeigte er sich, das Jahr 2002 war das der größten Überschwemmungen und 2003 von einer entsetzlichen Hitzeperiode mit Temperaturen von fünfundvierzig Grad geprägt. Die Reifeperioden wurden kürzer. Hatten die Rhônewinzer früher erst im September Grenache gelesen, so war die Traube jetzt bereits Ende August reif, was sich negativ auf die Harmonie des Weins auswirkte.

Die letzten Kilometer fuhr Martin recht langsam, er hatte die Fenster geöffnet und genoss die laue Luft dieser Nacht. Er dachte an das Gespräch morgen mit der neuen Bank wegen des Kredits. Er wollte aufgegebene Flächen zukaufen, die sich vielleicht in dreißig Jahren amortisieren würden. Er stöhnte bei diesem Gedanken. In dreißig Jahren würde er fünfundachtzig Jahre alt sein – oder tot. Was würde dann sein? Wäre die Welt endgültig aus den Fugen? Das Gebaren der Finanzexperten und ihre Gier nach Zahlen würde sie alle in den Untergang stürzen. Die Gefahren gingen nicht von irgendwelchen bekloppten Despoten aus, wie Charlotte meinte. Die Banken seien das Problem, ihre Chefs waren die modernen Diktatoren, die mit einer Unterschrift unter die Kredite für Dürren sorgten, Ländern das Wasser abgruben und Flüsse in Strom verwandelten, der Landbevölkerung die fruchtbaren Böden entrissen, sie von korrupten Machthabern vertreiben ließen und damit Tausende von Todesurteilen in den Gettos aussprachen.

Als er den Kies unter den Reifen knirschen hörte, verflüchtigten sich die negativen Gedanken. Die Laterne über der Haustür brannte, Charlotte trat heraus in ihren Schein, und er war zufrieden. Seine Frau in die Arme zu schließen, war immer eine Freude. Sie hatte einen Muscadet von der Mündung der Loire kalt gestellt, gekeltert aus der Melon-de-Bourgogne-Traube. Sogar am Sonntag hatte sie ein Dutzend frische Austern aufgetrieben, und sie setzten sich an den kleinen Tisch hinter dem Haus.

Auf Charlottes Frage, wie es ihrem Findelkind ginge, *»notre enfant trouvé«*, wie sie spaßeshalber sagten, wenn sie ein ernstes Gespräch über Simone führten, gab es für Martin keine eindeutige Antwort.

»Es kommt auf die nächsten Tage an. Sie schwankt noch, alles ist neu, alles fremd. Bezüglich ihres neuen Arbeitgebers habe ich ein gutes Gefühl, ich habe einige der auf der Domaine Clément produzierten Weine probiert. Von der Qualität her stimmt alles, von der Anlage her auch, das Weingut ist typisch für die Region.« Es biete gute Lernmöglichkeiten, Monsieur Clément arbeite mit allen an der Rhône erlaubten Rebsorten, sie seien maschinell und personell bestens ausgestattet.

»Was die Winzer didaktisch draufhaben, wie sie mit den Mitarbeitern umgehen und Simone an die Aufgaben heranführen? Wie sollte ich das beurteilen? Das wird sie uns sagen.«

»Da schwingt mir die ganze Zeit ein Aber mit, mein lieber Martin.« Charlotte schenkte nach und stützte sich mit den

Ellenbogen auf die Lehne seines Gartenstuhls, ihr Gesicht nahe dem seinen. »Was ist da noch? Ich kenne dich. Raus mit der Sprache!«

Martin war müde, langsam fiel die Spannung von ihm ab, das Autofahren belastete ihn mehr, als er wahrhaben wollte. Früher hatte er die Strecke von Frankfurt nach Bordeaux an einem Tag bewältigt, heute schaffte ihn bereits die Hälfte.

»Was sollte das sein?« Seine Widerstandskraft war erlahmt.

»Willst du mir nicht antworten, oder weißt du es nicht?« Charlotte konnte penetrant insistieren.

»Ja, doch, da ist was, nur so ein Gefühl. Also – die Dame des Hauses gefällt mir gut …«

»Sie soll nicht dir gefallen, *mon amour*, sondern Simone«, unterbrach ihn Charlotte spitz.

»Keine Sorge, *ma chérie*.« Beide liebten das Geplänkel. »Madame Clément nimmt sie unter ihre Fittiche, das beruhigt mich. Außerdem gibt es auf dem Weingut einen pensionierten Arbeiter, eine Art Faktotum, der ihr sofort ein altes Moped hergerichtet hat, damit sie einen fahrbaren Untersatz hat – bis wir ihr einen Wagen besorgt haben. Er erinnert sie an deinen Vater.« Dann beschrieb Martin das Weingut, seine Nähe zum Ort und ihre kleine neue Wohnung. »Wie sie sich in all das einfügen wird, ist ihre Sache, darüber werde ich keine Prognosen abgeben.«

»Und wo ist der Haken?« Charlotte ließ nicht locker, ihr entging wenig, keine noch so kleine Regung, nicht ein Wort, mit dem jemand sie beschwichtigen oder auf eine falsche Fährte führen wollte. Das hatte sie in ihren Jahren in der Politik gelernt und als Staatssekretärin zur Meisterschaft gebracht, bis sie das dunkelblaue Kostüm gegen Jeans und Drillichjacke und die Pumps gegen Wollsocken und Gummistiefel eingetauscht hatte.

Es war Martin unangenehm, den Verdacht auszusprechen, es war nichts weiter als ein dummes Gefühl, eine vage

Vermutung, möglicherweise tat er jemandem unrecht, aber er hatte noch den Blick des Winzers in Erinnerung, mit dem er Simone gemustert hatte. Er meinte, etwas Besitzergreifendes in seinen Augen erkannt zu haben. So stierten ältere Männer junge Frauen an, wenn sie sich vorstellten, mit ihnen ins Bett zu gehen. Dann war es zu dieser Berührung gekommen, zwar flüchtig nur und lediglich am Arm, aber sie war zu persönlich ausgefallen. Genau das sagte er Charlotte.

»Vielleicht bildest du dir das ein, das wollen wir für den Winzer hoffen. Väter oder Ersatzväter wie du reagieren immer panisch auf andere Männer. Aber sollte sich Derartiges bewahrheiten, dann bin ich die Erste, die Simone dort wegholt. So, jetzt gehen wir schlafen, dir fällt fast das Glas aus der Hand.«

Was Martin hellhörig machte, war der unfreundliche Ton des Bankberaters. Das Telefon war auf laut geschaltet, damit Charlotte mithören konnte. Bei dieser Art von Gespräch hatte er sie gern dabei. Sie spielten das Spiel des freundlich-kompromissbereiten und des aggressiven Winzers, wobei sie freiwillig den Part des Bösen übernahm. Ihr Eindruck war ähnlich, Martin beschwichtigte sie mit einer Handbewegung, er wollte erst hören, weshalb die Bank ihr Kreditersuchen ablehnte, dann das Gespräch beenden und das Gehörte verarbeiten.

»Ihre Umsätze sind zu gering.« Das sollte ein Grund für die Ablehnung sein? »Sie verfügen über zu wenig Grundbesitz, den Sie beleihen können«, war das Nächste. Wieso das, wo sie mit ihren neun Hektar genau dem durchschnittlichen Weinbaubetrieb Frankreichs entsprachen? »Das stimmt nicht, in Bordeaux sind es fünfzehn Hektar. Außerdem sind Sie nicht breit genug aufgestellt, Sie verkaufen alles nach Deutschland, eine Exportquote von hundert Prozent ist zu hoch. Sie sind *kaputt*, wenn dieser Markt wegbricht. Wir haben leider genug verarmte Kleinbauern.«

Und leider zu viele korrupte Banker, dachte Martin. Besonders war ihm aufgefallen, dass er »kaputt« gesagt, dass er das deutsche Wort dafür benutzt hatte. Was hatte das zu bedeuten? In Martin keimte ein Verdacht. Hatte da jemand seine Hand im Spiel, mit dem ihn seit vielen Jahren eine innige und tiefe Feindschaft verband?

»Sie sind kinderlos, Sie haben nicht für die entsprechende Nachfolge gesorgt. Dabei weiß der größere Teil unserer französischen Winzer Ihrer Altersgruppe nicht, wie es mit ihrem Betrieb eines Tages weitergehen soll. Ihre Betriebe werden verschwinden. Allein in Bordeaux gingen in den letzten Jahren mehr als fünf Prozent der Anbaufläche verloren. Und Sie meinen, investieren zu wollen?«

»Wir haben einen Nachfolger beziehungsweise eine Nachfolgerin.«

»Wer sollte das sein?«

»Die Tochter des Vorbesitzers, Simone Latroye.«

»Ach! Eine Frau?«

»Junger Mann!« Martin musste sich zusammenreißen, nicht Charlottes Part des Bösen zu übernehmen. »Es wäre sinnvoll, wenn Sie sich vor derartigen Gesprächen informierten und ein Minimum an Sachverstand anlesen würden. Genau siebenundzwanzig Prozent aller Weinbaubetriebe in Frankreich werden von Frauen geleitet. «

»Die Entscheidung, Monsieur Bongers, übernehme ich und vertrete sie auch!« Das klang bedeutend aggressiver. »Sie sind nicht kreditwürdig.«

»Wer sagt das? Sie oder Ihr Computer? Oder ist die Banque de France dieser Ansicht?« Martin wusste, dass sie für Frankreich die Schufa spielte, die Schutzgemeinschaft für allgemeine Kreditsicherung. Ihm wurde immer klarer, dass etwas anderes beziehungsweise ein anderer dahinterstecken musste. Er war nie jemandem einen Cent schuldig geblieben. Charlotte gab ihm zu verstehen, das Gespräch zu beenden, sie würde auf den Part des Bösen verzichten.

»Glauben Sie wirklich, dass wir uns bei sinkenden Bodenpreisen mit weiteren fünf Hektar als angeblicher Sicherheit belasten werden? Sie sind naiv.«

Charlotte raunte Martin nur einen Namen zu: »Fleury!«

Fleury! Martin erinnerte sich verdammt gut. Er hatte ihn eigenhändig am Revers gepackt und aus dem Haus geworfen. Fleury hatte nach Gastons Tod das Weingut kaufen wollen, war mit fünfzigtausend Euro in einem Koffer erschienen, um Caroline zum Verkauf zu überreden. Und er war ein Freund des Mannes, den er ins Gefängnis gebracht hatte. Nein, Garenne hatte sich selbst in den Knast gebracht. Und Fleury hatte einige Zeit später Frankreich verlassen müssen, um nicht wegen seiner Insidergeschäfte als Direktor der hiesigen Bank eingebuchtet zu werden. Jetzt zog er seine Fäden von Panama aus und beschäftigte sich mit dem Umbau französischer Scheinfirmen, wie Martin von Kommissar Grivot erfahren hatte. Der pensionierte Terrorismusfahnder war bestens im Bilde.

Charlotte machte einen langen Arm, ihre Finger tippten energisch auf die Gabel des alten Telefons, das Gespräch war beendet.

»Von denen kriegen wir nichts. Ich habe mich bereits bei der Caisse d'Epargne erkundigt. Die Sparkasse hat eine Filiale in Saint-Émilion, einer der Mitarbeiter war letzten Freitag hier, um sich den Betrieb anzusehen, meine Eltern kennen ihn, sie haben da ihr Konto. Wir transferieren am besten alles dorthin. Die Caisse d'Epargne ist bodenständig und seriös.«

Martin zuckte, derartige Entscheidungen wurden normalerweise von ihnen zusammen getroffen, aber was Charlotte veranlasst hatte, war auch in seinem Sinne, und er verkniff sich den Widerspruch. Unterschreiben mussten sie letztlich gemeinsam.

»Nachdem das geklärt ist, können wir ausführlich über deine Reise reden. Ist dieses komische Gefühl dem Winzer gegenüber dein einziger Kritikpunkt? Sie wird also nicht nur Flaschen putzen und Versandkartons zukleben?«

»Die Domaine Clément hat nicht nur Parzellen in Châteauneuf-du-Pape, sondern auch auf der anderen Seite des Flusses, in Tavel und in Laudun …«

»Ist dort nicht die Fremdenlegion? Siebentausend Mann sollen es sein. Die schickt man überallhin, wo's knallt. Hast du davon etwas bemerkt?«

»Da hat nichts geknallt.« Martin wunderte sich, was Charlotte mal wieder wusste. »Nein, auf der anderen Seite habe ich nichts zu tun gehabt.« Gehörte die Fremdenlegion auch zu den Themen, über die sie ihrer früheren Tätigkeit wegen Stillschweigen bewahren musste? Dass sie sich damit beschäftigt hatte, war neu für ihn. Aber bei derartigen Themen insistierte er nie. Mit der Zeit erfuhr er doch das meiste, indem er diese oder jene unbedachte Äußerung mit vorherigen in Beziehung setzte.

»Sie wird nicht als Praktikantin geführt, sondern als Weinbautechnikerin. Sie bekommt ein bedeutend besseres Gehalt als den Mindestlohn und hat das Wohnen frei. Sie ist bescheiden, wie du weißt, sie wird mit ihrem Geld auskommen. Da taucht für uns die Frage auf, wie wir Ersatz bekommen.« Das bezog sich auf ihre Arbeitskraft, nicht auf ihre Person, die war unersetzlich, wie er bereits beim Frühstück bemerkt hatte. Sonst waren sie immer zu dritt gewesen, mit Charlottes Eltern sogar zu fünft.

»Wie ich vermute, hast du bereits …?« Martin blickte sie gespannt an, Charlotte plante normalerweise weit voraus.

»Ich habe, sehr richtig. Morgen stellt sich ein junger Mann vor, ein Deutscher aus Geisenheim, hat dort vier Semester Önologie hinter sich und möchte bei uns ein halbes Jahr lang arbeiten. Womöglich sogar länger.«

»Wie kommt er auf uns?«

»Er hat sich informiert, wo es hier deutsche Winzer gibt.

Er liebe Bordeaux-Weine, habe aber Schwierigkeiten mit der französischen Sprache, so sei er auf dich gekommen.«

»Was für einen familiären Hintergrund bringt er mit? Eine Winzerfamilie?«

»Nein, aber Geschmack wird er haben. Er hat eine Kochlehre absolviert, doch die Arbeit in der Küche, das sagte er ehrlich, sei ihm zu stressig und würde die Lust am Kochen zerstören. Außerdem seien die besonders guten Köche allesamt Despoten und Egomanen.«

»Hoffentlich vergeht ihm beim Rausschaufeln vom Trester aus den Fässern nicht die Lust am Weinbau.«

»Seine Unterlagen habe ich hier.« Charlotte wedelte mit einer Klarsichthülle. »Morgen will er sich vorstellen.«

»Einverstanden. Bis dahin haben wir noch reichlich Zeit, über die beiden Winzer zu reden, der eine tot, der andere spurlos verschwunden.«

»Nein, *mon Dieu!*« Charlotte machte ein Gesicht, als hätte sie auf eine verschimmelte Tomate gebissen. »Nein! Was sagst du da? Du bist ja verrückt. Aber du wirst es mir sicher erzählen. Weiß Simone davon?«

»Sicher, ich war mit ihr bei der Witwe des einen.«

»Macht es Simone Angst?«

Martin zögerte. »Der Mann wurde von einem Auto ...«

»... ich vermute mal Fahrerflucht, sonst würdest du dich kaum dafür interessieren, stimmt's?«

Martin breitete entschuldigend die Arme aus. »Was soll ich tun? Die Ereignisse geschehen nun mal, ohne mein Zutun.«

»Ja, ja, das kennen wir. Du könntest dich raushalten. Nein? Und der zweite?«

»Verschwunden, Didier Lamarc, du weißt doch, bei dem wollte ich Simone anfangs unterbringen.«

»Du warst selbstverständlich auf beiden Weingütern und hast entsprechende Erkundigungen eingezogen. Und was haben deine wichtigen Recherchen ergeben?«

An ihrer Reaktion merkte Martin deutlich, dass sie die Angelegenheit nicht ernst nahm. »Nichts haben sie ergeben. Didier Lamarc war einfach weg und ist nie wieder aufgetaucht. Ob es sich um ein Verbrechen handelt oder er irgendwo ein neues Leben angefangen hat, weiß niemand. Keine Leiche, kein Verbrechen, meinte die Gendarmerie.«

»Sprich mit Grivot darüber, er ist auf jeden Fall der bessere Zuhörer für deine Mutmaßungen. Wo er nicht mehr im aktiven Dienst ist, hat er sicher Zeit.«

»Grivot? Niemals, Zeit hat er nicht, er ist schließlich ein pensionierter Staatsbeamter …«

»Sollte Simone irgendetwas damit zu tun bekommen«, Charlotte war ernst geworden, »das schwöre ich dir, fahre ich auf der Stelle los und hole sie zurück. Wehe, du bringst sie in irgendeine Gefahr.«

»Unsinn, wie sollte ich? Nein, das ist alles viel zu weit weg.«

Grivot hatte doch Zeit, zumindest nahm er sie sich, als Martin ihn anrief. Sie kannten sich seit dreizehn Jahren. Anfangs waren sie heftig aneinandergeraten, bis Martin sein Spiel und seine wahren Absichten durchschaut und der kleine, verschroben wirkende Grivot sich an Martins Widerwillen gegenüber staatlichen Organen gewöhnt hatte. Bei anderer Gelegenheit hatten sie ihn fast erpressen müssen, damit er half, Martin aus Rumänien rauszuholen. Da hatten Charlotte und er hervorragend zusammengearbeitet, Grivot mehr gezwungenermaßen, Charlotte aus rein egoistischen Motiven.

Martin plauderte mit ihm zuerst über das Wetter dieses Frühjahrs, denn Grivot hatte sein Faible für die Bordelaiser Crus entdeckt, hatte nach Martins Vorschlägen diverse Châteaus besucht, hauptsächlich am Rive Gauche, dem linken Ufer der Garonne, von Graves bis hinunter ins Medoc. Mit Simone hatte sich Grivot bei ihrem letzten Sommerfest ausführlich unterhalten.

»Um mit mir über die Weine von Haut-Brion zu reden, haben Sie mich sicherlich nicht angerufen, Monsieur Bongeeers.«

»Nein, ich denke nur fürsorglich. Damit Sie als Rentner nicht an Alzheimer erkranken, muss man Ihr Gehirn mit Aufgaben konfrontieren.«

Er erzählte von seinen Bemühungen, Simone in Châteauneuf-du-Pape unterzubringen, wobei er mit dem mysteriösen Verschwinden eines Winzers und dem Unfalltod eines anderen konfrontiert worden sei. Und er fragte Grivot, ob er in Hinsicht auf die Namen Lamarc und de Bergerac etwas in Erfahrung bringen könne.

»Es ist bei Ihren Beziehungen zu den Sicherheitsorganen für Sie allemal leichter, an Ermittlungsakten der Gendarmerie zu kommen, falls es Derartiges gibt – oder an sonstige Informationen.«

Wie immer wehrte Grivot dieses Anliegen vehement ab, er könne nicht, er dürfe nicht, er solle nicht, es sei ihm nicht gestattet, seine Situation ließe es leider nicht zu – aber falls ihm etwas zu Ohren käme, würde er von sich hören lassen.

Kapitel 12

Die großen runden Steine waren faszinierend. Da war kaum einer darunter, der nicht mindestens die Größe von Thomas' Faust besaß. Manche waren rund, andere wieder flacher, selten, dass ein Exemplar mal eine harte Kante besaß oder gebrochen war. Alle waren von einem hellen, fast ins Weiße reichenden Braun. Die Erde, die sie hervorbrachte, war wesentlich dunkler. Ein rasches Vorwärtskommen zu Fuß über die unebene Fläche war ungeheuer schwierig und sehr gewöhnungsbedürftig, denn große und kleine Steine lagen wild durcheinander. So hatte er das Gefühl, Alain, der auf seinem hochbeinigen, schaukelnden Trecker saß und ihm den Umgang damit vorführte, wie in einem steinigen Flussbett hinterherzutaumeln. Diese Steine, Quarzite, die Alain schlicht Kiesel nannte, *les galets*, stammten aus den Alpen, rund geschliffen in Jahrmillionen im Bett der Rhône und waren hier liegen geblieben. Ähnliche Steine fanden sich am Mittelrhein auf der Hunsrückseite. In ihren Weinlagen, den weiter vom Rhein entfernten, kamen sie selten vor. Hier hingegen bedeckten sie auf vielen, besonders auf den flachen Lagen den Boden komplett. Nur die knorrigen, schwarzen Stämmchen der Rebstöcke, die längst noch nicht in vollem Laub standen, ragten daraus hervor.

Bei einem Besuch auf Château des Trois Verres hatte ihm Gustave Vitrier die geologische Geschichte des Rhônetals erklärt. Gustave war sowohl Praktiker wie auch theoretisch gebildet. Alain hingegen war Praktiker, der zwar wusste, was zu tun war, aber wissenschaftliche Hintergründe nicht erklären konnte.

Zu Gustave hatte Thomas seit der ersten Begegnung einen guten Draht. Gustave erinnerte ihn an seinen Vater, er bot ihm, obwohl sie kaum über Persönliches sprachen, eine Art Orientierung. Bei seiner freundlichen und mitteilsamen Art schwand in kurzer Zeit jene Distanz, die Erfahrung sowie der Altersunterschied und die andere Nationalität hätten schaffen können. Und der Enthusiasmus, mit dem Thomas ans Werk ging, wie er sich vom ersten Tag einbrachte, schien Gustave zu gefallen.

»Wie weit will man in der Erdgeschichte zurückgehen, um letztlich auf das zu kommen, was für unsere Arbeit als Winzer von Bedeutung ist?« Die Frage Gustave Vitriers erinnerte ihn an das, was die Bodenkundler und Geologen während seines Studiums gelehrt hatten. »Das ist ähnlich wie bei uns Menschen. Wer oder was hat uns geformt? Wie waren die Zeiten, was brachte uns die Umgebung, und wie waren wir selbst, was konnten wir annehmen? Der einzige Unterschied besteht darin, dass der Boden keinen Willen hat – vorausgesetzt, dass wir einen freien Willen besitzen.« Gustave wand sich bei diesen Worten. »Möglich, dass dieser Wille auch wie alles andere geformt wurde und keineswegs so frei ist, wie wir glauben.«

Thomas wollte darauf nicht eingehen. Er grübelte sowieso zu viel. Um das zu vermeiden, arbeitete er sich müde. Auf den Wein ließ er sich gern ein, und für den war letztlich ein Horizont von zehn Metern Tiefe bedeutsam, dort wurzelten die Stöcke, dort suchten sie ihre Nahrung und das Wasser. Aber auch diese zehn Meter waren irgendwie entstanden. Deshalb hörte er Gustave gern zu.

Dort, wo heute Château des Trois Verres stand, hatte sich vor mehr als hundert Millionen Jahren ein Ozean ausgebreitet, hatten sich im Untergrund Kalkriffe gebildet sowie gewaltige Ablagerungen von Mollusken. »Mit dem entsprechenden Blick findet man hier heute noch die Schalen von Ammoniten.« Gustave besaß eine kleine Sammlung der fossilen Schalen dieser prähistorischen Tiergattung. Vor circa vierzig bis dreißig Millionen Jahren hatte sich die afrikanische Platte gegen die eurasische geschoben, wodurch das Land zwischen Pyrenäen und Kaukasus angehoben worden war und die Alpenkette entstand. Darauf verformte sich der Rhônegraben zu einer Halbinsel, die in den folgenden Jahrmillionen nach Osten geschoben wurde. So entstanden Sardinien und Korsika. Als sich dann die Meerenge von Gibraltar schloss und erste Menschen von Afrika trockenen Fußes rüberkamen, fiel der Meeresspiegel, und die Erosion brachte Gesteine von den Alpen mit, die das Tal der Rhône füllten. Im Pliozän, so Gustave, hätte sich das Mittelmeer wieder gefüllt, wobei eine Art Fjord bis zum heutigen Lyon ins Land hineinreichte. »Aber das ist erst drei Millionen Jahre her. Damals kamen auch die ersten Großtiere hierher. In Saint-Laurent-des-Arbres, keine fünf Kilometer von hier, fanden Paläontologen die Knochen von Mammut, Rhinozeros und Palaeoryx-Antilopen.«

Jüngeren Datums seien die acht aufeinanderfolgenden Eiszeiten gewesen, wobei sogar das Massif Central im Westen, an dessen Ausläufer sie sich hier befanden, und die Alpen im Osten von Eis bedeckt waren. Diese Perioden schließlich hätten dazu beigetragen, die unterschiedlichsten Quarzsände, Steine und Kalkbrocken entstehen zu lassen, die mittels Erosion ins Rhônetal gespült worden waren.

»Daher kommt es, dass wir – wie auch Châteauneuf-du-Pape – an beiden Ufern auf ähnlichen Böden wirtschaften. Probieren Sie so viel wie möglich, und Sie werden bemerken, wie gering die Unterschiede zwischen unseren Weinen letztlich sind.«

Das zu hören, gefiel Thomas außerordentlich gut, es bestätigte seine Entscheidung für dieses Ufer der Rhône. Von allen Parzellen, die er mit Alain besichtigte, waren die von den faustgroßen Kieseln bedeckten am schwierigsten zu bearbeiten. In wenigen Arbeitsstunden verbeulte man sich jede Pflugschar, und er würde lernen müssen, mit Hammer und Wetzstein umzugehen.

Es gab Böden mit blau schimmernden, eckigen Kalksteinbrocken, es gab eine Lage mit grobem Schotter, wo die Rhône im Pleistozän ihr Bett gesucht hatte, und reinen Sand mit rötlicher Färbung. Auf all diesen Böden gedieh jede Rebsorte anders. Ein direkter Vergleich war unmöglich, denn hier waren die Reben zwanzig Jahre älter, dort war der Hang geneigt, der nächste wieder nach Westen ausgerichtet, und der Hang in der Senke bot mehr Feuchtigkeit. Das alles schuf Unterschiede im Geschmack, in der Textur und Farbe, und die Trauben reiften mal früher, mal länger. Thomas hörte sich zwar an, welche Böden für welche Reben besser geeignet seien, aber ein Urteil darüber stand ihm nicht zu, und die Meinungen der Experten gingen häufig auseinander.

Einige Tage später ging er um die Mittagszeit in den Ort, um sich mit seiner neuen Umgebung vertraut zu machen. Er hatte sich bisher nur auf den beiden nebeneinanderliegenden Weingütern bewegt und war mit Alain mehrmals durch Lirac gefahren. Aber wirklich wahrgenommen hatte er das Dorf noch nicht, nur den einen Blick auf Häuser und einige andere Weingüter geworfen, in ein paar Seitenstraßen geschaut und mehr oder weniger pompöse Toreinfahrten betrachtet. Das war bei dem kurzen Abstecher ins benachbarte Tavel ähnlich gewesen. Leider sah man im Vorbeifahren zu wenig, nur zu Fuß begriff man seine Umgebung wirklich. So hatte er es auch in der Pfalz gehalten, er war gegangen, war stehen geblieben, hatte Erde in die Hand genommen, die Weinblätter angefasst. Es würde dauern, bis er dazu auch hier die nötige Ruhe finden würde.

Er folgte dem Chemin de Valdenaffret bis zur Kreuzung, wo die Landstraße über das Flüsschen führte und das überdachte Waschhaus stand. Ein umsichtiger Bürgermeister musste dafür gesorgt haben, dass es erhalten geblieben war. Es war ein ruhiger, beschaulicher Platz, wo er sich ein Weilchen aufhielt und nachdachte. Das Wasserbecken mit den abgeschrägten Rändern, auf denen einst die Wäsche geklopft, gewrungen und gerieben worden war, lag einige Meter über dem Bach. Ein Brunnen war zum Bachbett gegraben worden, aus dem die Wäscherinnen einst mittels einer längst verrosteten Pumpe ihr Waschwasser nach oben befördert hatten.

Er schlenderte weiter in Richtung Ortsmitte und sah sich nach der Bar um, ein Kaffee käme ihm recht. Zwei Männer standen am Tresen und sahen ihm wortlos zu, wie er den Kaffee entgegennahm und sich mit der Tasse draußen unter die Platane setzte und den Autos hinterherschaute, die im Abstand von fünf Minuten vorbeifuhren. Nebenan plätscherte das Wasser, das Neptun aus einem Messsingröhrchen in den Brunnen spie. Langsam ging eine alte Frau vorbei, kam zurück und musterte ihn kurz, ging dann in die Bar, wo sie sich einen Tee geben ließ. Er hatte bemerkt, dass sie nach einem Sitzplatz suchte, und bat sie an seinen Tisch. Es war der einzige, und einer der Barhocker wäre nichts für ihr Alter. Schnell kamen sie ins Gespräch, und sie war äußerst erstaunt, dass er Deutscher war.

»Sie sehen gar nicht so aus, junger Mann«, sagte sie mit ihrer rauen, höflichen und vom Alter gezeichneten Stimme und blieb freundlich wie zuvor. »Seit Kriegsende habe ich mit keinem Ihrer Landsleute jemals wieder gesprochen. Hier sind sie vorbeigefahren, mit ihren Panzern und Lastwagen, hier vor uns, voll mit Männern mit Helmen und Gewehren. In Uniform und unter dem Helm sehen alle Männer gleich aus, genau wie die Toten. Die Augen sieht man kaum, nur die Nase und den Mund. Das war 1942, nachdem sie ganz Frankreich besetzt hatten. Alle hatten Angst. Ich sah es ihnen an. Und auch wir hatten Angst. Dann sind Sie der neue Mann auf der Domaine Dupret? Sie arbeiten mit Alain zusammen?«, sagte sie übergangslos. »Ja, staunen Sie nur, hier erfährt man alles. Man spricht über Sie, nur Gutes, wenn Sie erlauben, keine Sorge. Man lobt Sie. Trotz Ihrer Jugend sollen Sie viel von Wein verstehen …«

»Das ist sehr freundlich von Ihnen«, Thomas winkte ab, obwohl er sich über das Kompliment freute. »Ich hatte bisher so gut wie keine Gelegenheit, das unter Beweis zu stellen. Ich bin erst dabei, mich zu orientieren.«

»Wieso sprechen Sie unsere Sprache so gut? Ihre Landsleute damals gaben nur Befehle. Jawoll! Weitergehen! Los, los, Ihre Papiere!« Sie sagte es auf Deutsch. »Diese Wörter habe ich bis heute nicht vergessen.«

Thomas erzählte ihr vom früheren Beruf seines Vaters, von Ferien in Frankreich und von seinem Freund Pascal in Metz, mit dem er ausschließlich Französisch sprach. Das helfe ihm sehr, außerdem sei die Fachsprache des Weins sowieso international.

»Sie haben sich einen guten Platz ausgesucht, sowohl bei Dupret wie auch gegenüber von Gustave. Vitrier ist einer unserer Besten, was man ihm kaum anmerkt. Sein Bruder ist es zwar auch, aber Gustave ist nicht so … vornehm wie der Bruder, drüben in Châteauneuf. Dort hat er sein Weingut. Ich kenne die Jungen, beide, von klein auf. Verschiedener kann man gar nicht sein. Man könnte meinen, sie haben verschiedene Väter.« Die Dame kicherte verschmitzt, als hätte sie etwas Verbotenes gesagt.

»Woher kennen Sie Gustave, Madame?«

»Ach, ich kenne die meisten Menschen hier, eigentlich alle.« Die alte Dame blickte in die Ferne. »Erst einmal bin ich alt, da hatte ich viel, viel Zeit, mir meine Zeitgenossen anzusehen. Zweitens war ich Lehrerin, da hatte ich sie alle vor mir. Ihnen allen«, sie holte weit mit der Hand aus und umriss das Dorf, »ihnen allen habe ich Lesen und Schreiben beigebracht – und ein wenig Rechnen. Ich kenne die Familien, ich kenne die Hintergründe und – *bien sûr* – selbstverständlich auch die Abgründe.«

»Dann sollte ich mich an Sie halten, Madame, wenn ich etwas über Lirac erfahren möchte. Wie darf ich Sie ansprechen?«

»Sagen Sie einfach Madame Cécile. Unter meinem Familiennamen Merathy kennt mich kaum jemand.«

»Aber Sie arbeiten heute nicht mehr?«

»Doch, doch, ich gebe Nachhilfeunterricht. Gustave hat ihn damals nie gebraucht, sein Bruder Maurice hatte es ebenso wenig nötig, aber die Eltern wollten, dass er der Beste in der Schule wurde, deshalb schickten sie ihn zu mir, der Beste im Studium, der Beste beim Militär und als Winzer sowieso – na ja, er ist es fast, aber nur fast, der arme Junge.«

Thomas hatte den Eindruck, dass Madame ihn einerseits bedauerte, ihn andererseits nicht ganz für voll nahm.

»Maurice ist der Jüngere. Er hat Glück gehabt, vielleicht auch Unglück, schließlich hat er das Château des Trois Anges in Châteauneuf geerbt, damit verbindet sich ein gewaltiger Anspruch. Sein Bruder Gustave, Ihr Nachbar, erbte nur das hiesige Trois Verres. Es heißt, so was weiß man ja nie genau, aber in den Dörfern wird viel erzählt, dass sie um das Erbe der Eltern gelost hätten, noch zu deren Lebzeiten. Gustave war mit Trois Verres zufrieden, er ist sowieso immer zufrieden, mit allem …«

»Das war auch mein Eindruck«, warf Thomas ein, doch Madame Cécile, ganz die alte Lehrerin, ließ sich nicht unterbrechen.

»Er nimmt die Dinge leicht. Er hält nichts von Konventionen, kümmert sich nicht darum, obwohl er der Ältere ist. Er geht seinem Gefühl nach, er hat ein Gespür für die Dinge, intellektuell ist er gar nicht, aber sehr belesen.«

»Nein? Wieso hat er mir dann ganz genau die Geologie dieser Region …«

Ihr Blick gebot Thomas zu schweigen, empört, dass er es wagte, sie zu unterbrechen, und doch nachsichtig.

»Er lässt die Dinge geschehen, lässt den Wein wachsen, er trifft seine Entscheidungen spontan, und wenn sie sich als falsch herausstellen, lacht er darüber und macht es beim nächsten Mal richtig. Ich habe nie erlebt, dass er einen Fehler zweimal beging. Er sieht etwas und versteht es, er schaut zu und macht es ebenso gut nach. Ist Ihnen aufgefallen, dass er beim Nachdenken immer eine Hand in den Nacken legt?«

Jetzt, da Madame Cécile es sagte, fiel es Thomas ein.

»Und er steckt immer die linke Hand in die Hosentasche. Das hat er als kleiner Junge bereits getan. Das sind Attitüden bei Menschen, die ich liebe, es gibt natürlich andere, die weniger liebenswert sind. Aber darüber reden wir nicht.«

»Und wieso ist sein Bruder so anders?«

»Immer mit der Ruhe, junger Mann. Wir bleiben bei Gustave, er ist schließlich Ihr Nachbar, und Sie werden sich mit ihm gut vertragen. Fragen wir uns zuerst, weshalb Gustave so ist, wie er ist. Es war nach dem Krieg eine harte Zeit, bis es uns wieder einigermaßen gut ging. Die Deutschen, Pardon, hatten uns ausgeplündert, vom Wein über die Kohle bis zu unseren Schweinen und Hühnern haben sie alles mitgenommen. Den Rest hat der Krieg zerstört. Die Familie Vitrier war wohlhabend, wenn nicht reich, aber bei Kriegsende ging es auch ihnen schlecht. Als Gustave geboren wurde, hatten sie kaum Zeit, sich um ihn zu kümmern. Er ist immer unterwegs gewesen, sie haben das Kind sich selbst überlassen, einem Kindermädchen, ihren Arbeitern, den Nachbarn, bei denen Sie arbeiten, das war sein Glück. Sie mussten nach dem Krieg zwei Betriebe wiederaufbauen. Gustave entdeckte die Welt allein, ohne Regeln, ohne Strafen, und er probierte alles aus.«

»Und der Bruder, drüben, auf der anderen Seite?«

»Oh!« Madame sah auf ihre kleine Uhr. »Darüber ein andermal, Sie bleiben sicher noch ein Weilchen hier. Es ist Zeit für den Geigenunterricht. Oder – Sie begleiten Gustave mal zu seinem Bruder, dann machen Sie sich selbst ein Bild von ihm. Aber nehmen Sie das hier Gesagte nicht allzu wichtig, es ist das Geschwätz einer alten Frau, die zu viel weiß und zu viel redet. *Au revoir*, junger Mann. Soweit ich weiß, heißen Sie Thomas.« Langsam stand sie auf und griff nach ihrer roten Lederhandtasche. Sie wandte sich um, überquerte vorsichtig die Straße vor der Bar und ging auf der anderen Seite zu einem großen weißen Peugeot. Es war ein neueres Modell.

»Wir alle lieben sie«, sagte plötzlich ein Mann hinter Thomas. Er fuhr herum, dort stand der Mann, der ihm den Kaffee eingeschenkt hatte. »Mir hat sie früh prophezeit, dass aus mir nichts werden würde. Leute wie ich würden höchstens eine Kneipe betreiben, da müssten sie nicht arbeiten. Und – hat sie nicht recht behalten?« Er wies auf seine Bar und winkte ihr lachend nach.

Die Gelegenheit, ans andere Ufer der Rhône zu kommen und auch Château des Trois Anges zu besuchen, ergab sich eine Woche später. Gustave Vitrier hatte gefragt, ob er ihn nach Feierabend auf die andere Seite begleiten wolle. Er hätte zuerst noch etwas mit Paul-Vincent Avril zu besprechen, da könne er die besten Châteauneuf-Weine probieren. Anschließend würde er bei seinem Bruder vorbeifahren. Bestimmt gäbe es dort auch etwas Besonderes zu trinken.

»Immerhin ist mein Bruder zweimal hintereinander beim Concours de la St. Marc Zweiter geworden. Bei den Winzern, die dabei mitmachen, will das was heißen. Es ist sowohl eine Auszeichnung wie auch eine enorme Leistung. Mich selbst stresst das zu sehr«, fügte er leiser hinzu. »Ich bin mit meinem Kram zufrieden.«

Er holte Thomas nach Feierabend ab. Gustaves Auto entsprach seinem eigenen: Der neue Renault Kombi war durchaus keine Limousine, es war ein landwirtschaftliches

Fahrzeug mit Pappkartons, Faltblättern und Flaschen im Kofferraum sowie Proben sämtlicher Bodenarten und Gesteinsformationen des Gard auf den Bodenmatten. Thomas konnte sich das Grinsen beim Einsteigen nicht verbeißen, Gustave Vitrier sah keine Veranlassung, den Zustand zu kommentieren, geschweige denn sich dafür zu entschuldigen. Sie fuhren über Saint-Geniès-de-Comolas und an Montfaucon vorbei, wo Thomas das weit über dem kleinen Ort aufragende Kastell bestaunte. Es war eine Burg mit Zinnen und Türmen, von der ein jeder kleine Junge bei seinen Ritterspielen träumte.

»Schöne und authentische Weine liegen dort, und der Graf freut sich bestimmt, wenn Sie vorbeikommen. Er macht seine Sache wirklich ausgezeichnet.«

»Ein Graf? Er empfängt mich?«

»Aber sicher doch, zumal er lieber Winzer als Graf ist.«

Kurz darauf erreichten sie die Rhône, die grün und trüb und breit und nicht vom Schiffsverkehr beeinträchtigt dem Mittelmeer zufloss.

»Wie sauber ist der Fluss?«, fragte Thomas. Er wusste, dass die Trübung von den starken Regenfällen am Oberlauf des Flusses stammen konnte.

»Ich habe es selbst nicht nachgeprüft, deshalb bin ich mit meiner Meinung vorsichtig. Nach allem, was wir wissen, soll er ziemlich sauber sein. Früher war er eine Kloake, die Industrie von Lyon, die Abwässer der Stadt, aber das kann man sich heute nicht mehr erlauben. Wie ich gehört habe, leben im Rhein wieder Lachse?«

»Das stimmt, leider reicht der Bestand noch nicht für eine sich selbst erhaltende Population. Aber ihr habt vier oder fünf Atomkraftwerke hier und eine Fabrik für Wasserstoffbomben …«

»Leider, sehr zu meinem Bedauern. Aber wo soll man hingehen? Wenn da was explodiert und der Mistral weht, dann sind wir alle betroffen. In Fukushima hat der Wind den Fallout aufs Meer geweht, das hat viele Leben gerettet. Wir Franzosen wollen die Gefahr nicht sehen, wir glauben an die Technik. Außerdem haben wir keine Anti-Atom-Bewegung – wie ihr ängstlichen Deutschen.«

»Und wenn etwas passiert, ein Störfall, es muss ja nicht gleich der Super-GAU sein?«

»Muss man immer mit dem Schlimmsten rechnen?«

Die Ruine der Päpstlichen Residenz auf dem Hügel erkannte Thomas sofort wieder. Man sah sie in allen Prospekten der Weingüter, in keiner Reportage über die Gegend durfte sie fehlen, und in Fotobänden über den Süden Frankreichs auch nicht. Es war ein eindrucksvolles, seltenes Symbol einer Weinregion wie das Kloster Eberbach und Schloss Johannisberg am Mittelrhein, das er während seines Studiums täglich wahrgenommen hatte. Hier stand ein Ort mitsamt seiner Bewohner und Weine seit Jahrhunderten unter der Herrschaft der Päpste, zumindest dem Namen nach. Ob sie alle besonders fromm waren oder bigott – wer wollte das beurteilen? Die Menschen, denen er bislang begegnet war, einschließlich des Mannes, der neben ihm am Steuer saß, zeigten sich ihm von einer sehr weltlichen Seite.

Gustave kannte Avril seit seiner Kindheit und auch dessen Vater, wie die meisten seiner männlichen Vorfahren ebenfalls ein Paul. »Die Familie Avril gehört seit dem Jahr 1600 zu den Weinbauern hier. Irgendwelche Ahnen waren Schatzmeister und Erste Konsuln, ein Großvater arbeitete in der Kommission zur Anerkennung des Garantierten Ursprungsgebietes, der Appellation d'Origine Contrôlée, und dann weiß ich noch, dass General de Gaulle ein Fan der Avril-Weine gewesen sein soll. Das wird zumindest behauptet.«

Ziel des jetzigen Betreibers des Weingutes war, seine Weine mit einem langen Leben auszustatten. »Denn erst auf Zeit zeigt sich die wahre Größe. Sie sollten unbedingt bei ihm probieren, es lohnt sich, Avril gehört zur Spitze. Dann vergleichen Sie seine Weine mit denen von unserer Seite.« Er würde nicht dieselben Weine wiederfinden, aber die Verwandtschaft sei offensichtlich.

»Paul-Vincent bearbeitet an die fünfundzwanzig Hektar, unterteilt in vierundzwanzig verschiedene Parzellen. Können Sie sich vorstellen, was das bedeutet?«

Thomas konnte es – und auch wieder nicht. Zu Hause kultivierten sie zwanzig Hektar, aufgeteilt in zwölf Parzellen, sie bauten vier weiße und drei rote Rebsorten an, aber keine dreizehn, wie hier allenthalben praktiziert wurde.

»Das ist es, womit wir zu kämpfen haben: dreizehn Rebsorten, fünfundzwanzig Hektar, und dann die gänzlich unterschiedlichen Böden, andere Expositionen zum Licht, die Hangneigung, mal regnet es hier, mal dort … Dabei den Überblick zu behalten und den genauen Bearbeitungszeitraum festzulegen, ist selbst nach dreißig Jahren Weinbau kompliziert. Mein Bruder hat es da leichter, seine Weinflächen sind zusammenhängend und homogener. Ich bin vor der Lese bis zu fünf Mal in jedem Weinberg und probiere die Trauben und bringe Proben mit, die wir im Labor untersuchen.«

»Aber letztlich bestimmt die Zunge, wann es so weit ist, nicht wahr?«

»Da haben Sie vollkommen recht. So, wir sind gleich da.«

Châteauneuf-du-Pape hatte Thomas sich größer vorgestellt, mondäner und repräsentativer. Ohne die Ruine auf dem Berg wäre es ein Winzerdorf wie viele in diesem Land, bis auf die Touristen, die sich auf den Straßen tummelten und die Restaurants am Brunnen bevölkerten, wo sie abbiegen mussten und der abfallenden Straße folgten. Sofort ging es rechts weiter auf der Avenue Pierre de Luxembourg, aber noch innerhalb des Ortes bog Gustave in eine Einfahrt, zu einem keineswegs pompösen Château. Die hier gekelterten

Weine hießen ja auch Clos des Papes, was nichts weiter bedeutete als umfriedeter Weinberg – ohne Château.

Paul-Vincent Avril schien auch ein gänzlich unprätentiöser Mann zu sein, eine gut gelaunte Mischung aus Bauer, Künstler und Geschäftsmann in Jeans und einem Hemd aus dem gleichen Material. Was Gustave über ihn erzählt hatte, fand in der Person seine Bestätigung. Die beiden begrüßten sich freundschaftlich, Thomas wurde als junger Kollege aus Deutschland vorgestellt, dem man sofort den Riesling-Experten andichtete. Dabei war Grauburgunder seine Lieblingsrebe. Riesling war Manuels Angelegenheit. Nein, an ihn mochte Thomas nicht erinnert werden.

»Sie probieren alleine? Ich muss Ihnen nichts erklären?« Paul-Vincent Avril führte ihn in den Keller und baute eine Reihe von Flaschen und Gläsern vor Thomas auf. Danach zog er sich zum vertraulichen Gespräch mit Gustave Vitrier nach oben zurück, und im Keller kehrte Stille ein. Thomas liebte diese besondere Stille, wie sie nur in großen Räumen entstand. Es war entspannend, in dieser Atmosphäre allein zu sein und auf Deutsch über Wein nachzudenken.

Beeindruckend war hier, wie auch in den anderen Kellern, die er inzwischen besucht hatte, die lange Reihe aneinandergrenzender gemauerter Tanks. Die Temperaturkontrolle ging in der Tiefe des Erdreiches auf natürlichem Wege vonstatten. Während anderswo die kleinen Barriques im Vordergrund standen, waren es hier die *foudres*, die großen Fässer, die bis zu fünftausend Liter fassten.

Paul-Vincent Avril hatte sieben Flaschen auf den Tisch gestellt, doch wie Thomas rasch bemerkte, handelte es sich lediglich um einen Weißen und einen Roten. Bei Letzterem reichten die Jahrgänge zehn Jahre zurück, bei den vier Weißen sogar fünfzehn. Alle repräsentierten das gleiche Spektrum an Rebsorten, allerdings variierte die Assemblage, waren die Anteile unterschiedlich.

Der jüngste Weiße war gerade mal ein Jahr alt und zeigte

deutlich die jugendliche Frische, die Frucht war klar, es waren reife gelbe Früchte wie Pflaume und Birne, worunter sich ein Hauch von Anis geschlichen hatte. Es war ein Wein, auf dessen Komplexität man hätte neidisch werden können.

»Die Komplexität«, so hatte es ihm Alain erklärt, »wächst mit der Zahl der Rebsorten in der Cuvée.«

Der fünf Jahre alte Wein war dem jüngeren ähnlich, aber komplexer, gereifter. Die Steigerung war dem zehn Jahre alten Vorgänger vorbehalten, bei dem sich die Aromen in Richtung Honig und duftende Gräser hin entfalteten. Bei der fünf Jahre älteren Weißweincuvée hatte das Alter dem Wein bereits zugesetzt, Teile des Aromas brachen weg. Diese Weine probiert zu haben, machte die Reise bereits lohnenswert. Wir setzen zu viel auf die Reinheit der Rebsorten, sagte sich Thomas und nahm sich vor, mit dem, was sie zu Hause hatten, in Zukunft mehr zu experimentieren.

Die Roten standen den Weißen in nichts nach. Inzwischen meinte er, Grenache aus der Assemblage herauszuschmecken, Syrah, meist mit einem wesentlich geringeren Anteil vorhanden, war schwieriger zu definieren. Dieser Wein hatte nichts von der Schwere, nichts von dem Gewicht und der Opulenz, die Weinen von hier nachgesagt wurden. Die rote Frucht, Kirsche, rote Pflaume und Brombeere, alles war da, und der Alkohol wirkte nicht sättigend und erschlug den Geschmack nicht, denn der Wein hatte keine Zimmer-, sondern Kellertemperatur. Er war kühl. Ein so junger Châteauneuf widersprach der Meinung, dass hiesige Kreszenzen vor dem Genuss erst mal ein Jahrzehnt zu lagern hätten. Die älteren waren nicht besser, dafür anders: reifer, würdiger, die Aromen akzentuierter, hier öffneten sich schwarzer Pfeffer, Lavendel und Thymian, und bei dem zehn Jahre alten Wein, eine Klasse für sich, waren sie dann ganz deutlich – und die Rebsorte Mourvèdre war vorn. Thomas merkte es am Duft von Schwarzer Johannisbeere, von Tabak, Leder und Nelke, ein Duft, der eigentlich den im Barrique gereiften Weinen zu eigen war und der ihm langsam zum Halse oder besser zur Nase heraushing. Aber hier passte er.

»Und? Sie sind durch?«, fragte der Winzer, als er die Wendeltreppe herunterkam. »Hat's gefallen?«

»Großartig.« Mehr konnte Thomas nicht dazu sagen.

»Kommen Sie ein andermal wieder«, sagte er, »wenn wir beide mehr Zeit haben und Sie sich eingefunden haben. Schließlich sind wir beide Önologen. Je mehr man weiß, desto mehr sieht und erfährt man. Sie haben in Geisenheim studiert? Ich habe mich seinerzeit fürs Burgund entschieden statt für die Hochschule in Bordeaux. Mir geht es immer um die Eleganz.«

»Das merke ich Ihren Weinen an.« Thomas beließ es bei der knappen Beschreibung. Es wäre ihm unangenehm, als Klugscheißer zu gelten. Er verkniff sich die Bitte, den Rest des zehn Jahre alten Weißweins mitzunehmen, mit dem auf der Zunge hätte er gern den Abend beschlossen, aber jetzt würden sie Gustave Vitriers Bruder besuchen, und man wusste nie, ob sich noch eine Steigerung ergäbe.

Auf dem kurzen Weg zum Château von Maurice Vitrier passierten sie mehrere Weingüter, wobei Thomas sich fragte, wie sie alle überleben konnten, denn die Märkte Europas und der USA waren gesättigt. Also wurden die Absatzchancen in Asien gesucht. Und wenn dort der Wein in die Krise geriet, gerade die Hochpreisigen wie die von Avril, der für seinen Roten sechsundfünfzig Euro verlangte?

Die Einfahrt war lang, die Zypressen geradlinig am Weg ausgerichtet, Château des Trois Anges wirkte wie kürzlich renoviert, die hohen Fenster von Gardinen verhangen, die alle den gleichen Faltenwurf aufwiesen, und der Kies vor dem Haus war geharkt.

»Maurice ist ein äußerst korrekter Mensch. Mein Bruder hat es bis zum Major gebracht, Chef einer Pionierkompanie. Dann starben unsere Eltern, und er musste das Château hier übernehmen. Ich glaube, er wäre gern beim Militär geblieben, dann wäre er heute längst General!«

Thomas warf Gustave einen skeptischen Seitenblick zu. Dann sah er die junge Frau, die zu ihnen herüberblickte. Er holte tief Luft und schluckte, was war mit seinem Magen? Er schaute nochmals hin.

Kapitel 13

Mit dem Verhalten von Chefs hatte Simone bisher keinerlei Erfahrung sammeln können. Marcel Clément war sicher einer der verständnisvolleren Vorgesetzten, keine Führungsfigur, niemand, der besonders gut motivieren konnte. Es war ein anderer Stil als der aus Saint-Émilion gewohnte. Charlotte, Martin und sie hatten beim Frühstück die notwendigen Arbeiten und ihren Arbeitsplan für den Tag und die Woche besprochen, danach hatte jeder für sich losgelegt. Sich einzusetzen und die Arbeit so gut zu machen, wie es in ihrer Kraft stand, war für ihre Equipe, wie sie sich spaßeshalber nannten, eine Selbstverständlichkeit. Niemand brauchte motiviert zu werden, außer Charlotte, wenn es um den Einsatz von Maschinen ging. Sie konnte sie perfekt zerlegen, bekam sie aber nicht wieder zusammen.

Simone war das Gegenteil. Sie fuhr gern, und so hatte sie sich auch sofort dem hochbeinigen Trecker ihres neuen Chefs gewachsen gefühlt, war raufgeklettert, hatte ihn angelassen, war losgefahren und hatte sofort ein Gefühl für seine Fahreigenschaften entwickelt. Das hatte ihr allseitige Hochachtung eingebracht. Monsieur Clément war ins Haus gespurtet und hatte seine Frau geholt, um ihr Simones Kunststücke zu zeigen, die sie auf dem Hof beim Rückwärtsfahren mit einem Anhänger mit beweglicher Vorderachse vollführte, den sie rückwärts in die Kelterhalle bugsierte. Die anderen Kollegen hatten sich staunend Simones Traktorshow angesehen, den *Cirque du Tracteur*. Damit hatte sie ihren professionellen Einstand gegeben und alle überzeugt.

»Man hat es eben«, sagte der alte Serge, »oder man hat es nicht. Ich habe gleich gesehen, dass sie es hat.«

Simone hörte seine Worte, als sie aus der Höhe herabstieg.

Serge sah sie an. »Dann wissen wir, wer in diesem Herbst den Vollernter fährt. Du wirst ihn heil zurückbringen, ist das klar?« Damit war für ihn der Fall erledigt, und er war zufrieden in seine Werkstatt getrottet.

Marcel Clément selbst hatte Simone gleich nach ihrer Ankunft die Domaine gezeigt. Die Maschinen zu erklären, war nicht nötig, sie funktionierten alle nach ähnlichen Prinzipien. Monsieur Clément, wie sie ihn nannte, und nicht Marcel, hatte ihr den Plan seiner Parzellen überreicht, war mit ihr zu jeder einzelnen Lage gefahren, sie hatte die dort wachsenden Rebsorten eingetragen, was ihr deutlich machte, welche Rebe welchen Bodentyp bevorzugte. Grenache war die Leitrebsorte, die in allen hiesigen Cuvées vorherrschende. Bei geringer Erntemenge brachte sie es zu großer Klasse, war aber immer sehr hoch im Alkoholgehalt, niedrig in der Säure, dafür aber sehr aromatisch. Grenache wuchs generell in Buschform, nach der »Gobelet« genannten Methode. Die Syrah-Weinberge waren leicht erkennbar, denn diese Traube wurde nach der Cordon-Methode am Drahtrahmen gezogen, und weil sie warme Böden bevorzugte, war sie auf den von großen runden Steinen bedeckten Flächen gepflanzt. Sie speicherten die Tageshitze und gaben sie nachts wieder ab. Was Simone verblüffte, war das Alter der Rebstöcke. Sie waren zum Teil von Monsieur Cléments Großvater gepflanzt worden. Die Erträge waren gering, wie hier überall, das trug zum Ruf bei, den Châteauneuf-du-Pape international genoss.

In den ersten Tagen war ihr aufgefallen, dass ihr neuer Chef sie in einer unangenehmen, ja bedrängenden Weise musterte. Das änderte sich schlagartig, wenn seine Frau hinzukam, und Simone fühlte sich so besser. Deshalb mied sie Situationen, in denen sie mit ihm allein war. Gleichzeitig begann sie, die Kollegen mehr um Rat zur fragen. Der Kellermeister, ein studierter Önologe, kannte sich bestens aus, genau wie seine rechte Hand, ein Weinbautechniker wie sie selbst. Die beiden Arbeiter, die meist im Weinberg waren, freuten sich über ihre neugierige Gesellschaft. Eine junge, gut aussehende Frau, »viel zu groß für ein so kleines Moped«, sorgte bei den Männern für gute Laune. Ihre scherzhaften Annäherungsversuche waren so offensichtlich, dass sich damit leben ließ, ganz anders als mit denen von Monsieur Clément. Glücklicherweise war er häufig unterwegs, denn er kümmerte sich vorwiegend um den Verkauf.

Heute kam er von einer Reise zurück, man aß gemeinsam zu Abend, und Simone nutzte den Moment, als er eine weitere Flasche Wein holte, um sich zu verdrücken. Der Spannung, die seine Anwesenheit hervorrief, mochte sie sich nicht aussetzen. Sie warf ihr Moped an, wollte eigentlich in den Ort, um unter andere Menschen zu kommen, und steuerte doch geradewegs gegenüber auf das Château des Trois Anges zu.

Es war ein Gebäude, das diesen Namen verdiente. Abgeschirmt von der Landstraße lag das großzügige, dreiflügelige Anwesen hinter einem schmalen Streifen Wald. Die Front, an die Renaissance erinnernd, ließ nicht erkennen, dass es sich um ein Weingut handelte. Das *bureau* war bereits geschlossen, und als sie die Anlage in Richtung der Wirtschaftsgebäude umrunden wollte, hielt neben ihr ein Wagen. Sie gönnte sich einen Seitenblick auf die Insassen – aber ihre Augen trafen nur die eines jungen Mannes.

Sie starrte ihn an, er starrte zurück, wortlos, sie konnte sich von seinen Augen nicht trennen, so sehr war sie von dem Gefühl überrascht, das sie gefangen nahm. Es war alles gut, es würde alles gut werden, es war ein wunderschöner Frühlingsabend, die Luft war lau, der Mistral war eingeschlafen, der Himmel blau, das Licht der sich neigenden Sonne ließ alle harten Konturen verschwimmen, und sie fühlte sich gut auf ihrem Moped. Beinahe hätte sie es fallen lassen und wäre auf den jungen Mann zugegangen, der jetzt die Beifahrertür öffnete und ausstieg.

Er lachte sie an, allem Anschein nach genauso überrascht von der Begegnung wie sie, er zögerte, dann trat er auf sie zu und reichte ihr die Hand. »*Bonsoir, Madame*. Sind Sie die Schlossherrin?« Er wirkte völlig unbefangen.

Meine Güte, dachte Simone, über ihre Gefühle erschrocken, sieht der gut aus, und Madame hatte sie noch nie jemand genannt. Statt zu antworten, erwiderte sie den Händedruck.

»Sind Sie es oder nicht?«, fragte der Fremde erneut. »Wohnen Sie hier?«

Da merkte sie, dass ihre Hand noch immer in der seinen lag, zog sie hektisch zurück und genierte sich vor dem Fahrer, einem wesentlich älteren Mann, der ebenfalls ausstieg.

»Nein, ich … ich bin … es … nicht.« Sie fühlte ihr Herz klopfen, spürte das Blut in den Kopf steigen und wie die Ohren heiß wurden. Meine Güte, was ist mit mir auf einmal los? »Ich, ich wohne dort drüben.« Fahrig wies sie mit der Hand irgendwohin, sich nicht bewusst, dass sie ihn noch immer anstarrte. Himmel, sah der Junge gut aus …

»*Je suis Thomas*«, sagte er, dann schwieg er abrupt, und sein Mund klappte auf und zu, als wolle er etwas sagen, bekam aber kein Wort heraus.

»Was ist mit euch los?« Die Worte des Fahrers ließen Simone zu sich kommen, sie glaubte, dass ihr Kopf glühte und jedermann ihr die Verwirrung ansah. Er stand hinter dem Auto, hatte die Hände in die Hüften gestemmt und amüsierte sich.

»Ich wohne dort drüben …«, wiederholte Simone, die Hand noch immer in der Luft, und als sie es bemerkte, hängte sie noch »auf der Domaine Clément …« hintendran. Wie leblos fiel die Hand herunter.

»Ich wusste gar nicht, dass Louanne und Marcel noch eine Tochter haben.« Das hatte der Fahrer gesagt.

»Das bin ich auch nicht, ich mache bei ihnen eine … ich bin eine … nein, ich komme aus Saint-Émilion. Ich bin Weinbautechnikerin.« Das auszusprechen, richtete sie innerlich auf.

»Ach, deshalb kenne ich Sie nicht. Und wie heißen Sie?«

»Simone Latroye.«

»Latroye? Muss man das Weingut kennen?«

Sie fasste sich. »Das Gut gehört meinem Patenonkel, es hat einen anderen Namen, er heißt Bongers.«

»Das hört sich deutsch an.« Thomas fuhr sich mit der Hand durchs Haar, er wirkte etwas weniger verwirrt.

»Sie hören sich auch so an«, entgegnete Simone ungewollt schroff. Sie hatte gleich an seinem Akzent bemerkt, dass er Ausländer war. In seiner Stimme schwang etwas mit, das sie an Martin erinnerte und ihr, so scheu sie Fremden gegenüber war, ein wenig Vertrauen einflößte. »Und wer sind Sie?« Die Frage war an den Fahrer gerichtet, der noch immer in gleicher Haltung von einem zum anderen blickte.

»Ich bin der Bruder von dem Herrn dieses Hauses.« Er wies auf das Château. »Es gehört Maurice, und ich bin Gustave Vitrier, Winzer von der anderen Seite. Dann sind wir drei sozusagen Kollegen? Der junge Mann hier, das ist Thomas, seit Kurzem mein Nachbar, er kommt vom Rhein. Kann ich helfen?«

Obwohl Simone mit eins achtundsiebzig nicht gerade klein war, fühlte sie sich den beiden Männern gegenüber so, und ihr wurde das lächerliche Ansinnen, das Weingut abends um zwanzig Uhr anzuschauen, erst jetzt bewusst, da sie es aussprach.

»Da kann Ihnen geholfen werden, Mademoiselle. Wir

wollten sowieso zu Maurice. Er öffnet für uns sicher noch die eine oder andere Flasche.«

Auch der Deutsche lud sie ein. »Kommen Sie, ich würde mich riesig ...« Jetzt wurde er rot, und Simone brauchte einige Sekunden, bis sie sich zum Mitkommen entschloss.

Mittlerweile stand der stolze Herr des Hauses oben auf der Freitreppe und beobachtete die Szene, eher mit Skepsis als mit belustigtem Wohlwollen wie sein Bruder.

Die beiden sahen sich extrem ähnlich, wie Simone fand. Beide hatten volles schwarzes Haar, wobei Gustave eindeutig der Ältere war, die grauen Schläfen machten ihn interessant. Dieser Maurice war perfekt rasiert, während der Bruder seinen Dreitagebart sprießen ließ. Beide hatten die gleiche nach unten gezogene Nase. Simone grinste innerlich bei der Vorstellung, wie diese Nase in ein Glas hineinragte und den Aromen nachspürte. Die vollen Lippen wiesen auf Genussmenschen hin, wobei der Jüngere, Maurice, das Kinn angespannt hatte, als müsse er dringend etwas sagen, erledigen oder als stünde er unter Druck, die Schultern nach hinten gezogen und die Brust herausgedrückt, fast als würde er eine Parade abnehmen. Er wirkte angestrengt, müde, hatte eine weniger gesunde Gesichtsfarbe, sicher arbeitete er mehr im Keller. Als Besitzer dieses Châteaus, wie sie vermutete, hatte er seine Leute für den Weinberg.

Es musste der sein, von dem man sagte, dass er beim hiesigen Wettbewerb den ersten Platz zweimal knapp verfehlt hatte. Er sollte ziemlich ehrgeizig sein. Gustave hingegen lächelte in die Runde, als hielte er alles für einen Scherz, so wie Martin alle Welt für verrückt hielt, sich selbst eingeschlossen.

»Wollt ihr draußen stehen bleiben?« Der Fahrer winkte sie mit sich. »Maurice, hol uns Wein und Gläser, wir setzen uns auf die Treppe.«

Es wäre Simone recht gewesen, für den Hausherrn hingegen offenbar eine Zumutung. Dabei war der Abend wunderschön, der Wind war weich, und … wieder musste sie diesen Deutschen anschauen, es war ihr peinlich, sie hoffte, dass es niemand bemerkte. Sah er weg, wenn sich ihre Augen trafen, oder bildete sie sich das ein?

»Wieso kommt ihr nicht ins Haus? Wer sind deine jungen Begleiter, Gustave? Bitte, tretet ein.« Maurice Vitrier blieb bei seiner Einladung genauso formell wie zuvor. Gab er den Grandseigneur? Eigentlich war es doch lächerlich – vor seinem Bruder und jungen Leuten wie ihnen.

»Denk immer daran«, hatte ihr Martin vor der Reise eingeschärft, »je lauter das Geläut, je schöner der Schein, desto weniger steckt dahinter – und der Rest gehört sowieso der Bank.«

Erst oben umarmten sich die Brüder, ein wenig zu formell für Simones Empfinden. Dann bekam sie vom Hausherrn einen kernigen Händedruck. Sie sah sich um, erleichtert stellte sie fest, dass dieser Thomas sich ihnen angeschlossen hatte. Da trafen sich ihre Blicke wieder, Simone schluckte …

Maurice Vitrier geleitete sie in den holzgetäfelten Salon, ausstaffiert mit schweren dunklen Polstermöbeln, einem Kamin, einer ledernen Sitzgruppe, auf der sein Großvater in alten Zeiten mit den entsprechend begüterten Herren dicke Zigarren geraucht hatte. Über dem Sofa hingen die Ahnen in Öl, ein strenges Paar in der Tracht des späten 19. Jahrhunderts, sicher die Urgroßeltern, sie in einer Krinoline mit Häubchen im braunen Haar, er mit Backenbart, Zylinder und Gehrock. Da war ihr der gegenwärtige Hausherr im Leinenanzug mit offenem Hemd lieber, sein Bruder hielt es noch legerer in verwaschenen Cordhosen und dunkelblauem Hemd. Thomas trug Jeans und über dem T-Shirt eine beige Jacke mit ausgebeulten Taschen, wahrscheinlich, weil er immer abwechselnd die eine oder andere Hand hineinsteckte, und je länger sie ihn heimlich betrachtete, desto anziehender empfand sie ihn, auch seine Bewegungen, seine ganze Art, sie schien ihr vertraut. Aber es war nicht Martin, an den er sie erinnerte.

Der Weißwein, den ein dienstbarer Geist in den Salon brachte, war wunderbar, das fand auch Thomas, der sich wortreich und lobend dazu äußerte, worauf der Winzer mit einem selbstgefälligen Lächeln reagierte. Sie hingegen hörte interessiert zu, wie Thomas von den Erfahrungen sprach, die er auf seinem Weingut mit weißen Reben gemacht hatte und wie sie – der Vater und sein Kompagnon – damit umgingen. Als Maurice Vitrier fragte, was denn *sein* Weingut bedeute, erklärte der Bruder, was er bereits erfahren hatte.

»Thomas ist Önologe und mit seinem Vater und einem Dritten gleichberechtigter Teilhaber eines Weingutes in der Pfalz.«

»Und da sind Sie nicht auf Ihrem Weingut, sondern hier? Wie das?«, fragte Maurice Vitrier.

»Zum Lernen muss man manchmal vor die Haustür gehen, das Terroir wechseln«, antwortete Thomas.

»Ich lasse in dieser Jahreszeit meine Mitarbeiter nicht für einen Tag aus den Augen. Gerade die beginnende Blüte ist wichtig. Noch ist viel Feuchtigkeit in der Luft, da muss der Kampf gegen Mehltau sehr überlegt geführt werden. Das Wetter ist zurzeit noch nicht stabil. Einen Tag haben wir Mistral, da können wir nichts tun, der Wind bläst die Spritzmittel weg, anderntags regnet es. Sie haben sicherlich gehört, dass es in Nordfrankreich zu Überschwemmungen gekommen ist?«

Den Einwand, das Weingut besser nicht zu verlassen, hielt auch Simone für berechtigt, wobei sie sich darüber wunderte, dass Thomas in seinem Alter bereits Teilhaber war.

Die Einladung zum Essen schlug Simone aus, und Thomas schloss sich ihr auf dem Spaziergang durch den Park des Châteaus an, mit einer Flasche von Vitriers Weißweincuvée in Händen. Die Keller wollte Maurice ihnen ein andermal zeigen, heute sei es bereits spät, die Mitarbeiter hätten abgeschlossen, und auch die vertikale Weinprobe durch die verschiedenen Jahrgänge, die sein Bruder vorschlug, sollte nachgeholt werden.

»Ich habe keine Geschwister«, sagte Thomas bei der Betrachtung des Gartens, es war mehr ein Park. »Aber ich könnte mir denken, dass ich mit einem Bruder anders umginge.«

»Und wie?« Simones Frage war ein wenig scharf gestellt, was Thomas irritierte. Es war ihr Reizthema. Auch sie hatte die Brüder beobachtet, auch ihrer Ansicht nach gingen sie wenig familiär miteinander um, was ihr zu Genüge bekannt war. Sie hatte zwei Jahre kein Wort mehr mit Daniel gewechselt. Bei ihrem letzten Kontakt hatte er lediglich ihre Mutter ans Telefon gerufen.

»Wie ich mit einem Bruder umginge?« Thomas war stehen geblieben und peilte über den Daumen die absolut gerade geschnittene Buchsbaumhecke an, die in den Gärten von Versailles nicht korrekter ausgerichtet hätte sein können. »Herzlicher, vertraut, schließlich gehört man zum selben Verein, ob man will oder nicht. Man muss sich auch Mühe geben, Freundschaften entstehen nicht von allein, man muss sie pflegen.« Ein harter Zug legte sich um seinen Mund, wie Simone bemerkte.

»Die alte Lehrerin aus Lirac hat mir ein wenig über die Brüder erzählt. Gustave ist ein Autodidakt, hat sich das meiste selbst beigebracht, kommt mit den Leuten im Dorf bestens aus, weil er hilfsbereit ist, und alles gelingt ihm, ohne dass er sich quälen muss. Der andere«, Thomas wies mit dem Kopf zum Château, »der andere scheint mir sehr speziell zu sein. Angeblich ist er pausenlos auf dem Sprung und wahnsinnig ehrgeizig. Mir kommt er überaus steif und akkurat vor. Vergleich mal die Gärten der Brüder.«

»Ich kenne den anderen Garten nicht.«

»Du kannst ihn kennenlernen, wenn du mal zu uns rüberkommst.«

»Nach Lirac? Mit dem Moped?« Klang das wieder zu vorwurfsvoll?

»Ich könnte dich abholen.«

»Dann müsstest du mich auch zurückbringen!« Simone dachte daran, was Martin ihr versprochen hatte. »Wenn ich meinen eigenen Wagen hierhabe, dann komme ich, verlass dich drauf.« Das reichte ihr als Ausrede, um Thomas auf Distanz zu halten. Damit müsste er sich zufrieden geben, obwohl es sie schon interessierte, wie er da drüben lebte, am angeblich falschen Ufer. Obwohl Ausländer, schien er mit den Leuten gut zurechtzukommen. Sonst würde er sich wahrscheinlich nicht so positiv äußern.

Simone bewegte noch immer die Frage, was ein junger Winzer hier tat, der sowohl studiert hatte als auch die entsprechende Berufspraxis vorweisen konnte und Teilhaber eines Weingutes war. Auf die Frage war Thomas nicht eingegangen, deshalb fragte Simone nach.

Seine Antwort, dass er »so eine Art Sabbatjahr« nehmen würde, betrachtete sie als Ausflucht. Dass er vorbrachte, von den weißen französischen Reben nichts zu verstehen, war für sie eher akzeptabel. Sémillon, Sauvignon Blanc und Muscadelle waren ihr geläufig, die fanden sich im weißen Bordeaux, nur war ihr der Umgang damit fremd. Martin hatte vor, neue Rebanlagen damit zu bepflanzen. Zu ihrer Erleichterung gab auch Thomas zu, von dem, was hier Usus war, keine Ahnung zu haben. Er konnte lediglich die Namen, wie Roussanne, Terret, Bourboulenc, Picardan und weiße Grenache, nachbeten.

Welchen Boden sie bevorzugten, welche Ernteerträge sinnvoll waren und wie sie einzeln für sich schmecken, war ihm ebenfalls schleierhaft. »Geschweige denn weiß ich, wie man sie assembliert.« Er blickte auf die Flasche, auf deren Etikett nur der Name des Châteaus und die Herkunft vermerkt war. »In dieser Cuvée sollen sie alle zu gleichen Teilen enthalten sein. Ein Zehntel der hier angebauten Trauben ist weiß, zumindest ist es drüben bei Gustave der Fall. Es gibt Winzer, die sie für ihren Rotwein verwenden, und sie vergären einige Rebsorten zusammen. Das würden wir nie tun. Eines habe ich hier gleich gelernt, nämlich dass wir zu Hause zu wenig experimentieren. Leider werden neue Methoden wenig goutiert, die Deutschen wollen nur das, was sie kennen.«

»Da sind wir Franzosen kaum anders, außer bei den Autos, aber da fahren wir lieber eure.«

Thomas war ein Stück vorausgegangen und setzte sich an ein rundes Wasserbecken, um die Goldfische zu beobachten. Das bot Simone Gelegenheit, ihn länger zu betrachten. Martins Drängen, hierherzukommen, war richtig gewesen, wie sie erkannte. Aber keinesfalls wegen dieses jungen Mannes auf dem Beckenrand. Es war, als hätte sich hier für sie beide ein neues Fenster zum Wein geöffnet. Plötzlich drängte sich aber ein ganz anderer Gedanke in ihre Überlegungen: Wenn jemand für ein halbes Jahr oder länger von zu Hause fortging, dann war er sicherlich nicht verheiratet? Sie erschrak. Was ging es sie an? Nichts. Und doch fürchtete sie sich davor, dass es so sein könnte. Sie trat hinter ihn und blickte über seine Schultern auf die Hände. Die eine lag auf dem Bein, die andere hielt das Glas. Da war kein Ring. Wieso atmete sie erleichtert auf?

»Ein sehr zielgerichteter Mann, dieser Maurice Vitrier.« Den Bruder Gustave empfand Thomas als wesentlich umgänglicher. »Der ist ähnlich willensstark, doch er setzt sich anders durch. Er ist gut im Geschäft, seine Weine gefallen mir. Aber wenn man gewinnen will, wenn man ganz vorne mitspielen will – muss man dann so sein wie Maurice?« Simone schien es, als dächte Thomas laut nach. »Mein Vater und ich sind anders. Wir haben bisher nie Flaschen bei Wettbewerben eingereicht. Wir sind da eher wie Gustave. Mit ihm komme ich bestens klar.«

Thomas erklärte, dass er nebenan auf der Domaine Dupret arbeite. Drüben gebe es keine Wettbewerbe für Rhône-Weine. »Aber ich hörte, dass hier bald wieder einer steigt?«

Davon hatte auch Simone gehört. »Könnte sein, dass Maurice Vitrier diesmal gewinnt«, sagte sie, »mein Chef meinte das. Bisher war er immer Zweiter. Bei diesem Wein«, sie hielt ihr leeres Glas Thomas hin, »kann ich mir das vorstellen.« Er schenkte nach, leider war der Rest ziemlich warm. »Außerdem gibt es die härtesten Konkurrenten nicht mehr.«

»Wieso das?« Thomas erhob sich vom Beckenrand, trat auf Simone zu und sah sie an. Er war mit einem Mal sehr ernst geworden.

So nah waren sie sich bisher nicht gekommen. Simone machte einen Schritt zurück. »Ich kann nur sagen, was ich nebenbei gehört habe.« Es klang fast wie eine Entschuldigung. Wieso brachte dieser Junge sie derart durcheinander? Es war fürchterlich. »Der Gewinner von vor zwei Jahren, Didier Lamarc, ist verschwunden, wenige Tage nach seinem Sieg, und der vom letzten Jahr, Joseph de Bergerac, dessen Frau mein Patenonkel und ich besucht haben, wurde nachts überfahren und starb.« Sie erzählte von dem Treffen mit Madame de Bergerac und was Martin ihr von seinem Besuch bei Madame Lamarc berichtet hatte.

Thomas sah sie forschend an. »Vom Verschwinden Didier Lamarcs habe ich schon gehört.« Er schwieg einen Moment. »Das ist geradezu gespenstisch. Beide Sieger einfach weg? In einem Jahr verschwindet der eine, im nächsten stirbt der andere? Dann wäre mir der zweite Platz lieber. Wieso interessiert sich dein Patenonkel für die Angelegenheit und besucht mit dir die Witwe?«

Simone wich seinem Blick aus und sah zu Boden.

»Es hat einen tieferen Grund?«, fragte Thomas eindringlich, was es Simone schwerer machte, darüber zu sprechen. Es wäre ihr lieber, wenn niemand sie an die Vergangenheit erinnerte.

»Wir reden ein andermal darüber. Ihn interessieren eben

solche verworrenen Sachen, in denen es um Menschen geht.«

Thomas schien sich mit dieser Antwort zufriedenzugeben. »Monsieur Vitrier macht in diesem Jahr wieder mit.« Er wusste es von Gustave. »Mich wundert, dass er keine Angst hat, dass ihm etwas zustoßen könnte, falls er den ersten Platz macht.«

»Du hältst es nicht für Zufall?« Simone war bestürzt, sie wehrte den Gedanken ab.

»Was ich glaube, ist völlig egal. Findest du nicht, dass dieser Gedanke naheliegt?« Er sah zum Haus hin.

Von dort kamen die Brüder Vitrier auf sie zu. Sie brachten eine neue Flasche und einen Kübel Eis mit und hielten Gläser in den Händen.

»Sind Sie sich inzwischen auf dem Weg der deutsch-französischen Freundschaft nähergekommen?« Gustaves Lächeln und seine Stimme zeigten Simone, dass er ihr wie auch ihrem deutschen Begleiter äußerst wohlgesonnen war, was ihr fast zu viel wurde. Sie verschanzte sich hinter Fragen zur Weinbereitung, zum Erfolgsrezept des Winzers und flüchtete sich in technische Einzelheiten, wie die Größe des Weingutes, die Zahl der Mitarbeiter und der Kunden, wobei sie sich schlecht vorstellen konnte, dass ein Weingut in vierzig Länder exportierte.

Maurice Vitrier gab ihr bereitwillig Auskunft, doch sie hörte kaum noch zu, als Gustave und Thomas sich entfernten und sich in einem scheinbar vertrauten Gespräch nach ihnen umsahen. Oder hatte der Blick nicht ihr gegolten, sondern Maurice?

Der ging in seinem Element auf, erzählte und erklärte und redete in einem Fluss, als sei ein Damm gebrochen.

»So ist er immer«, unterbrach ihn sein Bruder, der sich wieder zu ihnen gesellt hatte, »wenn es um sein Weingut geht und man es nicht versteht, ihn zu bremsen, nicht wahr mein Lieber?« Gustave legte ihm den Arm um die Schulter, was Maurice unwillig über sich ergehen ließ. »Komm, Bruderherz, wir wollen noch einen von deinen Roten kosten, einen leichten, vielleicht den Rosé aus Tavel? Auch dort hat er zwei Hektar, genau wie ich. Aber meiner ist besser«, sagte er lachend.

»Mag sein, dass es bisher so war, aber dieses Jahr bin ich vorn!«

»Ich habe zu viel getrunken«, sagte Simone, als sie später auf ihr Moped zusteuerte.

»Sie sollten zu Fuß rübergehen«, schlug Gustave Vitrier vor, der ruhigen Schrittes auf seinen Wagen zuging. »Sie haben's nicht so weit wie wir und können es morgen holen. Bei uns ist das was anderes. Es gibt zwar Schleichwege in und um Lirac, aber über die Brücke muss jeder, und da warten die *flics*, aber nicht heute, mitten in der Woche.«

»Wie sieht es bei dir aus, hast du irgendwann mal Zeit?«, fragte Thomas zaghaft.

Dass seine Vorsicht ihrer Sprödigkeit geschuldet sein könnte, kam Simone erst jetzt zu Bewusstsein, denn je mehr sie sich zu ihm hingezogen fühlte, desto mehr wich sie ihm aus. »Momentan sieht's nicht besonders gut aus, es ist eine schwierige Phase, ich muss mich einarbeiten.«

»Die Phasen sind das ganze Leben lang schwierig«, meinte Gustave pathetisch. »Aber dann kommen andere …«

»Ich möchte das Weingut von Pierre Usseglio besichtigen. Mein Vater hat es mir ans Herz gelegt. Er hat früher in Deutschland Usseglios Weine vertrieben. Wir könnten zusammen …«

»Ich weiß nicht, ob ich mir freinehmen kann …«

»Ach Mademoiselle, den Pierre dürfen Sie sich nicht entgehen lassen.« Gustave kannte ihn gut, wie er sagte, und er würde einen Termin für sie zusammen arrangieren. »Thomas holt Sie sicher ab, und wie ich ihn kenne, bringt er Sie auch gut nach Hause.«

Simone meinte, dass Vitrier sich mit einem Seitenblick bei Thomas versicherte, dass er in seinem Sinne sprach.

»So, ich will jetzt selbst nach Hause, um sechs Uhr ist die Nacht vorüber.«

Thomas bot sich an, das Moped für Simone zur Domaine Clément rüberzufahren, aber da hielt sie den Lenker bereits in Händen, schwang sich auf den Sattel und trat den Anlasser. Etwas zu schnell und schwankend fuhr sie los, erst langsam das Gleichgewicht findend. Dann hob sie den Arm und grüßte, ohne sich umzuschauen. Aufatmend wurde sie gewahr, dass sie um die Verabschiedung herumgekommen war. Kein Adressentausch, keine Abschiedsküsse, und auf die Einladung war sie nicht eingegangen. Dann ärgerte sie sich und drehte sich noch einmal um.

Statt Thomas sah sie Maurice Vitrier, er stand auf der obersten Treppenstufe vor seinem Schloss – kalt und starr wie eine Statue im Mondlicht.

Kapitel 14

Thomas stellte den Motor ab, zog den Schlüssel aus dem Zündschloss und nahm die Ohrenschützer ab. Als der alte Traktor aufhörte zu vibrieren, war es die reinste Erholung, und an die eingetretene Stille musste er sich gewöhnen, ihm summten die Ohren. Die moderneren Traktoren waren leiser, dafür kosteten sie ein Vermögen. Er kletterte vom Führerstand herunter, froh, wieder auf festem Boden zu stehen. Die Angst, mit dem Gefährt in einer zu eng oder zu schnell gefahrenen Kurve umzufallen, fiel von ihm ab. Außerdem spürte er den Wind, der ihm Kühlung brachte, und jetzt, in der Stille, merkte er, wie hungrig er war. Es war Zeit fürs Mittagessen.

Es war ungewohnt, sich an einen gedeckten Tisch zu setzen. In der Pfalz hatten sie niemanden gehabt, der das für sie tat. Beim Kochen hatten sie sich abgewechselt, und da Manuel und sein Vater sich in der Küche gegenseitig zu überbieten versuchten und sich Küchenmesser sowie Kochlöffel streitig machten, ließ sein Vater seine Frau nur am Wochenende an den Herd. Thomas hatte das Kochen den anderen überlassen und sich dem Wein gewidmet.

Und Kamila? Erst jetzt erinnerte er sich an sie, es war ein verschwommenes Bild. Das von Simone aus Saint-Émilion war schärfer, es trat vor sein Auge. Bis vor vier Wochen hatte er noch mit Kamila im selben Haus gelebt. Und jetzt war sie ihm gleichgültig? Unmöglich. Ich mache mir etwas vor, sagte er sich und wusste, dass sich diese Frage im Moment nicht beantworten ließ. Sein Hunger war stärker.

Hier, auf der Domaine Dupret war alles gerichtet, Madame Rose sorgte für »ihre« Männer, zu denen sie neuerdings auch Thomas zählte. Im Haus verfügte sie über absolute Befehlsgewalt und pflegte zusätzlich ihren Mann. Kellermeister Verselle saß normalerweise mit am Tisch. Er konnte Thomas nicht leiden, sprach von ihm als ihrem Praktikanten. Thomas vermutete, dass es ihm missfiel, wie Alain sich in Fragen der Kellerwirtschaft neuerdings mehr an ihm orientierte. Dabei hütete er sich, in Verselles Gegenwart ein Urteil abzugeben. Das wäre ein Eingriff in die Kompetenzen des Keller-»Meisters«, für den er sich hielt. Er war es gewohnt, dass die Weine seinen Stempel trugen. Thomas war weit davon entfernt, ihm seine Rolle streitig zu machen.

Madame Rose hatte Thomas durch seine Begeisterung für ihre Kochkunst gewonnen – und mit einem Blumenstrauß und der Ankündigung, sein Apartment selbst in Ordnung zu halten. Sie hatte sofort die Rivalität zwischen ihm und dem Kellermeister bemerkt, und da sie die Tischordnung bestimmte, saßen der Kellermeister und der Önologe weit auseinander. Thomas hatte keinerlei Idee, wie er das Verhältnis verbessern könnte, schließlich kannte Verselle sich aus, war erfahren, Thomas lernte auch von ihm, aber sich anzubiedern war ihm fremd.

Heute gab es ein neues Gesicht bei Tisch, ein schönes, junges Gesicht einer schwarzhaarigen Frau mit einer Kurzhaarfrisur.

»Unsere Tochter Marianne kennen Sie noch nicht«, sagte Madame Rose mit einem gewissen Stolz in der Stimme. »Wenn sie zu Besuch kommt, hilft sie uns im Büro.«

»Ich hatte noch nicht das Vergnügen.« Thomas gab der jungen Frau die Hand, die ihn aus großen dunklen Augen auf eine Weise ansah, die ihn ihrem Blick schnell ausweichen ließ. Dabei wurden sie von Verselle belauert. Keine Regung würde ihm entgehen.

»Thomas, *nôtre travailleur étranger allemand*«, sagte er und grinste herablassend.

Es war für Thomas befremdlich, als »deutscher Gastarbeiter« bezeichnet zu werden. Der Kellermeister feixte. Er würde von jetzt an hinter seinem Rücken diese Bezeichnung gebrauchen.

»Aber er spricht ja unsere Sprache?« Marianne machte erstaunte große, schöne Augen.

»Ob ich Ihre Sprache spreche, weiß ich nicht, jedenfalls spreche ich ganz gut französisch.« Thomas antwortete lieber selbst, anstatt über sich reden zu lassen. »Mein Vater war Chef-Einkäufer eines Importunternehmens für französischen Wein. Wo Bordeaux liegt, wusste ich bereits mit neun Jahren, und mit fünfzehn Jahren hatte ich mein zweites deutsch-französisches Sommercamp in der Bretagne hinter mir. Zufrieden? Von Beruf bin ich übrigens Önologe und Mitinhaber einer Kellerei!«

Sonst reagierte Thomas selten derart schroff, aber er hatte sich über die Art geärgert, in der Alains Schwester die Frage gestellt hatte. Waren für sie alle Ausländer blöd? Im Grunde waren die Worte mehr für den Kellermeister bestimmt.

Alain grinste, er freute sich über Thomas' Gegenwart, sie stärkte seine Position im Hause und die gegenüber dem Kellermeister, der sich neuerdings als Chef wähnte und Alains Vater gegenüber als unentbehrlich darstellte.

Wirklich unentbehrlich war das Mittagessen, und mit wahrem Heißhunger machten sich alle über die Tomaten-Quiche mit Oliven her. Das große Blech war im Nu leer. Dazu kam in einer Karaffe der Hauswein auf den Tisch, leicht, fruchtig, frisch und kühl, so wie ein junger Wein sein sollte.

»Habt ihr gehört, dass in Tavel ein Kind verschwunden ist?« Monsieur Dupret hatte die Meldung im Rundfunk gehört.

»Ein Mädchen oder ein Junge?«, fragte Madame, wobei ihr Blick über den Tisch eilte, in Sorge, dass alle genug zu essen bekamen.

»Ein Mädchen, vierzehn Jahre alt.«

»Weiß man, wer es ist? Kennen wir die Familie, Papa?« Marianne riss sich von Thomas' Anblick los, der sich unbeteiligt stellte.

»Den Namen haben sie nicht durchgegeben.«

»Das werden wir sofort rauskriegen.« Alains Schwester griff nach ihrem Smartphone. »Ich frage Babette. Sie arbeitet in Tavel im Restaurant an der Hauptstraße, Babette weiß alles.«

»Ist das nicht schrecklich?« Madame Dupret schien die Einzige zu sein, der die Nachricht naheging. Sie wandte sich an Thomas: »Gibt es derartige Verbrechen auch bei euch?«

»Wie überall. Sie gehen von einem Verbrechen aus? Bisher wissen wir lediglich, dass ein Mädchen verschwunden ist.«

»Da hat sie irgend so ein Verrückter in seinem Auto mitgeschleppt. Oh, das arme Kind. Wie wird es der Mutter gehen?«

»Beruhige dich, *maman*.« Alains Schwester tippte wild auf ihrem Smartphone herum. »Ich habe Babettes Nummer nicht mehr, ich muss sie gelöscht haben.«

»In deinem Internet findest du sie bestimmt«, riet ihr Bruder, der ihre Affinität zu sozialen Netzwerken kannte, die er die *réseaux antisocial* nannte, nicht soziale, sondern asoziale Netzwerke. Er griff nur nach dem Smartphone, wenn er angerufen wurde. Sonst telefonierte er vom Büro aus.

»Diese Lumpen sollte man ein für alle Mal aus dem Verkehr ziehen«, forderte der Kellermeister. Thomas war nicht überrascht über den Ton, mit dem er diese Meinung vertrat. Er passte zu ihm. Sie würden nie Kollegen werden.

Während Mutter und Tochter den Rest vom Schweinekarree servierten, die Ratatouille indes war frisch, rückte Alain zu Thomas. »Bei diesem Thema drehen alle durch.

Kaum rennt ein Mädchen von zu Hause fort, weil ihr die Eltern auf den Keks gehen, wird Alarm geschlagen.«

»Ich finde, nicht zu Unrecht. Die Welt ist voll von Irrsinnigen. Das wird bei euch kaum anders sein als bei uns.«

»Alle sollen bei der Suche mithelfen, schreiben sie bei Twitter«, kam triumphierend von Marianne. »Wir kennen die Familie nicht, aber Babette weiß, wer es ist.« Das war für Thomas bestimmt. Dann hielt sie ihrer Mutter das Smartphone mit dem Foto des Mädchens vors Gesicht. »Die Polizei in Bagnols-sur-Cèze hat die Suche aufgenommen, mit Hunden und vielen Beamten. Hier, da seht ihr sie im Einsatz.«

Das Filmchen auf YouTube zeigte Uniformierte, die am Rande eines Dorfes auf einen Wald zugingen. Hunde waren auch dabei. Thomas war neulich durch Tavel gekommen, es war ein Straßendorf wie viele andere. Was hinter der ersten Häuserzeile lag, entzog sich seiner Kenntnis.

»Verschwinden hier häufiger Leute?«, fragte er Alain und dachte an den Winzer, von dem Gustave Vitrier und Simone gesprochen hatten.

Simone. Er dachte an sie, es war ein angenehmes Gefühl, es machte ihn leicht und ließ ihn innerlich lächeln. Erst jetzt merkte er, wie angespannt er ständig war.

»Monsieur Thomas!« So nannte ihn Alains Vater. »Wer ist bitte verschwunden?«

Er zögerte mit der Antwort, hier durfte er nichts Falsches sagen, vor allem nicht über die Konkurrenten vom jenseitigen Ufer. Noch wusste er nicht, ob sie sich wirklich als solche betrachteten.

»Im vorletzten Jahr, erinnerst du dich nicht mehr, *papa*?« Alain kannte auch den Namen des Winzers. »Es war Didier Lamarc, er hat den Concours in Châteauneuf gewonnen, einige Tage später war er … ja, eigentlich weiß keiner, wo er geblieben ist.«

Als Alain über Lamarcs Wein sprach, erinnerte sich Monsieur Dupret. »Ich hätte ihm den ersten Platz nicht gegeben, ich fand seinen Wein zu modern, das war kein klassischer Châteauneuf mehr, das war so was Neumodisches, das machen sie heute alle.«

»Und früher haben alle diese schweren, untrinkbaren Weine gemacht«, konterte Alain. »Tannine, die einem den Zahnschmelz wegfressen und mit dem Geruch von durchgerittenem Sattelleder oder nassem Hundefell. Das wurde als großartige Stilistik hingestellt. Und hier meinen viele, das nachahmen zu müssen.« Alain sah vom Vater streitlustig zum Kellermeister. »Krank waren die Weine, *papa*, krank vor Brettanomyces-Hefe …«

Das duftende Schweinekarree ließ den Streit vergessen. Der Anblick der knusprigen Rippen schreckte Thomas nicht. Er hatte die Röstaromen, auch den Thymian, bereits beim Betreten des Hauses wahrgenommen und sich voller Vorfreude am Tisch niedergelassen.

Nach dem Essen wandte sich das Interesse wieder dem verschwundenen Mädchen zu. Während Alain die Kaffeemaschine bediente, ergriff Madame Rose das Wort.

»Wir sind alle aufgefordert, bei der Suche zu helfen.« Sie wandte sich an ihren Mann. »Du fragst bei der Gendarmerie nach, wie sie sich die Mithilfe vorstellen. Mein Vorschlag wäre, dass jeder sein Land abfährt und auch den Blick auf die Nachbargrundstücke wirft. Du machst einen Plan, wer seine Pflicht getan hat, das geben wir dann der Gendarmerie weiter. Einverstanden? Alain, Thomas, Marianne – was liegt heute Nachmittag an? Könnt ihr euch freimachen? Marianne, du bestimmt …«

Am Nachmittag wollten Thomas und Alain mit dem Kellermeister die Abfüllanlage einrichten, wie dieser protestierend vorbrachte. »Morgen müssen wir zweitausendvierhundert Flaschen füllen und verpacken. Der Spediteur ist bestellt.«

»Der kommt sowieso nicht vor elf Uhr, und das Einrichten könnt ihr genauso gut heute Nacht machen«, schlug Monsieur Dupret vor, »dafür fangt ihr dann morgen früher an.« Noch war er der Chef.

»Wir teilen uns auf.« Marianne hielt es für unsinnig, zu dritt im selben Auto zu sitzen. »Ich fahre mit Thomas, ich kenne unsere Lagen genauso gut wie Alain.«

Der Vorschlag fand allgemein Zustimmung, also musste er sich fügen. Er hätte lieber Alain an seiner Seite gewusst, statt den schmachtenden Blicken Mariannes ausgesetzt zu sein. Der Vater bekam den Auftrag, mit dem Bürgermeister für den Abend eine Versammlung einzuberufen, um das gesamte Dorf in die Suche einzubeziehen. »Schließlich geht es um das Leben eines Kindes!« So wie Madame Rose es betonte, war Widerspruch ausgeschlossen.

»Als der Winzer damals verschwand, hat die Gendarmerie auch mit derart großem Aufgebot gesucht?«

»Ich weiß gar nichts darüber.« Marianne gab Thomas vom Beifahrersitz aus die Richtung vor. Sie hielt die Karte mit den Parzellen der Domaine Dupret auf dem Schoß. Alain war westlich der Hauptstraße unterwegs, Thomas und Marianne auf der östlichen Seite. Hier erstreckten sich die Weinfelder bis an die steile Kante des Kalksteinmassivs. Dahinter begannen die Wälder, und dort zu suchen, war Aufgabe der Polizei, aber nach Ansicht Mariannes war es nahezu aussichtslos.

»Du sagtest, dieser Lamarc verschwand auf der anderen Seite? Was dort passiert, dringt selten bis zu uns und umgekehrt. Wenn es um Kinder geht, ist das was anderes, jeder befürchtet ein Verbrechen. Wenn ein Mann verschwindet, denkt man, er hätte sich aus dem Staub gemacht. Ich erinnere mich nicht, dass der Name dieses Winzers je erwähnt wurde.«

Während sie weitersuchten, erzählte Marianne von ihrem Studentenleben, das ihr ausgesprochen gut gefiel, das Studium allerdings weniger. »Man hat das Gefühl, nach der Bologna-Reform nur durchgeschleust zu werden, damit man in irgendwelchen Großunternehmen irgendwelche Funktionen erfüllt. Wie war das bei dir in Önologie?«

Wieder suchte sie seinen Blick. Aber Thomas war ganz auf seine Aufgabe konzentriert. Sie hielten an und liefen die Rebzeilen entlang, immer die Reben zwischen sich und auf Unregelmäßigkeiten im Boden achtend. Thomas würde sofort erkennen, wenn hier irgendwo gegraben worden wäre, Struktur und Feuchtigkeit würden es ihm zeigen, aber er glaubte nicht, dass ein Kinderschänder hier sein Opfer vergraben würde.

Auch unter den dicken, runden Steinen war kaum ein Körper so zu verbergen, dass es nicht auffiel. Immer wieder trafen sie auf andere Bewohner Liracs, die sich an der Suche beteiligten und mit denen Informationen ausgetauscht wurden. Alle wollten am Abend zur Versammlung kommen, bei der auch die Gendarmerie anwesend sein würde.

Ein Winzer, auf den sie am Ortsrand trafen, schlug vor, die Fremdenlegion einzusetzen. »Das wäre besser, als uns hier kopflos herumsuchen zu lassen. Die Männer hocken tatenlos in Laudun in ihren Kasernen, spielen Krieg und kosten unser Geld. Hier könnten sie was Vernünftiges leisten.«

»Sie dürfen nicht im Inland eingesetzt werden«, wusste Marianne, »das ist gesetzlich geregelt.«

»Ach, Gesetze!« Der Winzer winkte ab. »Wenn man ein anderes braucht, wird's eben gemacht, wie bei den Arbeitsgesetzen. Da hat die Regierung am Parlament vorbei beschlossen, was sie wollte. Das nennen sie dann Demokratie. Sie brauchen die Legion für ihre Kriege in Afrika oder anderswo, zur Sicherung ihrer Rohstoffe, und wir hier kriegen dafür die Terroristen.«

Auf politische Debatten ließ Thomas sich keinesfalls ein. Der Militarismus erfreute sich großer Beliebtheit, Franzosen schätzten Pomp, liebten Uniformen und Aufmärsche, Trompetengeschmetter, Fahnenappelle und über alles hinwegdonnernde Kampfjets, eine Schleppe in den Nationalfarben hinter sich herziehend.

Als sie nach drei Stunden zurück zur Kellerei fuhren, begegneten ihnen die ersten Polizeieinheiten, Männer auf Lastwagen, Polizisten aus Avignon und Orange, die das Gebiet systematisch durchkämmen würden und auch das Recht hatten, die Häuser zu durchsuchen.

»Das würden wir ihnen unter diesen Umständen auch nicht verweigern.« Monsieur Dupret hatte den ganzen Nachmittag über telefoniert und das Dorf dazu motiviert, am Abend zusammenzukommen.

Als Marianne von dem Winzer berichtete, der die Fremdenlegion bei der Suche einsetzen wollte, mischte sich auch der Kellermeister ein, der das für eine großartige Idee hielt und bedauerte, dass sie im Inneren nicht eingesetzt werden durfte. »Eine Schande!«

»Die Rechten wollen das abschaffen«, empörte sich Alain, der es ganz anders verstand. »Sei froh, dass es bei euch in Deutschland so was nicht gibt.«

»Eine Fremdenlegion haben Sie zwar nicht, aber eine rechte Partei haben Sie auch, nicht wahr, Monsieur Thomas? Wie Nazi geht, wisst ihr Deutschen schließlich am besten.« Der Kellermeister lächelte böse und sah an Thomas vorbei.

Er empfand es als Gemeinheit. Er vermutete, dass der Kellermeister mit dem Front National sympathisierte, was ihn nicht hinderte, das Nazi-Argument nach Gut- oder Schlechtdünken einzusetzen. Thomas zwang sich zu einer diplomatischen Entgegnung:

»Ich halte es generell für richtiger, wenn man die Menschen danach beurteilt, wie sie sich einem selbst gegenüber verhalten.«

»Er ist Sozialist«, sagte Alain, nachdem der Kellermeister

gegangen war, »zumindest hält er sich für einen. Die sind dafür bekannt, dass sie gute Reden schwingen, von sozialer Gerechtigkeit und so, aber nie was Vernünftiges auf die Beine stellen.«

Die Versammlungen in Lirac fanden für gewöhnlich im Festsaal statt, doch wegen Bauarbeiten musste ein anderer Ort gefunden werden. Gustave Vitrier stellte seine Kelterhalle zur Verfügung. Maschinen, Weinpressen und Flaschencontainer sowie Paletten wurden beiseitegeräumt, andere Winzer brachten Bänke mit, die sie sonst bei ihren Hoffesten benutzten, und die Frauen zauberten schnell für alle etwas Essbares. Sogar der Bäcker warf noch einmal den Ofen an. Baguette, Käse und Wein fehlten nie. Auf dem aus Paletten und zwei Holzplatten improvisierten Podium nahmen der Bürgermeister, Monsieur Dupret, der alle zusammengetrommelt hatte, sowie der Gastgeber und der Chef der lokalen Feuerwehr Platz. Ein Stuhl blieb leer, der Vertreter der Polizei war noch nicht eingetroffen.

Noch bevor in der Halle Ruhe eingekehrt war, nahm Gustave Vitrier Thomas beiseite.

»Ich habe mit Pierre gesprochen, mit Pierre Usseglio, dem Winzer. Sie können kommen, er nimmt sich Zeit für Sie. Sie können es Simone bestellen, Pierre erwartet Sie morgen um achtzehn Uhr.«

»Vielen Dank für Ihre Mühe, Monsieur, sehr schön, ich werde das Angebot gerne nutzen …«

Gustave Vitrier merkte, dass Thomas' Begeisterung sich in Grenzen hielt. »Haben Sie etwas anderes vor?«

»Nein, das ist es nicht, aber könnten Sie vielleicht Simone … ich meine, wenn Sie ihr das sagen?«

»Ah, ich verstehe.« Gustave lachte und klopfte Thomas vertraulich auf die Schulter. »Sie machen sich unnötig Sorgen. Ich habe einen Blick dafür. Sie wird mitkommen, sie ist nur etwas schüchtern, nicht auf der beruflichen Ebene, aber auf dem anderen Gebiet. *Vous comprenez?* Sie ist jung. Nun gut, wenn es Sie beruhigt – ich rufe sie an und sage es ihr selbst. Sie ist auf der Domaine Clément, *n'est-ce pas?*«

In dem Augenblick wurde es in der Halle schlagartig still. Zwei Offiziere der Gendarmerie waren eingetroffen und gingen zum Podium.

Der Offizier stellte sich vor, bedankte sich für die Mithilfe bei der Suche. Von dem Mädchen sei zu seinem Bedauern noch keine Spur gefunden worden, aber man sei zuversichtlich, schließlich seien zwei Hundertschaften im Einsatz.

»Aber wir haben eine andere, schreckliche Entdeckung gemacht: Wir fanden die Überreste einer Leiche, vielmehr die Teile eines Skeletts. Der Fundort liegt bei dem Felsen im Wald an der Route national 580 gegenüber dem Weiler Tras le Puy. Ich nehme an, Sie alle kennen das Waldstück und den Felsen.«

Zuerst herrschte Stille in der Halle, dann begann das Summen der Stimmen, bis schließlich alle Anwesenden aufgeregt durcheinanderredeten. Gustave Vitrier stand auf, hob die Arme und bat eindringlich um Ruhe.

»Wir vermuteten zuerst einen Unfall«, fuhr der Offizier fort, »da an dem Felsen häufig Sportler das freie Klettern trainieren. Einige Knochen wiesen Bissspuren von Wildschweinen und Füchsen auf, demnach mussten sie ausgegraben worden sein, dann fanden wir die Stelle, die Grube. Also war jemand verscharrt worden. Wir gehen von einer männlichen Leiche aus. Genaueres werden uns erst die Pathologen sagen können.«

Wieder schwollen die Stimmen an, und als erneut Ruhe einkehrte, trug der Offizier noch eine Bitte vor. »Sie alle könnten uns helfen. Falls Sie Kenntnis von Verschwundenen oder Vermissten haben, benachrichtigen Sie uns sofort. Vorab schon mal meinen aufrichtigen Dank an Sie alle.«

»Weiß man was über die Todesursache?«, fragte Marianne, die nah an Thomas herangerückt war und ihm einen Teller mit Käse und Brot hinhielt.

»Er hat nichts dazu gesagt.« Thomas sah sie bei der Antwort nicht an, stattdessen blickte er in das Glas mit dem golden schimmernden Weißwein. Er hatte sofort an den vermissten Winzer denken müssen, von dem ihm sowohl Alain als auch Simone erzählt hatten. Wenn jemand ihn verscharrt hatte, dann muss es Mord gewesen sein. Was war mit dem anderen Toten, dem Winzer, der überfahren worden war? Mit einem Mal waren all die schrecklichen Erinnerungen wieder präsent, obwohl es Jahre her war: die Wohnung der toten Alexandra, seine deprimierenden Besuche bei Manuel im Gefängnis und die Schüsse auf seinen Freund Pascal …

Die Fragen nach dem Toten und dem verschwundenen Mädchen waren Fragen, die Thomas nicht nur sich selbst, sondern am nächsten Abend auch Simone stellte. Es war für ihn eine Möglichkeit, seine Nervosität zu überspielen, die ihre Gegenwart auslöste. Den Tag über hatte er an sie gedacht, immer dann, wenn die Arbeit mit Traktor und Spritzgerät ihm die Zeit dazu gelassen hatte. Simone sah wundervoll aus, trug ihr langes Haar offen über den Schultern, weich fiel es auf die weite orangefarbene Bluse, die mit ihren braunen Jeans sehr gut harmonierte. Sie lachte ihn an, dann, als sie glaubte, sich zu weit vorgewagt zu haben, fand sie ihre kühle Freundlichkeit wieder. War es ihr nicht bewusst, oder war sie immer derart schüchtern? Thomas hätte sie am liebsten in die Arme genommen, doch das wagte er nicht. Stattdessen erzählte er ihr von der Versammlung und was ihm dazu durch den Kopf gegangen war. Seine Überlegungen hielt sie durchaus für realistisch, doch als er begriff, dass sie sich bei dem Thema weiter verschloss, insistierte er nicht mehr.

Außerdem war die Fahrt durch Châteauneuf-du-Pape zur Domaine Pierre Usseglio et Fils sehr kurz. Sie lag am Ortsausgang an der Route d'Orange. Die Gebäude, sowohl das

Wohnhaus der Familie wie die Wirtschaftsgebäude, waren terrassenförmig an den Hang gebaut. Von der Zufahrt genossen sie einen wunderbaren Blick über den Ort, über die Rebflächen unterhalb der Gebäude und bis zur Rhône. Weiter flussabwärts zeigten sich die Turmspitzen Avignons.

»Das wird der ehemalige Päpstliche Palast sein«, vermutete Thomas und dachte daran, ihn mit Simone zu besichtigen. Es wäre ein guter Vorwand, mit ihr zusammen zu sein. »Allein um diesen Ausblick sind die Leute hier zu beneiden. Wir sitzen in der Pfalz mitten im Flachland. Es gibt zwar in der Ferne den Ausblick auf den Pfälzer Wald, wir bewirtschaften auch einige leichte Hanglagen, aber wenn man aus dem Fenster schaut, ist alles flach und grün und im Winter grau.«

»Wegen des Ausblicks bist du sicher nicht an die Rhône gekommen«, stellte Simone fest, »weshalb denn dann?« Sie blinzelte, ein wenig mutiger geworden, in den Sonnenuntergang.

»Das erkläre ich dir, wenn wir uns besser kennen.« Es war eine Retourkutsche auf ihre Unnahbarkeit.

Simone wollte die Herausforderung annehmen, aber sie konnten das Gespräch nicht fortsetzen, der Winzer, einer der Brüder Usseglio, begrüßte sie und bat sie ins Haus. Sie gingen durchs Büro, ebenfalls mit Panoramablick, wo die Ehefrau eines der Brüder mit dem täglich zunehmenden Papierkrieg beschäftigt war. Probiert wurde eine Etage tiefer an einem Tresen mit offenem Zugang zum Keller mit den Holzfässern. Zu Thomas' Freude war die Anzahl der *foudres*, die von der Größe her ihren Halbstückfässern entsprachen, größer als die der kleinen Barriques. Für ihn war es ein Zeichen, dass der Winzer sich nicht der Mode des Holzgeschmacks unterwarf. Wie gut er wirklich war, würden die Weine zeigen, da verließ sich Thomas vollkommen auf seine Nase. Für ihn zählte auch nicht, dass US-Tester Robert Parker, dessen Foto an der Wand hing, einst die Kellerei besucht hatte. Wichtiger waren die Urkunden über vergangene Siege beim Concours de la St. Marc.

Die Familie des Winzers stammte aus dem italienischen Piemont. Der Großvater hatte hier 1948 mit dem Weinbau begonnen, zu einer Zeit, als die Gründung eines neuen Betriebs noch möglich gewesen war. Heutzutage verhinderten extrem hohe Bodenpreise ein derartiges Ansinnen, es sei denn, man war chinesischer Milliardär oder eine Heuschrecke, genannt Investor.

Heute führten die Brüder Jean Pierre und Thierry die Kellerei. Letzterer war unterwegs, deshalb übernahm Jean Pierre die Führung. Er sprach zuerst über die Gründung, über die sechsundzwanzig Hektar in der Appellation Châteauneuf, aufgeteilt in siebzehn Parzellen, und die sechs Hektar in Lirac für den roten Côtes du Rhône und den Vin de Table. Ihre weißen Trauben wuchsen nur auf dieser Seite. Wichtig war die Nachfolge: Jean Pierres Sohn wollte Rugbytrainer werden, aber der Neffe würde den Betrieb weiterführen. Die Betriebsgröße erforderte nicht viele Mitarbeiter, da beide Brüder sowohl im Keller als auch im Weinberg schafften. Für den Schnitt, das Ausbrechen und in der Lese wurden von Jahr zu Jahr mehr Franzosen beschäftigt, die Ferien machten oder sich Urlaub nahmen. Marokkaner und spanische Roma, die sonst geholfen hatten, feindeten sich nur noch an.

Angesichts der Urkunden, die an der Wand hingen, würde Thomas hier die Spitze dessen finden, was von Châteauneuf-du-Pape zu erwarten war?

Es begann mit einem ausgezeichneten Wein namens Panorama. Zu Thomas' Überraschung war er als Tafelwein eingestuft und enthielt neben der üblichen Grenache ein Drittel Merlot sowie die Neuzüchtung Marselan. Es bestätigte Thomas' Ansicht, dass man vom einfachsten Wein eines Winzers auf die übrigen schließen konnte. Der zweite, ebenfalls von der anderen Seite der Rhône, war ähnlich gut, vielseitig in den Aromen, und man gewann beim Kosten den Eindruck, die Landschaft, die Kiefernwälder, Kalkfelsen und Ebenen vor sich zu haben. Der Lirac Rouge, wie bei Gustave Vitrier im Betontank vergoren, war für Thomas' Empfinden eine Spur italienischer, so drückte er es aus, Usseglio mit seinen italienischen Wurzeln verstand ihn.

Thomas beobachtete Simone beim Verkosten, wie sie das Glas hielt und schwenkte, schaute auf ihre schlanken Hände und sah in ihrem Gesicht, wie sie dem Duft nachspürte, wie sie den Wein in den Mund nahm und ihn bewegte, und er versuchte, ihr Empfinden zu erraten. Er glaubte nicht, dass sie viel Erfahrung beim Verkosten hatte. Was ihr wichtig war, zeigte sie mit ihrer Frage.

»Wofür stehen die einzelnen Rebsorten bei Ihnen? Wir in Bordeaux haben klare Vorstellungen, was Cabernet Sauvignon, Merlot und Cabernet Franc in der Cuvée leisten sollen.«

Die Frage gefiel Usseglio. »Grenache passt sich jedem Terroir an. Sie bringt die Frucht mit, durch ihr Alter die Struktur, die muss man sich vorstellen wie ein Gewebe. Dann lagert sie viel Zucker ein, der bringt mir den Alkohol. Syrah ist für die Farbe wichtig, für die Säure und den Duft von lila Blüten, Lakritz und Cassis. Mourvèdre wieder unterstützt diese Struktur, der Anteil in meinen Weinen ist klein, auch der von Cinsault, die ich für die Finesse brauche, die Eleganz. Mit diesen Reben arbeite ich immer und variiere nur die Anteile.« Er hatte die Flasche mit seinem Châteauneuf-du-Pape Rouge in der Hand und schenkte ein.

Zwei Jahre war der Wein alt, und nach Maßgabe Usseglios sollte man seine Weine erst vierjährig trinken. Dem konnte Thomas nur zustimmen, Simone zeigte mal wieder keine Regung. Auch der Dreijährige zeigte sich noch recht verschlossen, obwohl sich einige Eigenschaften erahnen ließen und Anklänge an Schwarze Johannisbeere, Olive und die immergrünen Büsche des Maquis. Vier Jahre, das war das richtige Alter, der Vierjährige war der Beste, nein, es war der

Fünfjährige. Inzwischen hatte sich der drei Jahre alte Wein an der Luft geöffnet, dann war er der Beste – für Thomas ein Fest der Sinne, das ihn fast traurig machte. Ob sie es zu Hause jemals schaffen würden, derart gute Weine herzustellen?

Simone war ganz still geworden. »Es ist alles toll, nicht wahr?«, fragte sie ihn ganz bescheiden, aber nicht kleinlaut.

»Das ist noch nicht alles.« Der Winzer freute sich über die Begeisterung, sie gab ihm Schwung, und er holte weitere Jahrgänge, darunter die Cuvée de mon Aïeul, die Hommage an seinen Vorfahren. Es war ein reiner Grenache von fünfundsiebzig, achtzig und fünfundneunzig Jahre alten Reben. Die Begeisterung für diesen Wein war größer als Thomas' Verzweiflung darüber, Derartiges niemals zu schaffen.

Das anschließende Gespräch über die Technik der Weinbereitung diente auch dazu, wieder nüchtern zu werden. Thomas dachte mit Schrecken an die Rückfahrt, aber immer wieder steckte er die Nase in die Gläser und kostete erneut, denn je länger die Flaschen geöffnet waren, desto besser schmeckte der Wein. Er vergaß, was entrappt wurde, wann die Rappen reif waren, wie oft eine Remontage durchgeführt wurde, das alles würde er auch drüben lernen, sowohl bei Dupret wie auch von Vitrier. Er wusste jetzt, wohin die Reise zu gehen hatte.

War es die Fülle der Eindrücke, der aufgenommenen Ideen, die Thomas taumeln ließ, oder war es die Fülle des Weins? Sicher, es war der Wein, der ihm den Mut gab, auf dem Weg ins Restaurant Simone den Arm um die Schultern zu legen, und es war der Wein, der es ihr gestattete, sich bei ihm anzulehnen. Den Wagen ließen sie stehen, Thomas würde ihn später holen, wenn er wieder bei Sinnen wäre.

Wenn Usseglio derart wunderbare, perfekte Weine machte, wie waren dann die Weine der anderen Sieger des Concours beschaffen? Siebzig Betriebe nahmen daran teil, wie er erfahren hatte.

»Wie hieß der Mann, bei dessen Witwe ihr gewesen seid, du und dein Patenonkel?«

Simone schrak aus ihren Gedanken auf und wand sich aus der Umarmung. »Er hieß Joseph de Bergerac.«

»Das kann aber nicht der gewesen sein, den die Polizei an dem Felsen gefunden hat.«

»Nein, aber es kann sich möglicherweise um Didier Lamarc handeln. Weshalb fragst du?«

»Wer bringt jemanden um, der so großartige Weine macht? Das ist ein doppeltes Verbrechen.«

»Vielleicht jemand, dem das nicht gefallen hat?« Thomas' Arm kehrte auf ihre Schulter zurück, und diesmal sträubte sie sich nicht gegen die Berührung.

Es dauerte eine Weile, bis ihm auffiel, was sich in der Straße verändert hatte. Die Beleuchtung war sowieso spärlich, aber jetzt waren die beiden letzten Straßenlaternen ausgefallen, die vor der Domaine Dupret und dem Château des Trois Verres. Es war finster, denn auch das Château selbst lag in absoluter Dunkelheit, nicht einmal eine Notlaterne brannte. Wenn Thomas sich recht erinnerte, waren Madame und Monsieur Vitrier aus irgendeinem Grund nach Lyon gefahren, davon jedenfalls hatte Gustave gesprochen. Ja, sie waren in der Oper, der Abend war ein Geschenk für Madame, und Lyon war zu weit, um danach noch heimzufahren.

Thomas stellte seinen Wagen nahe dem Aufgang zu seinem Apartment ab und kehrte zur Straße zurück. Gegenüber stand ein Wagen, der ihm erst jetzt auffiel. Der Scheinwerfer hatte ihn kurz gestreift, er meinte, im Inneren eine Bewegung gesehen zu haben, als führte jemand ein Mobiltelefon ans Ohr. Als er sich dem Wagen näherte, zweifelte er an seiner Wahrnehmung; in dieser Finsternis, in der ein Schatten dunkler war als der andere, verließ man sich besser auf seinen Tastsinn denn auf seine Augen.

Beunruhigt kehrte Thomas zum Aufgang zurück und sah sich noch einmal um. Er blieb vor der Tür stehen und lauschte in die Nacht, aber außer einem kaum hörbaren Rauschen von der fernen Autobahn ließ sich nur der Ruf eines Käuzchens vernehmen. Er betrat den Treppenaufgang und schloss hinter sich ab, was er sonst nicht tat, und blickte noch einmal aus dem Fenster des ersten Stocks zu dem Wagen hin. Er meinte, dass ein Reflex über die spiegelnde Fläche der Scheiben huschte, als würde sich innen jemand bewegen, aber er hatte eben doch hingeschaut und nichts gesehen. Vielleicht spielten ihm nur die Dunkelheit und die Müdigkeit einen Streich?

Bislang hatte ihn die Erinnerung an den Abend mit Simone wach gehalten. Überwand sie langsam ihre Schüchternheit?, fragte er sich, als er unter der Dusche stand. Der Abend war sehr schön gewesen, obwohl sie während des Essens persönliche Themen zwar nicht ausgeklammert, jedoch nur gestreift hatten. Aber es war in Ordnung, es war eine ganz andere, wenn auch sehr zögerliche Annäherung. Wohin sie führte, wusste er nicht. Sie hatten sich zwar nicht verabredet, aber es war klar, dass sie sich wiedersehen würden.

Bei der Frage nach dem Grund für seinen Aufenthalt hier hatte sie nicht lockergelassen, mit seinen Antworten gab sie sich nicht zufrieden, aber er durfte sie nicht mit der Geschichte von Manuel und Kamila erschrecken, diesem ungelösten Drama. Man wusste nie, wie ein anderer das aufnahm, ob Simone sich womöglich als Ersatz fühlen würde, wobei er keine neue Beziehung im Sinn hatte. Sie gefiel ihm nur, er fühlte sich in ihrer Nähe wohl, er sah sie gern an, er fand sie schön, er mochte ihre Stimme, sie hatten gemeinsame Themen, und heute hatte er sich heimlich zu ihr gebeugt und geschnuppert. Der Geruch war letztlich entscheidend. Eine Frau mochte noch so gut aussehen, die Nase entschied, es war wie beim Wein.

Er wälzte sich schlaflos im Bett. War es die Mücke, waren es die Gedanken, die ihn nicht einschlafen ließen? Das Fenster stand weit offen, er hörte die Nachtvögel in den Büschen – und das Motorengeräusch eines größeren Fahrzeugs, das schließlich bei abgestelltem Motor ausrollte. Dann herrschte wieder Stille. Das Landleben hatte sein Gehör geschärft. Thomas griff nach dem Wasser auf dem Tischchen neben seinem Bett – waren das Schritte? Schlich jemand unter seinem Fenster entlang, von der Straße nach hinten? Ihm war, als entfernten sich die Schritte in Richtung der Rückfront von Trois Verres zu, wo sie erstarben. Neue Schritte, wieder. Thomas war hellwach. Er setzte sich auf, lauschte angespannt. Er kannte längst nicht alle Geräusche. Alain war es nicht, für ihn gab es keinen Grund, nachts herumzuschleichen. Thomas schaute auf sein Mobiltelefon. Es zeigte 1:30 Uhr an.

Er stand auf, schob den Vorhang langsam beiseite und blieb dahinter verborgen. Er meinte, dass sich jemand am hinteren Tor von Gustave Vitriers Château zu schaffen machte. Von dort gelangte man in die Kelterhalle, da standen die Maschinen. Lautlos zog sich Thomas an, Jeans, den schwarzen Kapuzenpullover und die Tennisschuhe mit der weichen Sohle. Er dachte an die rumänischen Banden, die angeblich sogar bei Tag die Häuser ausräumten. Und bei Vitrier war heute niemand zu Hause. Wer wusste noch davon? Sollte er die Polizei verständigen? Und wenn es keine Einbrecher waren? Er wollte sich nicht lächerlich machen. Also musste er sich selbst überzeugen. Die Notrufnummer war 112, die Vorwahl durfte er nicht vergessen, 0033 … Wie lange würden die *flics* bis hierher brauchen? Waren diese Banden bewaffnet? Er sah sich um. Gab es irgendetwas, das ihm als Waffe dienen könnte? Sich mit einem der Küchenmesser auszurüsten, kam ihm zu lächerlich vor, das Multifunktionswerkzeug, immer in der Hosentasche, war zu klein. Ihm blieb nur der Besen. Er brach den Stiel über dem Knie in zwei gleich lange Teile. Morgen würde er einen neuen kaufen. Früher, beim Training mit Meister Yakumi, hatten sie neben Karate auch den Stockkampf trainiert, zumindest die Grundbegriffe kannte Thomas noch.

Er nahm beide Teile in die linke Hand, huschte die Treppe hinunter, öffnete die Tür einen Spalt und sah, wie sich jemand hinter der Baumreihe in Richtung der Weingärten bewegte. Die Zypressen bildeten die Grenze zwischen beiden Grundstücken und boten Deckung. In ihrem Schatten schlich er dem Mann nach. Er meinte, ihn schon mal gesehen zu haben. Er war groß und breitschultrig, trug eine Armeejacke mit hochgeschlagenem Kragen, über dem eine Glatze schimmerte. Der Mann bewegte sich wie jener, den er neulich hinten im Weinberg getroffen hatte, als er vom Spritzen gekommen war. Er erinnerte sich an die Art, wie er ging, ein wenig breitbeinig, die Knie nach außen gerichtet. Thomas hatte gefragt, ob er helfen könne. Der Fremde hatte gemeint, dass er Wein kaufen wolle, und Thomas hatte ihm den Weg zum Büro gewiesen, dann hatte er den Trecker in den Hof gefahren und hatte sich nicht weiter darum gekümmert. An das fremde Gesicht erinnerte er sich nicht.

Der Mann in der Jacke bog um die Ecke. Jetzt sah Thomas den Pritschenwagen am hinteren Tor. Die Plane war hochgeschlagen, und einige Männer waren damit beschäftigt, Geräte vor der Ladefläche abzustellen. Es musste sich um kleinere Maschinen handeln, denn vier oder sechs Hände waren nötig, um ihr Gewicht zu bewältigen. Also stimmten die Gerüchte über die Diebesbanden. Was sollte er tun? In Tavel hatte er auf einem Schild gelesen, dass die Gendarmerie von neun bis siebzehn Uhr geöffnet sei, den Standort der nächsten Polizeikaserne kannte er nicht. Es war aussichtslos. Er konnte lediglich Krach machen und die Einbrecher verscheuchen. Waren sie bewaffnet?

Er schlich in seine Wohnung zurück, holte einen Kochtopf, und als er unten wieder um die Ecke bog und die Einbrecher sah, begann er aus vollem Halse zu schreien und wild auf die Kasserolle einzuschlagen.

»*Alarme, cambriolage, au secours! Alarme!*«

Die Männer erstarrten, dann hörte Thomas einen kurzen Pfiff und kurze, halblaut gerufene Kommandos. Zwei weitere Männer kamen durchs Tor, ließen die Beute stehen und schwangen sich auf den Lieferwagen. Zwei andere verschwanden hinten herum um die Außenmauer des Châteaus. Es schien Thomas, als gäbe der Mann mit der Armeejacke die Anweisungen, er dirigierte die Bande mehr mit Handzeichen als mit Worten. Sie waren aufeinander eingespielt. Als der Motor des Transporters ansprang, wies der Mann in Thomas' Richtung, und zwei Männer spurteten los. Man hatte ihn längst entdeckt. Er rannte hinter einen Mauervorsprung, und bevor die Männer ihn erreichten, trat er aus dem Schatten: »*Stop! Haut les mains!*«

Der Bluff wirkte, zumindest verhielten sie ihren Schritt, dann sahen sie die Stöcke in Thomas' Händen, sie teilten sich, um ihn von zwei Seiten her anzugreifen.

Mit Gegenwehr hatte er nicht gerechnet. Jetzt musste er sich verteidigen, erleichtert merkte er, dass irgendwo in seinem Rücken Lichter eingeschaltet wurden, also war jemand von der Familie Dupret wach geworden. Doch die Angreifer ließen sich nicht einschüchtern. Jetzt näherte sich von links ein rückwärtsfahrendes Auto, das Bremslicht ließ seine geduckt ihn umkreisenden Gegner wie zwei rote Teufel erscheinen.

Die Angreifer glaubten, leichtes Spiel zu haben, aber Thomas' Hiebe ließen sie Abstand halten. Dann versuchte einer von ihnen, in seinen Rücken zu gelangen, doch Thomas drehte sich ihm in entgegengesetzter Richtung entgegen, nutzte die Energie der Drehung für den Sprung auf ihn zu und den Schlag auf die nach ihm greifende Hand. Der unterdrückte Schrei zeigte ihm, dass er getroffen hatte. Vom Tor kam ein Kommando, etwas wie »mach ihn fertig« meinte er zu verstehen. Wollten sie es haben, wie es Jimmy Cliff gesungen hatte? »*The harder they come, the harder they fall …*« Thomas sah die drei Männer vor der Disco in Frankfurt auf sich zukommen. Hier waren sie nur zu zweit, aber älter, bulliger, erfahren …

Einer versuchte es mit einem Fußtritt, der Schlag aufs Schienbein musste fürchterlich schmerzen, der Mann krümmte sich, kein Laut kam über seine Lippen. Da blitzte kurz etwas in der Hand seines Begleiters auf – ein Messer?

»Ich habe den Krieg nicht begonnen«, sagte Thomas laut, er atmete tief und ließ die Arme hängen, in jeder Hand einen Stock, »ihr könnt abhauen.«

Als der am Boden Liegende sich aufrappelte, ging sein Begleiter zum Angriff über, sprang mit ausgestrecktem Arm auf Thomas zu, in der Hand das Messer. Mit einer Rückhand schlug Thomas es ihm aus der Hand, der Stock der rechten Hand traf den Mann hinter dem Ohr, und er fiel lautlos um. Sein Kumpan rannte auf den wartenden Wagen zu, warf sich durch die offene Tür auf den Rücksitz.

»Dafür wirst du bezahlen!« Die Worte des Fahrers waren deutlich, er musste Franzose sein. Er gab Gas, die Steine spritzten unter den Reifen weg. Es war der in der Militärjacke. Thomas betrachtete fast teilnahmslos den Mann am Boden. Er rührte sich nicht. Inzwischen war der Mond aufgegangen, sein Licht fiel auf die Klinge des Jagdmessers im Gras und ließ sie glänzen.

Dann waren sie auf einmal alle da: Alain, seine Schwester, die Mutter, der Vater, und einer von ihnen rief die Gendarmerie an. In dieser Nacht tat niemand mehr ein Auge zu. Der Mann am Boden kam langsam zu sich, aber er sprach kein Wort.

Kapitel 15

»Können Sie feststellen, woran es liegt?« Martin startete den Motor zum wiederholten Mal, dann stieg er aus, hielt aber Abstand, als könne ihm die geöffnete Motorhaube auf den Kopf fallen.

»Auf die Schnelle kann ich den Fehler nicht feststellen.« Der Werkstattmeister kratzte sich nachdenklich am Kopf.

Der Fahrer des Abschleppwagens wollte weiter, Martin ging zu ihm und bezahlte. Er hatte die Fahrt über beste Laune gehabt, er war entspannt gewesen, hatte klassische Musik gehört und sich auf Simone gefreut. Er hatte ihr den versprochenen Wagen selbst bringen wollen. Sie schien den Wechsel an die Rhône besser überstanden zu haben als befürchtet und fühlte sich offenbar wohl. Mit dem Auto wollte er ihr eine Freude machen, und ausgerechnet auf den letzten Kilometern, kurz vor dem Ziel, machte die verdammte Karre schlapp. Und das gleich bei der ersten längeren Tour. Es war ein Gebrauchtwagen, aber gerade erst gekauft. Das hier, was da vor ihm stand und sich keinen Meter mehr bewegte, sollte ihr erstes eigenes Auto sein. Welche Blamage.

Sie hatten die Autobahn beim Péage Remoulins verlassen, das neue Auto hinten auf dem Abschleppwagen und er auf dem Beifahrersitz. Es sah wirklich so aus, als hätte er sich verkauft. Er hätte nicht auf Jacques hören sollen, der hatte die verdammte Karre sicher von irgendeiner seiner Freundinnen, der er einen Gefallen geschuldet hatte.

»Bis wann, Meister, haben Sie den Wagen repariert? Ich brauche ihn dringend.«

Der Werkstattbesitzer sah ihn an, zog die Mundwinkel nach unten, wodurch das Gesicht mit dem großen Mund an einen Frosch erinnerte, und zeigte mit einer Geste der Hilflosigkeit, dass er es nicht wusste.

»Sie wären der Erste, der sein Auto nicht sofort wiederhaben will. Sie haben Glück gehabt, dass ich noch hier war.« Jetzt zog der Frosch die Mundwinkel nach oben. »Morgen ist Sonntag, ich mache mich am Montag an die Arbeit. Dann kann ich Ihnen mehr sagen. Wo erreiche ich Sie?«

Martin gab ihm seine Karte.

»Saint-Émilion? Sind Sie Winzer?«

»Sowohl Winzer als auch Weinhändler. Wahrscheinlich werde nicht ich den Wagen abholen, sondern meine Patentochter. Sie arbeitet in Châteauneuf-du-Pape. Ich muss schleunigst zurück, wir sind ein kleiner Betrieb, jede Hand wird gebraucht. Die Rechnung schicken Sie mir bitte.«

Inzwischen hatte vor dem Garagentor ein grauer Ford Kombi gehalten, der eine Wagenwäsche gut vertragen hätte. Das musste der Junge sein, von dem Simone vorhin am Telefon gesprochen hatte. Ein Junge war es zweifellos nicht mehr, der junge Mann, der dort ausstieg. In staubigen Arbeitsstiefeln, mit Erde an den Jeans und der ockerfarbenen Weste über dem roten Hemd sah er aus, als käme er gradewegs aus dem Weinberg. Eine sympathische Gestalt, dachte Martin, ein freundliches Gesicht, aber auch energisch, jemand, der sich schnell zu orientieren wusste, wie er dem aufmerksamen Blick entnahm. Wieso aber fuhr er ein Auto mit deutschem Kennzeichen? DÜW! Wieso hatte Simone ihm nichts davon gesagt? Nur dass er Thomas heiße.

Martin ging auf ihn zu. *»Bonjour, Monsieur, vous venez me chercher?«*

Der junge Mann reichte Martin die Hand. »Thomas Achenbach. Simone schickt mich, ich soll Sie abholen.«

»Oh, von einem Deutschen hat sie nichts gesagt, sie sprach von Thomás.«

»Sehen Sie, Herr Bongers, wie immer liegt der Unterschied in der Betonung, hier auf einem Akzent. Ihr Auto ist kaputt?«

Martin holte zu einer entschuldigenden Geste aus. »Ziemlich. Der Wagen ist für Simone, nur dass er bereits hier den Geist aufgibt.«

»Sie hat es mir vorhin erzählt. Was sagt der Werkstattmensch?«

Der stand dabei und versuchte vergeblich, aus dem Gesagten schlau zu werden.

Martin besprach mit ihm die nächsten Schritte und leistete eine Anzahlung. Thomas mischte sich ein.

»Wahrscheinlich bringe ich die junge Frau her, die den Wagen abholen wird. Zur Not können Sie auch mich benachrichtigen, ich wohne in Lirac.«

»Was machen Sie dort?«, fragte Martin, erstaunt über das gute, wenn auch nicht perfekte Französisch. Es war mittlerweile Abend geworden, bis nach Châteauneuf-du-Pape, wo sie mit Simone verabredet waren, würden sie eine Dreiviertelstunde benötigen.

Thomas erzählte von seinem Vater, der für France-Wein-Import gearbeitet habe, was ihm die Tür nach Frankreich aufgestoßen habe. Martin erinnerte sich an den Importeur, aber er hatte seinerzeit ausschließlich direkt vom Winzer gekauft. Thomas erklärte weiter, dass er für ein halbes Jahr oder länger auf einer Domaine arbeiten würde, wobei er betonte, dass sie am rechten Ufer der Rhône liege. Nach dem Studium und der Aufbauphase des Weingutes hätte er nie die Gelegenheit gehabt, anderswo als in der Pfalz und im Rheingau den Weinbau zu studieren. Jetzt sei die Zeit dazu gekommen. Außerdem beschäftige ihn das zunehmend wärmere Klima, sie gingen auf gravierende Veränderungen zu, auf die man sich rechtzeitig einstellen müsse, besonders was die Wahl der Rebsorten anginge. Er habe in der Pfalz bereits ganz vernünftigen Merlot und sogar Tempranillo getrunken.

»So könnte es weitergehen. Am Kaiserstuhl in Baden bekommt man bereits ausgezeichneten Syrah, und bald werden wir Grenache anpflanzen. Die Hitze kommt, die Wetterlage wird instabil, der Wandel ist längst da. Wir werden ihn nicht mehr umkehren.« Er und sein Vater hätten sich zu Hause intensiv mit dem Energiemanagement auf Weingütern auseinandergesetzt. »Wir führen einen beispielhaften Betrieb. Frankreich scheint mir in dieser Hinsicht ein Entwicklungsland zu sein. Das Umweltbewusstsein ist leicht über null. Hier liegen die nächsten Atomkraftwerke fast in Sichtweite. Bei einem Unfall weht der Mistral den Dreck in Richtung Mittelmeer, dann wird hier alles zur Todeszone.«

Dieser Thomas sprach Martin aus dem Herzen, doch er war davon überzeugt, dass Frankreich allein schon aus Staatsraison am Atom festhalten würde. »Man betrachtet sich als Atommacht, seit General de Gaulle. Sie haben die Bombe, sie nutzen den höchsten Anteil an Atomenergie weltweit, die AKWs gehören dem Staat, und sogar ihre Kriegsmaschinen werden atomar angetrieben, Flugzeugträger und Unterseeboote.«

»Sie sind ja bestens informiert.«

»Das ist nicht auf eigenem Mist gewachsen, das weiß ich alles von meiner Frau. Sie war früher beim Staat beschäftigt, heute ist sie bei der Opposition.«

»Ist das Madame Charlotte, von der Simone immer spricht?«

»So? Tut sie das? Das freut mich. Sprechen Sie auch über mich?«

»Klar, Sie sind der Patenonkel, von dem sie alles lernt, ein alter Freund ihres verstorbenen Vaters.«

Der junge Mann schien gut im Bilde zu sein. »Das bringt mich natürlich zu der Frage, in welchem Verhältnis Sie zu

Simone stehen.« Da Martin nicht fahren musste, hatte er Gelegenheit, den jungen Mann genau zu mustern. »Sie ist erst kurze Zeit hier, gerade mal vier Wochen. Woher kennen Sie sich?«

Martin bemerkte, dass Thomas nach Worten suchen musste. War da etwas im Schwange? Es wäre verrückt, wenn es ausgerechnet ein Deutscher sein müsste. Doch wieso eigentlich nicht? Der Junge gefiel ihm.

Thomas berichtete vom abendlichen Treffen auf Château des Trois Anges, er sprach von den herausragenden Weinen, die sie dort probiert hätten, von den Brüdern Vitrier und dem Concours de la St. Marc. »In dem Zusammenhang hat Simone von Ihrem gemeinsamen Besuch auf dem Weingut von Joseph de Bergerac gesprochen. Man hat übrigens die Leiche von Didier Lamarc gefunden.«

»Seine Leiche?« Martin starrte Thomas an. »Ich hörte, er sei verschwunden?«

»Es war weniger eine Leiche als vielmehr ein paar Knochen.« Mittels DNA-Analyse habe man die Überreste, also die Knochen zuordnen können, wie Thomas aus der Presse wusste. Das Mädchen, nach dem eigentlich gesucht worden war, sei zwei Tage später wohlbehalten aufgetaucht. Sie hätte sich zu einer Freundin nach Orange geflüchtet, ihre Mutter habe sie geschlagen, deshalb sei sie abgehauen. Ein Lieferwagenfahrer, der sie kannte, habe sie, ohne sich was dabei zu denken, mitgenommen und sei dann nach Marseille gefahren, wo er von der groß angelegten Suche nichts erfahren habe.

»Jetzt steht die Frage im Raum, wer die Aktion, die Tausende gekostet hat, bezahlen soll. Wenn man den Eltern die Kosten aufbrummt, müssten sie den Rest ihrer Tage daran abzahlen. Erstaunlich, was eine Ohrfeige bewirkt.«

Das Auffinden der Leiche interessierte Martin weitaus mehr. »Sie sagen, seine Leiche sei gefunden worden. Unter welchen Umständen? War es ein Unfall?«

Zuerst wusste niemand, wer es war, von wem die Knochen stammten. Tiere hätten sie ausgegraben, die Wildschweine seien hier die Pest, besonders zur Lese, sie stünden auf Weintrauben, es würden bereits Elektrozäune errichtet.

Mit Wildschweinen hatten sie in Saint-Émilion weniger zu tun, mehr mit genusssüchtigen Vögeln.

»Weiß man, wie dieser Winzer umgekommen ist?« Ihm stand der Besuch bei Madame Lamarc vor Augen, das Verschwinden ihres Mannes hatte ihn über Gebühr beschäftigt. »Wenn Monsieur Lamarc irgendwo verscharrt wurde, kann es sich nur um ein Verbrechen handeln.«

»Davon muss man ausgehen. Erst heute haben wir erfahren, wer der Tote war, und sie haben ein Loch in seinem Schädel entdeckt, von einer Kugel.«

»Dann wurde Didier Lamarc erschossen? Das ist ziemlich makaber, was Sie mir hier erzählen. Wie hat Simone darauf reagiert?«, fragte Martin bestürzt. Er fürchtete, dass diese Ereignisse Simones Entschluss ins Wanken bringen könnten, hier zu bleiben.

Thomas erklärte, dass er noch keine Gelegenheit gehabt habe, mit ihr darüber zu sprechen. »Aber wieso haben Sie die Witwe besucht?«

Martin erzählte, wie er auf Lamarc gekommen sei.

»Sie waren Weinhändler? Darüber müssen Sie mehr erzählen.«

»Gern, aber meine Zeit lässt es kaum zu, ich will übermorgen früh wieder zurückfahren, mit dem Zug. Aber sprechen Sie besser nicht mit Simone über den Fall, es würde sie verschrecken, sie ist in dieser Hinsicht extrem sensibel.« Mehr wollte er nicht sagen, obwohl er ahnte, dass Thomas sich mit dieser Antwort schwerlich zufriedengeben würde. So war es auch.

»Ich nehme an, sie weiß es längst, ich kann natürlich nicht beurteilen, welche Wellen der Tod auf der anderen Seite der Rhône schlägt. Die beiden Seiten kommunizieren kaum.

Wir haben nur davon erfahren, weil die Leiche bei uns in der Nähe gefunden wurde. Hier wusste niemand, dass man ihn überhaupt vermisste. Von seiner Teilnahme am Concours de la St. Marc nimmt bei uns kaum jemand Notiz. Was auf der anderen Seite passiert, schafft es selten über den Fluss.«

Sie schwiegen, Martin betrachtete das nachtschlafende Roquemaure, die Straßen waren menschenleer, hier und dort brannte eine Laterne, eine Katze rannte einer anderen hinterher, die Bar hatte geschlossen, die Bewohner mussten zu Hause sein und hatten sämtliche Fenster verrammelt, nicht ein Fenster war erleuchtet.

»Wohnt hier niemand? Was ist hier los?«

»Nichts, gar nichts. Mich hat das anfangs auch verwirrt, aber ich bin das Landleben gewohnt. Außerdem bin ich abends fix und fertig, wir haben einen zehnstündigen Arbeitstag, und vieles hier ist neu für mich, dann die fremde Sprache, dauernd muss man sich konzentrieren. Ich bin erst seit vier Wochen hier. Dafür ist die Luft herrlich, das Essen gut, mein Arbeitgeber in meinem Alter, es ist ruhig, man schläft wunderbar, allerdings nur, wenn keine Räuberbanden unterwegs sind.«

Martin lachte. »Was gibt's denn hier zu holen?«

»Kellereiausrüstung, Maschinen, Werkzeuge! Das lässt sich einfach transportieren und gut verkaufen. Da sind sie hinterher. Die Diebe gehen gezielt vor. Sie kennen sich im Weinbau aus, sie wissen ganz genau, was sie brauchen.«

»Woher wissen Sie …«

»Aus der Zeitung«, sagte Thomas so schnell und betonte die wenigen Worte so, dass weitergehendes Nachfragen als grob unhöflich erscheinen musste.

Der Junge weiß mehr, als er sagt, dachte Martin. Er nahm ihm die Antwort nicht ab und sah ihn forschend an. Thomas starrte geradeaus, sein Gesicht nur leicht vom Licht der Armaturen erhellt. Sie verließen den Ort, umrundeten mehrere Kreisverkehre, und Martin sah den ersten Wegweiser nach Châteauneuf-du-Pape. Gleich müssten sie die Rhône überqueren.

Da erfasste der Scheinwerfer hinter einer Kurve mehrere Fahrzeuge, und sofort schoss Martin der Gedanke an einen Überfall durch den Kopf. Aber es war nur eine Straßensperre der Zivilpolizei. Ein starker Scheinwerfer blendete sie, ein Mann mit umgehängter Maschinenpistole stoppte sie mit erhobenem Arm.

»Es ist wegen der Räuber«, murmelte Thomas. »Wenn etwas passiert, machen sie drei, vier Tage lang Theater, zeigen Präsenz, dann sind sie wieder weg, und die Diebe machen weiter.«

Er zeigte brav seine Papiere, die der Polizist mitnahm und in einem Kleinbus überprüfte. Dann redete er mit einem Kollegen, der rief andere herbei, und zu viert kamen sie zum Wagen zurück. In Martin zog sich in schlimmer Erwartung der Magen zusammen, er spürte etwas wie eine kalte Hand an seinem Hals. Was wollten sie von ihnen? Bilder rasten durch seine Erinnerung, ein nächtlicher Grenzübergang in Rumänien, mehrere Fahrzeuge, Wachposten, Mondlicht über den Reben und seine Füße im Morast … Aber dieser Thomas neben ihm schien ruhig zu bleiben, er lächelte sogar.

»Ah, l'allemand courageux!« Einer der Männer reichte Thomas die Hand durchs offene Seitenfenster. *»Bravo, vous avez bien fait«*, sagte er, und Thomas beeilte sich auszusteigen. Martin verstand nichts und glaubte, dass Thomas sich mit den Männern weit vom Wagen entfernte, damit er nichts hören konnte. Martin stieg schnell aus und gesellte sich zur Gruppe, was Thomas zwang, ihn vorzustellen und den Grund ihrer nächtlichen Fahrt zu erklären. Dann wurden auch Martins Hände geschüttelt.

»Hat er inzwischen ausgesagt?« Thomas sah einen der Männer an, der anscheinend das Kommando führte.

»Nein, er schweigt wie ein Grab. Er sagt nicht einmal seinen Namen. Er fürchtet den langen Arm seiner Kumpane.

Diese Typen sagen alle nichts. Wir fassen sie, die Justiz verurteilt sie, sie schweigen, sitzen ihre Strafe ab und verschwinden. Die Familie der Täter wird einstweilen von der Bande versorgt. Dann müssen die Schulden abgearbeitet werden, und sie machen woanders weiter und schicken andere her, den Schwager, den Bruder, wen auch immer. Es wird schlimmer, je ärmer die Länder werden, desto härter wird es für uns alle. Nur bei uns wird schneller geschossen als bei euch in Deutschland. Dafür seid ihr mit den Stöcken besser. Die Deutschen sind Pazifisten geworden.« Die Zivilpolizisten lachten. »War das nun japanische oder koreanische Kampfkunst?«

»Chinesische«, antwortete Thomas, »mein alter Meister ist gebürtiger Chinese.«

Einer der Polizisten machte den Chef auf ein weiteres Fahrzeug aufmerksam, der deutete einen militärischen Gruß an. »Wenn es Probleme gibt, Sie wissen, wo Sie uns finden.« Die übrigen wünschten eine gute Weiterfahrt und wandten sich dem nächsten Wagen zu.

Martin atmete auf, er kapierte nichts. »Was war das eben?«, fragte er beim Einsteigen. »Woher kennen Sie die Polizisten? Und wer schweigt wie ein Grab?«

Thomas seufzte laut. »Ich wollte eigentlich nicht darüber reden.« Er schien nach Worten zu suchen, und je länger er die Antwort herauszögerte, desto neugieriger wurde Martin.

»Was ist nun, wollen Sie oder wollen Sie nicht?«

»Aber nur, wenn Sie versprechen, Simone nichts zu sagen.«

»Das kann ich nicht. Wenn es wichtig für sie sein sollte, muss ich es tun, andernfalls werde ich schweigen. Aber weshalb soll ich Simone nichts davon sagen?«

In diesem Augenblick überquerten sie die Rhône, die schwarz und unheimlich unter ihnen hindurchfloss, nur wenige Reflexe des Mondes und der hellsten Sterne zuckten übers dunkle Wasser. Kurz darauf erreichten sie die Abzweigung, und Martin, durch Thomas' Schweigen verstimmt, kündigte Simone per Mobiltelefon ihre Ankunft an.

»Ich habe einige Jahre lang Kampfsport betrieben«, Thomas durchbrach das peinliche Schweigen, »darunter auch Stockkampf. Vorgestern Nacht wurde bei unserem Nachbarn eingebrochen, ich habe einen der Diebe mit einem Besenstiel am Kopf getroffen. Den haben sie dann einkassiert.«

»Mit einem Besenstiel?«

»Ja, den hatte ich in zwei Teile gebrochen.« Thomas machte eine Pause. »Ach, wahrscheinlich hat Simone auch Zeitung gelesen.«

»Sie liest keine Tageszeitung«, unterbrach ihn Martin.

»Dann wird es ihr jemand erzählen. Wir können nachher darüber reden, dann muss ich mich nicht wiederholen.«

Die restlichen fünf Kilometer waren schnell geschafft, Thomas fand den Weg sofort, Martin erinnerte sich erst im Ort selbst an die Straßenführung und wunderte sich, als sie zur Domaine Clément abbogen, wie viele Lichter man im gegenüberliegenden Château bei Nacht brennen ließ, so anders als in den Dörfern, die sie eben passiert hatten.

Simone fiel Martin in seltenem Überschwang der Gefühle um den Hals, und zu seinem Erstaunen bekam auch Thomas ein Küsschen auf jede Wange und ein lächelnd gesagtes »Danke schön fürs Abholen«.

»Drei sind hier üblich«, sagte er und hielt erwartungsvoll die Wange hin.

»Beim nächsten Mal«, erwiderte Simone kess.

Martin freute sich über ihre Bestimmtheit. Das machte den Umgang einerseits mit ihr schwierig, andererseits wusste man immer, woran man bei ihr war. Er wurde schnell gewahr, dass sie den Kopf wieder oben trug. Und er war gespannt auf das, was sich zwischen den jungen Leuten anbahnte.

Simone hatte in der winzigen Küche ihres Apartments einen Imbiss vorbereitet: Salat, Käse und Schinken sowie kaltes gedünstetes Gemüse passten kaum auf den winzigen Tisch ihres Zimmers. Sie hatte den Côtes du Rhône des Hauses geöffnet, »einen von seiner Seite«, wie sie sagte, »von der rechten«, wobei sie Thomas einen Moment zu lange ansah und sich abwandte, als es Martin bemerkte. Sie setzte sich auf die Bettkante, da sie nur zwei Stühle zur Verfügung hatte.

Jetzt sah Martin die Gelegenheit, Thomas mehr über die Straßensperre zu entlocken.

»Über ihn schreibt sogar die Zeitung.« Sie stand auf und gab Martin ein Blatt, das sie herausgerissen hatte. Es war der Bericht, den die Polizei an die Presse weitergegeben hatte, sowie ein Interview mit Gustave Vitrier, der seinen deutschen Nachbarn Thomas Achenbach in den höchsten Tönen lobte.

»Da haben Sie sich völlig umsonst Sorgen gemacht«, sagte Martin zu Thomas, »sie ist längst über alles im Bilde.«

Sie blickte derweil von einem zum anderen, woher sollte sie auch wissen, worum es ging. Martin signalisierte ihr, später darauf zurückkommen zu wollen.

Über den Dieb, der in Untersuchungshaft war, sei nichts bekannt, weder der Name, geschweige denn die Nationalität. Man habe den Eindruck, dass er kein Wort Französisch verstehe oder spreche, das mache eine Verteidigung nahezu unmöglich. Die Behörden gingen davon aus, dass er zu einer bosnischen oder serbischen Bande gehöre. Man wisse nichts über sie, genauso wenig über die Herkunft der Information, dass exakt in dieser Nacht der Hausherr abwesend sein würde.

Thomas entschuldigte sich fast für sein Eingreifen. »Es war Zufall, dass ich aufgewacht bin, oder ich war nur im Halbschlaf. Es war sehr warm, eine Mücke nervte mich, ich musste über vieles nachdenken, und dann hörte ich diese Geräusche.«

»Dass es für Sie übel hätte ausgehen können, kam Ihnen nicht in den Sinn?« Martin wollte von dem ablenken, was ihn wirklich beschäftigte, nämlich weshalb jemand wie Thomas, Mitinhaber eines Weingutes, seinen Besitz für so lange Zeit im Stich lassen konnte. Entweder war es nicht sein Besitz, also hatte er gelogen, oder er war vor irgendetwas geflohen. Sicher nicht vor dem Finanzamt, dessen Arm reichte auch bis hierher. Er würde es schon noch rauskriegen.

»In derartigen Momenten denkt man nicht darüber nach. Wenn man es tut, ist man bereits verloren. Mein Vater und ich hatten vor Jahren heftige Probleme, da ist an der Hochschule jemand ermordet worden …«

»Ermordet?« Simone starrte Thomas befremdet an.

»Ja, eine Kommilitonin.«

»Und du hattest damit zu tun?«

»Ja, aber nur nebenbei.« Thomas wiegelte ab. »Ich habe lediglich einige Hinweise geben können. Aufgeklärt hat es eine Dozentin. In Frankreich, im Jahr zuvor, ging es um eine Geldgeschichte, da hat jemand mit falschen Fonds Weinliebhaber abgezockt … Aber ich würde viel lieber über Ihr Weingut sprechen.«

»Ist es nicht etwas spät dafür?« Simone bat Thomas, Martin vor seinem Hotel abzusetzen. »Thomas hat es noch weit und muss früh raus … ach nein, morgen ist ja Sonntag.«

Es war zehn Uhr, als Simone zum Frühstück erschien. Martin hatte um ein zweites Gedeck gebeten und darum, das Frühstück bis um elf Uhr ausdehnen zu dürfen. Es war mal wieder ein grandioser Sonnentag, der die Reben rasend wachsen ließ. Leider war der Wind wieder sehr kräftig; wenn er zunahm, bestand die Gefahr, dass er die Triebe brechen würde, wie Simone beim Blick über die bis an den Horizont reichenden Weinberge erklärte.

»An manchen Tagen überwiegen die Nachteile des Windes, an anderen wieder sind sie von Vorteil. Man muss mit dem Mistral leben, ich lerne es gerade. Heute beschert er uns das schönste Wetter. Wie ist es zu Hause?«

Das Debakel mit dem defekten Wagen vom Vorabend hatte Martins Laune nicht getrübt, und als Simone mit Stolz vorbrachte, dass ihr Praktikum inzwischen in ein befristetes Arbeitsverhältnis umgewandelt worden war, war er zufrieden. Im Grunde hatte er genau das erwartet und ließ sich ausführlich von ihr berichten, wie es ihr in den vergangenen Wochen ergangen war. Das persönliche Gespräch war nicht durch Telefonate zu ersetzen, zumal er sämtliche modernen Geräte verabscheute, die ihnen aufgezwungen wurden und die dazu führten, nahezu jede Lebensäußerung zu überwachen. Es reichte ihm, wenn Simone sich damit auskannte, und auch der junge Student, der jetzt bei ihnen sein Praktikum begann, wusste damit umzugehen.

»Stellt er sich vernünftig an?« Simone fragte es ganz im Ton derer, die ein Weingut führen.

Martin schmunzelte, er tätschelte ihr die Wange, was sie sonst zuließ, sie aber jetzt offensichtlich störte. »Er macht seine Sache gut, er will lernen. Er kapiert schnell, ist fleißig, und außerdem kocht er fantastisch.«

»Du bist auch dicker geworden«, meinte Simone. Damit konnte sie Martin ärgern, der peinlich auf seine Figur achtete.

»So schnell nicht. Jérôme hat ihn unter seine Fittiche genommen, so wie dieser Monsieur Serge es bei dir gemacht hat. Aber du hast was auf dem Herzen, wie mir scheint. Was ist es, warum sprichst du's nicht aus? Es ist mir alles zu schön, zu einfach.«

Simone klopfte länger als nötig auf ihrem Frühstücksei herum, dann sah sie aus dem Fenster. »Was du dir so alles zusammenreimst.«

»Was ist es? Red schon.«

»Es ist nicht wegen der Arbeit, es ist wegen Monsieur Clément.« Sie musste sich überwinden, weiterzusprechen. »Vielleicht bilde ich es mir ein, vielleicht auch nicht. Jedenfalls starrt er mich immer so komisch an, irgendwie aufdringlich – ich weiß auch nicht –, und wenn er an mir vorbeigeht, streift er mich mit dem Arm, wie rein zufällig. Ich habe aber das Gefühl, dass er es absichtlich macht.«

Das war auch Martins Eindruck. Simone besaß keinen Hang zur Theatralik, und sie beobachtete unvoreingenommen. Dass eine junge, gut aussehende Frau von dreiundzwanzig Jahren einem Fünfzigjährigen gefiel, hielt er für verständlich, aber damit war es auch gut, und Madame Clément war eine attraktive Frau.

»Und wie verhält Madame Clément sich dir gegenüber?« Er musste mehr wissen, um ein Urteil, nein, besser eine Meinung zu äußern.

»Mit ihr komme ich bestens aus. Mir scheint, dass sie sich bewusst zwischen uns schiebt.«

»Dann pass auf, dass es so bleibt, verbünde dich mit ihr. Sollte sie der Meinung sein, dass du ihrem Mann Anlass zu derartigen Blicken gibst, sind deine Tage auf der Domaine gezählt. Wenn dir das zu unangenehm ist, höre dich um und schau, auf welchem Gut es dir ansonsten gefallen könnte, vielleicht bei Bergerac?«

»Glaubst du etwa, dass ich mir das ausdenke?«

»Nein, überhaupt nicht. Und was ist mit Thomas?«

»Was soll sein?«, fragte sie spitz, gleich Abwehr in der Stimme.

»Ich frage ja nur so.«

»Du fragst nie nur so! Also, was soll sein?«

»Das frage ich dich. Bist du verliebt?« Eine direkte Frage war besser als drum herumzureden. »Er hat mir gut gefallen, ein kluger Junge.«

»Ach, er hat dir doch nur gefallen, weil er in der Nacht zwei Diebe verprügelt hat.«

»Sicher, er hat einen Überfall vereitelt, das zeigt Mut. Des Weiteren habe ich mir heute Morgen hier im Hotel auf dem Computer seine Homepage angesehen. Kennst du sie?«

»Klar, es stimmt, was er sagt. Aber da gibt es eine Frau, ein Foto, wo sie alle zusammen … ich weiß nicht …«

»Es gibt immer irgendwo eine Frau und immer irgendwo einen Mann … Lass uns nach Lirac fahren, wir besuchen ihn, wir machen uns ein Bild von ihm, vielmehr von seinem Weingut und von dem Nachbarweingut, das diesem Bruder gehört, der überfallen wurde.«

»Willst du wieder Detektiv spielen? Wir haben kein Auto.«

»Du weißt bestimmt, wer uns eines leihen würde.«

»Monsieur Serge auf jeden Fall.«

Er war nach einer Stunde bei ihnen und tauschte seinen Kleinwagen gegen Simones Moped ein, mit dem er nach Hause fuhr. Inzwischen hatte auch der Autoschlosser aus Remoulins angerufen. Die Sonntagsruhe hatte ihn nicht davon abgehalten, dem Defekt des Fahrzeugs auf den Grund zu gehen. Der Verteilerkopf sei kaputt, er wisse bereits, wo er rasch einen neuen herbekäme, der Austausch sei simpel, morgen schon könne der Wagen abgeholt werden. Aber das müsste Thomas tun, Martin wollte mit einem frühen TGV zurück nach Bordeaux.

Thomas hatte sich sofort bereit erklärt, sie Gustave Vitrier vorzustellen, von ihm würde er nach der »Rettung seines Betriebs«, wie der Winzer es nannte, fast alles verlangen können. Die Domaine Dupret jedoch sei geschlossen. »Die Familie trifft sich heute bei Verwandten in Carpentras. Ich habe Zeit.«

Wahrscheinlich ist er froh, dass wir kommen, vermutete Martin, als sie durch das in sonntäglicher Einsamkeit hindämmernde Lirac fuhren. Da Simone am Steuer saß, konnte er sich der Umgebung widmen. Am Waschhaus bogen sie ab, wie Thomas empfohlen hatte. Sie fuhren bis zum letzten Weingut und sahen Thomas im Schatten der Bäume mit einer alten Dame im Gespräch.

Die Befangenheit, mit der Thomas auf Simone zuging,

zeigte Martin wieder, dass sich zwischen den beiden etwas anbahnte. Thomas nutzte die Vorstellung der pensionierten Lehrerin, um seine Schüchternheit zu überspielen. Madame Cécile war auf ihrer täglichen Wanderung rund um das Dorf, »um fit zu bleiben«, wie sie sagte.

»Wir reden ein andermal weiter, Monsieur Thomas, es ist sehr interessant, mit Ihnen zu plaudern. Ich kann Ihnen in der Sache noch einiges mehr erzählen, aber Sie sollten sich jetzt um Ihren Besuch kümmern.« Sie wandte sich ab und ging schneller, als man es ihr zugetraut hätte, weiter in Richtung Ortsende. Dabei betrachtete sie aufmerksam den großen neuen Porsche, der die Einfahrt zur Domaine des Trois Verres blockierte, dann drehte sie sich zu Thomas um, nickte ihm zu und zeigte auf den Wagen.

Thomas gab ihr ein Zeichen, dass er verstanden hatte.

»Welche Art von Kommunikation ist das denn?«, fragte Simone belustigt. »Das hat er wohl von dem Mann, der die Einbrecher kommandierte.«

»Sie wollte nur zu verstehen geben, dass da vorn der Wagen des Mannes steht, über den wir eben sprachen.«

»Und wer ist das?«, wollte Martin wissen. »Ist er wichtig?«

»Dem Wagen nach sicher und sonst auch. Es ist Maurice Vitrier, er ist der Besitzer von …«

»Der ewige Zweite, wie einige sagen? Mein Nachbar von gegenüber, der Drei-Engel-Winzer?« So nannte Simone ihn. »So einen Schlitten fährt er? Ist der nicht unpraktisch im Weinberg? Bei uns darf niemand schneller fahren als hundertdreißig Stundenkilometer. Wozu dient ihm ein solches Auto?«

»Manche Menschen mögen's eben hart gefedert.« Martin war heute milde gestimmt. »Praktisch finde ich das Auto nicht. In den Kofferraum passt gerade mal 'ne Zwölfer-Kiste Wein oder zwei Magnums. Für den Weinberg hat er bestimmt die Geländeversion.«

»Worüber hast du mit der Frau geredet?«, wollte Simone von Thomas wissen.

»Sie war Lehrerin, fünfzig Jahre lang. Sie kennt so ziemlich alle Lebensläufe im Dorf und alle Leute. Die Brüder Vitrier hat sie in der Grundschule unterrichtet. Sie hat mir einiges zum Hintergrund der Familie erzählt.«

»Wieso erzählt sie gerade dir davon? Du bist fremd hier ...«

Martin wunderte sich, Simone zeigte ganz neue Seiten. Er meinte, hinter ihrer Frage etwas wie ... wie Eifersucht gespürt zu haben. Aber was Thomas zu erzählen hatte, interessierte ihn in diesem Augenblick mehr.

»Ich kann eben gut mit alten Damen«, sagte er. »Bevor sich die Eltern aus dem Geschäft zurückzogen, haben sie ihre beiden Châteaus unter Gustave und Maurice verlost. Gustave war mit seinem Los zufrieden, Maurice zwar auch, aber nichts ist ihm gut genug, er will immer der Beste sein, das wollte er schon früher in der Schule. Die Eltern müssen ihn fürchterlich gezwiebelt haben. Er hat gepaukt wie ein Verrückter, die Angst im Nacken, und hat's geschafft. Seinem Bruder, meinte Madame Cécile, fiele alles zu, der nehme alles leicht, und das mache Maurice wahnsinnig. Na ja, was alte Frauen so erzählen, die Gesellschaft suchen.«

»Ich gebe was darauf«, sagte Martin und musterte die beiden jungen Leute von Kopf bis Fuß.

»Musst du auch – kommst ja selbst bald in das Alter.« Simone hakte sich bei ihm ein.

Mittlerweile waren sie zwischen den beiden Weingütern hindurchgegangen und standen am Rande der Rebfläche. Exakt hier sei es gewesen, wo ihn die beiden Männer angegriffen hätten, erklärte Thomas. Der Pritschenwagen, auf den sie die Beute hätten aufladen wollen, hätte genau dort gestanden, er zeigte auf das Tor der Domaine des Trois Verres. Aus ebendiesem Tor traten zwei Männer und blieben stehen, als sie Martin und seine Begleiter sahen. Einer der beiden kam auf sie zu, der zweite schloss sich zögerlich an.

»Das sind die Brüder«, raunte Simone Martin zu.

Überschwänglich begrüßte Gustave den »Bewahrer seines Besitzes«, wie er sich ausdrückte. »Wenn der Plan der Bande aufgegangen wäre, hätte uns das viel Ärger eingebracht. Wir wären für eine Weile lahmgelegt worden. Die Einbrecher hatten einiges zusammengetragen«, erklärte er seinem Bruder. »Aber dann kamen Sie, Thomas!«

»Aha, *formidable*«, sagte der Bruder. Dann sind Sie also der mutige Mann, der den Überfall vereitelte? Wir hatten bereits das Vergnügen.«

»Durchaus.« Thomas deutete eine Verbeugung an, affektiert und gleichzeitig selbstironisch. »Ich hatte das Vergnügen, in Ihrem wunderbaren Garten Ihre sehr gelungene Weißweincuvée probieren zu dürfen. Grandios, sage ich nur.«

Maurice Vitrier nahm das Lob ungerührt hin. Die Meinung eines jungen Ausländers interessierte ihn offenbar einen Dreck, so jedenfalls interpretierte Martin die herablassende Weise, in der der Spitzenwinzer Thomas ansah.

»Es hat mir imponiert, wie Sie sich für meinen Bruder eingesetzt haben. Es hätte auch schlecht ausgehen können. Sinnvoller und für Sie risikoärmer wäre es gewesen, wenn Sie die Polizei gerufen hätten. Sie wussten ja nicht, ob die Einbrecher bewaffnet waren. Ja, was hätten Sie getan, wenn einer von denen eine Pistole gezogen hätte?«

Martin war auf Thomas' Reaktion gespannt, denn er hörte aus Maurice Vitriers Worten mehr Tadel als tatsächliche Bewunderung heraus. Der Bruder, um den es eigentlich ging, stand dabei, blickte von einem zum anderen, als verstünden sie die Reaktion seines Bruders besser als er.

»Ich will lediglich sagen, mein junger Freund, dass man sich manchmal besser zurückhält. Es ist weniger riskant.«

Martin fasste Vitriers letzten Satz als Drohung auf, aber sie war nicht für ihn bestimmt.

Kapitel 16

Die herablassende Art, in der Maurice Vitrier mit Thomas sprach, empörte Simone. Und das überschwängliche Lob seines Bruders für ihn war ihr sogar peinlich, obwohl sie gleichzeitig etwas wie Stolz auf ihn empfand, als hätte sie damit zu tun, und das wiederum ärgerte sie. Ach, seit sie Thomas getroffen hatte, war sie ziemlich durcheinander. Auf dem Weg hierher hatte sie sich auf ihn gefreut, doch jetzt, wo er neben ihr stand, machte er ihr nur ihre Unsicherheit deutlich.

»Sie müssen nicht glauben, dass es zu einer Störung im Betriebsablauf gekommen wäre.« Maurice Vitrier wandte sich an Martin, den er nach der Vorstellung als Winzer und Weinhändler als Einzigen ernst zu nehmen schien. »Ich hätte Gustave sofort meine Einrichtungen zur Verfügung gestellt, eine Selbstverständlichkeit unter Brüdern. Wäre es den Verbrechern darum gegangen, seinen Betrieb zu sabotieren, hätten sie ihr Ziel verfehlt. Sicher, Verluste wären eingetreten, die Versicherungen drücken sich um ihre Aufgaben, so gut es geht.« Er wandte sich vertraulich Martin zu. »Sie sind aber nicht der Vater dieses Heißsporns?«

»Keineswegs.« Martin zog Simone heran, die es widerstrebend über sich ergehen ließ, und erklärte ihre familiäre Bindung. »Irgendwann, wenn ich nicht mehr will oder kann, wird sie unser Weingut übernehmen.«

»Kann sie das denn?« Maurice Vitrier hatte wirklich eine herablassende Art und eine kalte, befehlsgewohnte Stimme. Simone hätte ihm am liebsten eine geknallt.

»Seien Sie unbesorgt, Monsieur. Das schafft sie sicherlich, wenn derart prominente Winzer wie Sie ihr Einblick in Ihre Arbeit geben.« Martin legte Simone die Hand auf die Schulter.

Es war ihr sofort klar, so gut kannte sie Martin, dass er einen Gesprächspartner immer dann mit »Monsieur« titulierte, wenn er ihn unsympathisch fand, denn einen Namen, der ihm einmal genannt worden war, vergaß er nicht. Überspielte Maurice Vitrier die Spitze, oder hatte er sie nicht wahrgenommen? Jedenfalls zog er Thomas am Arm mit sich fort.

»Erzählen Sie uns mal ganz genau, junger Mann, wie es in jener Nacht abgelaufen ist.«

Simone schloss sich den beiden ungefragt an. »Mich interessiert es auch brennend.«

»Ich habe der Polizei bereits alles gesagt.«

»Aber mir als indirekt Betroffenem noch nicht.« Maurice Vitrier waren Details wichtig, die darauf hinwiesen, dass man das nächste Ziel sein konnte. »Die hätten genauso gut zu mir kommen können. Ich habe der Presse entnommen, dass die Bande organisiert vorgegangen sein soll, geradezu militärisch. Wie kommen Sie darauf?«

»Ob das militärisch war, kann ich nicht sagen, ich war nie bei dem Verein. Es gab einen Chef – ich weiß nicht, wie man die beim Militär nennt –, auf den hörten sie, der dirigierte sie mit Handzeichen: in Deckung gehen, vorwärts, alles ohne Worte. Das kennt man aus Kriegsfilmen.« Thomas hob die Arme und ahmte anscheinend die Zeichen nach, die für Simone keinen Sinn ergaben.

»Er gab auch den Befehl – wie soll ich sagen – zum Rückzug und zum Angriff auf mich«, fuhr Thomas fort. »So sah es aus. Die beiden Angreifer sollten anscheinend den Rückzug decken.«

»Für jemanden, der nie Soldat war, drücken Sie sich sehr professionell aus. Also – gesprochen wurde nicht?«

»Nein, es lief ab wie ein Stummfilm.«

Simone beobachtete Maurice Vitrier. Ihr kam es vor, als würde er geradezu in Thomas' Augen hineinkriechen, damit ihm nicht die kleinste Andeutung entging. Er schien total angespannt zu sein, was Simone verwunderte, da nicht er der Geschädigte war, sondern sein Bruder.

»Haben Sie den Fahrzeugtyp erkannt?« Maurice Vitrier wandte sich um und schätzte die Entfernung bis zum Tor. »Auf die Entfernung werden Sie das Nummernschild kaum haben lesen können.«

»Weder vom PKW noch vom Pritschenwagen. Es war zu dunkel, alles ging zu schnell, es dauerte auch einen Moment, bis ich begriff, was da geschah. Ich könnte nicht einmal sagen, welche Farbe der Pritschenwagen hatte. Das Führerhaus jedenfalls war dunkel. Der Anführer hatte seinen eigenen Wagen.«

»Würden Sie den Mann, den Sie als Anführer bezeichnen, wiedererkennen?«

Jetzt erst bemerkte Maurice Vitrier, dass Simone ihn beobachtete, und sofort änderte sich seine Haltung. Aus dem konzentrierten, sprungbereiten Mann wurde in Sekunden ein entspannt lächelnder Sonntagsgast. Doch seine Augen sprachen eine andere Sprache. Er wiederholte seine Frage.

Thomas blickte von einem zum anderen, es war ihm anzusehen, dass es ihm wenig behagte, im Mittelpunkt des Interesses zu stehen.

»Nein, ich würde den Mann nicht wiedererkennen.«

»Keinesfalls?«

»Keinesfalls, wenn Sie das hören wollen, Monsieur! Es war zu dunkel, Monsieur.«

Vitrier bohrte weiter.

»Wie war der Mann gekleidet? Bei Nacht sind Farben kaum zu erkennen, doch es gibt Grauwerte, und die Silhouette wird meist überdeutlich, zumal das Licht aus dem Tor fiel.«

»Wie kommen Sie darauf, dass Licht brannte? Die Diebe trugen Stirnlampen, wie es Höhlenforscher oder Bergleute tun, an einem Gummiband um den Helm. Aber der, der sie dirigierte, trug eine Armeehose, glaube ich zumindest, die steckte oben in den Stiefeln und beulte sich aus. Springerstiefel nennt man die wohl.«

»Sie haben also doch einiges mitbekommen, wie mir scheint. Und die beiden, die Sie verprügelt haben?«

Der Bruder mischte sich aufgebracht ein. »Ich glaube, du bringst da etwas durcheinander, mein Lieber. Thomas hat niemanden verprügelt, er hat sich gewehrt. Schließlich wurde er angegriffen.«

»Aber der Mann, der verhaftet wurde, den hat er übel zugerichtet. Wird so ein armes Schwein gewesen sein, die müssen es ausbaden, und die Chefs machen Kasse.«

»Können wir nicht über etwas anderes reden?« Das Thema ging Simone zunehmend auf die Nerven, es verdarb ihr die Laune, es verdarb ihr den Sonntag und den Besuch hier. Martin würde morgen in aller Frühe abreisen, und außerdem wollte sie Thomas aus der Schusslinie nehmen, in die ihn Vitriers Fragen immer wieder brachten, als sei ihm etwas vorzuwerfen. Sie meinte, ein Thema gefunden zu haben, das einen Ausweg wies. »Ich hatte neulich abends das Vergnügen, Ihre Weißweincuvée probieren zu dürfen, Monsieur Vitrier. Ich empfand sie als – ja, wie soll ich sagen – einfach nur wunderbar.«

Das Lob nahm Maurice wieder nur ungerührt hin – wieso sollte ihn die Ansicht eines kleinen Mädchens interessieren –, sein Bruder hingegen lächelte milde.

»Das Schöne daran war auch«, Simone holte tief Luft, als fiele es ihr schwer, die folgenden Worte auszusprechen, »in angenehmer Gesellschaft dabei in Ihrem Garten zu lustwandeln. Seit neulich erst verstehe ich das Wort. So ging es früher wohl den Königen unseres Landes, wenn sie in ihren Gärten umhergingen. Ein wenig kommt man sich wie eine

Adlige vor. Sie sind zu beneiden.« Das kleine Mädchen spielend, blickte sie lächelnd in die Runde, und nur Maurice Vitrier blieb reserviert. »Darf ich den Besuch wiederholen?« Innerlich atmete sie erleichtert auf, es war geschafft, sie hatte gespielt und gelogen, ohne rot zu werden. Sie mochte diesen Mann nicht, obwohl sie einen Moment lang gezögert hatte, ob sie nicht lieber zu ihm wechseln sollte, anstatt bei Monsieur Clément zu arbeiten und weiter seinen zudringlichen Blicken ausgesetzt zu sein.

»Ich glaube, es wäre sogar eine Freude für ihn, Sie, Mademoiselle Simone, in seinem Louis-Quatorze-Garten unter den alten Eiben und den Zypressen spazieren zu sehen.« Die Ironie Gustave Vitriers war kaum zu überhören, und es blieb dem Bruder nichts anderes übrig, als zuzustimmen.

»Falls Ihnen dann noch der Sinn nach dem einen oder anderen Glas Wein stünde, so schenken meine Mitarbeiter Ihnen das gern in unserem Probierraum aus. Bei weitergehenden Fragen wenden Sie sich vertrauensvoll an mich. Ich hätte auch den Garten meines Bruders zum Lustwandeln vorschlagen können, aber da würden Sie nur über Rucola und Rüben stolpern. Sehen Sie selbst.«

Der Garten lag jenseits des Gutes mit dem Blick ins offene Land, begrenzt nur vom bewaldeten Hang und den senkrechten grauen Kalkabstürzen.

Thomas geriet in wahre Begeisterungsstürme, und auch Martin war von dem angetan, was er sah. Fast reife Süßkirschen, blühende Birnen- und Apfelbäume, Pflaumen und Mirabellen, dahinter folgten in Reihen Tomaten und Zucchini, Auberginen und Paprika, Rettich und Möhren. Eingefasst war alles von sämtlichen Kräutern der Provence.

»Und wer pflegt diesen Garten?«, wollte Simone wissen. So lieb ihr der Weinberg war, so wenig behagte ihr die Gartenarbeit. Martin hatte kürzlich ebenfalls Ambitionen hinsichtlich eines Gemüsegartens geäußert. Kamen ältere Männer generell auf diese Idee? Dann musste natürlich alles biologisch sein! Sie fürchtete, dass derartige Arbeiten an ihr hängen bleiben würden, denn Charlotte war nur schwer an Haus und Hof zu binden, sie zog es immer wieder in die Hungergebiete und zu den politischen Konflikten dieser Welt, während Martin sich mit der Chemieindustrie anlegte. Ansonsten gab es für ihn nur seine Weinstöcke, den Handel und sein Billard. Es grenzte an ein Wunder, dass er hier noch kein Bistro entdeckt hatte, um die lokalen Cracks herauszufordern.

»Die Pflege des Gartens liegt in den Händen meiner Frau«, sagte Gustave Vitrier. »Ich dachte, dass wir jetzt zu uns hineingehen und ihr sie kennenlernt. Vielleicht kommen ein kleiner Imbiss und meine Weißweine zurzeit gerade recht?«

Martin wollte bereits zustimmen, aber Simone, mutiger geworden, widersprach. »Wir sind auf Château D'Aqueria verabredet, Monsieur Vincent de Bez erwartet uns.«

Gustave Vitrier kannte das Château. »Dort arbeiten die beiden Brüder zusammen, ich kenne Bruno und Vincent recht gut.«

»Er habe nur am Sonntag Zeit, wie er sagte.« Simone ließ sich nicht beirren. »Nächste Woche will er verreisen, nach San Francisco oder so.« Keinen Widerspruch duldend, blickte sie auf ihre Uhr, und ihre beiden Begleiter verstanden sie sofort. Sie wollte hier weg.

»Ich habe mir gedacht, dass es euch auch recht ist, wenn wir gehen. Ich kann diesen Maurice nicht länger ertragen, seine Selbstgefälligkeit und Arroganz. So sympathisch sein Bruder ist, so schwierig empfinde ich ihn. Ich weiß nicht, woher diese Härte kommt.«

»Da kann ich weiterhelfen.« Thomas hatte sich vor dem Treffen mit der alten Lehrerin eben über dieses Thema unterhalten, und sie hatte ihm die zweite Hälfte des Bildes gezeigt, wie er es nannte.

»Links im Bild steht Gustave, er ist auch ein Linker, zumindest liberal, um den haben sich die Eltern nie kümmern können, er ist eigentlich mit dem Gesinde aufgewachsen. Seine Eltern hätten ihre Mitarbeiter so genannt, Franzosen alter Schule, sie hatten einfach keine Zeit, alles war im Aufbau. Nachkriegswirtschaft und das Wiederbeleben zweier Weingüter erfordern totalen Einsatz. Bei Maurice wollten sie alles nachholen, was sie bei Gustave versäumt hatten. Er steht rechts im Bild. Er sollte in allem der Beste sein, in der Schule bereits hat es angefangen, dann im Sport, Rugby hat er gespielt und sich dabei die Knochen gebrochen. Er sollte kein Stromer werden, kein Rumtreiber wie der ältere Bruder, dem man nicht viel zutraute. Als Maurice neunzehn war, die Schule hatte er hinter sich, muss er jemanden im Ort fürchterlich verprügelt haben. Die Eltern haben dem Geschädigten viel Geld gezahlt, um die Sache nicht vor Gericht enden zu lassen, und Maurice ist dann zum Militär gegangen, damit Gras über die Sache wächst. Er ging zu den Pionieren.«

»Jetzt kapiere ich, wieso er immer so steif dasteht«, sagte Simone, »wie auf dem Kasernenhof. Daher stammt sicherlich sein Kommandoton.«

»Die Lehrerin wusste noch mehr zu erzählen.« Thomas saß am Steuer, sie hatten seinen Wagen genommen, er war bequemer als das kleine geliehene Auto. Mittlerweile hatten sie Tavel erreicht. Der Nachbarort, durch seinen Rosé berühmt, lag weniger verschlafen da als Lirac, er war größer, es gab Restaurants, Weintouristen waren unterwegs, aber längst nicht so viele wie in Châteauneuf-du-Pape, wie Simone feststellte. Sie würde sich demnächst auch hier umschauen, wenn sie das Auto hätte, dann könnte sie auch Thomas besuchen, rein zufällig bei ihm vorbeifahren …

»Die treibende Kraft hinter der Erziehung soll die Mutter gewesen sein, ihr hat sich der Junge immer verpflichtet gefühlt.«

Simone wunderte sich, dass die Lehrerin Thomas das alles

derart ausführlich erzählt hat. »Wieso hat die alte Dame so viel Vertrauen zu dir? Ihr kennt euch kaum, nicht wahr?«

Das hatte Thomas sie auch gefragt. »Madame Cécile meinte, dass man über seine Nachbarn Bescheid wissen soll, damit man die Beziehungen der Leute untereinander besser versteht und nicht in irgendwelche Fettnäpfchen tritt. Von außen betrachtet herrscht eitel Sonnenschein, aber hinter den Kulissen gehen die Gewitter nieder. Das kann ich nur bestätigen, das ist bei uns in der Pfalz nicht anders.«

Thomas schwieg nach diesen Worten, Simone, die auf dem Rücksitz saß, sah seine Augen im Rückspiegel und bemerkte, wie sich sein Gesicht verfinstert hatte, und auch Martin schien den Stimmungswandel bemerkt zu haben. Weshalb war Thomas hier? Was war bei ihm zu Hause los? Wovor war er geflüchtet?

»Es soll den Eltern auch lieb gewesen sein, dass Maurice das vermeintlich bessere Château zugefallen ist«, fuhr Thomas nach einer Weile des Schweigens fort, »das am richtigen Ufer.« Maurice würde bei seinem Ehrgeiz mehr daraus machen als der Bruder, damit der Name der Familie an Bedeutung gewinne. »Sieht aus, als sei der Plan aufgegangen.«

»Na, wenn die Vorgänger tot sind, wird er es wohl dieses Jahr auf Platz eins schaffen.« Simone wunderte sich über ihren eigenen Sarkasmus. »Weiß deine Lehrerin auch, wo die Eltern der Brüder sind? Leben sie noch?«

»Stell dir vor, auch das weiß sie. Aber ich habe zuvor schon von Gustave erfahren, dass die Eltern gestorben sind. Aber zurück zu eurem St. Marc. Ich habe gehört, dass man den Concours dieses Jahr möglicherweise ausfallen lässt. Stimmt das? Bei uns kommt nicht alles an, was ihr drüben von euch gebt.«

Sie hatten Tavel längst hinter sich gelassen, als Thomas abrupt auf die Bremse trat. Simone fiel gegen den Vordersitz, sie war nicht angeschnallt. »Was soll das?«, schimpfte sie, »die Straße ist frei.«

Thomas hob die Hand. »Hier soll es sein, hier hat man den Toten gefunden, Lamarc, zumindest seine Gebeine, um nicht Knochen zu sagen.« Thomas bog in einen forstwirtschaftlichen Weg, von vielen Autoreifen zerfahren. »Das werden die Polizeiwagen gewesen sein. Soweit ich weiß, wurde nie nach Lamarc gesucht wie nach dem verschwundenen Mädchen. Lasst uns aussteigen. Ich möchte mich umsehen.«

Martin war sofort dafür zu haben, Simone hingegen protestierte, der Winzer warte tatsächlich, sie wolle sich den Sonntag nicht mit Gruselgeschichten verderben, aber sie wurde überstimmt. Gemeinsam folgten sie einem ausgetretenen Pfad in den Wald, dann schimmerte irgendwann ein Felsen zwischen den Bäumen, bis sie schließlich vor der Wand standen, an der sich zwei junge Freeclimber versuchten, die sich in zwanzig Meter Höhe mit den Fingerspitzen an eine Felskante klammerten.

Simone wandte die Augen ab. »Free-Klammerer sollte man sie nennen, mir wird schlecht, ich kann da nicht hinsehen.«

»Hier also hat Didier Lamarc seinen Mörder getroffen. Entweder wusste der von seinem Hobby, oder er ist ihm gefolgt. Ich finde es erstaunlich, dass man mittels DNA-Analyse herausfinden kann, um wen es sich handelt. Irgendwer hat anscheinend vermutet, dass es sich um ihn handeln könnte. Einer von euch kann mal bei seiner Frau nachfragen, ob sie damals schon, also bei seinem Verschwinden, der Polizei eine Probe seiner DNA überlassen hat.«

Simone protestierte heftig, deshalb sei sie nicht an die Rhône gekommen, Martin solle seinem makabren kriminalistischen Hobby besser allein frönen. Doch dann fing sie seinen Blick auf, er traf sie tief, sie wusste, was der Blick sagte, und sie ging zu ihm, bat leise um Verzeihung und lehnte in einer demütigen Geste ihren Kopf an seine Schulter. Sie wusste, dass ebendieses Interesse dazu geführt hatte, dass die Männer, die hinter dem Mord an ihrem Vater gestanden hatten, dingfest gemacht worden waren. Dabei hatte sie vergessen, dass noch ein Dritter anwesend war. Thomas war anzusehen, dass er von alledem nichts verstand.

»Irgendwann erzähle ich dir alles«, sagte sie, »aber nur, wenn ich auch dein Geheimnis erfahre.«

Vom Felsen führte ein ausgetretener Weg ins Unterholz, das Absperrband der Gendarmerie zeigte, wo genau die Überreste von Didier Lamarc gefunden worden waren. Jeder Meter des Bodens ringsum war durchsiebt worden, um mögliche Spuren des Täters zu finden. Er könnte etwas verloren haben, wie Thomas vermutete.

»Viel Mühe hat sich der Mörder nicht gegeben, die Leiche verschwinden zu lassen«, bemerkte Martin. »Er wird sich sicher gefühlt haben.«

Thomas vermutete, dass beide von der anderen Seite der Rhône stammen, Opfer und Täter, und Letzterer wird nicht davon ausgegangen sein, dass auf dieser Seite nach ihm gesucht wird. »Woher sollte er wissen, dass irgendwann Hundertschaften den Wald durchkämmen würden?«

»Ich nehme an, der Mörder war ziemlich kräftig. Er wird die Leiche nicht durch den Wald gezogen, sondern getragen haben, andernfalls hätte er Spuren hinterlassen.«

Simone beobachtete mit vor der Brust verschränkten Armen die beiden Experten. Männer waren komische Wesen. Sie wäre nie auf die Idee gekommen, sich Gedanken über den Ablauf eines Mordes zu machen. Daher wunderte sie sich über ihren eigenen Kommentar: »Die Spuren wären doch längst verweht, seit zwei Jahren ist der Mann verschwunden …«

Thomas sah sie an, als zweifelte er an ihrem Verstand. »Aber nicht, falls man ihn gleich nach seinem Verschwinden gesucht hätte.«

Sie ärgerte sich, zum einen über Thomas' Gesichtsausdruck, zum anderen über ihren Denkfehler. Sie schaute auf ihre Uhr. »Los, es wird Zeit, wir werden erwartet.« Simone hasste es, unpünktlich zu sein.

Das Faszinierende an Château D'Aqueria war die Weite, der leicht gewellte Raum unter dem tiefblauen Himmel, obwohl die Mauer zwischen Rebflächen und Landstraße und die das Portal einfassenden Säulen Enge hätten signalisieren können. Ein heller Schotterweg führte durch die Rebanlagen, Waldinseln flankierten oder trennten sie, und Simone freute sich, dass sie bereits jetzt einen Blick für die unterschiedliche Beschaffenheit des Bodens besaß. Bei den Rebsorten würde es lange dauern, bis sie die verschiedenen Blätter, ihre Buchtungen und die Grüntöne würde auseinanderhalten können. Thomas und Martin fachsimpelten, sie verstand kein Wort, da sie ins Deutsche gefallen waren und sie vergessen hatten. Es war ihr lieb, es zeigte, dass die beiden sich verstanden, und das war ihr wichtig.

Der Weg führte auf die Wirtschaftsgebäude zu, die sich in ihrer Farbe kaum vom Schotter der Wege unterschieden. Links lag das Herrenhaus, das Château, anders ließ sich das zweistöckige, hellgelbe Gebäude nicht bezeichnen. Rechts und links des Eingangs waren die vielen Fenster symmetrisch angeordnet, es musste sich um die repräsentativen Räume handeln, die Fenster im oberen Geschoss gehörten sicher zu den Privatgemächern.

Vor der Einfahrt zur Kelterhalle parkte ein Lastwagen, der erst morgen beladen werden würde, wenn das Sonntagsfahrverbot nicht mehr galt. Es war der Anblick, den sie von anderen Kellereien her kannte. Sie liebte es, wenn alles an seinem Platz stand, und hier war es so, wie sie es sich wünschte, auch die Weinberge breiteten sich in weitem Rund rings um die Kellerei aus, unterbrochen von grasgesäumten Wegen und Baumgruppen, um die Monokultur aufzubrechen. Sechsundsechzig Hektar in einem zusammenhängenden Gebiet erleichterten die Arbeit enorm und machten die Produktion billiger, als dreißig oder vierzig verstreut liegende Parzellen zu bewirtschaften, wie bei Clément, Parzellen, die sie nur mit einem Lageplan fand. Thomas meinte, dass bei einer derart großen zusammenhängenden Fläche die Homogenität des Terroirs ein Vorteil und gleichzeitig ein Nachteil sei, der für die Uniformität der Weine sorgte. Sie aber punktete ihm gegenüber, da sie auf die Farbdifferenzen hinwies und sich freute, dass Martin es bemerkte.

Kaum hatten sie einen Überblick gewonnen, trat auch schon der Hausherr auf sie zu. Bruno de Bez war ein kleiner, Vertrauen erweckender Mann mit rundlichem, sonnengebräuntem Gesicht. Die Sonne blendete ihn und ließ ihn die Augen zu einem Lächeln zusammenkneifen. Nach der kalten Förmlichkeit Vitriers war es für Simone ein angenehmer Wechsel.

De Bez war kein Landedelmann, er war Winzer, er fasste mit an, wie sich an den kräftigen Händen, den lehmigen Arbeitsschuhen und fleckigen Arbeitshosen zeigte. Was für eine gänzlich andere Persönlichkeit als Maurice Vitrier, dachte Simone bei seinem Anblick. Er hielt sich nicht mit höflichen Floskeln auf, bat sie ins Besprechungszimmer, bot Kaffee und Wasser an, die Weinprobe verschob er auf später. Zuerst kamen erklärende Worte.

Der Bruder, Vincent de Bez, sei für die kaufmännische Seite des Weingutes verantwortlich, er hingegen, Vincent, sah sich als Weinbauer. »Ich wurde sozusagen hier zwischen den Reben geboren. Ich bin im achtunddreißigsten Jahr Winzer, und Sie werden es selbst erfahren haben – jedes Jahr ist anders.«

Mit Schrecken – sein Gesicht nahm tatsächlich einen finsteren Ausdruck an – erinnerte er sich an die Blitz-Flut kurz vor Lesebeginn im September 2002. Da sei in zwanzig Stunden so viel Regen gefallen wie sonst im ganzen Jahr. Das Wasser hatte sogar Autos mitgerissen und sie in die Senken geschwemmt. Die Flut hatte großflächig Reben entwurzelt und mitgerissen, D'Aqueria verlor in jenem Jahr sämtliche rote Trauben, nur wenig blieb für den Rosé übrig, und in den Mulden hätten die Rebstöcke tagelang im Wasser gestanden. Vierundzwanzig Menschenleben hatte der Regen gefordert, Schäden von über einer Milliarde Euro waren entstanden.

»Wenn ich darüber spreche, läuft es mir noch immer kalt den Rücken herunter«, so Monsieur de Bez. Aber die folgenden Jahre hätten ihn wieder entschädigt. So wie das Wetter sich von Jahr zu Jahr ändere, so ändere auch er sich und mache andere Weine. »Wir machen den Wein, der wir sind, der unsere Lebenssituation ausdrückt. Wir sind jung, wir sind alt, wir sind unglücklich oder glücklich, man weiß nie, was passiert, mit einem selbst und mit den Trauben. Wir sind Erfinder und müssen uns auf alles immer wieder neu einstellen.«

Simone gefiel diese Ansicht, gleichzeitig machte sie ihr Angst, denn sie sah alles gern an seinem Platz. Mit Veränderungen umzugehen, fiel ihr schwer. Martin hatte geäußert, dass es womöglich mit dem Tod ihres Vaters zusammenhänge und den daraus folgenden Veränderungen ihres Lebens. Vielleicht war da etwas dran, denn die daraus entstandenen Veränderungen hatten ihr überhaupt nicht gefallen. Wäre alles einfacher gewesen, wenn sie immer bei Martin und Charlotte …?

»Für den Rosé, er macht den Großteil unserer Produktion aus, brauchen wir ein Gleichgewicht von Zucker, Säure und Alkohol.« Darüber sprach Monsieur de Bez jetzt. Rosé – das war etwas, womit sie bislang nie zu tun gehabt hatte, in Saint-Émilion machte niemand Rosé, anders als bei ihrem jetzigen Arbeitgeber. Die Domaine Clément bewirtschaftete auch einige Hektar in der Appellation Lirac.

Während die Trauben für den hiesigen Rotwein zum Teil mit den Rappen vergoren, war das beim Rosé ausgeschlossen. Man war froh über möglichst wenig Tannin. Die Schalen der Beeren lieferten sowieso genug. Der Wein lebte von Frucht und Frische. Dieses Ziel wurde auch durch Kühlung der Trauben vor der Mazeration erreicht. Die Standzeit auf der Maische war kurz. Betrug sie beim Roten zwei oder drei Wochen, so waren es beim Rosé knappe sechs Stunden. Andernfalls wäre er dunkel geworden. Die Rebsorten waren da bereits assembliert. Der Most wurde abgezogen, die Maische gepresst und der Ablaufwein sowie der Presswein gemeinsam vergoren. Monsieur de Bez hielt genau das für ein entscheidendes Kriterium, es hatte die Weine aus Tavel berühmt gemacht. Aus sieben Rebsorten setzten sich diese Weine zusammen.

Wie üblich galt Grenache auch auf D'Aqueria als Leitrebsorte, auch wenn sie nicht als Erste reif war, aber sie gab den Ton an. Picpoul aber war für de Bez im Spiegel seiner Rebsorten der schwierigste Fall. »Ich weiß nie genau, wann die Sorte richtig reif ist und wann ich sie lesen muss.«

Es gefiel Simone, dass ihr Gegenüber bereit war, über seine Schwierigkeiten zu sprechen, das tat nicht jeder.

Martin, der sich zurückgehalten hatte, fragte, ob und wie sich der Klimawandel hier auswirkte. Es war eine seiner Sorgen, dass die Auswirkungen von den Regierungen heruntergespielt wurden.

Steigende Hitze und neue Wetterphänomene gebe es auch an der Rhône, meinte Monsieur de Bez. »Der Lesezeitpunkt hat sich um einen Monat nach vorn verschoben. Leider beginnt die Blüte nicht früher, und die Temperaturschwankungen nehmen zu. Was wir aber brauchen, ist die lange, gleichmäßige Reife, dazu sind ausgeglichenes Wetter und stabile Temperaturen nötig. Und wir leben stets in der Hoffnung, dass uns der Mistral nicht die Blüte verrieseln lässt.«

Man sprach über Begrünung der Rebzeilen, über Schnittmethoden, Bodenbeschaffenheit und Erntemengen, die sowohl hier wie am linken Ufer extrem niedrig waren. Besonders Thomas fragte intensiv nach, denn was der Gesetzgeber hier zuließ, lag weit unterhalb dessen, was in der Pfalz, wie generell in Deutschland, erlaubt war.

»Bei uns kommt es darauf an, ob man einen Land- oder Qualitätswein produzieren will. Für Letzteren sind hundertfünf Hektoliter je Hektar zugelassen.« Es hörte sich an, als müsste er sich dafür entschuldigen. »Aber die Erträge im Qualitätsweinbau liegen in Wirklichkeit weit darunter«, fügte er schamhaft hinzu.

Monsieur de Bez' Gesichtsausdruck zeigte zwar keine Verachtung für dieses Maß, doch ein wenig schimmerte wieder durch, dass die Franzosen sich für die Weinnation Nummer eins hielten.

»Für die neunhundert Hektar Rebfläche Tavels gelten vierundvierzig Hektoliter je Hektar als Maximum, für Lirac sogar nur einundvierzig. Drüben, am anderen Ufer, sind es sogar nur fünfunddreißig Hektoliter per Hektar. Oft erreichen wir nicht einmal diese geringen Mengen; denn unsere hundert Jahre alten Reben geben nicht mehr her. Bei Ihnen, junger Mann, kommt sicher hinzu, dass Sie eine höhere Bestockungsdichte haben«, fügte er hinzu, die Entschuldigung für das in Frankreich Undenkbare gleich mitliefernd.

Thomas wirkte gekränkt. »Als mein Vater und ich das Weingut übernahmen, haben wir die Erträge umgehend runtergefahren und konnten einen deutlichen Qualitätsschub erreichen. Aber jetzt würde ich gern Ihre Weine probieren.«

Man verließ das Besprechungszimmer, trat in die Sonne und warf einen erneuten Blick über das sich bis zum Horizont erstreckende Grün des Weins, der die Hügel überwucherte. So war es immer, alle wurden beim Blick in die Weite für einen Moment lang still. Hinter dem Wald vermutete Simone die Rhône, von der sie bislang wenig gesehen hatte. Vielleicht konnte sie Thomas zu einem Ausflug bewegen, am liebsten mit einem Picknick am Ufer, was sie sehr liebte. Sie sah ihn an, aber er hatte nur Augen für den Winzer.

Im Verkaufsraum stellte de Bez sechs Flaschen in der Reihenfolge auf, wie er sich die Probe vorstellte: Zuerst ein Côtes du Rhône Rosé vom letzten Jahr, dann einen Weißen aus Lirac. An dritter Stelle kam die Rosécuvée mit dem Picpoul, der ein roter, junger Côtes du Rhône folgte. Die Schwergewichte mit den Rebsorten Grenache, Mourvèdre und Syrah bildeten wie üblich den Schluss.

Mit Befriedigung nahm sie wahr, dass auch Thomas ähnlich wie sie ein Büchlein hervorholte, in das er seine Bemerkungen schrieb. Sie hätte gern abgeguckt, denn sie wusste nicht, was sie schreiben sollte. »Heller Rosé, schöne deutliche Frucht, kein Bonbon trotz Himbeere und roter Johannisbeere, leichte, angenehme Säure?« Welche Attribute blieben ihr dann noch für die anderen Weine, denn das war erst der Côtes du Rhône? Der Rosé mit Picpoul folgte. Sie schrieb: »Intensive Frucht, reif, nicht schwer, aber kompakt, hintergründig, Aromen weißer Früchte und Himbeere, Banane?, untypisch (oder mir unbekannt?), vielleicht zu warm probiert.«

Obwohl es ein Jahr mit großer Hitze gewesen sei, so der Winzer, besäße sein Weißwein wenig Säure, was auch Simone so empfand. Aber dieser Mangel wurde durch grandiose Fruchtaromen wie Pfirsich und Birne sowie ein Bukett von Sommerblüten ausgeglichen.

Hoffentlich schreibe ich keinen Unsinn, sagte sie sich und hätte zu gern Thomas' Aufzeichnungen eingesehen. Martin hingegen notierte nichts, er äußerte sich anerkennend und diskutierte mit de Bez die technischen Einzelheiten, was gewesen wäre, wenn, wie der Wein sich bei diesem oder jenem Eingriff verhalten und entwickelt hätte, wenn man dies oder jenes getan oder gelassen hätte.

Harmonie, Dichte und typische Aromen, Eleganz und Finesse, das waren die Begriffe für die Rotweine. Es war nicht einer mit einem Fehler darunter, nicht mal die Andeutung einer Schwäche.

»Da kommen wir bei Dupret längst nicht mit«, raunte ihr Thomas zu. »Hier könnte ich mehr lernen. Aber sich mit Alain zusammen zu entwickeln, finde ich spannender.« Er bat den Winzer um je eine Flasche, um sie mit Alain zu diskutieren. Da müsste man hinkommen! Thomas wollte sie bezahlen, aber das ließ de Bez nicht zu. »Auch wenn ich mir die jugendliche Konkurrenz heranzüchte«, meinte er lächelnd.

Beim anschließenden Rundgang zeigte sich, wodurch die den Weinen eigene Frische hervorgerufen wurde: Mazeration, Gärung und Lagerung fand in gemauerten Tanks statt, hier ließ sich niemand vom Holz, vom Barrique, den Wein kaputt machen und von Vanille und Zimt überdecken.

Zurück in Châteauneuf-du-Pape lud Martin sie und Thomas im Restaurant unter der Ruine des päpstlichen Palastes zum Essen ein. Simone merkte schnell, dass es Martin auch darum ging, Thomas endlich dazu zu bewegen, die wahren Gründe für seinen Aufenthalt hier preiszugeben. Er ließ nur so viel durchblicken, dass es Schwierigkeiten mit einem Partner gäbe, der mit auf dem Weingut lebte. Martin verstand das gar nicht.

»Schwierigkeiten muss man angehen und ihnen nicht ausweichen. Das macht sie nur größer.«

»Vielleicht muss man sich manchmal zurückziehen, um Kraft zu sammeln und stärker zurückzukommen«, konterte Thomas. Gegen beides ließ sich nichts sagen, es kam auf die Situation an.

»Weshalb mauerst du so?«, fragte Simone, nachdem sie Martin vor seinem Hotel abgesetzt hatten. Er wollte früh schlafen gehen, Thomas hatte versprochen, ihn um sechs Uhr abzuholen und zum Zug zu bringen. Anschließend würde er Simone zur Werkstatt fahren, der Wagen war heil, der Verteilerkopf ausgetauscht. »Lass uns ein wenig spazieren gehen«, schlug sie vor, als Thomas in die Einfahrt zur Domaine Clément einbog. »Der Garten von Monsieur Vitrier gefällt mir so gut, er hätte nichts dagegen. Wie schade, dass Monsieur de Bez keine Zeit fand, seinen Garten vorzuführen. Der stammt aus derselben Epoche wie der von Vitrier, 18. Jahrhundert. Als Kind habe ich davon geträumt, Landschaftsarchitektur und Gartenbau zu studieren, und nun bin ich im Weinbau gelandet …«

»… was in etwa dasselbe ist«, beendete Thomas den Satz. »Mir sind die englischen Gärten lieber, sie bieten mehr Möglichkeiten zur Variation, und als weitere Dimension kommt die Höhe hinzu. Die französischen Gärten sind mir zu akkurat, zu abgezirkelt, die Pflanzen haben keine Freiheit, alles ist vorgegeben, sie bieten zu wenig Raum für Kreativität und für die eigenen Ansichten.«

»Sie sind eben Ausdruck ihrer Zeit.« Simone meinte, sich verteidigen zu müssen. »Außerdem ist das Geschmackssache.«

Aber sie war sich nicht sicher. Die englischen Gärten waren ihr unheimlich, da herrschte viel Schatten, es gab verschlungene Wege, unerwartete Perspektiven, Teiche mit allerlei Getier, und Zweige strichen einem plötzlich übers Gesicht. Da war ihr die Ordnung lieber, die Klarheit der Formen, Linien waren vorhersehbar, sie setzten sich in rechten oder spitzen Winkeln fort, das Ganze ließ sich erfassen, Strukturen erkennen, jeder Wandel wurde lange vorher angekündigt und eingeleitet, und der Blick wurde geführt.

»Der französische Garten bietet der Neugier keinen Raum«, erwiderte Thomas, »und gerade sie halte ich für eine wichtige Triebkraft.«

»Ja sicher, aber nur, wenn einem keine Fragen gestellt werden, bei denen man die Antwort scheut.« So wie du, wenn man dich nach dem Grund des Hierseins fragt, hatte sie sagen wollen, aber sie traute sich nicht. Thomas verstand trotzdem, was sie meinte. Sie hatten längst wie unbeabsichtigt den Garten betreten, der auch unübersichtliche Bögen und mannshohe Hecken bot.

Unvermittelt packte Thomas sie am Arm und zog sie hinter einen von dichtem Efeu überwucherten Mauervorsprung. Simone wollte protestieren, da spürte sie Thomas' Finger auf den Lippen, er wies zum Château. »Wir sind nicht mehr allein.« Dann stand er mit einem Mal stocksteif da, den Mund offen, staunend, die Augen ungläubig aufgerissen.

Auf einem Weg, der sie direkt an ihnen vorbeiführen würde, kamen Monsieur Vitrier und ein zweiter Mann herunter. Im Gegensatz zu Vitrier, der im Anzug erschienen war, trug der Mann eine Hose in undefinierbarer Farbe, hatte die Hände in den Taschen seiner hellgrünen Jacke verborgen, und ein Basecap bedeckte den Kopf.

»... dass du endlich mit deinem militärischen Firlefanz aufhörst!« Das waren die ersten Worte, die Simone verstand. »Musst du ewig diese blödsinnigen Stiefel anziehen, Daan?« Vitrier schien das sehr zu ärgern.

»Quatsch, man konnte nichts sehen, alles war dunkel.«

»Ihr Idioten, ihr habt Licht gemacht. Deine blödsinnigen Stirnlampen. Da lässt sich jede Silhouette erkennen. Halte dich gefälligst an die Befehle ...«

»Den Mann neben Vitrier habe ich schon mal gesehen«, raunte Thomas Simone zu. »Ich weiß auch, wo ...«

Kapitel 17

Es war der Mann, der den Überfall kommandiert hatte. Thomas war sich absolut sicher. Die Gestalt, der Körperbau, die Bewegungen, all das stimmte überein. Als Maurice Vitriers Begleiter dazu noch den Arm ausstreckte und einen Ast zur Seite bog, was jenen nächtlichen Handzeichen glich, mit denen der Rückzug der Bande eingeleitet worden war, gab es keinen Zweifel mehr, obwohl das Gesicht in jener Nacht nichts als ein hellerer Fleck gewesen war.

»Den kenne ich«, wiederholte Thomas verblüfft und gab Simone flüsternd seine Beobachtungen wieder, seinen Mund so nah an ihrem Ohr, dass es ihn verwirrte. »Ich verstehe jetzt gar nichts mehr.« Er zog Simone tiefer ins Gebüsch, bemüht, seine Aufregung nicht durchdringen zu lassen und Simone anzustecken. Die Männer kamen so nah, dass er fürchtete, sie könnten ihn oder Simone sogar atmen hören.

»… er scheint mir kein Dummkopf zu sein«, hörte er Maurice Vitrier sagen. »Glaubst du, dass der, den sie geschnappt haben, redet?«

»Niemals!«, erwiderte der andere kategorisch. »Masud weiß, dass es seine letzten Worte wären, wir kennen die Familien …«

Dann entfernten sich Maurice Vitrier und sein Begleiter, ihre Worte waren nicht mehr zu verstehen, und auch die Schritte im Park verklangen. Thomas blieb in der Hocke, sein Mund nah an Simones Ohr. Er konnte sie riechen, er konnte sie gut riechen.

»Was benutzt du für ein Parfüm?«, fragte er, um seine Unsicherheit zu überspielen. War ihre Nähe der Grund für sein Herzklopfen oder das, was die Männer gesagt hatten?

»Ich verwende kein Parfüm, das mache ich niemals, wenn ich zu einer Weinverkostung gehe.« Sie wandte sich ihm zu, lächelte halb ängstlich, halb verwirrt. »Meinst du nicht, wir sollten jetzt besser verschwinden?«

Thomas fand Gefallen an der Situation, hier mit ihr, im Schatten, auf Tuchfühlung. »Lass uns noch einen Moment warten. Wir dürfen ihnen nicht in die Arme laufen, falls sie zurückkommen.«

»Worum ging es in dem Gespräch?« Simone versuchte, eine bequeme Haltung zu finden, auch Thomas sah sich gezwungen, die Beine auszustrecken, um einen Wadenkrampf zu vermeiden. Beide saßen Schulter an Schulter, hielten die Zweige auseinander, um die Wege des Parks im Auge zu behalten.

»Ich verstehe gar nichts. Mich entsetzt das vielmehr. Es hört sich an, als gebe Vitrier diesem Daan das weiter, was ich ihm gesagt habe. Der war, da bin ich mir ganz sicher, bei dem Einbruch nicht nur dabei, er war der Boss. Er gab seinen Leuten Handzeichen, was sie tun sollten.«

Sie schwiegen und lauschten in die sich senkende Nacht, sie warteten auf Stimmen oder Schritte. Simone legte ihre Hand auf seine. »Ich glaube, es ist gefährlich, was wir hier machen. Wir sollten abhauen. Aber sag mir, wieso redet Maurice Vitrier mit jemandem, der bei seinem Bruder einbricht? Da wehrt sich alles in mir. Du irrst dich, du musst dich irren. Das ist kein …« Sie suchte nach einem Wort.

»… Gangster?« Thomas rümpfte die Nase. »Du meinst Vitrier? Ich habe andere Leute erlebt, von denen haben wir …«, er korrigierte sich, »… von denen hat man das auch nicht angenommen, und hinterher hat sich herausgestellt … Allerdings könnte es sein, dass Gustave sich auf diese Weise neue

Maschinen beschaffen wollte, er lässt sich die alten klauen und von der Versicherung neue bezahlen.«

Aber sollte er sich derart in ihm täuschen? Thomas zweifelte, er zweifelte neuerdings an vielem. Er hatte sich in Manuel getäuscht, den er seit Beginn seines Studiums kannte, mit dem er fünf Jahre zusammengewohnt und das Weingut aufgebaut hatte. In Kamila hatte er sich getäuscht und ihre Liebesschwüre geglaubt. Sie waren sich so nah gewesen – hatte er geglaubt …

»Wer kommt auf die Idee, den eigenen Bruder zu beklauen?«, fragte Simone. »Hat er das bei seinem vielen Geld nötig?« Simones Einwand war nicht von der Hand zu weisen.

»Vielleicht lässt Maurice beim Bruder einbrechen, um über jeden Verdacht erhaben zu sein. Vielleicht hat er Schulden oder braucht den Nervenkitzel!« Thomas lauschte konzentriert in die Dunkelheit, er hörte Schritte. »Sie kommen zurück. Unser Glück, dass sie keinen Hund haben.«

»Katzen haben sie, alle haben Katzen, überall laufen die Biester herum«, flüsterte Simone und kicherte. »Auf den Mauern liegen sie, auf den Autodächern, auf Treppenstufen, überall. Die Hunde hier sind nur zum Spielen da, fürs Sofa, Pekinesen und Rehpinscher …«

»Still, bitte!« Thomas formte mit den Händen Muscheln hinter den Ohren, um besser zu hören.

»… werden wir erst einmal die Aktivitäten verlagern, am besten auf eure Seite.« Das war die Stimme des Fremden.

»*Très bien*, um Avignon herum erreichen wir mehr. Es ist lukrativer. Beaumes-de-Venise sollten wir uns vornehmen, Vaison-la-Romaine auch. Das erfordert allerdings eine andere Strategie und eine bessere Vorbereitung …«

Die Stimmen der beiden Männer verloren sich im Dunkel. Thomas erhob sich. »Findest du allein nach Hause?« Er half Simone auf.

»Was hast du vor?«, fragte sie zaghaft, und Thomas erklärte, dass er rauskriegen wollte, wer der Begleiter war. Er hatte nur den Namen »Daan« verstanden. Das war kein französischer Name.

»Gustave, meinen Nachbarn, kann ich schlecht danach fragen. Wenn er nicht mit drinsteckt, wird er den Bruder trotzdem warnen. Das würde ich auch tun. Dann geht es mir schlecht. Ich bin der einzige Zeuge. Dieser Daan wird mit dem Auto gekommen sein. Ich folge ihm, ich muss wissen, wo er hinfährt.«

Wenn Maurice Vitrier sich die Hände schmutzig gemacht hat, ergänzte Thomas im Stillen, weiß er nun, dass ich seinen Unteroffizier womöglich wiedererkenne, und dann kann Simone hier nicht mehr in Ruhe arbeiten. Er behielt diesen Gedanken für sich, denn er wollte und durfte sie nicht ängstigen. Verängstigte Menschen machten zu leicht Fehler.

»Wieso gehst du nicht zur Gendarmerie?« Simone war überzeugt, dass man dort an der Aufklärung der Einbrüche interessiert sei.

»Die halten mich für übergeschnappt. Die Brüder Vitrier sind angesehene Leute, Maurice ist eine Persönlichkeit. Ich habe die Beamten neulich nachts erlebt. Die vom Einbruchsdezernat aus Bagnols-sur-Cèze sind keine Leuchten, eher Dorfpolizisten.« Thomas klopfte sich die Erde von der Hose.

Simone umarmte ihn. »Pass auf dich auf, sei bitte vorsichtig. Wenn du recht hast, dann sind das Verbrecher …«

»Du sagst zu keinem Menschen ein Wort, versprochen?«

Sie nickte, aber Thomas war überzeugt, dass sie ihren Martin einweihen würde, so wie die beiden miteinander standen.

Er sah kaum die Hand vor Augen, als er durch den dunklen Park hastete. Er hielt sich am Rande im Schatten der großen Bäume. Das Licht in einigen Fenstern des Châteaus half ihm bei der Orientierung. Neben dem Lichtkegel einer

Laterne verabschiedete Vitrier seinen Besucher. Thomas huschte ungesehen vorbei und rannte zu seinem Wagen.

Als der Fremde in Richtung des Zentrums von Châteauneuf-du-Pape in die Landstraße einbog, folgte ihm Thomas, ohne die Scheinwerfer einzuschalten. Das erinnerte ihn an den überfahrenen Winzer. Er konnte nur hoffen, dass ihm kein Mensch vor den Wagen lief. Kurz vor der Ortseinfahrt schaltete er das Licht ein, so erkannte er die Autonummer: FR-637-KL 30. Die kleine Zahl am Ende stand für das Département Gard. Also kam er aus der Nähe. Doch die silberne Kia-Limousine musste nicht auf diesen Daan zugelassen sein – vielleicht war sie geliehen oder gestohlen?

Thomas fühlte sich wach wie selten. Noch war es einfach, dem Wagen zu folgen. Châteauneuf war unübersichtlich, die Straßen waren zugeparkt, das zwang jeden Fahrer, nach vorne zu blicken, statt in den Rückspiegel zu sehen. Außerdem zwangen Bodenwellen dazu, langsam zu fahren, und Lichtreklamen sowie Straßenlaternen lenkten ab. Aber auf der Landstraße würde es schwierig werden, was sich sofort bewahrheitete, nachdem sie den Ort hinter sich gelassen hatten. Thomas setzte den Blinker nach rechts und schaltete dann sowohl das Licht wie auch den Blinker aus. Die Straße ließ sich erkennen, vor den Kurven warnte ihn das rechte Bremslicht des Kia, das linke war defekt. Als ein Wagen entgegenkam, schaltete Thomas das Licht ein und sofort wieder aus. Die D 976 zur Brücke über die Rhône war für derartige Sperenzchen viel zu befahren. Er lächelte bei dem Wort Sperenzchen still vor sich hin. Sein Vater hatte es in derartigen Situationen benutzt. Ihn hätte er jetzt gern dabei, und er erinnerte sich mit diebischer Freude daran, wie sie auf der Suche nach Beweisen gemeinsam in ein Kölner Reihenhaus eingebrochen waren. Sein Vater war für derartige Aktionen sehr zu haben.

Daan, der Unbekannte, fuhr zügig durch die Nacht. Kaum war die Straße frei, wurde es riskant, ihm ohne Licht zu folgen, er überholte auch gnadenlos an gefährlichen Stellen. Nur in den Ortschaften wie Saint-Geniès-de-Comolas hielt er sich an die Geschwindigkeitsbegrenzung. Dahinter gab er wieder Gas. Sie fuhren fast den gleichen Weg, den Thomas auf der Herfahrt genommen hatte, dann ein Stück in Richtung Bagnols, wo er neulich mit Alain gewesen war. Bereits in l'Ardoise ging es links über die Bahnlinie in Richtung Laudun weiter. Auf dieser einsamen Landstraße fuhr er wieder ohne Licht. Da meldete sich der Rufton der Freisprechanlage. Es war Simone, er nahm das Gespräch an.

»Wo bist du? Alles in Ordnung?«

Es freute ihn, dass sie um ihn besorgt war. »Es geht mir gut, bisher kenne ich mich aus, jetzt fahren wir auf Laudun zu, ich sehe die Lichter, der Ort liegt am Berg, na ja, ein Berg ist es nicht, mehr ein Hügel. Du bist gut heimgekommen?«

Simones Schweigen bis zur Antwort war eine Sekunde zu lang. »Ja, ich bin gut an ihm vorbeigekommen …«

»Wirklich?«

»Ich habe einen Moment gewartet und dann denselben Weg genommen wie du, aber … gut möglich, dass Vitrier etwas gemerkt, gehört hat. Nein, er hat mich nicht gesehen, zumindest nicht erkannt.«

»Bist du dir sicher?« Thomas' Sorge um sie nahm zu, er wäre gern sofort umgekehrt. Da tauchte vor ihm ein Kreisverkehr auf, er musste dem Kia folgen, ohne Licht fahren und gleichzeitig telefonieren. Das war zu viel. »Ich muss Schluss machen, es wird schwierig …«

»Ruf mich gleich an …«

Daan nahm die erste Ausfahrt. Nach zwei Minuten passierten sie die Genossenschaftskellerei Laudun-Chuslan. Die würde er sich auf jeden Fall ansehen, später, wenn das hier …

Die Straßen wurden enger, es ging bergauf, Laudun lag in tiefem Schlaf, nirgends Autofahrer, nirgends ein Fußgänger. Sein Vordermann raste geradezu zwischen parkenden Wagen hindurch, als wüsste er, dass niemand seinen Weg kreuzte. Thomas glaubte, dass er nicht bemerkt worden war, aber wollte der Typ ihn jetzt abhängen? Es ging um eine Spitzkehre steil hinauf, jetzt würde es sich entscheiden. Da hielt Daan und parkte gegenüber einer hell erleuchteten Café-Bar. Ohne abzuschließen, stieg er aus und ging hinein. Also war er am Ziel.

Thomas atmete auf, er bog in die tiefer gelegene Rue de la République, parkte in der nächsten Einfahrt und rannte zurück. Die Dunkelheit und das Spiel zwischen Licht und Schatten ausnutzend, näherte er sich dem »Café des Athlètes« und blieb auf der anderen Straßenseite an einen Baum gelehnt stehen. Große Fenster und die gläserne Eingangstür des zweigeschossigen, wie ein Tortenstück zwischen zwei Straßen stehenden Gebäudes boten hervorragende Einblicke. Die Bar war gut besucht, die Stimmung schien prächtig, im einzigen Gastraum tummelten sich vornehmlich kräftige, kahlköpfige Männer zwischen zwanzig und dreißig Jahren, die wenigen Frauen waren wesentlich jünger. Beim Näherkommen zeigte sich, dass der Eindruck mehr auf freizügige Kleidung, knallig rote Lippen und das grelle Blond ihres Haars zurückzuführen war. Thomas behagte diese ordinäre Szene wenig. Es erinnerte ihn zu sehr an den Frankfurter Club, wo er Kamila getroffen hatte. Bei den geschorenen Männern musste es sich um Soldaten handeln, für Neonazis war die Kleidung zu bunt, die Gesichter zu sympathisch und die Tätowierungen zu unauffällig. Hier in der Nähe soll es eine Garnison der Fremdenlegion geben.

Daan stand hinter dem Tresen, hatte die Frau am Zapfhahn zu sich herangezogen und redete auf sie ein, sein Mund nahe an ihrem Ohr. Wenn er so vertraulichen Umgang mit der Barfrau pflegte, war es entweder seine Frau oder die Freundin, oder gehörte die Bar womöglich ihm? Am liebsten hätte Thomas dort drinnen ein Bier gezischt und sich dann schlafen gelegt. Er warf einen letzten Blick auf die Gäste. Er würde wiederkommen, wenn es nicht so voll wäre, dieser

Daan würde ihn sicher nicht erkennen. Er konnte sich einen Kaffee genehmigen, Zeitung lesen und das Geschehen beobachten. Die kleinen Dinge waren es, die einen auf die großen Zusammenhänge brachten.

Um sechs Uhr stand er vor dem Hotel. Martin war pünktlich, Simone ebenfalls. Thomas bekam die Augen kaum auf, dafür kannte das Navi den Weg zum TGV-Bahnhof in Avignon. Für Alain hatte er einen Zettel in die Küche gelegt, dass er heute ein wenig später kommen würde.

Martin, der sich auf die Rückbank gesetzt hatte, bedauerte sehr, dass er bei der Übergabe des Autos nicht dabei sein konnte. Schließlich sei es ein Geschenk von Charlotte und ihm. Er hoffte, dass es Simone gefiel, immerhin sei es ihr erster eigener Wagen. Dann ließ er sich haarklein berichten, was am Abend im Park von Maurice Vitrier vorgefallen war.

»Daan! Was ist das für ein Name?«, fragte er. »Hört sich nicht französisch an.«

Martin wusste nichts damit anzufangen, seiner Ansicht nach klang es holländisch oder dänisch. Simone kannte eine belgische Band mit diesem Namen.

»Woran ich diesen Daan erkannt habe, sagte ich bereits.« So müde, wie er heute war, fiel es Thomas schwer, die richtigen Worte auf Französisch zu finden. »Nachdem ich ihn in dieser Bar mit den anderen Männern gesehen habe, glaube ich, dass er mit dem Militär zu tun hat. Für einen Soldaten jedoch ist er zu alt.«

»Wieso glauben Sie das? Er könnte ein Offizier sein.«

Thomas war aufgefallen, dass Martin stets nachfragte, dass er alles genau wissen wollte, und das, was er selbst behauptete, gleich mit stichhaltigen Argumenten untermauerte. Thomas musste sich einmal mehr vor Augen führen, dass Simones Patenonkel ein Quereinsteiger war, ein ehemaliger Ingenieur und Weinhändler, ein Techniker und Kaufmann eben. »Es war die Haltung, es waren die Handzeichen in der

Nacht, so agieren keine Diebesbanden. Und das Publikum in der Bar …«

»Woher wollen Sie wissen, wie Diebesbanden agieren? Die lernen auch dazu, das organisierte Verbrechen hat sich in Europa längst zu einem Wirtschaftszweig entwickelt. Das geht nicht ohne straffe Führung. Waren Sie beim Militär, um diese Handzeichen zu deuten?«

Martin bat Thomas, als er seinen Unwillen bemerkte, ihn nicht falsch zu verstehen. Die Nachfrage sei keine Kritik, es sei vielmehr wichtig, seine Überlegungen auf genauen Beobachtungen aufzubauen, um die richtigen Schlüsse zu ziehen.

»Ich habe Ersatzdienst geleistet«, sagte er ärgerlich. »Dass Maurice Vitrier nach der Schule zum Militär gegangen ist, hat mir die alte Lehrerin erzählt. Um der Familie zu entkommen, besonders dem harten Regiment seiner Mutter.«

»Danach geht er zum Militär, wo es viel härter ist?« Simone hielt es für Unsinn. »Der hat ja einen Knall.«

»Vielleicht wollte er nur weg, egal, wohin«, meinte Thomas, als wüsste er, wovon er sprach, und er fühlte zwei fragende Augenpaare auf sich gerichtet.

Für Martin war der Schritt verständlich. »Solange einer seine Probleme nicht bewältigt, holen sie ihn immer wieder ein. Der hätte sich woanders nicht zurechtgefunden. Aber zurück zum Park. Vitrier sprach von jemandem, der kein Dummkopf sei. Wen mochte er damit gemeint haben?«

»Entweder den Mann, den die Polizei geschnappt hat, oder er sprach von mir.« Es war ein Gedanke, der Thomas wenig gefiel. »Wenn ich mich an die Fragen Vitriers erinnere, die er mir im Beisein seines Bruders gestellt hat, bleiben mir nur diese beiden Schlüsse. ›Er scheint mir kein Dummkopf zu sein‹, sagte er wortwörtlich. Und dann äußerte Vitrier noch die Befürchtung, dass der Verhaftete reden könne. Dieser Daan schien überzeugt, dass er schweigen wird, weil sie die Familie kennen.«

»Sie werden doch der Familie nichts antun?«

»Doch, Simone, leider. Sollte der Mann plaudern oder sogar jemanden verpfeifen, dann rächt man sich an der Familie. Das braucht nicht ausgesprochen zu werden, das wissen die Beteiligten. Da steht mehr Angst dahinter als vermeintliche Ganovenehre.«

Sie ließen die weit ausgedehnten Weingärten zu beiden Seiten der Landstraße hinter sich in der Morgensonne und bogen im Städtchen auf die Schnellstraße, auf der sie nach Avignon gelangen sollten. Der morgendliche Verkehr war spärlich, es war nicht der Luftzug vorbeifahrender Lastwagen, der die Bäume bewegte, es war der Mistral.

Der Wind und seine möglichen Folgen wurden kurz zum Thema zwischen Simone und Thomas: ob sich der Wind auf der anderen Seite ähnlich verheerend auswirke. Wenn er die Gescheine zu heftig durchrüttelte und gegeneinanderschlug, verrieselten die Blüten, brachen die Gescheine und auch die jungen grünen Triebe. In der Pfalz, meinte Thomas, hätten sie deutlich mehr mit Hagel als mit Wind zu kämpfen gehabt. Ganz ähnlich sah es Simone für Bordeaux.

Martin drängelte, er wies auf die Stadt, die Mauern und Türme von Avignon, der Verkehr auf der Straße entlang der Rhône hielt sich in Grenzen, Avignon war nicht einmal so groß wie Hildesheim oder Koblenz. »Ihr habt noch etwas bezüglich der Verlagerung von Aktivitäten gesagt beziehungsweise gehört. Was war damit gemeint?«

»Woher soll ich wissen, was in diesen Leuten vorgeht?« Simone wurde wütend.

Thomas warf ihr einen kurzen Blick zu, sie gefiel ihm immer besser. »Dieser Daan sagte, sie sollten ihre Aktivitäten auf ›eure‹ Seite verlegen, er meinte damit wohl auf die Seite von Maurice. Als ich hier ankam, hieß es gleich, dass hier eine Bande von Rumänen unterwegs sei. Deshalb hielten die Bewohner ständig die Fensterläden geschlossen. Dieser Daan schob noch hinterher, dass es rund um Avignon lukrativer wäre. Das kann ich mir gut vorstellen, da gibt es Firmen und Läden, ein wenig Industrie, dorthin kommen Touristen. Wir wissen viel zu wenig über die Gegend.«

»Sie geben mir das Stichwort. Darüber wollte ich mit euch sowieso sprechen.« Martin warnte beide sehr eindringlich, nichts zu unternehmen. »Sie, Thomas, haben erlebt, was passieren kann. Einer der Diebe ist mit einem Messer auf Sie losgegangen. Gut, Sie konnten sich helfen … Ihr Gegner war bereit, alles zu riskieren, vielleicht nicht aus freien Stücken, sondern mehr aus Angst vor dem Chef, was letztlich gleichgültig ist. Haltet euch raus! Mischt euch nicht ein, aber haltet die Augen offen, und was ihr wisst, gebt an die Gendarmerie weiter – nein, sprecht besser erst einmal mit mir. Die Polizei kennt sich aus, Marseille mit Drogenbanden, Schmuggel, mit Schleppern und Waffenhändlern ist nicht weit. Was Ihre Pläne angeht, Thomas, in dem Café in Laudun zu spionieren – das ist Unsinn. Sie begeben sich unnötig in Gefahr. Frankreich ist härter als Deutschland. Es wird schneller geschossen. Um die Autonummer kümmere ich mich.«

»Wie willst du das machen?« Simone schien sich über die Vorhaltungen zu ärgern.

»Ich wende mich an jemanden bei der Polizei, der wird mir helfen. Er ist zwar pensioniert …«

Simone fiel ihm ins Wort. »Etwa Grivot?«

Thomas hörte den Namen zum ersten Mal.

Martin erklärte den Zusammenhang. »Kommissar Grivot war damals damit betraut, als Simones Vater den Unfall hatte, und er half mir, aus Rumänien herauszukommen, als ich in Schwierigkeiten geraten war.« Jetzt klang Martins Stimme hart, sein Ton war bitter.

»Warum sagst du nicht, wie es wirklich war?« Simone wandte sich Thomas zu. »Man hat es wie einen Unfall aussehen lassen, aber mein Vater wurde umgebracht.«

Thomas starrte geradeaus, der Verkehr hatte zugenommen, links erhob sich die Stadtmauer, dahinter die päpstliche Palastburg. Der nördliche Bergfried erinnert ihn stark an die Burgruine in Châteauneuf-du-Pape. Er war verwirrt, denn leuchtend standen die Türme über der geschichtsträchtigen Stadt unter dem blassblauen Himmel. Das filigrane Blau des sommerlichen Morgens, das fast zerbrechliche Blau kannte er gut von den frühen Stunden in seinen Weinbergen – *seine* Weinberge. Das war anders, als in Alains Weinbergen zu arbeiten. Etwas wie Heimweh beschlich ihn. Weinberge waren wie Kinder, die eigenen liebte man mehr …

»Er wurde umgebracht?« Fassungslos starrte Thomas auf die Straße. Simones Vater war umgebracht worden? War das der Grund für ihre zurückhaltende Art, ihr Misstrauen? Wieso geriet er immer wieder an Leute, in deren Nähe jemand umgebracht worden war?

Weder Simone noch ihr Patenonkel schienen weiter darauf eingehen zu wollen. Die Stimmung im Wagen war schlagartig abgesackt. Thomas hatte längst entschieden, sich um Daan zu kümmern, allein aus Selbstschutz, und Pascal Bellier würde ihm helfen, so wie er ihm damals in der Champagne geholfen hatte. Mit Pascal würde er alles besprechen. Da er Zugriff auf Polizeicomputer hatte, würde er ihm den Halter des Wagens nennen können. Seine Pläne für sich zu behalten, bereitete ihm kein schlechtes Gewissen, wohl aber dass er die Gründe für sein Hiersein vor Simone verbarg. Irgendwann würde er ihr sagen, was ihn wirklich hergetrieben hatte. Aber nicht heute. Der Satz von Martin Bongers steckte ihm in den Knochen: »Solange einer seine Probleme nicht bewältigt, holen sie ihn immer wieder ein.«

Gleich musste rechts die Brücke von Avignon zu sehen sein, der Pont Saint-Bénézet. Von ehemals dreiunddreißig Bögen hatte die Rhône lediglich vier stehen lassen. Er konnte sie im Vorbeifahren zählen. Das brachte ihn auf eine Idee. Ohne jeden Übergang begann er zu reden.

»Der Aufstieg Avignons begann eigentlich mit dem Fall eines Papstes, mit dem sich der französische König angelegt hatte. Der Papst forderte von Philipp IV., im Krieg mit England einen Waffenstillstand zu schließen. Wie heute ging es damals um Geld. Philipp verwandte die Abgaben, die rechtlich dem Papst zustanden, für sein Militär. Als er sich die Einmischung verbat, wurde ihm vom Papst die Steuerhoheit aberkannt, und Philipp wurde exkommuniziert.«

»Das weiß ja noch nicht einmal ich, als Französin.« Simone hörte sich geradezu empört an.

»Unser Französischlehrer kam aus Orléans, der hat uns mit derartigen Geschichten traktiert. Ich hatte ihn von der siebten bis zur dreizehnten Klasse. Der Papst, Bonifaz, glaube ich, behauptete damals, jede menschliche Kreatur und jeder Monarch unterstünde ihm. Das hat Philipp IV. nicht gepasst und vertrug sich schlecht mit dem französischen Großmachtstreben. Der Papst wurde gefangen, wieder befreit und starb. Vielleicht haben sie ihn vergiftet. Die waren damals nicht zimperlich. Und weil die meisten Bischöfe Franzosen waren, wählten sie den Bischof von Bordeaux zum neuen Papst. Der kam dann als Clement V. mit dem Plazet des Königs im Jahr 1309 nach Avignon.«

»Bis wann blieben sie hier?«

Thomas war zufrieden. Simone war auf sein Ablenkungsmanöver eingegangen, Martins Reaktion auf der Rückbank war nicht auszumachen.

»Sie blieben bis 1377. Châteauneuf-du-Pape, das zu der Zeit Castrum Novum hieß, haben sie dem Templerorden abgeknöpft und die Templer umgebracht. Die Burg dort zu bauen, dauerte fünfzehn Jahre.«

Sie ließen Avignon hinter sich, Hinweisschilder führten sie zum Gare du TGV hin, eine mit Lamellen verkleidete Röhre aus Glas.

»Wenn Simone demnächst mal nach Hause fährt, würde ich gern mitkommen. Bordeaux ist mir noch weniger bekannt als die Rhône. Aber die Weine kenne ich, mein Vater hat mir früh das Verkosten beigebracht, und Bordelaiser Weine hatten wir immer im Keller.«

»Ich würde mich freuen«, sagte Martin, die Reisetasche in der Hand, »Sie sind jederzeit willkommen.« Er schüttelte Thomas die Hand und fuhr auf Deutsch fort: »War übrigens gelungen, der Themenwechsel. Hat mir gefallen. Mir ist auch klar, dass Sie sich nicht an meinen Rat halten werden. Aber bringen Sie unser Mädchen nicht in Gefahr. Sonst kriegen Sie auch mit mir Ärger.« Die letzten Worte waren nicht nur so dahingesagt.

Als Martin Simone in den Arm nahm, ging Thomas weiter. Was die beiden redeten, verstand er nicht, zuletzt wischte sie sich mit der Hand über die Augen.

Auf dem Weg nach Remoulins sprachen sie kaum. Sie nahmen den Pont de l'Europe über die Rhône und gelangten in einer halben Stunde zur Werkstatt. Der Mechaniker ließ sich von Simones Freude anstecken, sie hüpfte glücklich um den kleinen roten Peugeot herum und strahlte. So ausgelassen durfte sie gern bleiben, Thomas fand sie noch schöner als sonst.

Sie zahlte die Reparatur mit ihrer Kreditkarte, winkte ihm zu, stieg ein und brauste davon. Und er stand ziemlich dumm vor der Werkstatttür.

»So sind sie, die Frauen«, sagte der Mechaniker, dem die Werkstatt gehörte. »Wenn sie haben, was sie wollen, sind wir abgemeldet. War das Ihre Freundin?«

»Ich würde ja gern … ich … äh …« Thomas verschlug es selten die Sprache.

»Verstehe, vollkommen.« Der Mechaniker lachte wissend, wünschte eine *bonne journée* und verschwand in seinem Büro. Thomas hatte komplett vergessen, sich mit Simone zu verabreden.

Der Tag war anstrengend. Weine, bei denen er noch lernte, erst einmal ihre Farbe, den Duft und den Geschmack in sich aufzunehmen, sollte er beurteilen und daraufhin bewerten, wie sie sich in einer Cuvée darstellen würden, die erst geschaffen werden sollte. Alain machte Thomas Mut und fragte ihn bei jeder einzelnen Probe nach seiner Meinung. Ob der Wein jedoch so oder so schmecken sollte oder sogar musste, damit die Cuvée später als authentisch klassifiziert wurde, entzog sich seiner Vorstellung. Dennoch kamen ihm dabei Grundlagen für Ideen, die er in der Pfalz würde umsetzen können. Dort standen ihm einige rote Sorten zur Verfügung, einmal Spätburgunder, dann Lemberger und Dornfelder, den er überhaupt nicht mochte. Sollten sie ihn mit Cabernet Sauvignon verschneiden, um dem Wein Struktur zu geben? Die Saint-Laurent-Rebe bot sich ebenfalls an.

Mit diesen Gedanken trottete er nach dem Abendessen zurück zu seinem Apartment. Die Nacht war extrem kurz gewesen, der Tag fürchterlich anstrengend. Er nahm wie immer den Weg hintenherum um die Domaine, blieb einen Moment an den Reben stehen, und als er sich an der Stelle, wo er auf den Einbrecher getroffen war, nach links wandte, traf er auf Gustave Vitrier. Das war ihm unangenehm, denn die anfängliche Sympathie war nach den jüngsten Ereignissen von Zweifeln angefressen.

»Ich mache neuerdings jeden Abend einen Rundgang«, meinte der Winzer, der anscheinend unbefangen auf ihn zugekommen war. »Es wird nichts helfen, und so schnell werden sie nicht wieder auftauchen. Ich frage mich, woher sie wussten, dass niemand im Hause war. Meine Mitarbeiter wohnen im Ort und …«

»Vielleicht von einem von ihnen.« Was Thomas wirklich dachte, wagte er nicht auszusprechen.

»Meinen Sie? Das bedeutet, dass ich allen in Zukunft mit Misstrauen begegnen muss. Schrecklich. Damit lebt man nicht gut. Eigentlich hatten wir bisher immer Glück, ein wirtschaftlich gesunder, schuldenfreier Betrieb, eine schöne Frau, beide Kinder studieren … Und jetzt, dieser Tote, Didier Lamarc … Wer weiß, vielleicht war der nächtliche Unfall auch beabsichtigt? Demnächst findet wieder der jährliche Concours de la St. Marc statt. Mein Bruder nimmt wieder teil. Ich mache mir Sorgen, falls er gewinnt – es kommen einem die absurdesten Gedanken.«

»Er ist ziemlich ehrgeizig, nicht wahr?«

»Ehrgeizig? Ich empfinde es als krankhaft, was er veranstaltet. Dabei ist er ein grandioser Winzer.«

»War er immer so?«

»Anfangs habe ich ihn nie ernst genommen. Für einen Zehnjährigen trägt ein Fünfjähriger noch Windeln. Je älter ich wurde, desto weiter gingen unsere Wege auseinander. Er hat sich abgestrampelt, um besser zu sein, schneller, alles was ich konnte, schaffte er bereits zwei Jahre früher. Und immer wollte er gewinnen. Damit macht man sich keine Freunde.«

»Sie haben mir ja schon erzählt, dass er beim Militär war. War er auch im Kriegseinsatz?«

»Leider. Er hat sich seinerzeit gemeldet. Er war im Kosovo und in Bosnien. Als unsere Eltern riefen, kam er zurück und führte hier seinen Krieg weiter, den gegen die Reben. Er kann keinen Erfolg wirklich genießen. Aber das bleibt unter uns. Ich habe größten Respekt vor seiner Leistung.«

Das, was Thomas wirklich interessierte, traute er sich nicht zu fragen, deshalb suchte er einen anderen Weg.

»Gibt es Neuigkeiten vonseiten der Gendarmerie?«

»Sie müssen ziemlich fest zugeschlagen haben, Thomas. Der Gefängnisarzt hat eine Gehirnerschütterung konstatiert. Sie werden demnächst vorgeladen, sagte mir die Chefin des Einbruchdezernats. Der Einbrecher hat Sie nicht angezeigt, er redet mit niemandem, nicht einmal seinen Namen weiß man bisher, und mit dem Pflichtverteidiger spricht er nicht. Das ist dumm.«

»Er hat vermutlich Angst.«

»Meinen Sie? In dem Sinne hat sich Major Rossignol auch geäußert.«

»Wenn er redet, leidet seine Familie. Jedenfalls ist das oft so. War die Spurensicherung bei Ihnen? Hat sie sich auch um die Reifenspuren des Pritschenwagens gekümmert?«

»Es hat jemand fotografiert, aber Reifenspuren?«

»Ich sehe mir das mal an.« Thomas ging vor und forderte Gustave zum Mitkommen auf.

»Verstehen Sie was davon?«

»Ich habe einen Freund bei …« Thomas brach mitten im Satz ab, er hatte bereits zu viel preisgegeben. Deshalb tat er geschäftig und suchte den Boden ab, wo der Transporter gestanden hatte.

Gustave Vitrier hielt es für sinnlos. »Das ist zu lange her.«

»Ich wollte lediglich sehen, ob Gipsabdrücke genommen wurden. Scheint so, als wäre das nicht der Fall gewesen. Wurden die Spuren wenigstens vermessen?«

»Nicht dass ich wüsste. Wozu dient das?«

»Daraus lassen sich die Reifenbreite, sein Umfang und die Spurbreite erkennen, abgesehen vom Profil. Kein Reifen nutzt sich ab wie der andere.«

»Ach, die haben kaum etwas untersucht, es sei ja so gut wie nichts gestohlen worden, hat es geheißen.«

Sie schlenderten ein Stück an den Reben entlang, während Thomas darüber nachdachte, wie er das Gespräch auf Laudun bringen konnte, ohne dass Gustave seine Absicht erkannte.

»Mal was ganz anderes: Wie sind hier eigentlich die Kooperativen aufgestellt? Es gibt sicher in jedem Ort eine? Es vermarkten doch längst nicht alle Winzer oder Weinbauern ihre Weine selbst.« In Frankreich soll es lediglich die Hälfte sein.

»Das ist richtig. Die nächste Kooperative ist die von Tavel, dann unsere hier und die von Laudun-Chuslan. Ich kenne dort jemanden. Die Koop betreibt in beiden Orten Kellereien. Die großen Tanks sind nicht zu übersehen. Soll ich Sie mal bekannt machen?«

Das ist ein guter Weg, um mehr zu erfahren, dachte Thomas, dabei ging die Initiative nicht von ihm aus. Er konnte sich im Hintergrund halten und unauffällig im »Café des Athlètes« vorbeischauen, an der Ecke Rue Auguste Renoir und Rue de la République – und näher an diesen Daan herankommen. Dabei war der sicherlich jemand, dem man besser aus dem Wege ging.

Kapitel 18

Er saß mit einem der Lieferwagenfahrer, den er seit vielen Jahren kannte und der hier seine tägliche Tour unterbrach, an einem Zweiertisch. Er schlürfte genüsslich seinen Café au lait, sah den Billardspielern zu und kommentierte flüsternd jede Karambolage. Zwei der vier Männer sah Martin zum ersten Mal. Sie stammten nicht aus der Gegend um Castillon-la-Bataille, wo im Jahr 1453 die entscheidende Schlacht gegen die Engländer geführt worden war. Die Schlacht jetzt richtete sich gegen die beiden Neuen, Profispieler, die meinten, mit den Dorftölpeln im Bistro ein leichtes Spiel zu haben. Doch sie waren mit der tatsächlichen Lage nicht vertraut, sie würden Martin und den anderen auf den Leim gehen. Sie spielten offensichtlich unter ihrem Niveau, das nahmen ihnen die Zuschauer, die sie schweigend umringten, nicht ab. Man war anderes gewohnt. Einige Gäste des Bistros, die Martins Strategie kannten, verstanden es auch, in seiner Mimik zu lesen. Die Profis dort am Tisch wollten ihre Mitspieler erst einmal gewinnen lassen, so wie sie es jetzt praktizierten. Dann, wenn die Dorftrottel siegessicher die Einsätze entsprechend erhöht hätten, würden die Fremden auftrumpfen.

Jacques, normalerweise Martins Partner im Spiel, stand hinter dem Tresen, den Arm um seine neue Freundin gelegt, Annabelle, die schöne Anna. Jacques war unsterblich verliebt, was auf Gegenseitigkeit beruhte. Alle im Bistro wussten es, und seit Annabelle aufgetaucht war, war der Laden so voll wie einst, als der Patrón noch hier gewirkt hatte. Annabelle konnte kochen, und sie verstand viel vom Einkauf. Sie hatte in Bordeaux als Geschäftsführerin eines Restaurants der gehobenen Küche gearbeitet und sich zuletzt nur noch um die Organisation kümmern müssen, wie Martin wusste, und hatte sich mit Personalfragen herumgeschlagen. Aber sie wollte kochen. Die Zubereitung von Speisen war ihre Leidenschaft. Da war Jacques aufgetaucht, und eine neue Leidenschaft war hinzugekommen. Er war ihr sogar treu. Castillon-la-Bataille war fassungslos.

Der Lieferwagenfahrer rückte beiseite, als Jacques an Martins Tisch trat. Sie hatten sich vor vielen Jahren hier beim Spiel kennengelernt, und auch Jacques hatte damals geglaubt, mit dem Deutschen leichtes Spiel zu haben.

»Das, was die beiden jetzt gewinnen, holen wir uns zurück und geben es den Jungs wieder. Immerhin bereiten sie uns das Feld. Ich schlage vor, dass wir die beiden *blanc-becs* eine Weile nur ganz knapp gewinnen lassen, die Grünschnäbel fühlen sich zu sicher, sie werden höhere Einsätze fordern, und wenn es so weit ist, ziehen wir sie aus.«

Jacques sah ihm die Vorfreude an. »Sie werden in der Unterhose hier rausmarschieren.«

Es machte Martin Spaß, mal wieder die alten Touren aufleben zu lassen. Von den bekannten Profis traute sich keiner mehr her, sie kannten ihr Spiel.

»Du hast mir noch nicht erzählt, wie es Simone ergangen ist. Wie gefällt ihr das Auto?«

»Sie ist total aus dem Häuschen. Aber ich hatte kurz vor der Ankunft eine Panne.« Martin berichtete von dem defekten Verteiler und von dem deutschen Jungwinzer, der ihn abgeholt hatte.

Jacques setzte zu weitschweifigen Entschuldigungen an. »Das mit dem Verteiler hätte jederzeit passieren können …«

Martin beschwichtigte ihn. »Was regst du dich auf? Ich mache dich gar nicht dafür verantwortlich.«

»Wäre ja noch schöner, wo ich dir den Wagen so günstig besorgt habe, ohne Rechnung. Hat sie's gut getroffen?«

Martin war sich nicht ganz sicher, Simone hatte sich über ihren Chef und seine heimlichen Annäherungsversuche sehr vorsichtig geäußert. Martin jedoch besaß ein feines Ohr für Zwischentöne. »Ihr Chef baggert sie an, diskret zwar, aber er ist lästig. Doch da läuft noch eine ganz andere Nummer.«

Während sie das spannender werdende Spiel weiter beobachteten, erzählte Martin von den Ereignissen um die beiden toten Winzer und von Thomas sowie von dem nächtlichen Einbruch.

»Was davon zu halten ist, weiß ich nicht. Dieser Junge ist in Simone verknallt, sie auch in ihn, aber die beiden trauen sich nicht, aufeinander zuzugehen.«

»Das kommt noch«, sagte Jacques mit gerecktem Kopf, und seine Augen suchten nach seiner Liebsten. »Was die beiden Winzer angeht – so wie ich dich verstehe, war es beim ersten eindeutig Mord, und der andere wurde totgefahren? Du meinst mit Absicht? *Mon vieux*, Martin, mein Alter, du suchst mal wieder das Abenteuer. Ist dir das Weinmachen zu langweilig, oder ist Charlotte verreist?«

»Lass sie aus dem Spiel. Wenn sie davon Wind kriegt, schließt sie mich ein oder schickt mich los, das Kind zu holen, oder macht es gleich selber. Ich will sie aus der Sache raushalten.«

»Und wenn Simone ihr was erzählt?«

»Nachdem sie sich entschlossen hat, das Praktikum zu machen? Nein! Und wenn, dann haben wir Pech gehabt. Aber ich wollte dich etwas anderes fragen: Hättest du zufällig Zeit, uns ein wenig unter die Arme zu greifen? Rein zufällig? Du verlierst hier in der Kneipe sonst deine Fähigkeiten als Kellermeister. Außerdem kennst du meine Garage.« Martin benutzte den Namen gern, den Simones Vater Gaston geprägt hatte. Das Wort »Kellerei« fand er für seinen kleinen

Betrieb zu großspurig, besonders wo er gerade von den Hundert-Hektar-Latifundien der Rhône zurückgekehrt war.

»Weshalb soll ich helfen? Soweit ich weiß, habt ihr neuerdings den Praktikanten. Taugt er nichts?«

»Der steht auf Kellerarbeit, das kann er besser, und du bist lieber draußen, denk an dein Rheuma, du wärest eine gute Ergänzung.«

»Du willst wieder los – zurück an die Rhône?«

»Nur im Notfall, na ja, es reizt mich schon, es ist ungefährlich, wir sind schließlich nicht in Rumänien.« Jacques kannte die Geschichte, Martin war nur knapp mit heiler Haut davongekommen. »Außerdem hast du jetzt deine Perle, die den Laden in Schwung bringt.«

»Eben, ich muss gut auf sie aufpassen …«

»Sei vorsichtig, Jacques! Die lässt sich nicht anbinden. Ihr macht das Freude, das sieht jeder. Also, was ist? Hilfst du mir? Nur zur Not, meine ich, falls …«

»Abgemacht. Dann kümmere dich mal um die toten Winzer.« Am Billardtisch entstand Bewegung, die beiden Fremden kassierten. »Wie es aussieht, sind wir jetzt gefragt.« Jacques wirkte siegessicher. »Dann lass uns die Profis mal ausziehen …«

»Na? Glücklich? Hast du mal wieder Ganoven abgezockt?«

Martin warf mehrere Scheine auf Charlottes Schreibtisch, es waren knapp hundertfünfzig Euro. »Die Hemden und Hosen haben wir ihnen gelassen.« Für das Konfekt für Charlotte hatte es auch gereicht, sie liebte Süßigkeiten.

»Was gibt es noch? Weshalb willst du mich bestechen?« Charlotte legte die Scheine zu den anderen in eine leere Pralinenschachtel, ihre schwarze Kasse. Ohne schwarze Kassen von Zigtausenden kleinen Firmen würde Europas Wirtschaft zusammenbrechen. Es musste sich ja nicht um vierhundert Millionen handeln, die Frankreichs ehemalige Wirtschaftsministerin Christine Lagarde einem »Freund«

hatte zukommen lassen – wie in diesen Kreisen üblich aus Steuermitteln.

Martin ließ sich an seinem Schreibtisch gegenüber dem von Charlotte nieder und sah die für ihn bestimmte Post durch. Unter den Briefen befand sich die offizielle Absage der Bank, den Kredit für den Kauf neuer Rebflächen zu gewähren. Mit den Worten, »das kann nur Fleurys Werk sein«, reichte er den Brief an Charlotte weiter. »Der Lump hat seine Hände noch immer im Geschäft, auch von Panama aus. Was für ein Elend, was für eine Perspektive. Sollte er irgendwann nach Frankreich zurückkommen, wandert er geradewegs in den Knast. Trotzdem wird er uns keine Ruhe lassen.«

»Und was nun?«

Es lag nicht in Martins Natur, klein beizugeben. »Ich habe mit diesem Thomas gesprochen, dem Jungen aus der Pfalz. Sein Vater und er haben ihr Weingut zum Teil auf Kredit gekauft. Etwa zwanzig Weinhändler sind daran beteiligt, jeder ist mit einer anderen Summe eingestiegen. Die erhalten Zinsen in Form von Wein, den sie exklusiv verkaufen, und wenn sich das Gut konsolidiert hat, wird es eine jährliche Tilgung geben. Das entspricht in etwa dem Crowdfunding.«

»Wir nennen es *financement participatif.*« Charlotte kannte den Begriff. »Ich hatte in der Entwicklungspolitik früher damit zu tun. Viele Kleinunternehmer legen ihr Geld zusammen und halten so die Banken außen vor. Wenn die EU weiterhin nur Großkonzerne fördert, werden auch wir zum Entwicklungsland.«

»Dein Lieblingsgegner, Charlotte, die Europäische Union, trägt nur die halbe Schuld. Die Irrsinnspreise für die großen Bordeaux gaukeln dem Verbraucher vor, dass alle Bordeaux maßlos überteuert seien, dann wird auf andere Weine ausgewichen, und die kleinen Winzer gehen pleite.«

»Wie wir?« Etwas wie Unsicherheit schwang in Charlottes Stimme mit.

»Nein, unser Problem ist, dass die Nachfrage unsere Möglichkeiten übersteigt.«

»Hoffentlich bleibt es so. Wenn viele aufgeben müssen, werden hier die Bodenpreise sinken …«

»… das tun sie auch. Uns würden zehn Hektar reichen. Dafür bräuchten wir höchstens eine Arbeitskraft mehr.«

»Warum fragst du nicht Sichel? Der hat genug, der hilft uns bestimmt.«

»Ich möchte unsere Freundschaft nicht mit Geld gefährden.«

»So wenig Vertrauen habt ihr zueinander?«

»Wenn Geld im Spiel ist, meine Liebe, sieht alles anders aus.«

»Dann beteilige ihn, so wie dieser Thomas seine Weinhändler. Es gibt auch stille Teilhaber.«

»Willst du jemanden haben, der uns reinredet?«

»Still, meinte ich, als schweigenden Teilhaber.« Charlotte legte den Finger an ihre schönen Lippen.

In diesem Moment hörten sie das Klappern von Geschirr aus der Küche. »Was für einen Eindruck hast du von unserem Praktikanten?«

»Hast du nicht gemerkt, wie es im Haus duftet? Er probiert provenzalische Küche aus.«

»Wenn ich an Geld denke, mein Schatz, das weißt du, funktioniert meine Nase nicht richtig. Ulrich soll arbeiten und nicht kochen. Übrigens gehört abends die Küche mir.« Er dachte daran, dass seine ersten Annäherungsversuche an Charlotte in ebendieser Küche stattgefunden hatten, er dachte gern daran. Gebackene Wildente mit Honig und Rosmarin hatte sie zubereitet. Er vergaß nie, wie sie sich danach die Finger abgeleckt hatte. »Was legt er uns heute vor?«

»Es gibt Brust und Filet vom Perlhuhn mit Picholine-Oliven, dazu ein Ragout aus den Geflügelresten, Schalotten, Crème fraîche und den restlichen Oliven. Mich wundert, dass er uns keine Menükarte vorlegt.«

»Haben wir uns einen Meisterkoch eingehandelt? Hört sich gut an. Auch beim Wein ist er gut, er riecht den kleinsten Unterschied, nur kann er ihn nicht benennen.«

»Du bringst es ihm bei, davon bin ich vollkommen überzeugt.«

»Danke für dein Vertrauen.« Martin liebte das Frotzeln mit Charlotte. »Wann ist das Essen fertig? Ich könnte mir vorstellen, dass besonders wegen der aromatischen Oliven ein intensiver, körperreicher Weißwein dazu passt, ich habe da was aus Châteauneuf-du-Pape mitgebracht, von der Domaine Lamarc. Ich werde es kalt stellen.«

In diesem Augenblick erinnerte er sich wieder an den Winzer, der den Wein gemacht hatte und dessen Knochenreste im Wald entdeckt worden waren. Martin sah vor sich die Grube, in der Didier Lamarc verscharrt worden war. Einen Wein zu trinken von einem Winzer, von dem nur noch Knochen in der Pathologie der Gendarmerie von Bagnols-sur-Cèze lagen? Nein, das wäre geschmacklos. Daher entschied Martin sich für einen weiß gekelterten Nebbiolo von Aldo Rainoldi aus dem italienischen Valtellina. Der bot diesem Essen genug Paroli.

Es war ein Vergnügen, Ulrich Becker beim Vorlegen zuzusehen. Der ehemalige Koch und jetzige Student aus Geisenheim verstand es, die Speisen perfekt zu arrangieren, wobei er kein Freund der Miró-Küche war, wie es jemand genannt hatte, einer Küche fürs Auge, in der lediglich etwas auf den Teller gemalt wurde und wo man sich mit geleerter Brieftasche hungrig vom Tisch erhob. Charlotte und Martin hielten sich zugute, ihre Kochkünste stets zu perfektionieren, wozu selbstverständlich das optische Arrangement gehörte, doch von Ulrich würden beide lernen. Und ein anderes Gefühl, eine andere Stimmung war eingezogen, seit der Praktikant hier im Hause wohnte und die Arbeit mit ihnen teilte: Der Ton war rauer geworden, die Späße derber, männlicher, Charlotte machte das wenig aus, aber Simone fehle ihr dennoch, hatte sie Martin gestanden. Ein Ersatz war Ulrich nicht, für Simone gab es keinen. Aber Ulrich brachte etwas mit, das Charlotte als *force d'impact* bezeichnete. »Stoßkraft« schien Martin eine wenig geeignete Übersetzung für den Ausdruck zu sein, Begriffe wie »Unternehmungsgeist« und »Initiative« lagen ihm näher. Die besaß Ulrich zur Genüge, und er hatte begriffen, dass der Tag des Winzers sich nicht auf acht Stunden beschränkte.

Seit er Thomas Achenbach an der Rhône getroffen hatte, sprach Martin wieder häufiger seine Muttersprache. Französisch war für ihn zuerst die Sprache des Weins gewesen, dann war mit Gaston die Ebene der Freundschaft hinzugekommen, bis schließlich Charlotte sein Französisch mit der Sprache der Liebe bereicherte. Mit Ulrich und Thomas war Deutschland wieder näher gerückt, und dieser hier, der neuerdings servierte und ihnen bei den Mahlzeiten gegenübersaß, war eine Bereicherung.

Der blonde junge Mann, nach zwei Tagen im Weinberg mit heftigem Sonnenbrand auf der Stirn, wirkte unscheinbar, er fiel nicht auf, spielte sich nicht in den Vordergrund. Er praktizierte eine angenehme Art der Zurückhaltung. Dass er durchaus hartnäckig sein konnte, wie Martin fand, zeigte sich erst bei der Menge seiner Fragen. Er ließ nicht locker.

»Die Art, wie Sie hier Weinbau betreiben, ist biologischer Natur. Warum erwähnen Sie es nicht auf Ihren Etiketten?«

Der Frage sah sich Martin häufig gegenüber. »Die Antwort ist recht einfach – weil es keinen biologischen Weinbau gibt. Man hat andere Begriffe erfunden, naturnahen, integrierten und schonenden Weinbau, natürlich alles äußerst nachhaltig, das üblich verwirrende Blabla und so weiter. Meines Erachtens ist das alles Quatsch. Solange wir im Weinberg Kupfer, das heißt ein Schwermetall, gegen Pilzbefall einsetzen müssen, auch Bordelaiser Brühe genannt, ist da nichts biologisch. Ohne Schwefel kann kein Wein stabilisiert, das heißt haltbar gemacht werden. Er bekommt das Bio-Etikett auch dann noch, wenn man Reinzuchthefen statt der natürlichen verwendet. In Deutschland macht der Weinbau null Komma acht Prozent der landwirtschaftlichen Fläche aus, aber die Winzer verbrauchen dreizehn Prozent aller Pestizide. Dann die Monokultur – alles im Sinne der Ertragssteigerung. Es geht um Wachstum. Ich hingegen setze auf Intensivierung und optimale Nutzung unserer Mittel.«

»Bei diesem Thema ereifert er sich zu gern«, sagte Charlotte und ließ sich beim Essen nicht stören. »Bisher hatte er in Simone eine Verbündete, sie nervt jetzt sicherlich die Rhône-Winzer mit dem Thema.«

»Das hübsche Mädchen, dessen Foto im Flur hängt?«

»Genau die!« Martins Blick ließ ihn schleunigst zum Thema zurückkehren.

»In mir finden Sie ebenfalls einen Verbündeten, Herr Bongers. Ich habe gesehen, dass Sie an einigen Stellen wieder Knicks aufbauen und Bäume gepflanzt haben.«

»Ja, aber ganz vorsichtig, sonst werden die Nachbarn rebellisch, wegen der Vögel, die könnten ihre Trauben fressen … Wir jedenfalls arbeiten nach härtesten Bioregeln, ohne es zu betonen. Wir schönen unsere Weine auch nicht, stattdessen bauen wir den Wein sehr lange aus, dabei setzen sich die Schwebeteilchen ab. In der Großfläche sieht das ganz anders aus, im industriellen Weinbau.«

In diesem Moment läutete das Telefon, Martin und Charlotte standen gleichzeitig auf, er hielt sacht ihren Arm fest. »Ich glaube, es ist für mich.«

»Geht es um Simone oder um deine toten Winzer?« Charlotte merkte sofort, dass er etwas verbergen wollte.

»Später.« Er ging ins Büro und hoffte, dass es Grivot war. Der durfte auch spätabends noch anrufen. Martin hatte ihn gebeten, den Halter des von Thomas verfolgten Wagens zu ermitteln.

»Haben Sie es rausbekommen, Grivot?«

»Leider nur zur Hälfte, Monsieur Bongeeers.« Sie kannten sich jetzt seit vierzehn Jahren, hatten einiges miteinander durchgestanden, aber sie siezten sich immer, und Grivot pflegte Martins Nachnamen wie eh und je in die Länge zu ziehen. »Das japanische Fabrikat mit der Nummer FR-637-KL 30 ist auf eine Marie Paget zugelassen. Sie wohnt in Laudun in der Rue de la République und betreibt ein Café.«

Also war es ihr Wagen, den dieser Daan benutzt hat, sagte sich Martin. »Auf eine Person mit dem Namen Daan sind Sie dabei nicht gestoßen, Grivot?« Um sich zu revanchieren, verzichtete er seinerseits auf die Anrede Monsieur und betonte das T am Ende des Namens.

»Nein, bin ich nicht. Hilft Ihnen der Name weiter?«

»Das werden wir sehen, erst mal vielen Dank. Und was haben Sie über Maurice Vitrier herausgefunden?«

»Eigentlich nichts, lediglich einen Verdacht oder Hinweis. Es gab vor langer Zeit ein Ereignis in Zusammenhang mit ihm, eine Untersuchung, doch die unterstand militärischer Geheimhaltung, vielmehr der Militärgerichtsbarkeit. Ich weiß nur so viel, dass er als Major in Bosnien seinen Abschied eingereicht hat. Er war am Balkankrieg beteiligt. Da ergeben sich unendliche Verdachtsmomente. Krieg ist das Verbrechen schlechthin. Ein Kriminalbeamter wie ich würde anfangen zu graben. Das Militär hingegen hält alles unter der Decke, nichts darf nach außen dringen, jede Lappalie wird zur Frage nationaler Sicherheit aufgebauscht. Sie kennen den Mann, Bongeeers?«

»Flüchtig, Grivot, nur flüchtig.« Innerlich musste Martin grinsen, er kannte den Tonfall des Exkommissars gut, wenn er neugierig wurde. Fast sah er sein Gesicht mit den Knopfaugen und der spitzen Nase vor sich, eine Ratte mit vor Aufregung zitternden Barthaaren. Aber irgendwie mochte er diese Ratte.

»Hat er mit Wein zu tun? In diesem Zusammenhang habe ich den Namen Vitrier gefunden. Sind Sie jetzt an der Rhône tätig?«

Martin erzählte ihm, dass Simone zurzeit dort als Praktikantin auf einem Weingut arbeite und dass das Skelett des verschwundenen Winzers gefunden worden sei.

Grivot, nach seiner Pensionierung in Bordeaux geblieben, war ein- oder zweimal im Jahr zu Gast bei ihm und Charlotte, die er geradezu anhimmelte. Hier hatte er auch Simone getroffen.

»Wenn das Mädchen dort allein ist – hat sie jemanden, der auf sie achtgibt?«

»Es gibt einen jungen Deutschen, sie treffen sich häufiger.«

»Auf das, was von jungen Männern zu erwarten ist, gebe ich nicht viel. Die wollen nur das eine. Wie heißt er?«

»Wollen Sie den auch ausleuchten, Grivot?«

»Würde es Sie stören?«

Statt einer Antwort nannte ihm Martin nur den Namen, danach redeten sie noch ein wenig über Wein und den neuen Praktikanten, was man eben so sprach, wenn man sich einmal im Jahr traf und selten miteinander telefonierte.

Als Martin den Hörer auflegte, stand Charlotte in der Tür.

»Seit wann belauschst du mich?«, fragte er irritiert.

»Seit du wieder Geheimnisse hast und besonders, wenn es um Simone geht. Was ist wirklich los?«

»Wo ist Monsieur Ulrich?«

»Er ist auf sein Zimmer gegangen, fernsehen oder französische Grammatik lernen. Wir sind allein.«

»Dann setz dich her«, sagte Martin verbindlich. Widerstand war zwecklos, und er berichtete Charlotte von allem, was er wusste.

»Sollte es in irgendeiner Form brenzlig für Simone werden …«

»Wieso sollte es das?«

»… nur angenommen«, Charlotte war ernst und leise geworden, »also, sollte das der Fall sein, dann hole ich sie von dort weg, zur Not auch gegen ihren Willen!«

Am nächsten Morgen saß Martin in aller Frühe am Rechner und betrachtete die Website des Weingutes von Thomas und Philipp Achenbach. Ein Manuel Stern gehörte mit zur Mannschaft sowie eine Kamila Szymborska. Die junge, blonde Frau neigte sich auf einem Foto eindeutig Thomas zu, sodass die Vermutung nahelag, die beiden wären ein Paar. Und jetzt macht der Kerl Simone den Hof? Schleicht um sie herum, und sie scheint darauf anzusprechen, verliebt und blauäugig wie eine Siebzehnjährige? Nein, sagte sich Martin, das lasse ich nicht zu, dass jemand Simone unglücklich macht. Niemals! Dafür habe ich sie nicht an die Rhône geschickt. Ich werde Thomas zur Rede stellen. Gleichzeitig erinnerte Martin sich, wie leichtfüßig er selbst als junger Mann aufgetreten war, unbedacht – aber nicht aus Bosheit, vielmehr von widersprüchlichen Gefühlen und den Mädchen verwirrt. Galt das als Entschuldigung? Was spielte Thomas ihnen vor? Er hatte sich sogar als Teilhaber bezeichnet. Was war auf diesem Weingut los, das die doppelte Größe seines eigenen aufwies, dass einer der Teilhaber sich auf Dauer davonmachen konnte? Das musste geklärt werden, möglichst bevor Charlotte davon erfuhr.

Thomas saß auf dem Traktor, wie deutlich zu hören war, er sei gerade dabei zu mulchen, erklärte er. Zum Telefonieren stellte er den Motor ab.

»Weshalb ich hier bin, wollen Sie wissen?« Thomas wiederholte Martins Frage.

Wahrscheinlich will er Zeit für die Antwort gewinnen, vermutete Martin.

»Das ist ganz einfach, Herr Bongers. Ich bin geflüchtet. Meine Exfreundin Kamila hat sich von heute auf morgen mit meinem Freund und Kompagnon Manuel zusammengetan.

Er hat höllisch viel Geld geerbt, das schmeckte Kamila besser als Arbeit. Das habe ich nicht ausgehalten. Ich kann schlecht auf demselben Gut mit beiden weiterleben. Reicht das als Erklärung? Mein Vater kannte Alain Dupret beziehungsweise dessen Vater aus seiner Zeit als Einkäufer französischer Weine. Und jetzt denke ich darüber nach, wie es weitergehen wird.«

Die Erklärung kam so knapp und klar, dass Martin nicht wusste, was er sagen sollte.

»Dieser Kompagnon ist mein Studienfreund, für den ich viel getan habe, sehr viel. Aber er kann sich gewisse Frauen nicht vom Leib halten. Dieser Typ Frau begreift das schnell. Das hatten wir schon einmal, und es hat ihn in Teufels Küche gebracht. Ich habe ihn da rausgeholt.«

»Und was wollen Sie von Simone?« Etwas Besseres fiel Martin nicht ein, er war verwirrt. Damit hatte er nicht gerechnet.

Diesmal war die Pause länger, bevor Thomas antwortete. »Ich mag sie sehr, ich bin gern mit ihr zusammen, und ich möchte sie gern näher kennenlernen. Wir können prima miteinander reden, auch über fachliche Fragen. Sie hat Geschmack, das finde ich gut, und ich sehe sie gern an … Wir kennen uns nicht besonders gut, aber das kommt …«

»Danke«, unterbracht ihn Martin, »ich schätze ein offenes Wort. Sie haben sich verliebt? Kann passieren, vielleicht ein wenig schnell nach dieser anderen. Aber ich rate Ihnen, anständig mit Simone umzugehen!« Für einen Moment fürchtete er, sich zu sehr einzumischen.

»Werden Sie ihr jetzt alles erzählen?«, wollte Thomas wissen.

»Das tun Sie besser selbst. Und lassen Sie die Angelegenheit mit dem Toten im Wald auf sich beruhen. Es ist Sache der Polizei. Sie haben mit der Verfolgung dieses Daan genug auf sich genommen. Ich hoffe nur, dass man Sie nicht entdeckt hat.«

Das sei bereits geschehen, meinte Thomas, als er sich bei dem Einbruch eingemischt hatte. Mittlerweile kenne er auch den Halter des Fahrzeugs. »Der Wagen ist auf Frau Marie Paget zugelassen. Sie betreibt mit dem Belgier Daan Verlinden in Laudun das ›Café des Athlètes‹.«

Martin ärgerte sich, dass der Junge schneller gewesen war als er. »Sie haben meine Bitte nicht verstanden«, sagte er erbost.

»Ich kannte den Namen bereits, bevor Sie anriefen. Man fragt hier die Nachbarn. Die kennen alle Leute in der Gegend.«

»Und was fangen Sie oder wir mit dieser Information an? Bedenken Sie, dass man sich wenig beliebt macht, wenn man herumschnüffelt. Es könnte den falschen Leuten zugetragen werden.«

Das sei ihm klar, sagte Thomas, doch er wolle wissen, wer oder was dieser Daan Verlinden war und welche Rolle er bei dem Einbruch gespielt hatte. »Selbstredend gebe ich das, was ich weiß, an die Gendarmerie weiter, verlassen Sie sich darauf, und ich halte auch Simone aus allem raus.«

Hastig zog Martin sich seinen Blaumann über und war dabei, die Arbeitsschuhe zuzuschnüren, als das Telefon wieder läutete, Charlotte rief ihn zurück ins Büro.

»Grivot!«, sagte sie und hielt ihm den Hörer hin.

»Oui, Monsieur le Commissaire?«

»Sie, Monsieur Bongeeers, haben gestern einen Namen genannt, der mir keine Ruhe ließ: Thomas Achenbach, ein Landsmann von Ihnen. Er und sein Vater sind in Frankreich aktenkundig. Es ging um einen Prozess in Reims, in der Champagne, und um einen international aufgezogenen Fonds-Betrug durch einen Engländer.«

»Ach du Scheiße …«, entfuhr es Martin.

»Nein, nicht was Sie denken, Bongeeers. Die beiden, Vater und Sohn, sind sauber. Sie haben unter Einsatz ihres Lebens bei der Aufklärung mitgeholfen, was heißt geholfen, so wie ich es sehe, haben sie den Fall aufgeklärt. Leider wurde dabei ein junger Polizist angeschossen … Bongers! Was ist? Hallo, sind Sie noch da?«

Martin ließ den Hörer sinken. Grivot hatte seinen Namen richtig ausgesprochen. Also war es schlimmer, als er dachte. Dieser verdammte Bengel würde nicht lockerlassen. Was er mit seinem Leben machte, war seine Sache, aber Simone …

Kapitel 19

Er war Realist und gab sich selten Träumereien hin, genauso wenig trauerte er lange um Verlorenes. Inzwischen war er erleichtert, dass er Kamila nicht geheiratet hatte. Früher oder später wäre es sowieso zur Trennung gekommen, so sah er inzwischen die Angelegenheit, und die wäre sonst wesentlich schmerzhafter (und verdammt teuer) verlaufen. Manuels Verrat, der Verrat ihrer Freundschaft, traf ihn existenzieller, stellte er doch den Bestand ihres noch jungen Weingutes infrage. Sein Trost war Simone, ihre Anwesenheit, ihre Ruhe und Zerbrechlichkeit, von der er nicht wusste, ob sie wirklich zu ihrem Wesen gehörte. Wenn er sie still betrachtete, hatte er stets den Eindruck, dass sie ihre Ziele kontinuierlich verfolgte. Aber welche Ziele?

Für den Alltag hatte er die Arbeit. Da dachte er nicht an sie. Die Arbeit zwang ihn auch, die andere, die ferne Wirklichkeit loszulassen. Es war anstrengend, die gestellten Aufgaben besser als gut zu erledigen, gleichzeitig musste er die Zeit herausarbeiten, um sich bei anderen Winzern umzusehen, seinen Horizont zu erweitern. Für heute Abend hatte er sich vorgenommen, das »Café des Athlètes« in Laudun aufzusuchen und sich unauffällig umzusehen, der Dinge harrend, die kommen sollten. Sein Französisch war mittlerweile gut genug, um aus den Unterhaltungen der Gäste am Nebentisch das herauszuhören, was er wissen wollte: Wer war Daan Verlinden? Welche Rolle spielte er?

Den abendlichen Ausflug musste er leider verschieben,

Fabrice Delorme von der Domaine de la Mordorée in Tavel hatte Zeit für ihn, und die Kellerei war ihm empfohlen worden. Nach der Mordorée, der Waldschnepfe, war sie benannt worden, da eine der Lagen inmitten eines Waldstücks gelegen war und die Hefestämme, die sich dort auf den Beeren angesiedelt hatten, im Wein für ein sehr spezielles Aroma sorgten. Das war zumindest die Geschichte, die ihm erzählt wurde. Und ein Weingut brauchte eine gute Geschichte, vorausgesetzt die Weine waren ebenso gut. Ihn interessierte insbesondere der Rosé, davon hatte Thomas kaum Ahnung.

Fabrice Delorme kam nicht aus dem Weinfach. Zu Ruhm hatte sein kürzlich verstorbener Bruder Christophe das Weingut gebracht. Aber mit Zahlen und Daten kannte er sich aus. Neun ihrer insgesamt fünfundfünfzig Hektar waren den sechs Rebsorten für den Rosé vorbehalten. Es waren die gleichen, aus denen auch die Roten gekeltert wurden, aber es waren spezielle Flächen, eine Mischung von drei verschiedenen Bodentypen: die großen Bachkieselsteine, Kalkschotter und magerer Sand des alten Schwemmlands. Doch um Tavel als Ursprungsgebiet angeben zu können, mussten sämtliche Flächen in der Appellation liegen, die insgesamt nur neunhundertfünfzig Hektar umfasste. Die gestattete Erntemenge war um die Hälfte geringer als in der Pfalz. Die Lese von Hand war vorgeschrieben, galt sie doch als Garant für ausgewähltes Lesegut. Wie er sechs verschiedene Rebsorten so kombinieren sollte, dass ein trinkbarer Wein dabei entstand, war Thomas schleierhaft. Wie lange müsste er hier lernen, um das zu beherrschen? Wie viele Nächte müsste er mit winzigen Mengen in immer neuen Varianten experimentieren, wobei der Wein sich in größeren Mengen ganz anders darbot und ein anderes Gewicht bekam? Nehme ich nun fünf Prozent Clairette oder sieben, oder soll ich den Anteil von Syrah nicht von fünfzehn auf zehn senken? Was wird passieren, wenn ich den Anteil von Mourvèdre an der Cuvée erhöhe? Welche andere Rebsorte muss ich dafür reduzieren?

Die einmal gefundene Formel galt im folgenden Jahr schon nicht mehr, denn es war mehr Regen gefallen, und der Austrieb war später erfolgt. Was für Thomas als Flucht begonnen hatte, war zur spannenden Reise in eine neue Welt geworden.

Die Cuvée Dame Rousse von Mordorée musste das Ergebnis einer endlosen Reihe von Versuchen sein. Von der Farbe her war der Rosé heller als andere aus der Gegend, von den Aromen her anders, auch von seiner Kraft. Wenn Thomas nicht irrte, was selten vorkam, roch er Stachelbeere heraus, Kirsche, Erdbeere und rosafarbene Pampelmuse. Mandarine hätte es auch sein können, doch mehr als fünf Nuancen konnte man angeblich nicht aus dem Wein herausriechen, und wozu auch? Hauptsache war, dass er so gut gefiel wie dieser, der weich und elegant daherkam, nicht die klebrige Süße besaß wie ehemals die bonbonhaften Roséweine der Provence, die inzwischen mit einer faden, als modern geltenden Blässe ins andere Extrem fielen.

Thomas konnte sich gut vorstellen, diesen Wein zu einer Brasse, einer Meeräsche oder Seezunge zu genießen, die Soße durfte pikant sein, frische Kräuter waren Pflicht. Lauch, Zucchini oder Sellerie eigneten sich als Beilage. Das Haus Mordorée schlug einen Salat aus Chinakohl, Kaktusfrucht, Chili, Ingwer, Knoblauch und Frühlingszwiebeln vor. Zu Lebzeiten hatte sich Christophe Delorme die Mühe gemacht, auch diverse Käsesorten zu seinen Weinen zu testen, und hatte dafür sogar ein Punktesystem aufgestellt. Nun gut, ein jeder tat, was ihm beliebte und vom dem er meinte, sich dadurch von seinen Mitbewerbern abzusetzen.

Man wandte auf Mordorée seit Langem die Methode der Kaltmazeration an. Unter Kälte und Luftabschluss fand ein enzymatischer Aufschluss der Traubenschale und des Fruchtfleisches statt, Aromavorstufen wurden aus den Beeren herausgelöst, was im fertigen Wein zu schöneren Aromen führt.

Wie die Mehrzahl derer, die ihre Weine selbst vermarkteten und nicht an die Kooperative lieferten, besaß die Familie Delorme auch Parzellen in Châteauneuf-du-Pape. Die waren dem Rotwein vorbehalten: Thomas fand ihn sehr tiefgründig und kräftig, voluminös geradezu, wie alle Weine von dort. Die Roten von diesem Ufer, aus Lirac, hielten dabei erstaunlicherweise mit. Insgesamt summierten sich die Parzellen auf achtunddreißig! Er benötigte weiterhin ein Messtischblatt, um sich zurechtzufinden. Nur wer hier geboren war, kam ohne Karte klar.

Christophe Delorme war hier geboren. Francis, sein Vater, ehemals Produzent von Sicherheitskleidung für Arbeiter in Atomkraftwerken, hatte das Weingut 1972 gegründet und mit der Produktion von Fassware begonnen. Dann war Christophe gekommen, den ein bitteres Unglück in der Familie vom Managerdasein kuriert hatte.

»Er spürte die Reben«, wusste sein Bruder Fabrice, »er fühlte, wann sie gestresst waren, was sie brauchten, er war Tag und Nacht dabei, und das führte zu Konflikten mit dem Vater. Beide kämpften immer miteinander, jeder wollte der Boss sein, bis unser Vater bei einem Sturz seinen Geruchssinn verlor.«

Beide Gedanken schreckten Thomas, er stellte es sich grässlich vor, nicht mehr riechen zu können, und noch grässlicher, mit seinem Vater zu konkurrieren. Sein Vater Philipp war der Mensch, den er am meisten liebte und achtete.

Einen anderen Hinweis von Fabrice Delorme empfand Thomas als sehr spannend. Häufiger war der Name Le Roy gefallen. In Châteauneuf-du-Pape gab es eine nach ihm benannte Avenue. Der mehrfach ausgezeichnete Kampfpilot des Ersten Weltkriegs war der Gründer des Institut National des Appellations d'Origine, kurz INAO. Dort wurden bis heute die Regeln für den französischen Weinbau festgelegt. Seinerzeit, 1936, soll er mit Winzern aus Tavel und Châteauneuf-du-Pape zu einer Konferenz nach Paris gereist sein. Im

Zug wurden die Appellationen aufgeteilt, um Streit zu vermeiden, und Tavel wurde der Rosé zugesprochen. Hieß es nicht immer, dort seien die dafür am besten geeigneten Böden? Die Welt war voller Legenden.

Am folgenden Abend traf Thomas sich mit Simone. Sie erzählte von ihrer Arbeit, von Marcel Cléments gierigen Blicken, die sie anfangs fast dazu gebracht hatten, auf das Angebot Maurice Vitriers einzugehen, zu seinem Château hinüberzuwechseln. Inzwischen sei Monsieur Clément sehr vorsichtig, denn seine Frau musste etwas bemerkt haben. Normalerweise sei es doch so, dass dann die Frau die Nebenbuhlerin beiseiteschaffe, nicht im wörtlichen Sinn, sie aber wohl doch aufgefordert hätte, zu verschwinden. Das Gegenteil sei aber eingetreten, der Kontakt zu ihr sei herzlicher geworden, was Monsieur weiter auf Abstand halte.

Thomas hatte Simone geraten, auf keinen Fall zu wechseln, solange nicht geklärt sei, welche Rolle Maurice bei dem Überfall auf seinen Bruder gespielt hatte. Dass er am nächsten Abend das »Café des Athlètes« aufsuchen wolle, verschwieg er ihr allerdings.

Gegen sechs Uhr machte er Feierabend und meldete sich vom Abendessen ab, was Madame Dupret bedauerte (ihre Tochter ebenso), da sie eine frische Königsbrasse erstanden hatte, die sie auf Tomaten und Fenchel und einem Weißweinsud mit Koriander und Muskat im Ofen zubereiten würde. Seit sie Thomas' Ambitionen hinsichtlich der südfranzösischen Küche kannte, erläuterte sie ihm täglich, was und wie sie zu kochen gedenke. Untröstlich bedauerte er seine Abwesenheit, aber der Termin ließe sich nicht verschieben.

Er ging hinüber in sein Apartment, zog alte Jeans an und den dunklen Kapuzenpullover sowie rutschfeste Schuhe. So wenig vertrauenerweckend wie dieser Daan Verlinden aussah, über den sein Freund Pascal in seinem Computer nichts gefunden hatte, sollte er sich auf unangenehme Überraschungen gefasst machen. Wenn er die nächtlichen Einbrüche koordinierte und sogar Anführer dieser Bande war, konnte es gefährlich werden. Die beiden Stücke des Besenstiels legte er vorsichtshalber im Wagen neben die Handbremse.

Der Weg nach Laudun war nicht weit. Im Ort brauchte er lange, bis er sich zurechtfand. Wollte er sich nicht eingestehen, dass er auch nach einer Fluchtroute suchte? Die großen Tanks und Anlagen der Kooperative Laudun-Chuslan dienten ihm als Orientierung. Dahinter ging es leicht bergan. Oben müsste er auf eine der Ringstraßen treffen, die das Zentrum mit der Burgruine umgaben. Die rund um den Hügel angelegten Gassen waren untereinander mit Durchgängen und Treppen verbunden. Den Wagen stellte er einige Hundert Meter vom Café entfernt in der Rue Montesquieu ab. Wenn er verschwinden müsste, brauchte er nur den Berg runterzulaufen. Im Rinnstein fand er eine halb zerfetzte Plastiktüte, die er über das vordere Nummernschild stülpte. Es musste nicht gleich jeder sehen, dass hier der Wagen eines Deutschen stand.

In weitem Bogen näherte er sich dem Café. Die Straße darunter kannte er, die darüber war durch eine Häuserzeile mit kleinen Hinterhöfen getrennt, dahinter begann der Hügel, den einst die Burg gekrönt hatte, deren Ruinen und Grundmauern in eine Gartenanlage verwandelt worden waren. Thomas lief ein zweites Mal wie unbeabsichtigt am Café vorbei. Die großen Glasfenster erlaubten ihm den Blick ins Innere. Daan Verlinden war nicht unter den Gästen. Trotzdem war ihm ziemlich mulmig, als er die Glastür aufstieß und den Gastraum betrat. Es war klar, dass man sich nach einem fremden Gesicht umschauen würde, denn in diesem Café, auch eine Art Sportbar, verkehrten ausschließlich Einheimische. Doch nach kurzer Musterung erlosch die Aufmerksamkeit, die Gäste, fünf Männer und zwei Frauen, würden ihn für einen Franzosen halten. Sein Haar war dunkel, seine Haut sonnenverbrannt. Seit seiner Ankunft war nicht ein Tropfen Regen gefallen.

Wo sollte er sich hinsetzen? Am besten dort, wo er den besten Überblick hatte. Hinter dem Tresen stand dieselbe Frau, die er mit Daan Verlinden beobachtet hatte. Heute trug Marie Paget das blonde Haar hochgesteckt und einen roten, tief ausgeschnittenen Pulli. Das verspiegelte Flaschenregal, vor dem sie sich bewegte, gaukelte mehr Tiefe vor. Die Schwingtür rechts neben dem Tresen führte wahrscheinlich zur Küche, denn von dort kam eine Küchenhilfe und brachte einem der Gäste ein wenig appetitanregendes Tellergericht, ein *steak frites*. Hinter der Tür befand sich womöglich der Aufgang zu den Privaträumen, in denen sich der Belgier aufhielt. Diese Tür musste Thomas ebenso im Auge behalten wie den Eingang. Er durfte kein Risiko eingehen, niemand wusste, wo er war, niemand würde ihm helfen.

Den gestrigen ›Midi Libre‹ unterm Arm, trat er an den Tresen und bestellte einen Pastis. Mit dem Glas und dem Krug Wasser verzog er sich zum Garderobenständer neben der Kühltruhe, versteckte sich hinter seiner Zeitung und tat, als beobachte er das Rugbyspiel. Hier war er außerhalb der Blickrichtung der Gäste, die gespannt dem Geschehen auf dem Bildschirm folgten. Alle Spielzüge, von denen Thomas nichts verstand, wurden kommentiert. Er sah nichts weiter als ein Knäuel von aufeinanderliegenden Männern in komplett verschmutzten Trikots. Erstaunlich, dass sich das Knäuel entwirrte und keine Leichen vom Platz getragen wurden.

Er mochte eine Dreiviertelstunde hier gesessen haben, es war etwa zwanzig Uhr, vom Pastis hatte er lediglich gekostet, als vier Männer zusammen das Café betraten. Sie waren etwa in Thomas' Alter, und sie waren anders als die übrigen Gäste, die anscheinend alle aus Laudun stammten. Diese vier Männer waren Fremde. Sie blickten ernst, ihre Mienen waren verschlossen, die Gesichter kantig, vom Körperbau her aber waren es recht unterschiedliche Typen, ein Asiate war dabei, ein Nordafrikaner sowie ein Schwarzer, doch alle hatten den gleichen Friseur. Die Köpfe waren seitlich geschoren, nur den Schädel deckte eine Bürste. Die Gäste ignorierten die Neuankömmlinge. Sie traten sofort an den Tresen und bestellten Bier. Einer der Männer, ein Weißer, sprach mit der Wirtin, die den Kopf schüttelte und auf die Uhr sah und dann dem Mann antwortete. Der wandte sich an seine Kollegen, worauf zwei von ihnen wieder auf ihre Uhren sahen, sich kurz besprachen und zustimmend nickten. Vom Nebentisch klang das Wort *légion* herüber. Dass es sich auf die vier Männer bezog, war klar, denn der Mann am Nebentisch und sein Gesprächspartner, der die Mütze aufbehalten hatte, starrten sie an.

Thomas legte sich seine Frage zurecht, um nicht durch falsches Französisch aufzufallen, dann beugte er sich dem Mann mit der Mütze zu.

»Ihr Freund, Monsieur, sagte eben etwas von einer *légion*. Was für eine *légion* meinte er? Meinte er die Männer dort?«

»Die *légion étrangère* natürlich, ja, sie sind hier stationiert, sie gehören zum ersten Pionierregiment. Tolle Kerle, wir lieben sie, wir schicken sie nach Mali, sie waren auch in Kenia, im Irak … Hätten Sie nicht Lust mitzumachen? Die suchen neuerdings wieder mehr Rekruten, tausendfünfhundert im Jahr, überall herrscht Krieg.« Der Angesprochene schaute an Thomas herunter. »Leider haben wir als Franzosen keine Chance, oder sind Sie Belgier?«

Ein Lachen war die beste Antwort. »Das ist nichts für mich, Monsieur, *merci beaucoup*.« Er wandte sich wieder der Zeitung zu.

Die Fremdenlegion. Söldner töten für Geld, eine Killertruppe. Vietnam, Algerien, Mexiko, Sudan, Kosovo, Gabun, Afghanistan, Zaire – Frankreichs koloniale Blutspur, die sich um den Globus zog ... Männer ohne Vaterland, ohne Familie, nur Kameraden und die militärische Moral. Es schauderte Thomas. Es mussten die Schlimmsten sein. Ob er Belgier sei, hatte der Mann gefragt. Belgier durften mitmachen. War Daan Verlinden einer von ihnen oder ein Ehemaliger? Seinem militärischen Gehabe nach zu urteilen – ja. Und Maurice Vitrier war auch Soldat gewesen, Offizier.

Als Thomas vom Tresen zurückkam, wo er sich ein Glas Wein geholt und sofort gezahlt hatte – nach dem Glas wollte er gehen –, bemerkte er vor dem Café einen kleinen, hilflos wirkenden Mann, der sich zwischen den parkenden Wagen herumdrückte und versuchte, sich unauffällig zu benehmen. Mit diesen tölpelhaften Versuchen machte er Thomas erst recht neugierig. Dann betrat Daan Verlinden das Café durch die Schwingtür und wurde von den Legionären, die zum ersten Mal freundliche Gesichter zeigten, mit großem Hallo begrüßt. Das war alles, mehr musste Thomas nicht wissen, er konnte gehen.

Aber genau in diesem Moment trat der Hilflose durch die Glastür und sah sich um, die Hände tief in den Taschen einer fadenscheinigen Anzugjacke vergraben, die Schultern ängstlich hochgezogen. Wie ein Bittsteller näherte er sich dem Belgier von hinten. Der fuhr blitzschnell herum, sofort in Abwehrstellung. Ein gefährlicher Gegner, dachte Thomas, mit dem er trotz seiner jahrelangen Erfahrung im Kampfsport seine Mühe haben würde. Der nächtliche Eindruck war richtig gewesen, Daan war ein Militär, und er kannte keine Hemmungen, die hatte man ihm als Fremdenlegionär abgewöhnt. *Vive la France*, dachte Thomas und zwang sich, noch abzuwarten, um zu sehen, was zwischen dem Belgier und dem hilflosen Kerlchen geschah.

Sie kannten sich offensichtlich. Der Kleine schien etwas zu fordern, Daan Verlinden wehrte ab und beschwichtigte. Die Forderungen wurden lauter, eindringlicher, zu verstehen war in dem anschwellenden Lärm der Gäste kaum ein Wort.

»*Mon frère*« und »*prison*« war als Einziges deutlich zu hören. War das der Bruder des Mannes, den er niedergeschlagen hatte, den man verhaftet hatte? Verlinden wandte sich ab, der kleine Mann ließ nicht locker, zog ihn an der Jacke und redete weiter bettelnd auf ihn ein. Nun wurde Verlinden ungehalten. Die Legionäre amüsierten sich köstlich, es war eines der großen menschlichen Vergnügen, aus einem so offensichtlich Schwächeren den Hampelmann zu machen. Einer von ihnen nötigte dem Mann ein Bier auf, dann zwangen ihn auch die anderen, mehr zu trinken, er wurde umarmt und betatscht, und schließlich drückte man ihm das Glas an die Lippen.

Angeekelt wandte sich Verlinden ab, sein Blick streifte ziellos durchs Lokal, dann blieb er an Thomas hängen. Der schlug die Augen nieder, den Bruchteil einer Sekunde zu spät, sein Anblick musste bei Verlinden etwas hervorgerufen haben – ein Gefühl, einen Gedanken, vielleicht eine Erinnerung? Eine andere Spannung schien nun von ihm Besitz zu ergreifen. Leute wie er rochen die Gefahr, sie hatten einen speziellen Sinn dafür. Thomas erinnerte sich an die Schlägerei vor der Frankfurter Disco, auch er hatte damals geahnt, dass es Ärger geben würde. So unbeteiligt er auch tat, Verlinden starrte ihn an. Thomas wagte nicht, den Blick zu heben. Er konnte nur schleunigst verschwinden.

Er faltete die Zeitung sorgfältig zusammen und bemerkte, dass Verlinden mit seinen Kumpanen über ihn sprach, ihre Augen trafen sich in der Spiegelwand hinter dem Tresen. Es war höchste Zeit zu gehen, wenn nicht zu rennen.

Gemessen verließ er das Lokal, draußen beschleunigte er seinen Schritt, er ging nicht direkt zum Wagen, das war ihm zu gefährlich, sondern folgte der Straße, die leicht anstieg. Rechts sah er eine Lücke in der geschlossenen Häuserzeile, vielleicht gab es da einen Durchgang zu einer tiefer liegenden Straße, dann blickte er sich um. Zwei Legionäre folgten ihm, es waren der Weiße und der Asiate. Verlinden war nicht dabei. Als sie zu laufen begannen, lief auch er.

Der Durchgang rechts entpuppte sich lediglich als Mauervorsprung, dafür tat sich links eine Lücke auf, aber kein Versteck. Thomas spürte den kalten Luftzug, den moderigen Geruch von feuchten Kellern, als er hindurchhastete. Als er das Ende erreicht hatte, sah er die Schatten der Verfolger. Er wandte sich wieder nach links. Alles war dunkel, er hatte einen Fehler gemacht, er hätte Menschen aufsuchen müssen, nur die boten Schutz, eine andere Bar, ein Lokal, von wo aus er Alain oder einen der bekannten Winzer hätte um Hilfe bitten können. Vor ihm wölbte sich ein Torbogen neben einer offenen Garage mit allerlei Gerümpel, aber darin hätte er in der Falle gesessen. Er hörte die Schritte der Männer, sie kamen näher. Weiter vorn gab es eine Treppe, die hinunterführte. Er käme zur nächsten Straße, er sah es am Licht der Straßenlaterne. Auf halbem Weg war ein Zaun, er schwang sich am Gitter hinauf in einen Garten und blieb keuchend hinter einer Mauer liegen. Er glaubte, der Kopf würde ihm vor Anstrengung platzen, sein Atem würde ihn verraten. Er hörte, wie die Legionäre sich berieten, verstand aber kein Wort. Aus dem Garten war kein Entkommen, keine Tür zum Verschwinden, kein offenes Fenster. Geräuschlos schlich er zum Gitter zurück, seine Verfolger standen jetzt unten. So lautlos wie eine Schlange überwand er das Gitter, ließ sich daran auf die Treppe hinab, und als er sich an die Wand gepresst nach oben davonmachen wollte, rutschte er ab, es gab einen Laut, sie hörten ihn und spurteten wieder los.

Thomas musste zum Durchgang zurück, dort meinte er einen Schacht gesehen zu haben, einen Eingang in einen Keller oder Lagerraum, mehr war nicht zu sehen gewesen. Sie waren wieder hinter ihm, höchstens zwanzig Meter entfernt. Er hoffte, dass ihm ihre Kumpane nicht entgegenkamen, zu viert hätten sie ihn erwischt. Er sprang einige Stufen hinab, dort war das Holztor zum Lager, daneben der Schacht, aber bodenlos, doch gegenüber war eine Nische mit einem vergitterten Fenster dahinter, sie lag komplett im Dunkeln.

Thomas kroch hinein. Er musste sich verrenken, sich zusammenfalten und ausatmen, um sich so klein wie möglich zu machen, und klammerte sich, den Kopf zwischen den Knien, an das kalte, rostige Gitter. Da waren die Männer neben ihm, einer rannte weiter, der zweite rüttelte an dem hölzernen Tor, das in den Angeln ächzte. Danach blickte er in den Schacht. Von unten wurde etwas gerufen.

»*Il n'est pas ici*«, sagte der Legionär, der fast neben ihm stand, »er ist nicht hier.« Mit ausgestrecktem Arm aber hätte er ihn fast erreicht.

»*Vraiment pas?*«, kam es von unten. »Wirklich nicht?«

»*Non, Sergeant,* sonst hätte ich ihn gefunden.«

Also war der zweite Mann ein Sergeant, ein Unteroffizier? In Thomas keimte Hoffnung, aber ihm wurde die Luft knapp, so zusammengekrümmt saß er in diesem Lichtschacht. Menschen derart einzusperren, war sicher Teil dessen, was die Legionäre bei ihren Folterkursen lernten. Als er hörte, wie die Verfolger sich entfernten und ihre Stimmen leiser wurden, versuchte Thomas, seine Haltung zu verändern. Es ging nicht, er musste hier raus, andernfalls wäre er ohnmächtig geworden. Als er sich endlich aufrichten konnte, sog er dankbar die kühle Nachtluft ein und kroch nach oben.

Die Stimmen der Legionäre hatte er zuletzt von der unteren Straße gehört. Sie werden ins Café zurückkehren, entweder die Suche aufgeben oder Verstärkung holen, sagte er sich und lief hinter der oberen Häuserzeile entlang bis zum Rathaus, an dem er vorhin vorbeigekommen war. Als er meinte, weit genug vom »Café des Athlètes« entfernt zu sein, folgte er einer Straße bergab, die ihn zu einem Wegweiser führte: Villa Montesquieu. Dort stand sein Wagen. Er war gerettet, vorerst. Daan Verlinden wusste jetzt, wer er war, und von Maurice Vitrier würde er erfahren, wo man ihn finden konnte …

Kapitel 20

Sie war gerade aus der Dusche gekommen und damit beschäftigt, ihr Haar zu trocknen, was bei der Länge ein größeres Unterfangen war, als es zaghaft an der Tür ihrer kleinen Wohnung klopft. Simone lugte durch die Vorhänge. Draußen stand Madame Clément. Im Bademantel und mit nassem Haar hätte sie einem Mann niemals geöffnet. Jetzt aber öffnete sie die Tür einen Spalt weit.

»Pardon, ich komme gerade …« Simone hatte sich schnell ein Handtuch wie einen Turban um den Kopf gewickelt.

»Das ist kaum zu übersehen, *ma chère*«, sagte Madame freundlich wie immer. »Ganz kurz nur – ich gehe gleich rüber zu Madame Vitrier, wir sind verabredet. Ich wollte fragen, ob Sie mitkommen möchten, so könnte ich Sie vorstellen, wir würden uns freuen. Außerdem habe ich Ihnen einen Vorschlag zu machen. Sie kennen Château des Trois Anges, wie ich vermute, nicht von innen?«

Simone bestätigte die Vermutung und stimmte gern der Einladung zu. Es war die Gelegenheit, hinter die Kulissen des Château des Trois Anges zu blicken. Sie fühle sich geehrt, würde allerdings noch eine halbe Stunde benötigen, um sich herzurichten. Sich für die Arbeit anzuziehen, war einfach: Jeans, T-Shirt und Arbeitsjacke, feste Schuhe, das Haar zusammenbinden, das dauerte keine fünf Minuten. Aber auf eine Einladung war sie nicht eingestellt. Charlotte hatte sie erst vor der Abreise dazu veranlasst, entsprechende Kleidung einzupacken. Wein sei nicht nur Landwirtschaft, hatte sie gemeint, Wein sei auch gesellschaftliches Ereignis, man müsse repräsentieren, besonders wenn es um hochpreisige Weine ging wie bei ihnen in Bordeaux und sicher auch in Châteauneuf-du-Pape. Unter diesem Aspekt war Simone der Beruf ein Gräuel.

Neugier und Angst hielten sich bei der Vorstellung, ohne Martin oder Thomas das Haus der Vitriers zu betreten, die Waage – besonders nachdem Thomas ihr von seinem nächtlichen Ausflug nach Laudun berichtet hatte. Andererseits freute sie sich, sie hielt die Einladung für eine Anerkennung ihrer Arbeit, ihres Einsatzes. Mit Madame Clément kam sie immer besser zurecht, denn den Tag über arbeitete sie ausschließlich mit Männern zusammen, deren derbe Späße und grober Humor sie häufig dazu zwangen, über Anzüglichkeiten hinwegzuhören. Das kannte sie nicht von zu Hause. Da war der Umgang mit Frauen entspannter. Doch je länger sie hier war, desto mehr begriffen die Kollegen, dass sie als Kollegin wie auch als Frau mit Respekt zu behandeln war.

Sollte sie sich die Nägel lackieren? Was war mit einem Augen-Make-up? Tat es der Eyeliner? Ja, und kein Nagellack. Ohrringe? Nein. Oder doch? Nein. Sie würde sich nicht verstellen, man sollte sie nehmen, wie sie war. Aber sie zog doch die schwarze Samthose an und den roten Pulli mit schwarzen Blenden an Ausschnitt und Saum. Dazu passte die locker fallende Strickjacke in denselben Farben. War sie overdressed? Für sich selbst ja, anderen gefiel es womöglich. Als sie sich fragte, ob es Thomas vielleicht gefallen würde, schob sie den Gedanken rasch beiseite.

Sollte sie ihm von der Einladung berichten? Nein, wozu? Dann rief sie ihn doch an. Es war ihr wichtig, dass jemand wusste, wo sie war. Die Einladung war ihr unheimlich. Allein wäre sie nicht hinübergegangen, doch solange Madame Clément dabei war, durfte sie sich sicher fühlen, auch falls Madame Vitrier von ihrer Verbindung zu Thomas wusste.

»Geh auf jeden Fall hin«, riet er, »es würde unfreundlich

wirken, wenn du die Einladung nicht annimmst. Verlass dich auf dein Gespür, Simone. Wenn du meinst, dass es kritisch wird, oder wenn der Hausherr sich dazugesellt und blöde Fragen stellt, solltest du besser verschwinden.«

»Er soll unterwegs sein …«

»Umso besser. Steck dein Telefon auf jeden Fall ein. Sollte das Gespräch kritisch werden, ruf mich an und lass es eingeschaltet. Ich bin hier. Wenn es unangenehm werden sollte, komme ich sofort, der Wagen ist aufgetankt. Hast du gehört, dass die Tankstellen in den nächsten Tagen bestreikt werden? Morgen früh kriegst du wahrscheinlich noch Benzin, später kann es knapp werden.«

»Weshalb streiken die?«

»Es geht um die Arbeitsgesetze, Verlängerung der Arbeitszeit, und um die Lockerung des Kündigungsschutzes und die Einführung von Billigjobs. Auch die Bahn wird streiken …«

»Die streiken hier immer, sagt jedenfalls Martin.« Simone nahm das nicht zu ernst. »Er meint allerdings, wenn sie nicht streiken würden, würden sie niemals etwas erreichen. Die Regierung mache immer, was sie wolle, egal, wen oder was man wählt. Lass uns ein andermal weiterreden, ich muss jetzt los. Ich berichte dir morgen, wie es war. Was machst du heute?«

Er wolle sein früheres Konditionstraining wieder aufnehmen. Dass er bei der Verfolgung beinahe schlappgemacht hätte, sei ihm eine Lehre. »Aber sag deinem Martin nichts davon, von meinem Abenteuer, versprochen?«

»Nur wenn du mir versprichst, ihm nicht zu verraten, wo ich heute Abend bin!«

Simone dachte daran, dass sie sich lieber mit Thomas treffen würde, als zu dem Damenkränzchen zu gehen. Ihn zu sehen, war nicht weniger aufregend. Sie warf einen letzten Blick in den Spiegel. So häufig wie in letzter Zeit hatte sie nie davorgestanden. Die Schuhe, *mon Dieu*, welche Schuhe sollte sie anziehen? Ohne nachzudenken, war sie wie üblich in die Stiefeletten geschlüpft. Dabei passten nur die halbhohen schwarzen zu ihrem Outfit. Wie würden die Damen bei einem informellen Treffen gekleidet sein? Sie waren eine andere Generation als Simone. Waren sie Freundinnen, lediglich Nachbarinnen oder gute Bekannte? Wie Madame Vitrier wohl war? Sie hatte nicht die geringste Vorstellung von ihr, sie wusste auch nicht, welche Rolle sie auf dem Weingut spielte.

»Lass sie fragen«, riet ihr Charlotte immer, wenn Simone mit Unbekannten umgehen musste. »An den Fragen erkennst du den Menschen. Und wenn du was gefunden hast, worin du dich auskennst, bist du an der Reihe, denn wer fragt, der führt, und dann bestimmst du das Thema.« Charlotte hatte gut reden, sie hatte es während ihrer politischen Karriere gelernt, andere aufs Eis zu führen und sie lächelnd einbrechen zu lassen. Wenn alles so einfach wäre, wie einen Anhänger rückwärts zu rangieren … Sie schloss die Tür ihres Apartments und machte sich auf den Weg.

Im Hof trat Madame Clément zu ihr und äußerte sich bewundernd über ihr schickes Outfit. Simone fühlte sich gleich besser, auch als sie dann noch erfuhr, dass derartige Treffen vielleicht alle zwei Jahre stattfanden, sonst treffe man sich lediglich auf Veranstaltungen der Weinbruderschaft oder bei der Preisverleihung des Concours de la St. Marc.

Auf der Domaine Clément war Madame für die Außenbeziehungen zuständig. Ihr Ehemann, so hatte sie ihr neulich erst erzählt, hasste es, sich auf Messen die Füße platt zu stehen, irgendwelchen Interessierten oder lediglich den *piques-assiettes*, den Nassauern, wie Martin sie nannte, die besten Weine auszuschenken und Reden zu halten. Martins Freund Sichel hatte ihr bei einem seiner Besuche erklärt, dass Nassauer nichts mit dem alten Adelsgeschlecht zu tun hätten, vielmehr käme das Wort aus dem Jiddischen, sei vom *nossenen* abgeleitet und bedeute »schenken«. Sichel hatte irgendwelche jüdischen Vorfahren. Simone ertappte sich dabei, dass ihre Gedanken wieder abschweiften; genauso gern wäre sie hier abgebogen, um sich vor dem Treffen zu drücken.

»Bei derartigen Veranstaltungen haben die Vitriers nie in unserer Nähe gesessen«, sagte Madame Clément, und Simone brauchte einen Moment, um zu verstehen, worüber sie sprach. »Unsere Weine liegen im oberen Mittelfeld und die von Maurice an der Spitze. Da sind wir von geringer Bedeutung, zumindest für ihn, den ewigen Zweiten.« Madame Clément grinste ein wenig böse. »Irgendwann bringt ihn sein Ehrgeiz noch um.«

Madame Clément kannte den Weg durch die Hintertür über den langen dunklen Korridor, der sie in die Küche brachte. Kühl, klar und kalt war hier alles, es war eine Küche, die man erst einmal als solche erkennen musste. Es schien mehr ein Labor zu sein. Alles war verschlossen, nichts gewährte Einblick, kein Glas, kein Kochtopf war zu sehen, sogar der Herd blieb verdeckt, und die Dunstabzugshaube verschwand auf Knopfdruck.

Das Auffälligste an Madame Vitrier waren das glatt fallende und leuchtend rot gefärbte Haar und die kalten, taxierenden Augen. Der Mund wirkte unbeweglich, denn das faltenlose Gesicht blieb auch beim Sprechen glatt. Da wird ein Chirurg geholfen haben, die maskenhafte Jugend zu erhalten, dachte Simone, ohne ihr diplomatisches Lächeln aufzugeben. Sie hoffte, dass es nicht zu gequält wirkte. Madame Vitrier trug ein blaues Jerseykleid mit einem Bindegürtel, der Kragen, die Blende des Ausschnitts sowie die Ärmelmanschetten waren in Weiß abgesetzt und bildeten einen interessanten Kontrast. Die Schuhe mussten ein Vermögen gekostet haben, ähnlich wie die beiden Brillantringe und die Perlen in den Ohren. Neben ihr stand ihre Küchenhilfe: schwarzes Kleid, weißes Häubchen und Schürze machten den Klassenunterschied überdeutlich. Die ausgetretenen

Schuhe wirkten geradezu peinlich, jedoch peinlich für einen Arbeitgeber, der sie darin herumlaufen ließ.

Größer kann der Gegensatz nicht sein, dachte Simone und verglich die beiden Frauen, ihre Chefin in einer schlichten beigen Hose und einer langen, darüberhängenden gelben Seidenbluse. Ich habe die richtigen Arbeitgeber gewählt, dafür nehme ich Monsieur Cléments Blicke in Kauf.

»Es ist selten, dass junge Damen zu uns kommen, um hier zu lernen«, sagte Madame Vitrier formvollendet, während sie ihre Nachbarin umarmte und beide Frauen sich äußerst vornehm auf die Wangen küssten. »Daher ist es ein umso größeres Vergnügen, Sie bei uns zu begrüßen.«

Simone bedankte sich artig für die Einladung und die willkommene Abwechslung in ihrer täglichen Routine zwischen Weinberg und Keller und den manchmal recht ungehobelten Männern, aber der Ton sei eben rau.

Das gab Madame Clément die Gelegenheit, sich lobend über Simones Arbeitseifer zu äußern, sie sprach von ihrer raschen Auffassungsgabe und der Fähigkeit, sich problemlos einzufügen. Mit den Worten, wie wichtig gerade diese Fähigkeit sei, geleitete Madame Vitrier ihre Gäste in den kleinen Salon, der den Damen vorbehalten war, wie sie betonte, und im Stil Louis XVI. eingerichtet war. Madame Clément schickte Simone einen Blick, der ihr signalisierte, dass es geradezu eine Gnade sei, hier eingeladen zu sein.

Da erschien lautlos das weibliche Faktotum und servierte den Sherry. Es war ein Solera 1830 von Pedro Ximenez. Während Madame Vitrier den Wein beschrieb, nippte Simone vorsichtig. Sie kannte sich mit diesem Stoff nicht aus. Anders als Wein, Crémant und Champagner, selten ein Portwein, hatte Sherry in Saint-Émilion nicht zu den »Grundnahrungsmitteln« gehört, wie Charlotte ihre täglichen Speisenbegleiter nannte. »Ein Essen ohne Wein ist wie ein Tag ohne Sonne – und ohne Martin«, hatte sie hinzugefügt.

Der halbtrockene Sherry war die Ouvertüre für die darauf

folgenden drei winzigen Wildpasteten. Bei dieser Portionsgröße war klar, weshalb die Gastgeberin so dünn war.

»Sie ist eine hervorragende Köchin«, meinte Madame Vitrier und sah ihrem Faktotum nach. »Sie versteht es ausgezeichnet, meine Anweisungen und Ideen eins zu eins umzusetzen. Ich habe sie jetzt seit zwanzig Jahren. Eine Perle. Das Schwein übrigens für diese Pastete stammt vom anderen Ufer, sie haben dort viel mehr Wald. Ich habe da einen Jäger, Daan, einen gebürtigen Belgier, falls Sie Wild schätzen.«

»Wie wunderbar, wenn man jemanden hat, der das kann und einem alles liefert.«

Verstand Madame Vitrier die Ironie der Entgegnung? Simone hatte schnell etwas sagen müssen, um den Schreck über den Namen des Jägers zu überspielen. Damit wandte sich die Aufmerksamkeit ihr und dem Weinbau in Bordeaux zu, ihrer Berufsausbildung, den Unterschieden zwischen der Arbeit im Weinberg und in den Kellern und natürlich Simones Ansichten über die neue, ach so wunderbare Umgebung.

»Es wird nicht einfach sein für Sie, sich in der hiesigen Ampelografie zurechtzufinden. Wenn ich recht informiert bin, arbeiten Sie in Bordeaux hauptsächlich mit Barriques. Wir hingegen haben im Keller seit Jahrzehnten die großen Betontanks in Gebrauch, bereits meine Schwiegereltern, von denen wir das Weingut erbten, nutzten sie, dann die *foudres* mit etlichen Tausend Litern, ganz anders als im Bordelais.«

Hatte Simone Madame Vitrier bislang unterschätzt, so merkte sie nun rasch, dass sie im Weinbau zu Hause war. Später kam Madame auf Simones Familie zu sprechen und zeigte sich entsetzt, als Simone vom Unfall des Vaters berichtete, dass er in einem Weinlager von einem Stapel Paletten erschlagen worden war. Den Grund für den angeblichen Unfall verschwieg sie für gewöhnlich. Es müsse schrecklich sein, fand Madame Vitrier, den Vater so früh zu verlieren.

Bis jetzt ist alles glattgegangen, stellte Simone fest und sah der famosen Köchin entgegen, die das nächste Gericht servierte, wie zuvor leider in winziger Dosierung. Die Gabeln waren auch entsprechend klein. Man reichte Makrelenfilets in einer Kräutersoße mit gratiniertem Mangold. Der üppige weiße Châteauneuf-du-Pape, den sie bereits kannte, passte hervorragend dazu.

»Ich empfehle dazu immer unseren zwei Jahre alten Wein. Mein Mann hat den vier Jahre alten lieber, bei ihm darf er auch gern sechs Jahre alt sein. Männer mögen es lieber kräftig, mit mehr Volumen. Ich frage mich, wie unsere Weine ausfallen würden, wenn wir Frauen hier das Sagen hätten.«

»Auf jeden Fall anders«, vermutete Madame Clément. »Wollen wir es ausprobieren, Simone?«

Simone erzählte, wenn es nach ihr gegangen wäre, hätte sie im vergangenen Jahr die Trauben lieber einen Tag früher gelesen und die Weine nach der Reife im Fass lieber früher abgezogen als ihr Patenonkel. Aber dazu sei ja immer noch Zeit, wenn sie eines Tages das Weingut führen würde.

»Ah, sehr bemerkenswert, ja dann sind Sie sozusagen eine von uns«, bemerkte Madame Vitrier erstaunt. »Ich dachte, Sie sei Ihre Praktikantin, *ma chère* Louanne, oder Ihre Angestellte.«

Von einem zum anderen Moment veränderte sich Madames Benehmen, jetzt, da Simone zum Kreis der Besitzenden gehörte, zumindest der zukünftigen, und damit zu ihrem gesellschaftlichen Stand. Simone war derartiges Getue zuwider. Sie lenkte von diesem Thema ab und kehrte zum Wein zurück. Auf diesem Terroir fühlte sie sich sicher.

Die Frage nach der Zusammenarbeit der Brüder, die auf recht unterschiedliche Weise ihre Kellereien führten, nutzte Madame Vitrier jedoch dazu, das Gespräch auf den Einbruch bei ihrem Schwager zu bringen. Es war zum Verzweifeln, auch das war eine Angelegenheit, über die Simone nicht reden wollte. Falls Monsieur Vitrier in den Fall verstrickt war, wovon Thomas ausging, durfte sie keinesfalls nach außen dringen lassen, dass sie darüber etwas wusste. Das konnte gefährlich werden, wenn sie sich vor Augen hielt, was Thomas erlebt hatte.

Leider ließ Madame Vitrier nicht locker, sie bohrte weiter, sprach über ihren Schwager und über den mutigen jungen Deutschen, der das Schlimmste verhindert hätte. Ihre Worte klangen stets so, als suchte sie lediglich nach einer Korrektur ihrer Annahmen. Simone hatte das Gefühl, aufs Glatteis geführt zu werden. Madame Vitrier konnte unmöglich wissen, dass sie mit Thomas in Verbindung stand. Oder hatte ihr Mann darüber gesprochen?

Schließlich mischte Madame Clément sich ein und fragte ihre Nachbarin, wieso sie annehme, dass Simone etwas darüber wissen könne, was in Lirac geschah, da sie doch auf dieser Seite der Rhône arbeite. Ihr sei eine andere Sache wichtig, und das sei ihr bei diesem Gespräch wieder deutlich geworden: ob Simone Erfahrungen mit Präsentationen oder Weinmessen habe, da sie so versiert und anschaulich über den Wein spräche.

»Wenn Sie Lust haben, Simone, und mein Mann Sie entbehren kann, würde ich Sie gern mit nach Stockholm nehmen und im Herbst nach Wien. Im Oktober findet dort die AWC Vienna statt, wir werden jedes Jahr als Juroren zu dem Wettbewerb eingeladen. Das wäre für Sie bestimmt interessant. Der Concours Général Agricole in Paris, wo wir uns stets die Gold- und Silbermedaillen abholen, unser wichtigster nationaler Wettbewerb, wäre auch was für Sie.«

»Kennen Sie Paris?«, fragte Madame Vitrier. »Nein? Oh, wie schade.« Es klang mehr entrüstet als nach Bedauern.

»Unsere Gastgeberin, Madame Louise, holt sich die Preise immer beim Concours de la St. Marc. Wir von der Domaine Clément stolpern da nur irgendwo im Mittelfeld herum.«

»Mein Mann gewinnt die Preise, nicht ich«, korrigierte Madame Vitrier, ein wenig zu distanziert. »Von den mehr als dreihundert Winzern unserer AOC nehmen doch nur siebzig daran teil, und in dieser Gruppe im Mittelfeld herumzustolpern, meine Liebe, ist doch nicht schlecht.«

»Wie wär's, meine liebe Louise, wenn Maurice zur Abwechslung mal den ersten Platz belegte? Zweimal hintereinander Zweiter zu werden, mag auf Dauer unbefriedigend sein.«

»Er will es ja, um jeden Preis, er tut, was er kann. Er ist Stier vom Sternkreiszeichen her, und Stier ist das Zeichen für Entschlossenheit und Kraft. Doch wie der Wein bewertet wird, ist immer eine Frage, wie die Jury besetzt ist, in welcher Reihenfolge die Weine probiert werden, was man vorher gegessen hat und wie die Sterne gerade stehen, ob sie dem Stier günstig gesonnen sind. Der Stiergeborene ist darauf versessen, alle Hindernisse und Widersacher aus dem Weg zu räumen, die seinen Interessen zuwiderlaufen.« Madame hob die Hand in einer abwehrenden Geste. »Mir reicht der zweite Platz vollkommen. Ihr wisst natürlich, weshalb?« Madame blickte ihre Gäste eindringlich an. »Ihr wisst es wirklich nicht? Wie ist das möglich?« Wieder schwieg sie vielsagend. »Ihr wisst, was mit den Ersten geschah? Ich bitte euch, das kann doch niemand wollen. Lieber einen zweiten Platz, und mein Mann bleibt mir erhalten.«

»Meinen Sie, Madame, es hat damit etwas zu tun?«, fragte Simone entsetzt und gab sich unschuldig.

»Oh, ihr Lieben, es geht weiter, bitte keine schrecklichen Gespräche bei Tisch.« Madame Vitrier schien begeistert. Ihre Perle betrat den Raum, den Duft von Lorbeer und Thymian vor sich hertragend. »Nur eine Kleinigkeit: ein Lammragout, in Auberginenstreifen gegart, auf einem Bett aus Tomaten und Zucchini. *Voilà!*«

Die Portion war winzig, der Duft köstlich, Simone sah Madame Vitrier nach, die aufgestanden war und die bauchigen Gläser aus der Hand ihrer Perle entgegennahm. Der Wein wurde in einer Dekantierkaraffe serviert, Madame Vitrier schenkte ein. Simone ließ den vier Jahre alten Wein langsam im Glas kreisen und freute sich über das wunderbare Rot und die aufblitzenden Reflexe. Der Duft war grandios, sie weigerte sich, ihn in einzelne Komponenten zu zerlegen, es hätte ihr Vergnügen zerstört. Es war eine sehr schöne Komposition, die sie an die Weine aus dem Hause Avril und Usseglio erinnerte. Sie hätte nicht sagen können, welcher Wein der bessere war, und sie lobte die Arbeit, was Madame Vitrier zwar mit freundlicher Entgegnung, doch wie üblich mit unbewegter Miene zur Kenntnis nahm.

Während des Essens sprachen sie über den Verfall der einst so berühmten französischen Küche, die von Convenience Food und der Burger-Welle überrollt wurde, deren Gastronomie immer mehr von Menschen betrieben wurde, denen das Küchenhandwerk fremd war, die meinten, hier sei leichtes Geld zu verdienen, und die ihre Zutaten bei Lidl und Aldi einkauften.

»Und die Albernheit der sogenannten Molekularküche setzt dem allen noch die Krone auf«, ereiferte sich Madame Vitrier.

Wohl dem, der sich eine solche Perle leisten kann, dachte Simone, und der nach der täglichen Arbeit, dem Abholen der drei Kinder aus dem Hort oder von der Schule noch Zeit zum Kochen findet.

Während die beiden Damen die Adressen von Lebensmittellieferanten und Biobauern austauschten, dachte Simone über das vorherige Thema nach. Sie erinnerte sich zu gut an die Fundstelle der Knochen im Wald und an dieses von Absperrbändern umgebene Loch. Sie glaubte sogar, davon geträumt zu haben, denn am Morgen danach hatte sie den harzigen Duft der Kiefern in der Nase. Sie würde zu gern wissen, wie Madame Vitrier über den Winzer dachte, der überfahren worden war. Martin würde es auch interessieren. Als der Name Bergerac fiel, hatte sie ihr Stichwort.

»Hieß der überfahrene Winzer nicht auch Bergerac, auch einer der Sieger beim Concours?«

»Ja, de Bergerac, ein Verwandter von ihm betreibt Gemüseanbau. Ein schreckliches Thema. Man fürchtet beinahe, dass irgendwann wieder ein Unglück geschieht.« Diesmal wirkte Madame Vitrier tatsächlich besorgt, ihre Augen bewegten sich unruhig.

Madame Clément stimmte zu. »Das geht mir ähnlich. Mir macht das Angst.«

»Findet dieser Wettbewerb nicht demnächst wieder statt?«, fragte Simone.

»Richtig, mein Mann hat die Flaschen bereits eingereicht. Ja, mir macht es auch Angst. Maurice bewegt der Fall sehr. Seit klar wurde, dass … dass Didier erschossen wurde. Wir kannten die Familie Lamarc gut, waren befreundet, seitdem bin ich zwar nicht überzeugt, aber ich halte es für möglich, dass Joseph de Bergerac absichtlich überfahren wurde.«

»Und jetzt fürchten Sie, Madame, das könnte dem nächsten Gewinner auch passieren?« Simone versuchte, sich den Anschein zu geben, als behandele sie das Thema ähnlich wie all das andere, das hier täglich über sie hereinbrach.

»Wer weiß?«, hörten sie eine tiefe Männerstimme sagen, und alle drei Frauen wandten sich erschrocken der Tür zu. »Alles ist möglich. Aber macht euch keine Sorgen.« Maurice Vitrier hatte mit grimmigem Gesicht den Raum betreten. »Ich kann sehr gut auf mich aufpassen.« Dann wechselte er zum charmanten Lächeln des Gastgebers, was sein hageres Gesicht grotesk verzerrte. »Ach, was für eine reizende Gesellschaft hat sich heute bei uns versammelt.«

Simone klopfte das Herz bis zum Hals, mit seinem Auftauchen hatte sie zwar gerechnet, aber keinesfalls so früh. Sie sah auf die Uhr. Sie brauchte einen guten Grund, um schleunigst zu verschwinden. Hatte der Belgier ihn inzwischen über Thomas' Erscheinen in Laudun informiert? Sie zögerte. Sich den Rotwein über die Hose zu gießen, wäre ein Grund zu gehen, aber letztlich gewann ihre Neugier. Außerdem würde ihr in Gegenwart von Madame Clément nichts geschehen.

»Wir sprachen gerade über die beiden Sieger der letzten Jahre«, sagte Madame Vitrier. »Ich hatte das Gefühl, als müssten wir dankbar sein, dass du nicht gewonnen hast.«

»Unsinn, aber sehr fürsorglich gedacht.« Vitrier trat zu Madame Clément und reichte ihr die Hand. »Meine Frau ist immer rührend um mich besorgt, das zeichnet die liebende Gattin aus. Am meisten freue ich mich, dass Sie, Madame, nach langer Zeit mal wieder den Weg zu uns gefunden haben. Wir Nachbarn sollten häufiger miteinander das genießen, was wir uns täglich erarbeiten.« Er ließ den Blick über den Tisch mit den inzwischen leeren Tellern streifen, und sofort trat das Faktotum aus dem Dunkel und deckte ab. »Außerdem freue ich mich, auch Ihre bekanntermaßen sehr tüchtige neue Mitarbeiterin wieder begrüßen zu dürfen. Mademoiselle Simone …?«

»Simone Latroye, Saint-Émilion.«

»Allein der Name des Geburtsortes ist ein Versprechen, ein Geschmack auf der Zunge, ein Funkeln im Glas – finden Sie nicht auch? Und eines im Portemonnaie.« Er gluckste, empfand seinen Witz als gelungen und reichte Simone die Hand, wobei sein Lächeln gefror, ob bewusst oder unwillkürlich, war für sie nicht zu erkennen.

Er zog sich einen kleinen Sessel heran, und sofort stand ein Weinglas vor ihm, an dem er roch und das er provozierend auf Spuren aus der Spülmaschine untersuchte.

Ein Pedant ist er auch, dachte Simone, und seine Frau, obwohl ein Eisbrocken, tat ihr ein wenig leid. Da fiel ihr ein, was Charlotte dazu gesagt hatte, dass die Frauen sich die Männer aussuchten, dass sie sich für oder gegen jemanden entschieden. Oft passten derartige Paare besser zueinander, als man glaubte. Aber wieso ihre eigene Mutter ein arrogantes Ekel geheiratet hatte, woran auch die Freundschaft zu Martin zerbrochen war, blieb ihr bis heute ein Rätsel.

»Wie könnt ihr euch einen schönen Abend mit einem derart schrecklichen Thema verderben, noch dazu bei meinem

Wein im Glas?« Er griff nach der Karaffe. »Ich weiß natürlich, was im Ort gemunkelt wird, nachdem man den armen Didier gefunden hat, vielmehr das, was die Tiere von ihm übrig ließen.«

»Ich habe den Eindruck, dass Ihre Frau, Monsieur Vitrier, sich um Sie sorgt.« Simone war über sich selbst erstaunt, dass sie das Wort ergriff. Aber dieser Mann ärgerte sie. »Wir sprachen darüber, dass demnächst der jährliche Concours stattfindet – und die beiden letzten Sieger leben nicht mehr –, und Sie, Monsieur, wollen ihn gewinnen?«

»Sie reden bereits wie alle im Ort. Selbstverständlich nehme ich teil, es ist mir sogar ein Vergnügen. Zur Not nehme ich mir einen Leibwächter.« Er lachte ein wenig zu exaltiert.

»Du meinst doch nicht etwa diese merkwürdigen Freunde aus Laudun?« Seine Frau sah ihn ungläubig an.

Vitrier überging den Einwand. »Was Sie nicht außer Acht lassen sollten, Mademoiselle Simone, ist Folgendes: Es ist ein Mord geschehen, zweifellos. Die Gendarmerie wird ihn aufklären, ich bin von den Fähigkeiten unserer Behörden absolut überzeugt. Aber der Mord geschah auf der anderen Seite, auf der rechten Seite der Rhône, genau genommen auf der falschen Seite. Nicht umsonst liegt Châteauneuf-du-Pape auf dieser! Wo haben die Einbrüche der letzten Monate stattgefunden, sogar bei meinem Bruder? Auch auf der anderen Seite. Man weiß inzwischen, welches Gesindel sich am rechten Ufer der Rhône tummelt, nicht wahr, Mademoiselle Simone? Ihr deutscher Bekannter hat es hautnah erlebt.«

Simone wurde blass. Was sollte Madame von ihr denken? *Mon Dieu …*

»Wer weiß, in was für Angelegenheiten Didier Lamarc verstrickt war«, fuhr Vitrier fort. »Stand er mit einer der Banden in Verbindung? War er in diese Einbrüche verstrickt? Ich bin sicher, es wird aufgeklärt. Diese beiden Seiten kommunizieren selten miteinander. Drüben, da sitzen die

Spanier, hieß es früher, wir hier wurden die Italiener geschimpft. Beide sind sich nicht besonders grün. Das ist historisch begründet ...«

»Ganz so extrem wie du sehe ich das nicht«, unterbrach ihn seine Frau. »Auch wir besitzen Land auf der anderen Seite, wo wir unseren Côtes du Rhône herbekommen. Sogar in Tavel haben wir drei Parzellen, das sind zwar nur zwei Hektar, aber immerhin.« Sie sagte es, als sei ihr die Bemerkung über Lamarc entgangen.

Simone atmete auf.

»Das ist bei uns ähnlich«, ließ sich Madame Clément vernehmen. »Fragen Sie mich nicht, wie viele unserer Kollegen Weinberge auf der anderen Seite haben. Also, ich sehe das ähnlich wie Ihre Gattin, Monsieur.«

Für Simone bewegte sich die Diskussion in eine Richtung, die zum Unmut der Beteiligten führte. Sie musste schleunigst ein anderes Thema finden, das nicht so kontrovers behandelt wurde. Außerdem saß ihr in den Knochen, was Vitrier über Thomas gesagt hatte.

Die Mousse au chocolat, mit Waldfrüchten kombiniert und mit einem süßen Muscat aus dem nahen Beaumes-de-Venise gereicht, ermöglichte den Themenwechsel. Sie sprach von den vielen Rebsorten, die sie verwirrten und die sie hoffte, mit der Zeit auseinanderhalten zu können. Jeder Winzer hätte wohl seine eigenen Methoden des Anbaus, des Ausbaus, der Vinifizierung generell, das alles könne man lernen, aber die Kombination, die Entscheidung darüber, was in welchem Maß assembliert werden könnte und sollte und auch durfte, war ihr schleierhaft. Da Monsieur Vitrier zu den Besten eines Fachs gehöre, würde sie ihm gern mal über die Schulter blicken.

»Wenn es Madame Clément nicht beleidigt und wenn sie Ihnen freigibt, dann gern. Ich lasse Ihnen Bescheid geben, wenn es so weit ist. Ein Geheimnis ist die Assemblage keineswegs. Grenache ist meine Leitrebsorte. Ich verwende im

Roten bis zu siebzig Prozent davon. Es gibt Winzer, die arbeiten ausschließlich damit und verschneiden nichts. Wir hingegen haben von allem etwas, Mourvèdre, Picpoul, Clairette und so weiter, Sie kennen inzwischen sicher das Spektrum. Wir nehmen, was da ist, mal mehr, mal weniger, wir wissen Bescheid, sind hier aufgewachsen. Was übrig bleibt, verkaufen wir an die Händler, an Firmen wie Ogier, die finden Sie in der Avenue Luxembourg, gleich neben unserem Maison des Vignerons.«

Er ließ sich von der stillen, unauffälligen Perle die leere Rotweinflasche bringen und hielt sie Simone hin.

»Das Wappen oberhalb des Etiketts dürften Sie kennen, jede Flasche ist damit geprägt: die dreifache Papstkrone, darunter die Schlüssel Petri. Nur die Orte, an denen Crus entstehen, haben das Recht, ihre Flaschen zu prägen. Die Händler nutzen ein anderes Wappen, und statt Contrôlée, wie bei uns, steht bei ihnen Appellation Contrôlée, und die beiden Schlüssel kreuzen sich über dem Zepter des Papstes.«

Monsieur Vitrier ließ eine neue Flasche bringen, und er dekantierte den Wein. »Es ist klar, dass die zusammengekauften Weine der *négociants* nicht auf unserem Niveau sind, aber trotzdem teuer verkauft werden. Aber das Haus Ogier keltert auch eigenen Wein.« Er empfahl Simone, bei Gelegenheit dort vorbeizuschauen. »Die haben eine sehr schöne Anlage vor ihrem Präsentationsgebäude. Da finden Sie Beispiele für jedes Terroir und dazu den entsprechenden Wein. Probieren Sie, und Sie wissen, wie auf Sand, auf Kalk und zwischen faustgroßen Flusskieseln gewachsener Grenache schmeckt. Es ist für den Vergleich ideal. Das mit den Cuvées, der Assemblage, das lernen Sie besser bei Madame Clément oder bei mir. Ich nehme mich gern Ihrer an!« Sein harter Blick bei den letzten Worten war alles andere als einladend.

Wo hatte er gedient, fragte sich Simone, in Bosnien oder im Kosovo? Er muss ein schlimmer Soldat gewesen sein, fürchtete sie. Wie viele Menschen mochte er getötet haben?

Kapitel 21

Die Lehrerin trat einen Schritt zurück und gab Thomas den Weg in den dunklen Hausflur frei. »Ich wusste, dass Sie vorbeikommen würden. Mich zu finden, wird nicht schwer gewesen sein, jeder im Dorf weiß, wo ich wohne. Alle waren schon hier, die Kinder, die Eltern, die Großeltern.« Sie betätigte den Lichtschalter. Geblendet von hellen Deckenstrahlern brauchte Thomas einen Moment, bis er erkannte, was auf den Fotografien war, die in Reihen untereinander den Flur schmückten. Die Anfängerklassen mit der hübschen jungen Lehrerin begannen ein paar Jahre nach dem Krieg. Die Klassen waren klein, die Kinder auch, ernst die Gesichter, und man sah ihnen die Armut an. Bei den späteren Jahrgängen waren die Kinder größer, besser angezogen und gut ernährt, auch die Gesichter waren fröhlicher. Aus der mädchenhaften Junglehrerin war eine Frau geworden, auf einigen Bildern war sie im Umstandskleid zu sehen. Irgendwann wurden die Schwarz-Weiß-Aufnahmen von Farbfotos abgelöst.

»Drei Kinder habe ich, neun Enkel und sieben Urenkel.«

»Und keiner wohnt bei Ihnen?«

»Das wäre mir zu anstrengend und zu viel Gewühl. Was denken Sie, was hier an meinen Geburtstagen stattfindet. Ich brauche eine Woche, um mich davon zu erholen.«

Madame Cécile machte auf Thomas jedoch nicht den Eindruck, dass es ihr nur lästig war. Ihrem heutigen Aussehen am ähnlichsten war sie auf dem letzten Bild, es hing in der

Mitte ganz unten. Es zeigte sie bei ihrer Verabschiedung und der Verleihung der Médaille d'Honneur pour Actes de Courage et de Dévouement. Es war die Ehrenmedaille für Tapferkeit und persönlichen Einsatz. In dem kleinen Rahmen daneben hing das Bild ihres Großvaters, ein junger Mann, der nach dem Einmarsch der deutschen Truppen ins südliche Frankreich von der Gestapo abgeholt worden war.

»Nie wieder hat man von ihm gehört, nicht einmal seine Gebeine wurden wiedergefunden. Traurig, nicht? Aber deshalb sind Sie nicht gekommen.« Madame ging ein Stück zurück in Richtung Haustür und zeigte auf einen der Fünftklässler vor dem Wechsel ans Kolleg, die Mittelstufe.

»Das hier ist er, Ihr Nachbar, Gustave Vitrier.« Es war eine der ersten Aufnahmen in Farbe. »Und dieser«, sie war fünf Bilder weitergegangen, »das ist sein Bruder Maurice, einer der besten Schüler, die ich je hatte. Schauen Sie genau hin, bereits damals zeichnete sich der Unterschied ab, es ist die Haltung.«

Gustave stand dort inmitten einer Schar von Jungen, locker lächelnd, ein Strolch, der sich des Lebens freute. Maurice, fünf Jahre später, blickte ernst drein, er stand gerade, hatte den Kopf gereckt und wirkte unnahbar, während einige Schulkameraden dem Nebenmann den Arm um die Schulter gelegt hatten. Und in seiner Klasse waren bereits Mädchen und Jungen gemischt.

»Da wurde die Koedukation bei uns eingeführt. Das ist es, was ich neulich zu Ihnen sagte. Sie sind grundverschieden. Gustave erledigt alles mit der linken Hand, Maurice kämpft wie ein Wahnsinniger, er kann nicht verlieren.« Die pensionierte Lehrerin lächelte. »Ich erinnere mich daran, dass er bei einem Sportfest seinem härtesten Widersacher Reißzwecken unter die Einlegesohlen der Turnschuhe gesteckt hat. Beim Laufen haben sie sich durchgebohrt, und der Widersacher verlor. Man hat Maurice die Schandtat nie beweisen können, doch wir alle waren davon überzeugt. Wie ich hörte, haben Sie mit ihm Bekanntschaft gemacht, wohl mit beiden. Ihr Mut, Thomas, wird hier im Dorf allgemein bewundert. Sie haben Ihrem Volk einen Dienst erwiesen. Nein, werten Sie das nicht ab, Sie haben sich für einen von uns eingesetzt. Wir haben selten Deutsche hier, die bleiben alle drüben, fahren nach Châteauneuf-du-Pape und weiter an die Küste. Unsere Weine sind zwar genauso gut, aber wir sind eben nicht berühmt. Mögen Sie Gärten? Kommen Sie, wir trinken dort eine Limonade.«

Am Ende des Flurs betrat sie eine altmodisch eingerichtete Küche, die aber mit allen modernen Geräten ausgestattet war. Madame Cécile nahm ein Tablett, drückte es Thomas in die Hand, öffnete den Kühlschrank, ergriff eine Karaffe mit Limonade und stellte sie zusammen mit zwei Gläsern darauf.

»Manchmal zittern mir die Hände, ich verschütte vielleicht etwas. Besser, Sie bringen alles hinaus.«

Zwei Stufen führten in ein Paradies von Blüten, Gräsern und Stauden. Der Garten schien sich in der Tiefe zu verlieren, eine Begrenzung zum Land dahinter war nicht erkennbar. Es gab einen winzigen Teich, dort stand ein Tisch vor einer Bank und zwei wacklige Stühle, ein üppiger Busch spendete Schatten.

Auf die Frage, wie es ihm auf der Domaine Dupret erginge, gab Thomas umfassend und ehrlich Antwort, lobte die Familie in höchsten Tönen, wohl wissend, dass auch seine Worte weitergetragen würden.

»Und wie kommen Sie mit Marianne zurecht?«

Er zögerte, dann deutete er an, sich in eine Weinbautechnikerin auf der anderen Seite verliebt zu haben, daher prallten Mariannes Annäherungsversuche von ihm ab, was sie leider nicht verstehe. Insgeheim hoffte er, dass Madame Dupret Alains Schwester in diesem Sinne beeinflussen würde.

»Aber Sie sind nicht gekommen, um mit einer alten Frau über Amouren zu sprechen, obwohl es auch im Alter ein erbauliches Thema sein kann. Alle meine Enkel kommen mit diesen Geschichten zu mir. Nein, Sie wollen mehr über die Vitrier-Brüder wissen.« Sie sah ihn eindringlich an. »Ich habe mir so meine Gedanken gemacht. Wieso wurde gerade in jener Nacht bei Gustave eingebrochen, in der er in Lyon war und alle Mitarbeiter freihatten? Woher wussten die Einbrecher das? Von anderen Mitarbeitern? Mit wem hatten Gustave und seine Frau darüber gesprochen? Es war ja kein Geheimnis. Soweit ich weiß, hat die Gendarmerie nichts herausgefunden. Hat der verhaftete Einbrecher geredet?«

»Angeblich verrät der nicht einmal seinen Namen. Der hat Angst vor der Rache seiner Komplizen.«

»Bei solchen Angelegenheiten weiß man auch nicht, inwieweit die Gendarmerie, vielmehr einzelne Gendarmen die Hand im Spiel haben. Tun Sie's nicht als Hirngespinste einer alten Frau ab, in meinen sechsundachtzig Jahren habe ich alles erlebt, nicht persönlich, doch zumindest im nahen Umfeld.«

»Die Gendarmerie vermutet eine internationale Bande, die jetzt ihr Betätigungsfeld verlagert hat.« Thomas dachte daran, was er im Park von Trois Anges gehört hatte, und an das »Café des Athlètes«. »Kennen Sie diese Café-Bar in Laudun?«

»Wie kommen Sie darauf?« Madame Cécile war schlagartig ernst geworden. »Hat die Bar damit zu tun?«

Thomas lächelte nachsichtig. »So wie Sie reagieren, ganz bestimmt.«

»Ich bin eine schlechte Lügnerin, und ich kann mich schlecht verstellen. Die Bar hat keinen guten Ruf. Sie meinen die an der Rue de la République? Wenn man von unten kommt, liegt sie links oben, sie ragt wie ein Schiffsbug in die Straße.«

»Genau die meine ich. Wer trifft sich dort?«

»Seien Sie vorsichtig, Monsieur Thomas! Dort verkehren keine angenehmen Gäste.«

»Fremdenlegionäre?«

»Sie wissen offensichtlich mehr, als Sie preisgeben.«

»Maurice Vitrier war Soldat, war Major, war auf dem Balkan – mich interessiert, ob es Verbindungen zwischen den regulären Streitkräften und der Legion gibt.«

»Sicher, die gibt es immer, beide werden für unterschiedliche Aufgaben eingesetzt. In Laudun ist das erste Pionierregiment stationiert. Ein toter Fremdenlegionär zählt weniger als ein toter Franzose, weil er eben ein Fremder ist. Was wissen Sie wirklich?«

Thomas hatte nicht den Eindruck, als ginge Madame Cécile auf Distanz. Es war auch keine wachsende Skepsis ihm gegenüber – könnte es womöglich Sorge sein? Wohl kaum, sagte er sich, schließlich war er ein Fremder, und der zählte weniger als ein Franzose, sie hatte es eben gesagt. Er durfte sich auch nicht zu weit vorwagen und weiter in sie dringen, außer sie würde von sich aus mehr preisgeben. Genau das tat sie.

»Die Bar wird von einem Belgier geführt, einem ehemaligen Legionär, der hiergeblieben ist und eine Französin geheiratet hat. Dadurch wurde die Bar zum Treffpunkt von Fremdenlegionären, es ist kein guter Ort. Hat das was mit den Vitrier-Brüdern zu tun, mit Maurice?«

»Es ist möglich, der Frage gehe ich gerade nach …«

»Seien Sie bitte vorsichtig. Solche Leute verstehen keinen Spaß, und Sie als Fremder hier … die Schluchten im Gard sind tief, unsere Wälder sind groß und dunkel …«

»… so wie der Wald an der Nationalstraße 580?«

»*Pour l'amour de Dieu.* Halten Sie sich um Himmels willen da raus!«

»Welchen Grund gäbe es, sich Sorgen zu machen?« Thomas tat unschuldig.

»Da wurde jemand erschossen. Sie wissen nicht, was oder wer dahintersteckt, vielmehr dahinterstecken könnte. Mit den Legionären haben Sie mich ganz nervös gemacht.«

»Sie haben mich doch mit den Reißzwecken darauf gebracht. Der Mann, der beim letzten Concours de la St. Marc vor Maurice Vitrier platziert war, lebt auch nicht mehr.«

»Das ist bekannt. Aber Ihre Schlussfolgerungen sind absurd, Monsieur Thomas.« Doch die Worte der Lehrerin stimmten nicht mit ihrem Gesichtsausdruck überein.

»Wäre dann nicht auch Maurice in Gefahr? Wie man mir sagte, macht er sich keine Sorgen.«

»Woher wissen Sie denn das schon wieder?«

»Auch ich habe meine Verbindungen, Madame … übrigens, Ihre Limonade ist köstlich …«

Es war Freitag, der Arbeitstag vorbei, alles war erledigt, Lirac dämmerte in ländlicher Ruhe dem *weekend* entgegen, ein englisches Wort, das übernommen worden war, obwohl die Franzosen sich gegen fast alle Anglizismen wehrten. Die Familie Dupret war ausgeflogen und hatte Marianne zu Thomas' Erleichterung mitgenommen. Nebenan auf der Domaine von Gustave Vitrier herrschte Ruhe, und nach dem Gespräch mit Madame Cécile stand Thomas nicht der Sinn nach weiteren Debatten oder Smalltalk mit Verstellung. So fuhr er nach Tavel, setzte sich ins Restaurant »Physalis« und nahm das Dreigang-Menü für einundzwanzig Euro. Eine Pizza von nebenan hätte es auch getan, aber die hatte er in der Auslage gesehen, was ihm nicht gerade Appetit gemacht hatte. Schlechtes Essen verdarb ihm die Laune, die sowieso nicht die beste war. Der einzige Lichtblick fürs *weekend* war das Treffen mit Simone. Er hatte sie dazu bewegen können, mit ihm die Kooperative in Tavel zu besuchen, anschließend wollten sie nach Avignon in den Papstpalast.

Das Essen bestand aus Melone mit rohem Schinken, wobei die Melone nicht reif genug war. Als Hauptgericht ließ er sich Rückenfilets vom Kabeljau in Knoblauchmayonnaise bringen – er hätte wohl besser das Schweinefilet genommen –, und die verschiedenen Käse waren zu jung. Dafür war der Rosé sehr gut, er würde den gleichen morgen in der Kooperative vorgesetzt bekommen.

Ohne zu wissen, was er mit dem Abend anfangen sollte, fuhr er zurück, holte sich einen Stuhl aus seinem Zimmer und setzte sich übel gelaunt an den Rand des Weinbergs, genau dort, wo er vor zwei Wochen den Einbrecher niedergeschlagen hatte. Er schaute nach Westen, der Sonnenuntergang tat seinem unruhigen Geist wohl, das zarte Rosa erinnerte ihn an die Farbe eines Rosé und besänftigte ihn. Er versuchte, sich vorzustellen, was die Gangster in jener Nacht alles abtransportiert hätten, wenn er nicht hinzugekommen wäre.

Als sein Telefon sich meldete, schrak er zusammen. Dieser Ton zerstörte die Stille und nahm ihm die gerade wiedergewonnene Ruhe. Es war sein Vater. Das war gut, da war jemand, auf den Verlass war, Rücksichtnahme hatten beide nie praktiziert, sich nie geschont, aber damit konnten sie umgehen. Leider war die Situation jetzt eine andere, Thomas' schlechtes Gewissen hinderte ihn, frei zu sprechen. Er sah seine Flucht auch als eine Art von Verrat an der gemeinsamen Sache, aber er hatte sich beim besten Willen nicht anders verhalten können.

»Manuel ist zurück!«, sagte sein Vater.

»Wie? Was heißt das? Zurück – wo?«

»Na hier, auf unserem Gut.«

»Und Kamila?« Thomas spürte, wie ihn eine heiße Welle überschwemmte.

»Sie ist abgereist, wieder nach Polen, mit Sack und Pack. Sie waren beide heute hier, sie total verheult, er mit einem Gesicht wie bei einer Beerdigung. Sie hat ihre Siebensachen gepackt. Soweit ich sein Gestammel verstanden habe, hat er ihr den Laufpass gegeben. Sie soll versucht haben, ihm das Weingut auszureden. Ich nehme an, er hat sie mit Geld abgefunden. Darauf war sie schließlich aus, genauso wenig auf ihn wie auf dich, das wird er gemerkt haben. Er war täglich hier, hat für zwei gearbeitet, schweigend meistens, mit zusammengebissenen Zähnen. Wir hatten einen sehr sachlichen, einen rein professionellen Umgang miteinander. Der Mitarbeiter, den er für dich eingestellt hat, wird bleiben, bis du dich dazu durchringst, zurückzukommen.«

»Das kann dauern.«

»Das habe ich ihm gesagt. Er meinte, das mache nichts, er könne dich verstehen. Jeder würde seine Zeit brauchen.«

»Wie reizend von ihm … Und jetzt soll ich einfach so zurückkommen, wo ich mich gerade eingelebt habe?«

»Sprich mit Manuel. Geh nicht immer mit dem Kopf durch die Wand, Thomas. Du gefährdest unser Projekt ebenso wie deine Zukunft. Oder siehst du es inzwischen nicht mehr so?«

Notgedrungen stimmte Thomas seinem Vater zu. »Aber nicht ich gefährde sie, sondern Manuel.«

»Mach Kompromisse, Thomas, du kommst nicht umhin, versuche es zumindest. Andernfalls musst du dein Ein-Mann-Weingut aufmachen.«

Thomas merkte, dass er unehrlich war, dass er seinem Vater etwas vorspielte, dass er sich von Kamila bereits meilenweit entfernt hatte und dass er aus mehreren Gründen momentan lieber an der Rhône blieb.

»Ich habe Alain versprochen, ihm mindestens ein halbes Jahr lang zu helfen, über die Lese hinaus – bis alles in den Fässern ist. Das kann November oder Dezember sein. Er hat sich darauf eingestellt, und mir gefällt es inzwischen recht gut.« Thomas sprach von den vielen Kontakten, dass er mit den Südfranzosen bestens auskäme, eine Ansicht, die sein Vater absolut teilte, die Arbeit mache Spaß, und er lerne täglich Neues. Von den anderen Ereignissen sprach er nicht, wozu den Vater beunruhigen? Unter anderem fielen in ihrem Gespräch weitere Namen, darunter Martin Bongers und Gaston Latroye.

Sein Vater erinnerte sich an die Namen, schließlich sei er

zwanzig Jahre lang seinem Beruf nachgegangen. Die Weine von Gaston Latroye, reine Liebhaberstücke, seien immer ausverkauft gewesen. »Und was macht dieser Bongers jetzt bei euch? Der hatte in Frankfurt einen Weinladen.«

»Er hat das Weingut von Latroye übernommen, sie waren Freunde, und seine Patentochter macht hier ein Praktikum, er hat sie hier besucht.«

»Ach so«, sagte Philipp Achenbach gedehnt, »daher, mein Junge, weht der Wind. Eine Deutsche, oder ist sie Französin?«

»Französin. Weshalb fragst du?«

»Ist das die Tochter von seinem Vorgänger, von Gaston Latroye?«

»Ja, Simone heißt sie.«

»Ach, wie nett.«

»Nein, nicht was du meinst.«

»Mein lieber Sohn, was meine ich denn? Mir soll es recht sein. So kommt man schneller über den anderen Kummer hinweg.«

»Ist ja auch egal, jedenfalls ist sie sehr … sie ist vom Fach.«

»Ihr Vater Gaston Latroye wurde ermordet, aber das ist mindestens zehn Jahre her oder länger.«

»Das weiß ich bereits«, antwortete Thomas.

Als Simone Thomas am nächsten Morgen abholte, wechselten sie in seinen Wagen und fuhren nach Tavel, um die Genossenschaftskellerei zu besichtigen und einiges zu probieren.

Die Kellerei Lafond, an der Hauptstraße gelegen, hatte er einige Tage zuvor besucht und dort probiert. Das sollte auch Alains Kellermeister dringend tun, dann wüsste er, wie man elegante und gleichzeitig kräftige Weine hinbekam. Jetzt erzählte er Simone erst einmal ausführlich von den Proben. Er brauchte immer das Thema Wein als Brücke zu ihr, ähnlich wie er immer einen Vorwand wie den heutigen Kellereibesuch benötigte, und er hatte das Gefühl, dass es ihr so leichter fiel, darauf einzugehen.

Während der kurzen Fahrt erzählte sie vom Besuch beim Handelshaus Ogier, wo sie vier Weine probiert habe, ausschließlich aus Grenache gekeltert und eindeutig einem Terroir zuzuordnen: Sand, Kies, Kalk und roter Sandstein.

Der Les Safres vom Sand hätte ihr zuerst am wenigsten gefallen, erzählte sie begeistert und nahm ihr rotes Büchlein zur Hand, in das sie ihre Proben eintrug. Zuerst habe sie ihn für verschlossen gehalten, nach einer halben Stunde jedoch habe er sich geöffnet, für sie sei es der eleganteste dieser Vierergruppe. Der Galets Roulés, genannt nach den großen Kieselsteinen, dagegen sei mit seiner Kraft und den Gewürznoten *der* typische Châteauneuf-du-Pape. Sie freute sich noch immer, dass sie ihn sofort erkannt habe.

Beim Grès Rouges konnte sie die Rebsorte eindeutig identifizieren, der Sandstein sei für sie der ideale Boden, wenn man einen rebsortenreinen Grenache produzieren wolle. Der Éclats Calcaires hingegen sei der lebendigste der vier, die Frische käme eindeutig vom Kalkstein, genau wie die mineralische Note. Zuerst sei sie an der Fülle von Rebsorten verzweifelt und daran, den Geschmack einem bestimmten Boden zuzuschreiben. Aber jetzt lerne sie zu unterscheiden, schließlich probiere sie jeden Tag einen neuen Wein und einen bereits bekannten und schreibe sich abends alles auf, sie führe sozusagen ihr privates Kellerbuch. Die größte Schwierigkeit jedoch sei, bei der »ganzen Probiererei«, wie sie sagte, nicht betrunken zu werden.

Thomas erzählte, dass es ihm anfangs ähnlich ergangen war, bis er gelernt hatte, über die Nase zu urteilen und von der Probe lediglich nur so viel über die Zunge in den Rachen laufen zu lassen, wie für die retro-nasale Wahrnehmung nötig sei beziehungsweise an den Bulbus olfactorius gelangen musste, den Riechnerv.

»*Le nerf olfactif*«, sagte Simone lachend, heute mit selten guter Laune, sie beugte sich zu ihm und schnupperte an seiner Schulter. Sie sah zu ihm auf. »Vielleicht sollten wir uns mal gemeinsam betrinken.« Doch kaum hatte sie es ausgesprochen, schien sie die Worte zu bereuen.

»Nicht heute«, beruhigte sie Thomas, »vor allem nicht jetzt.« Er war auf den Parkplatz am Kopf der drei nebeneinanderstehenden langen Hallen eingebogen. Er erinnerte sich, dass bei seinem Besuch auf der Domaine de la Mordorée davon gesprochen worden war, dass der Großvater der Familie 1937 am Bau dieser Kellerei maßgeblich beteiligt gewesen sei.

»TAVEL 1er ROSÉ DE FRANCE« stand in riesigen roten Lettern auf dem Dachfirst. Dieser Weine wegen waren sie hier. Rote hatten sie in Châteauneuf-du-Pape und Lirac genug.

Sie mussten warten, bis einer der Mitarbeiter Zeit für sie hatte. Die Bewohner der Gegend standen Schlange, und sogar aus dem fernen Paris waren Kunden angereist und ließen sich die Weinkisten in den Kofferraum packen. Es war ein nationales Publikum, anders als das internationale in Châteauneuf-du-Pape.

Was Simone bei Ogier erlebt hatte, wiederholte sich in ähnlicher Weise hier. Die drei Roséweine waren nicht aus nur einer Rebsorte gekeltert, nein, es waren sieben oder acht, wobei Grenache wegen seines aromatischen Potenzials mit einem Fünfzig-Prozent-Anteil wieder die führende Rolle zukam. Die Trauben für den Terroir des Sables waren auf sandigen, lehmigen Böden gewachsen, durchsetzt mit Kalkstein, was den Wein sehr delikat und fruchtig machte. Gleichzeitig brachte er genügend Potenzial mit, um auch nach drei Jahren Lagerung noch zu gefallen. Beim Les Lauzeraies war, anders als beim Vorgänger, auf Zugabe von Carignan verzichtet worden, um dem leichten, auf Kalkboden gewachsenen Wein nicht die Frische zu nehmen, denn Trauben der alten Carignan-Reben hätten ihm zu viel Wucht und Fülle gegeben. Die war der Cuvée Royale vorbehalten, die von Weinbergen mit großen Flusskieseln stammte. Es war von der Farbe her auch der dunkelste Wein. Hier hatte der Önologe auf Mourvèdre verzichtet, um den Gewürznoten kein Übergewicht zu geben und den Wein nicht zu kräftig werden zu lassen, denn Weine von diesem Bodentyp brachten alles an Kraft mit, was das Rhônetal zu bieten hatte.

Thomas und Simone machte das gemeinsame Verkosten Spaß, sie diskutierten die Weine, ohne länger auf die Dame hinter dem Tresen zu achten, die sich bei diesem Sachverstand staunend zurückhielt, bis sie erfuhr, dass sie zwei Experten gegenüberstand.

Allerdings kannte sie sich mit der Vinifikation besser aus. Der große Unterschied zu den Roséweinen der Provence, wo die Weine gepresst und dann vergoren wurden, war hier die lange Mazeration, das Einweichen der Trauben unter Luftabschluss, wobei das Herunterkühlen die Gärung verhinderte.

Es faszinierte Thomas, wie gut er sich bei der Analyse der Weine mit Simone ergänzte, ohne ein Gefühl der Konkurrenz. In ihrem Urteil lagen sie zum beiderseitigen Erstaunen dicht beieinander, was die Dame ihnen gegenüber zu der Frage veranlasste, ob sie dauernd zusammenarbeiteten oder ein gemeinsames Weingut betrieben.

Simone, die sich in die Debatte um den Wein geradezu hineingesteigert hatte, wirkte mit einem Mal ernüchtert. Sie zog sich zurück, was Thomas seufzend bedauerte, denn er hatte sie bisher noch nie so gelöst und selbstbewusst erlebt. Den heimlichen Gedanken an ein gemeinsames Weingut verwarf er schleunigst wieder.

Die weißen und roten Weine der Kooperative waren ebenfalls gut bis sehr gut, gehörten sie doch zu den Crus, bei denen lediglich die Ortsangabe auf dem Etikett stand. Für Simone war es kaum vorstellbar, dass sechzig Familien mit ihren Trauben zu diesem Ergebnis beitrugen. Neunhundert

Hektar betrug die Produktionsfläche Tavels, ausschließlich dem Rosé vorbehalten; die Hälfte davon wurde von Mitgliedern der Genossenschaft bewirtschaftet.

Wie bekam man derart viele Leute unter einen Hut, fragte sich auch Thomas und dachte an das Chaos in seinem Weingut. Nicht einmal drei Leute kamen miteinander klar. Auch wenn Manuel sich von Kamila getrennt haben mochte, war das Vertrauen zu seinem Kompagnon zerstört. Vertrauen – das war ein Glas, jetzt hatte es einem Sprung. Man konnte zwar noch daraus trinken, aber der Sprung blieb, und man verletzte sich an den Lippen. Spätestens beim Polieren zerbrach es, und diese Scherben brachten kein Glück.

»Wo bist du gerade?«, fragte Simone, als sie wieder in die Sonne traten. Während am Morgen noch Windstille geherrscht hatte, blies der Mistral inzwischen heftig, ihr langes blondes Haar wirbelte Simone um den Kopf, darin fingen sich die Sonnenstrahlen. Sie strich Thomas über den Arm. »Du scheinst mir sehr weit weg zu sein.«

»Ja und nein«, sagte er und sah sie an, sah den Wind und die Sonne in ihrem Haar und Besorgnis in ihrem Gesicht. »Ich bin hier, und ich bin in der Pfalz. Vielleicht ist es an der Zeit, dass ich dir alles erzähle.«

»Das ist deine Entscheidung«, antwortete sie, und es schwang kein Vorwurf mit.

Die Fahrt nach Avignon bis auf die Île de Piot gegenüber der Stadt reichte nicht, um Simone all das zu erzählen, was er meinte, sagen zu müssen. Er ging weit in seine Vergangenheit zurück, in die Zeit seines Studiums in Geisenheim im Rheingau, er sprach über Manuels Zeit im Gefängnis, die ihn fast zerbrochen hatte, und sein Klavierkonzert im Kloster Eberbach. Er sprach von der Schlägerei vor der Disco im Frankfurter Bahnhofsviertel, wo er Kamila kennengelernt hatte. Er sprach über seine Blindheit ihr gegenüber, wie er sich in die Arbeit gestürzt hatte, um neben dem Studium das Weingut mit seinem Vater und Manuel aufzubauen, und dass er darüber anscheinend den Kontakt zur sonstigen Welt verloren hatte.

»Wie soll es weitergehen?« Simone war entsetzt, dass Thomas nicht um seinen Anteil kämpfte. »Hat diese Frau dich derart aus der Bahn geworfen?«

»Nein und ja, nicht die Frau, doch, sie auch, aber mehr noch ich selbst, von mir bin ich entsetzt, dass ich mich in einem Menschen total verschätzen kann. Ich bin doch nicht blind – oder doch?« Er sah sie mit großen Augen an.

»Das passiert täglich hundertmal«, sagte Simone, und ihr Blick wirkte illusionslos und leer. »Ich dachte, ich würde meine Mutter kennen, aber nach dem Tod meines Vaters hat sie sich vollkommen verändert, dazu noch mit dem neuen Ehemann, ein Widerling. Sie hört nur noch auf meine Oma, und die ist eine gefährliche Frau, sie ist hinterhältig, schürt Misstrauen, dreht einem das Wort im Munde um und spielt alle gegeneinander aus. Es ist ihr Wesen, es macht ihr einfach nur Freude, böse zu sein. Deine Kamila war hinter dem Geld her.«

»Das war nicht meine Kamila.«

»Dann eben nicht deine, aber ein junger, gut aussehender Mann mit einem Weingut lässt die Herzen höher schlagen.«

»Wir haben nichts als Schulden, und die Arbeit geht erst nach Feierabend richtig los.«

»Wem sagst du das. Und du wunderst dich, dass sie abgehauen ist?«

Thomas dachte einen Moment nach. »Nein, am meisten schmerzt mich Manuels Verrat.« Dann erzählte er vom jüngsten Anruf seines Vaters.

»Es soll vorkommen, dass Menschen etwas begreifen, aber mach dir nicht zu viel Hoffnung. Meinen Bruder und die beiden Stiefbrüder habe ich seit vier Jahren nicht gesehen, nicht einmal telefoniert haben wir … Oh, schau! Da drüben, die berühmte Brücke von Avignon, von hier aus sieht man viel besser, wie kaputt sie ist.«

Sie waren von der Hauptstraße abgebogen und ans Ufer gefahren, wo Thomas einen Parkplatz fand. Zu Fuß überquerten sie den Fluss auf der neuen Brücke ein Stück unterhalb der alten und standen vor der Stadtmauer, weit überragt von den wuchtigen, abweisenden Mauern und den rechteckigen, mit Zinnen bewehrten Türmen des gotischen Palastes.

»Ich finde es beeindruckend, was sich die Stellvertreter Gottes für Häuser haben bauen lassen. Die müssen ständig in Angst gelebt haben. Das ist kein Palast, das ist eine Festung.«

»Ich glaube, es geht immer nur darum, andere zu beeindrucken und sich besser zu fühlen als sie.« Simone machte kein Hehl daraus, dass sie diese Protzerei ekelhaft fand. »Und alle rennen hin, um sich das Spektakel anzusehen.«

»Wir auch«, entgegnete Thomas, »mich interessiert mehr die Architektur und die Geschichte.«

»Hast du nicht den Eindruck, dass sich lediglich alles wiederholt? Es geht immer weiter, immer wieder von Neuem. Das Böse wird klüger, wird immer perfekter und perfider, das Gute hingegen muss immer wieder von vorne anfangen. Was du mit deiner Kamila«, sie sah, dass Thomas protestieren wollte, »entschuldige, mit dieser Kamila erlebt hast, findest du bereits in den griechischen Dramen.«

»Ich wüsste jetzt nicht, in welchem.«

»In irgendeinem wird es drin sein, ganz gewiss. Aber neugierig bin ich auf den Palast schon. Die Habgier dieser Päpste und ihr Wunsch nach Selbstinszenierung soll im 14. Jahrhundert unvorstellbar gewesen sein.«

Davon war in den hohen Räumen, den vielen weiten Sälen und langen Korridoren nichts mehr zu merken, nur auf den wenigen, zum Teil schwer beschädigten Fresken, die eine Sicht auf den Luxus jener Tage mit Falkenjagd, Bädern und dem Leben vermeintlicher Heiliger gewährten. Simone nahm den französischen Audioguide, Thomas den deutschen, was zu heiteren Missverständnissen führte, wenn er sie, ganz in Gedanken, in seiner Sprache ansprach. Für beide war neu, dass Papst Clemens VI., der nach Papst Johannes XXI. die Bauarbeiten fortsetzte, auch die Stadt Avignon der Gräfin Johanna, Königin von Neapel, abkaufte. Der Papst bekam die Stadt recht billig, denn er gewährte Johanna gleichzeitig die Absolution für den Mord an ihrem Gatten.

»Wir waren schon immer böse!« Simone ließ sich wenig beeindrucken, Religion hatte für sie nie eine Bedeutung gehabt. Thomas hingegen war katholisch getauft, hatte sich jedoch im Laufe seines Lebens immer weiter davon entfernt, bis der Austritt aus der Kirche die logische Folge war.

Bald hatten sie in dem unregelmäßig angelegten Bauwerk die Orientierung verloren und hangelten sich an der Nummerierung ihrer Audioguides voran. Der größte Saal des Palastes war der Speisesaal, was Thomas daran erinnerte, dass beide seit dem Morgen nichts gegessen hatten. Er würde Simone zum Essen einladen und hoffte, dass sie nicht ablehnte. Er genoss ihre Gesellschaft, die Distanz schwand, sprachliche Missverständnisse gab es wenige, und nach dem, was er als Beichte empfunden hatte, fühlte er sich erleichtert.

Nach den Erklärungen zwischen hohen Mauern und im Gewühl internationaler Besucher war der Spaziergang durch die Gassen Avignons sehr entspannend. Anschließend ließen sie sich in einem kleinen Restaurant nieder und genossen ein hervorragendes Drei-Gänge-Menü. Leider kam Simone beim Kaffee auf Maurice Vitrier zu sprechen und berichtete von ihrem Treffen mit den Damen.

»Er tauchte später auf, wie ein Gespenst, da war die Stimmung dahin. Warum es dann ausgerechnet um Didier Lamarc ging, weiß ich nicht mehr«, fuhr Simone fort. »Vitrier meinte sogar, dass er getötet worden sei, weil er mit einer der Diebesbanden in Verbindung gestanden haben könnte. Ich empfand es als reinen Hohn. Wollen wir nicht besser zur

Polizei gehen, und du erzählst, was du in Laudun erlebt hast und was wir im Park gehört haben?«

Thomas hielt das alles für zu wenig konkret. Die Gendarmerie würde sie für Wichtigtuer halten, er habe schlechte Erfahrungen gemacht, die ihn zu diesem Schluss veranlassten. Er sei bislang nicht einmal für eine Zeugenaussage vorgeladen worden.

»Du willst die Sache auf sich beruhen lassen? Das dürfen wir nicht.« Simone war empört. »Wer weiß, was sonst noch dahintersteckt.«

»Und was schlägst du vor?« Thomas hielt es für zu riskant, sich weiter vorzuwagen, besonders seit sich die Fremdenlegionäre eingemischt hatten und das sicher auf Geheiß dieses Belgiers. »Ich bin verbrannt, mein Gesicht ist bekannt.«

»Ich will mir diese Kneipe in Laudun ansehen.«

»Unmöglich, da kennt man mich bereits.«

»Aber mich nicht!«

Simone war nicht davon abzubringen, sie wehrte sich heftig dagegen, alles auf sich beruhen zu lassen. »Das hat Martin damals auch nicht getan …«

»Immer dein Martin! Der scheint mir ein Alleskönner zu sein!«

»Ist er auch«, sagte Simone kurz und bockig. »Als es um meinen Vater ging, hat er auch nicht stillgehalten. Hätte er sich verhalten, wie meine Familie es wollte, würde sein Mörder weiter frei herumlaufen … Oh, *mon Dieu*, was habe ich jetzt gesagt?« Entsetzt hielt sie sich die Hand vor den Mund.

Er lächelte beruhigend. »Ich weiß es doch längst.«

»Woher?« Simones Erschrecken nahm zu.

»Du hast es mir neulich gesagt, und sogar mein Vater kennt die Geschichte. Er wusste von Martins Weinladen und wollte eure Weine importieren, aber die waren immer ausverkauft. In dem Zusammenhang hat er die Geschichte erfahren.«

»Dann können wir ja auch nach Laudun fahren.« Sie wirkte schroff, als hätte Thomas ihr das Geheimnis gewaltsam entrissen.

»Nur mit deinem Auto, mein deutsches Kennzeichen ist zu auffällig.«

Sie kauerten in Simones kleinem Wagen, schwiegen und starrten hinüber zum Café. Es war hell erleuchtet. Die großen Fenster ermöglichten ihnen einen Blick auf das lebhafte Gewusel der Gäste, nur durch die Straße getrennt. Die Gestalt Daan Verlindens überragte alle. Während seine Frau hinter dem Tresen blieb, begrüßte er die Gäste mal mit Handschlag, mal mit Schulterklopfen oder einer doppelten Umarmung, die Frauen bekamen drei Küsschen. Er kassierte, räumte Tische ab und brachte Sandwiches und Salate aus der Küche, dann sahen sie ihn mit der Fernbedienung den Fernsehapparat justieren. Das Publikum glich dem, das Thomas bereits kannte.

Der Exlegionär sprach mit einem Gast, als seine Frau ihn ans Telefon rief, das zwischen Tresen und der Tür zu den hinteren Räumen an der Wand hing. Kaum hatte er den Hörer am Ohr, änderte sich seine Haltung, alle Lockerheit verschwand, der Körper straffte sich, es schien, als nähme er Haltung an. Thomas hätte zu gern gewusst, mit wem er sprach. Verlinden beugte sich zu seiner Frau, sagte kurz etwas zu ihr, woraufhin sie in eine Schublade griff und ihm etwas reichte. Verlinden verschwand grußlos durch die Hintertür, um gleich darauf durch die Haustür auf die Straße zu treten. Er kam auf sie zu, so schien es Thomas zumindest, und er machte sich in dem Fußraum unter dem Armaturenbrett so klein wie möglich, Simone hatte es schwerer, die Lenksäule störte. Verlinden bemerkte sie nicht. An einem Wagen weiter rechts leuchteten die Lichter auf, es war der Kia, Verlinden stieg ein und fuhr los. Simone startete sofort und folgte ihm, wobei Thomas beim Blick zurück den Eindruck hatte, dass Verlindens Frau in der Tür des Cafés stand und das Manöver beobachtete.

Simone hatte Mühe, dem Wagen zu folgen. Verlinden hielt sich an keine Geschwindigkeitsbegrenzung. Nur der Umstand, dass zu dieser späten Stunde kaum noch Verkehr herrschte, ließ sie den Wagen im Auge behalten. Verlinden blieb auf der Straße nach Laudun-Ardoise, wo die Landstraße die Eisenbahn kreuzte, bog auf die Landstraße ein, um sofort wieder zu einer Tankstelle abzubiegen. Doch er hielt nicht an einer der Tanksäulen.

Simone blieb mit ihrem Wagen hinter dem Tankstellengebäude und stoppte hinter einem Lastwagen. Der verdeckte fast völlig die Sicht auf eine Autowaschanlage, direkt daneben stand Verlindens Wagen, er war ausgestiegen, lehnte am Heck und rauchte.

Thomas stieg aus und schlich, vom Lastwagen verdeckt, näher heran. Wen traf Verlinden hier? Vielleicht jemanden aus seiner Bande? Thomas drehte sich um, wollte sehen, ob Simone ihm gefolgt war, und erschrak. Sie hatte sich umgezogen, trug ihre Arbeitsjacke, hatte ihr Haar unter einer Wollmütze verborgen und dunkle Tennisschuhe angezogen.

»Liegt alles im Kofferraum griffbereit«, flüsterte sie und grinste verschwörerisch. In diesem Moment wusste er, dass er sie kaum von der Verfolgung Verlindens abhalten würde, der Nervenkitzel machte ihr anscheinend Spaß. Im Gegensatz zu ihm war Simone die Gefahr nicht klar, der sie sich aussetzten, wobei ihm noch der Schrecken der Verfolgungsjagd in Laudun in den Knochen steckte.

Langsam kam ein weißer Porsche auf die Tankstelle gerollt.

»Das kann nur Maurice Vitrier sein«, raunte ihm Simone zu.

Er war es tatsächlich, Thomas erkannte ihn, als der Wagen neben Verlindens Kia hielt und der Winzer ausstieg. Die beiden großen, senkrecht stehenden Bürsten der Waschstraße waren am Eingang stehen geblieben, so konnte sich Thomas dahinter verbergen und die Männer verstehen. Simone kauerte sich neben ihn und lehnte an seinem Bein. Vitrier trat an den Eingang der Waschstraße und warf einen kurzen Blick hinein. Thomas machte sich schon auf eine fürchterliche Prügelei gefasst, da wandte der Winzer sich um.

»Alles sauber«, sage er und schüttelte Verlinden die Hand. »Du weißt, dass sie Didier gefunden haben.«

»Hast du mich herbestellt, nur um mir das zu sagen?«

»Die Kleine aus Bordeaux war neulich bei uns. Sie wird lästig.«

»Ihr Typ auch, dieser Deutsche. Er hat mich bis zum Café verfolgt.«

»Und du hast es nicht gemerkt?«

»Nein ... es wäre ihm auch schlecht bekommen.«

»Das ist nicht gut. Und wie weiter?«

»Im ›Athlètes‹ ist er mir aufgefallen, er tat ganz unschuldig, dann hat er gecheckt, dass ich ihn erkannt habe, und ist abgehauen.«

»Du hast es dabei belassen?« Empörung oder Wut sprach aus Vitrier. »Das darf nicht wahr sein!«

»Natürlich nicht, ich habe zwei Mann losgeschickt. Aber der Deutsche ist uns durch die Lappen gegangen.«

»Wirst du alt, Daan, oder arbeitest du nur noch mit Dilettanten, wie neulich, bei meinem Bruder?«

»Das musst du gerade sagen. Gewinne mal lieber bei deinem Concours.«

»Was regst du dich auf? Du hast mir nur einmal helfen müssen.«

»Deshalb sind wir auch quitt«, knurrte Verlinden. »Dabei sollten wir's belassen.«

»Was sollte der Einbruch bei meinem Bruder?«

»Damit habe ich dich aus der Schusslinie genommen.«

»Das kann nach hinten losgehen. Nur ich wusste, dass er in die Oper wollte. Gustave ist total nervös, er will Ermittlungsresultate, ich weiß es von Brigitte. Er gibt sich locker, aber er lässt nichts auf sich beruhen.«

»Und dich bringt dein Ehrgeiz noch mal um.«

»Und dich deine Geschäfte mit den dummen Bosniaken. Davon kommst du nicht los. Hast Blut geleckt, was?«

»Du auch. Machst natürlich beim nächsten Concours wieder mit? Du bist verrückt, besessen bist du, irre geradezu.«

»Ist das dein Problem?« Vitrier hatte nur noch Ablehnung in der Stimme.

»Ich hoffe, dass es dazu nicht kommt. Entweder gewinnst du endlich, oder lass die Scheiße, und wir haben Ruhe.«

»Das glaubst du nur. Da sind Leute aufgetaucht, die hier rumschnüffeln. Alles fing damit an, als dieser Idiot, dieser Önologe aus Deutschland, bei Dupret aufgetaucht ist …«

»… und einen meiner besten Leute verprügelte.«

»Ich sag's ja, Dilettanten! Dein Mann war nicht gut genug, wenn er sich von einem Grünschnabel verdreschen lässt. Hat der Bosnier geredet? Was sagt Brigitte?«

»Der wird sich hüten. Er hat Familie …«

»Dann haben wir jetzt die Bullen und drei Leute am Hals?«

»Nein, Brigitte hält den Daumen drauf, die halten still. Für die anderen drei, die hängen zusammen – wenn wir uns mit jedem Einzelnen beschäftigen, erregen wir zu viel Aufsehen. Am besten alle gleichzeitig. Ich wüsste was. Damit hast du mehr Erfahrung …«

»Ich hätte eine bessere Idee«, sagte Maurice Vitrier und zog Daan in Richtung seines Wagens. Die nächsten Worte waren nicht mehr zu verstehen.

Kapitel 22

»Es missfällt mir, wenn jemand damit prahlt, er würde Sieger werden.« Madame Clément war am Morgen mit Simone allein im Büro und machte sie mit ihrem Abrechnungs- und Bestellwesen vertraut. Sie war noch einmal auf den Besuch bei Vitrier zu sprechen gekommen. »Mit derartigen Ankündigungen macht er alle anderen, die am Concours teilnehmen, zu Hampelmännern und entwürdigt ihre Leistung.«

Seit dem Besuch auf seinem Château und dem bis zu seinem Erscheinen recht angenehmen Abend war das Vertrauen zwischen Simone und ihrer Chefin gewachsen, und die Aufforderung, Madame Clément demnächst nach Stockholm zu begleiten, betrachtete sie als Auszeichnung. Das wurde auch von allen Kollegen so gesehen.

Das Erkennen der Rebsorten am Geschmack war für Simone nach wie vor schwierig, wobei Madame meinte, sie solle sich nicht verrückt machen. »Es dauert Jahre, bis man sicher ist.« Was letztlich bei der Kombination diverser Rebsorten herauskomme, hänge nur zum Teil vom Winzer ab, zum anderen von dem, wie der Wein sich entfalte. Und wie er in fünf Jahren schmecke, sei nur auf der Basis langjähriger Erfahrung prognostizierbar.

Auf ihre Bitte hin erklärte Madame Clément Simone die Regeln des bevorstehenden Wettbewerbs. Es durften lediglich zwei Weine eingereicht werden, von jedem mussten mindestens zehn Hektoliter produziert worden sein, um zu verhindern, dass ausschließlich Wein für den Concours in kleiner Auflage hergestellt würde, um die Jury zu überzeugen. Der Weißwein musste vom letzten Jahr sein, der Rote durfte nicht älter als drei Jahre sein. Die Form der neutralen, unkenntlich gemachten Flaschen war vorgegeben, ebenso die Notwendigkeit einer höchstens drei Monate alten chemischen Analyse eines anerkannten Labors. Auch die Zusammensetzung der Jury durch Winzer, Journalisten, Händler und Önologen sowie Sommeliers war geregelt. Jeweils drei dieser Fachleute führten eine Vorauswahl nach dem Zwanzig-Punkte-Schema durch, und schließlich wurden die fürs Finale qualifizierten Weine von jeweils sechs Personen getestet.

»Da muss Maurice Vitrier hervorragend gute Weine gemacht und eingereicht haben, wenn er gleich zweimal hintereinander den zweiten Platz erreicht hat.«

»Das könnte man so sehen, vielleicht hat er aber auch nur Pech gehabt, dass er nicht Sieger wurde«, sagte Madame Clément und wiegte dabei skeptisch ihren Kopf. »Die Unterschiede sind minimal. Ich glaube allerdings, wenn der Bruder Gustave das Château des Trois Anges geerbt hätte, wäre er längst Sieger geworden. Er ist für mich der bessere Winzer, auch weil er mehr spielerisches Talent besitzt. Wir alle würden weitaus mehr davon profitieren. Aber er lebt nun mal am falschen Ufer, da drüben gibt es diesen Wettbewerb nicht. Maurice hingegen lässt niemanden an sich heran, lässt keinen in den Keller außer Weinkontrolleuren und Steuerfahndern, und das nur nach mehrmaliger Aufforderung. Sie wissen, dass bei uns jeder in den Keller kommen kann, wir erklären alles, was man wissen will. Seine Mitarbeiter sind außerdem zu absolutem Schweigen verpflichtet. Ich wohne seit dreißig Jahren gegenüber – weder mein Mann noch ich waren jemals in seinem Keller. Aber alle Weine werden von den Behörden geprüft, bevor sie mit offizieller Prüfnummer in den Handel gelangen, niemand wird ihm unsauberes Arbeiten unterstellen. Das tut auch keiner, nein, er arbeitet korrekt.«

Das zu glauben, fiel Simone ziemlich schwer, denn was sie in der Waschstraße zu hören bekommen hatten, ließ Maurice Vitrier in gänzlich anderem Licht dastehen. Oder zeigten sich hier zwei völlig verschiedene Seiten ein und derselben Person? Der ehrenwerte Winzer und ein Krimineller, der eine Verbrecherbande organisierte oder zumindest tolerierte? Sie musste dringend mit Thomas darüber reden, wie es weitergehen sollte, ob sie Stillschweigen bewahren mussten, ob sie in Gefahr waren und ob dieser Polizist in Metz, von dem er gesprochen hatte, eine Hilfe wäre. Der augenblickliche Zustand war für sie unerträglich. Maurice Vitrier, so glaubte Simone, war nicht das Problem, gefährlich für sie war dieser Fremdenlegionär, Daan Verlinden. Das war ein bezahlter Mörder, ein Söldner, jemand, der wahrscheinlich ohne Not für Geld getötet hatte oder dazu bereit gewesen war. Je länger sie darüber nachdachte, desto mehr Angst machte ihr Verlinden.

Um sich abzulenken, stellte Simone eine Frage, die sie längst hatte stellen wollen: »Warum nehmen Sie nicht am Concours teil? Ihre Weine finde ich großartig.«

Madame lächelte. »Danke für das Kompliment. Warum? Wie ich neulich abends erklärte, haben wir früher mitgemacht. Wenn man jung ist, will man kämpfen, sich messen. Inzwischen reicht uns das tägliche Wettrennen von der Produktion über den Keller bis zum Verkauf. Stellen Sie sich die Reise nach Stockholm nicht als Ferientrip vor. Wir haben unsere Kunden, die sind zufrieden, wir verkaufen das, was wir produzieren, seien es Flaschen oder Fassware. Aber leicht ist es nicht. Außerdem finde ich das, was sich als Folge des Concours in den beiden vergangenen Jahren abgespielt hat, äußerst beängstigend. Kein Mensch weiß bisher, wieso Didier Lamarc ermordet wurde. Als er verschwunden war, gab es noch Hoffnung. Aber jetzt – da alle wissen, dass er erschossen wurde? Die Gendarmerie jedenfalls hat bislang nichts über ein Motiv oder mögliche Täter verlauten lassen.«

Hatte Simone anfangs erwogen, das Praktikum anderswo fortzusetzen, so fühlte sie sich inzwischen sicher, beschützt von Serge und Madame Clément – außerdem gab es noch Thomas. Besonders reizte sie die Aussicht, mit Madame nach Stockholm und im Herbst nach Wien zu reisen. Martin hatte sie nach Deutschland mitgenommen, sie waren in Frankfurt und Mainz gewesen, einmal war sie mit Mutter und Bruder nach Brüssel gereist, aber es gab interessantere Plätze auf der Welt, Barcelona soll cool sein, Berlin auch, Lissabon und London sowieso. Mit Martin würde sie nie auf eine Weinmesse kommen, denn er und Charlotte hielten die Teilnahme daran für rausgeworfenes Geld. Aber Simone wollte es wissen, wollte hinein in das Geschehen, daran teilnehmen, schließlich gehörte sie dazu. Irgendwann würde sie das Weingut führen. Wenn Martin den Betrieb vergrößerte und dabei weiter vor sich hin wuselte, würde er vom Markt abgehängt sein, den Anschluss daran wiederzufinden, wäre dann ihr Problem. Dem musste sie vorbauen.

Inzwischen kam es ihr lächerlich vor, wie heftig sie sich gegen den Aufenthalt hier gesperrt hatte. Wie hatte sie nur glauben können, bereits genug zu wissen? Jeder weitere Besuch einer Kellerei war inzwischen wichtig, bei jeder Besichtigung lernte sie etwas, verstand mehr, gewann neue Perspektiven und Einsichten und auch Selbstvertrauen. Dieser Gedanke bewog sie, Madame Lamarc anzurufen und sich mit ihr zu verabreden. Insgeheim aber hoffte sie, mehr darüber zu erfahren, wie sie auf die Nachricht vom Mord an ihrem Mann reagiert hatte und was sie von Vitrier hielt.

»Er ist ein Mann von Welt«, sagte Sophie Lamarc auf diese Frage hin, während sie die lange Reihe der in dem Gewölbe lagernden Fässer abschritten. Kalt war es hier, feucht und dunkel, eine deutlich weniger technische Atmosphäre als bei Cléments. »Maurice führt ein wunderbares Château und versteht ungemein viel von Wein, er ist ein Künstler des Terroirs, wie man seinesgleichen kaum findet. Und er hat ein Ziel, das er verfolgt wie ein guter Soldat. Wir sind seit Langem befreundet. Louise, seine Frau, stand mir in der schweren Zeit nach Didiers Verschwinden zur Seite. Dadurch sind wir uns nahegekommen. Inzwischen aber ist der Kontakt etwas abgeflaut, sie ist anderweitig sehr eingespannt.«

Was ist ein Mann von Welt?, fragte sich Simone, aber sie tat, als verstehe sie, was gemeint war, und lächelte Verständnis heuchelnd.

Madame Lamarc hatte ihren Besuch mit Martin nicht vergessen. Jetzt, da sie wusste, dass ihr Mann tot war, wirkte sie geradezu erleichtert, obwohl ihr der Umstand zusetzte, wie sie offen erklärte, dass er ermordet worden war. Das warf ganz neue, schreckliche Fragen auf, nicht nur die nach dem Mörder, nein, sie fragte auch danach, worin er verstrickt gewesen sein mochte, welche Geheimnisse er gehabt hatte. Wenn Geld und Liebe die häufigsten Mordmotive waren, traf dann eines von beiden auf ihn zu? Wer war ihm so übel gesonnen, dass er zu einer derartigen Schandtat bereit war? Denjenigen, der sie ausführte, konnte sie lebenslänglich hinter Gitter bringen. Wer war bereit, ein derartiges Risiko auf sich zu nehmen, und vor allem wofür?

»Diese Fragen habe ich mir damals nicht stellen können«, erklärte Simone in einem Anfall von Offenheit.

»Sie meinen, als Ihr Vater umgekommen ist? Wie ist es passiert, ein Arbeitsunfall?«

»Nein, er wurde umgebracht«, hörte sich Simone sagen und erinnerte sich, dass sie damals überhaupt nicht verstanden hatte, was es bedeutete.

»Er wurde ermordet?« Madame Lamarc blieb stehen und

hielt sich an Simone fest, die sie um einen halben Kopf überragte. »Weshalb?«

Simone ärgerte sich, dass es ihr herausgerutscht war, denn eigentlich sprach sie nie darüber, außer mit Charlotte und Martin, wenn die Erinnerungen zu stark wurden oder sie ihren Vater vermisste und verzweifelt war über den Weg, den ihre Mutter eingeschlagen hatte.

»Es ging damals um Geld, um Millionen, mein Vater war Weinfälschern auf die Schliche gekommen …«

»Dann sollte ich Sie dringend mit meinen beiden Töchtern bekannt machen, da Sie wissen, wie man sich fühlt.« Madame Lamarc hatte ihren Arm ergriffen und drückte ihn. »Aber Sie waren noch sehr jung. Meine Töchter waren so alt wie Sie jetzt, als es geschah.«

Indessen waren sie weitergegangen und blieben vor der Schatzkammer stehen, einem mit seinem Rundbogen und der vergitterten Tür uralt wirkenden Gelass. Die Wände bedeckte ein schwarzes, an ein Tuch erinnerndes Geflecht von Schimmelpilzen, das in vielen alten und feuchten Weinkellern vorkam. In der Schatzkammer schlummerten die besten und ältesten Weine der Kellerei.

»Unser Ältester stammt aus dem Jahr 1934, aber niemand traut sich, ihn zu öffnen. Er wird längst hinüber sein, aber es ist schön, ihn aufzuheben. Didiers Familie treibt Weinbau seit zweihundert Jahren. Ja, jetzt müssen wir Frauen, meine beiden Töchter und ich, uns mit der Bürde herumschlagen. Ob wir uns damit arrangieren werden, weiß ich nicht …«

»Ich liebe meinen Beruf«, sagte Simone, erstaunt und empört darüber, dass man die Arbeit des Winzers als Bürde auffassen konnte, besonders da der Ehemann zu den besten gehört hatte. Oder wuchs dadurch die Erwartung ins Unermessliche? Wenn man so dachte, sollte man es besser sein lassen. Das brachte Simone zu dem zurück, was sie am meisten bewegte.

»Als mein Patenonkel hier war, war noch nicht bekannt …«

»… dass Didier ermordet worden war?«, beendete Madame Lamarc den Satz. »Tja, das ändert vieles.«

»Was könnte das sein, ich verstehe nicht?«

»Das verändert die Gedanken, die man sich macht. Das Warten hört auf, die Gewissheit ist da, die Hoffnung begräbt man – und dann bleibt nur noch eine große Leere, die Endgültigkeit. Man fragt, wer und warum und warum gerade er? Beim Schicksal Ihres Vaters werden Sie das kennen.«

Simone verneinte, diese Gefühle kannte sie nicht. Was es ihr leicht und schwer zugleich gemacht habe, sei der Umstand, dass Martin den Fall zur Gänze aufklären konnte. Es stachelte ihren Ehrgeiz an, in diesem Fall selbst etwas zur Aufklärung beizutragen, aber das behielt sie für sich.

»Monsieur Bongers, Ihr Patenonkel, hat alles aufgeklärt? War das nicht gefährlich?«, fragte Madame Lamarc entsetzt. »Und der Mörder?«

»Der wurde selbst ermordet.«

»Geschah ihm recht!«

»Die Fragen, die ich mir heute stelle, sind die nach den Menschen, ihren Beweggründen, ihrem Charakter.« Simone schwieg eine Weile, bevor sie Madame Lamarc fragte: »Kennen Sie zufällig einen Daan Verlinden?«

»Nein. Wer soll das sein?«

»Haben Sie, Madame, eine Vorstellung, wer Ihren Mann …«

»Nein! Was soll diese Frage? Nein!«

»Hatte er Feinde?«

»Nein.«

»Gibt es vonseiten der Polizei irgendwelche Andeutungen?«

»Nein! Warum interessiert Sie das alles?«

Auf diesem Weg kam Simone nicht weiter. Bei Madame Lamarc war eine Klappe gefallen, sie hatte sich verschlossen, wollte nicht weiterreden. Sie eilte ins Büro und gab vor, wegen eines dringenden Termins das Gespräch sofort abbrechen zu müssen.

Simone hatte den Raum noch nicht ganz verlassen, als sie bemerkte, wie Madame Lamarc hektisch zum Telefon griff.

»Sie hat total abgeblockt, als ich sie gefragt habe, ich hatte das Wort nicht einmal ausgesprochen.« Simone hatte den Wagen außerhalb der Sichtweite vom Château geparkt, und mit dem Telefon am Ohr berichtete sie Thomas von dem Besuch. Sie zog es vor, nur mit ihm darüber zu sprechen, keinesfalls mit Martin, der wäre sofort in Panik geraten. »Ich habe mich vorsichtig herangetastet, ich musste vermeiden, dass sie sich angemacht fühlt. Anscheinend hat sie es jedoch so aufgefasst.«

Thomas war der Ansicht, Madame Lamarc könnte gemeint haben, dass Simone dem Winzer irgendetwas unterstellte. »Möglicherweise hat sie es so aufgefasst.«

»Die Fragen hat sie selbst gestellt, worin er verstrickt gewesen war und ob er ihr was verheimlichte. Und bei dem Namen Daan Verlinden ist sie dann ganz komisch geworden, hat das Gespräch abgebrochen.«

»Das hättest du nicht fragen dürfen, Simone! Wenn sie mit Vitrier befreundet ist und ihn für einen Mann von Welt hält, kennt sie womöglich auch Verlinden.«

Simone erinnerte sich, dass Madame Vitrier ihren Jäger Daan erwähnt hatte. Nicht auszuschließen, dass Madame Lamarc den Namen schon einmal bei ihr gehört hatte.

»Und Madame Lamarcs verstorbener Mann und Vitrier hängen zusammen, und wenn du peinliche Fragen stellst, kann es unangenehm werden. Sie hat gleich telefoniert, als du gingst?«

»Meinst du, sie hat Vitrier angerufen? Du machst mir Angst, Thomas!«

»Nein, nicht ich. Die Gefahr geht von denen aus.«

»Glaubst du, dass Verlinden die Wahrheit sagt und er Maurice wirklich aus der Schusslinie nehmen wollte?«

»Maurice sagt nichts ohne Hintergedanken. Er ist total kontrolliert. Er hat irgendwann fallen lassen, dass Gustave in dieser Nacht in Lyon in der Oper ist, und ihm wird klar gewesen sein, wie Verlinden darauf reagieren wird.«

»Ich finde, dass du übertreibst. Du siehst alles zu schwarz.«

»Man kann sich total vertun, Simone, oder sich in irgendwas blind verrennen, aber glaub mir, ich kenne böse Menschen, ich spreche aus Erfahrung!«

»Ach! Meinst du wegen der Frau, mit der du zusammen warst?« Simone wunderte sich, wie scharf ihr Ton auf einmal wurde, wie sehr ihr dieses Thema zusetzte, dass sie etwas wie eine Beklemmung in der Brust verspürte und sich hilflos dabei vorkam. Das machte sie wütend, und gleichzeitig hoffte sie, dass Thomas ihr das nicht anmerkte.

»Ja, die meine ich. Wieso bist du auf einmal so gereizt? Die Sache ist vorbei, für immer und ewig.« Jetzt schien Thomas beleidigt zu sein. War es dann doch nicht vorbei?

»Und in Manuel habe ich mich getäuscht, mein Vater hat sich in ihm getäuscht, seine Frau hat sich getäuscht, alle hat Kamila getäuscht …«

»Vielleicht hat sie niemanden getäuscht, vielleicht war sie nur einfach so, hat eine Gelegenheit gesehen und sie beim Schopf gepackt. Manche Menschen hält man für schlecht, sie selbst tun das nicht, sie halten sich für normal und halten alle anderen für blöd.« Das zu sagen, war ihr ein wenig peinlich, es war nicht auf ihrem Mist gewachsen, das waren eigentlich Charlottes Worte.

»Vielleicht ist man ja auch blöd …«

Jetzt wusste Simone nicht mehr, was sie sagen sollte, die Stimmung war dahin, sie wollte auch nicht fragen, ob sie sich sehen würden, sie erzählte noch, dass sie morgen Château La Nerthe besuchen würde.

»Auf dem Weingut des Pernod-Ricard-Konzerns? Ist ja

total sexy. Ich wusste gar nicht, dass die auch Wein machen. Ich weiß nur von Wodka, Whisky, Cognac und Rum, ach so, und Pernod. Das wird ein feines Weinchen sein, das die da zusammenbrauen. Hast du den Termin gemacht?«

»Deine Vorbehalte gegen Konzerne kann man teilen, aber La Nerthe gehört nicht dem Ricard-Konzern.« Simone fühlte sich von oben herab behandelt, ihre Antwort klang schärfer als beabsichtigt. »Besitzer des Châteaus ist die Familie Richard – von ›Café Richard‹, eine Kaffeehauskette in Paris. Ansonsten begleite ich Monsieur Clément.«

»Ich dachte, du meidest ihn, wo es nur geht.«

»Ich kann ihn mir inzwischen vom Leib halten. Also bis dann.« Jetzt war auch sie stinkig. Ja, das konnte sie, sich Monsieur Clément vom Leib halten, und zwar allein. Sie musste es lernen, es war längst an der Zeit. Was bildete Thomas sich ein – dass sie einen Beschützer brauchte?

Die Anfahrt durch die Zypressenallee auf das Schloss von La Nerthe zu war ein Erlebnis. Bislang hatte sie nur auf Château D'Aqueria eine derart große und zusammenhängende Rebfläche gesehen, aber diese hier war größer, und sie dehnte sich weiter aus, je näher man dem Schloss kam und damit eine höhere Warte gewann. Monsieur Clément hielt sich zurück, er saß am Steuer, musste auf den Weg achten.

La Nerthe besaß eine herausragende Stellung, was sich auch darin zeigte, dass es ein eigenes Wappen auf den Flaschen führte. Eine ähnliche Bedeutung hatten nur Château Fortia, Domaine de la Solitude und Clos des Papes. Der erste Wein von La Nerthe soll um das Jahr 1500 produziert worden sein, und bereits Mitte des 18. Jahrhunderts war es derart berühmt, dass die Weine sogar exportiert wurden. La Nerthe war also ein Weingut mit Geschichte, und Simone wusste, dass es heutzutage schwierig war, einen besonderen Wein zu verkaufen, wenn dahinter keine gute Geschichte stand.

Die Anfahrt hin zur Kuppe des Hügels, wo das Schloss

lag – hier stimmte mal die Bezeichnung –, war länger als anderswo. Rechts in der Niederung arbeitete eine Gruppe von Frauen, der Kleidung nach alle Musliminnen. Das Weinlaub verdeckte sie, und nur wenn sie sich aus der gebückten Haltung erhoben, waren die von Kopftüchern und Umhängen verhüllten Gestalten zu sehen. Der Boden längs des Weges war sandig, durchsetzt mit den typischen faustgroßen Kieseln, die eigentlich zu groß waren, um sie noch so zu nennen. Andere Rebstöcke, knorrig und wüst geformt, blieben unter der täglich zunehmenden Masse des Weinlaubs fast verborgen. Simone bemerkte, dass es sich um sehr alte Reben handeln musste. Monsieur Clément hatte auf der Herfahrt erklärt, dass sie hier zwischen fünfzig und hundert Jahre alt waren, und entsprechend kraftvoll seien auch die Weine.

Er hatte eine Verabredung mit Ralph Garcin, ein recht junger Mann, der das Weingut führte. Der empfahl Simone einer Mitarbeiterin im Verkaufsraum unterhalb des Schlosses, er selbst zog sich mit Marcel Clément in sein Büro zurück. Es war ihr lieb, dass niemand ihr einen Geschmack in den Kopf redete, dass keiner ihr sagte, was sie zu riechen oder zu schmecken hatte, sie glaubte inzwischen genug gerochen und probiert zu haben, um das selbst beurteilen zu können. Und beim ersten Versuch der Mitarbeiterin, den Weißwein von La Nerthe zu interpretieren, hob sie abwehrend die Hände.

Schon nach dem ersten Riecher und dem ersten Schluck merkte sie, dass der Weißwein toll war, obwohl er noch jung und erst vor einem Monat abgefüllt worden war. Da waren die meisten Weine noch viel zu turbulent, um zu zeigen, was in ihnen steckte. Hier war es der Duft reifer Sommerblüten, was auf die alten Weinstöcke hinwies, die Aromen gelber Früchte ließen Ähnliches vermuten, genauso wie die Fülle im Mund, die lange anhielt.

Der Clos de Beauvenir, fünf Jahre alt und im Holz vergoren, gefiel ihr weniger, das süßliche Holz war stärker als die Aromen, und das mochte sie nicht. Honigmelone und auch Ananas kamen einfach zu schlecht weg. Der Rote hingegen, mit drei Jahren gerade im richtigen Alter, war wieder sehr schön, er war das, was sie inzwischen einen typischen Châteauneuf-du-Pape nennen durfte.

Grenache, Mourvèdre und Syrah zu je einem Drittel bildeten die Cuvée des Cadettes. Wie üblich ließ sie die Gläser nebst Inhalt in einer Reihe vor sich stehen, dahinter die Flaschen, um immer wieder zu kosten. War der Cuvée des Cadettes anfangs noch verschlossen, so zeigte er sich nach einer Viertelstunde viel offener und weicher. Es war ein ähnlicher Eindruck wie beim Verkosten des auf Sandboden gewachsenen Grenache von Ogier: Der war ihr anfangs auch verschlossen vorgekommen. Wenn man sich zu wenig Zeit nahm, gewann man einen gänzlich falschen Eindruck. Galt das nicht für alles?

Der alte Stil, dem Châteauneuf-du-Pape jahrzehntelang gefolgt war, zeigte sich bei dem Wein von 1994. Die Farbe verschob sich vom tiefen Rot hin zum leicht Bräunlichen, die Gerbsäure war härter als bei den jungen, und trotzdem wirkte der Wein weich, auch der Geschmack war noch da. Hätte sie die vergangenen Wochen hier nicht täglich probiert, davon war Simone überzeugt, dann hätte sie die Weine niemals in dieser Weise beurteilen können. Es gab jedoch einen Geschmack in diesem Wein, der sie an den Geruch von Pferden erinnerte oder an sich zersetzende Baumrinde. Er wurde von Brettanomyces-Hefen hervorgerufen, die sich in alten Holzfässern einnisteten und denen der Alkohol im Wein nichts anhaben konnte. Sie ekelte sich davor, und wieder andere zahlten viel Geld für Weine mit diesem Ton. Pferdedecken und nasses Hundefell? Angeblich sollte es Winzer geben, die ihre Weine impften, um jene Aromen zu erhalten, und Weinliebhaber schwärmten davon.

Der letzte Wein dieser Verkostungsrunde gefiel ihr so gut wie der erste: Er war zehn Jahre alt, richtig gereift, zur

Pflaume kam noch der typische Lakritzton, der Wein war kräftig und doch weich und war voll im Körper. Simone erkannte es inzwischen als Folge einer guten Kombination verschiedener Rebsorten.

Monsieur Clément war noch nicht wieder aufgetaucht, daher schloss sie sich einer Gruppe von Besuchern an, um die Unterwelt der Kellerei zu besichtigen. Zwanzig Mitarbeiter waren ständig im Keller und im Weinberg beschäftigt, ein Großbetrieb im Vergleich zu ihrem Garagen-Weingut in Saint-Émilion. In der Lese, so der junge Mann, der sie herumführte, benötigten sie achtzig Helfer. Wie auf allen Gütern dieser Appellation mussten die Trauben von Hand gelesen und begutachtet werden, Beeren, die vertrocknet, verschimmelt oder von Wespen angefressen waren, wurden aus den Trauben herausgeschnitten. Das war von Maschinen nicht zu leisten.

Die Stille der Keller war immer wieder eindrucksvoll. Simone mochte diese Atmosphäre, getrennt von der Welt, weit weg vom Lärm des Alltags. Dazu schuf hier wie auf der Domaine Clément die indirekte Beleuchtung eine feierliche Stimmung. Sie fühlte sich ausschließlich auf sich selbst zurückgeworfen, nur die Reihen der Barriques vor sich, über sich die Gewölbe, uralter Stein, in die Mauern eingelassene Tanks, und dazu der Wein im lackierten Holz. Verstaubte Flaschen warteten hinter Gittern und verstärkten den Eindruck, sich zwischen Schätzen zu bewegen. Die Keller, die sie bisher besichtigt hatte, waren nach den Erfordernissen der Weinbereitung angelegt, gleichzeitig dienten sie als Bühne, waren eine Inszenierung und eine gute Show.

Ans Tageslicht zurückgekehrt, schlenderte sie zum Parkplatz, um auf Monsieur Clément zu warten, und setzte sich auf den Rand eines großen Beckens in den Schatten riesiger Platanen. Nur wenige Lichtbündel trafen die Wasseroberfläche, wo sie sich funkelnd brachen. Simone sah den Goldfischen zu, die durch das klare, hellgrüne Wasser vom Licht in den Schatten schwammen und wieder zurück. Sie haben viel Platz, dachte sie, aber auch das schönste Aquarium bleibt immer ein Gefängnis. Ein Fluss wie die Rhône wäre sicher spannender, interessanter, viel anregender, aber auch gefährlich. Man konnte gefressen werden.

Mit diesen Gedanken sah sie Monsieur Clément entgegen.

»War Ihr Gespräch erfolgreich?«, fragte sie ihn beim Einsteigen in den Wagen. Er konnte ihr nichts mehr anhaben.

»Ja, sicher, bei den Weinen hier. Wie haben sie Ihnen gefallen?«

»Wunderbar. Sie sind beinahe so gut wie Ihre, Monsieur.«

»Schmeichlerin«, meinte er mit einem kurzen Seitenblick, und sie fragte sich, wie es kam, dass er sie nicht mehr anstarrte, seit sie das Gefühl hatte, sich wehren zu können.

Die knapp drei Kilometer bis zur Domaine Clément legten sie schweigend zurück.

»Kennen Sie den?«, fragte der Winzer. In der Einfahrt zu seinem Grundstück stand ein Wagen, hinter dem Steuer saß ein Mann, der ihnen nachblickte. »Ist das Ihr deutscher Freund?«

Simone sah sich um. Nein, Thomas war das nicht, aber die Anwesenheit dieses Mannes gefiel ihr nicht. »Das wird irgendein Kunde sein, der Wein kaufen will oder sich verfahren hat.« Klang das unbefangen genug? Ihr Unbehagen nahm zu. »Wollen Sie nicht aussteigen und ihn fragen?« Das wäre Simone am liebsten gewesen.

»Wenn er was will, wird er sich melden.«

Simone sah sich noch einmal um. »Das wird er«, sagte sie und hoffte, dass sie sich irrte. Er erinnerte sie an die Legionäre aus dem »Café des Athlètes«.

Kapitel 23

»Sie mauern! Frag mich nicht, weshalb. Ich weiß es nicht. Auch über unseren Polizeicomputer komme ich nicht weiter.«

Thomas kannte Pascal Bellier lange genug, um sicher zu sein, dass der Kommissar sich nicht hinter den Barrikaden der Bürokratie verschanzte. Sie kannten sich, seit Thomas' Vater die Machenschaften um einen betrügerischen Fonds auf der Basis von Champagner aufgedeckt hatte und Bellier angeschossen worden war. Damals hatte Thomas noch an der Kölner Universität Betriebswirtschaft studiert und war unversehens in diese Fonds-Betrügereien geschliddert. Später, da war Thomas bereits Student der Önologie, war Pascal in Thomas' Wohngemeinschaft auf Regine getroffen, die ebenfalls in Geisenheim studierte und mit Thomas und Manuel die Wohnung teilte. Zwischen Pascal und Regine hatte es sofort gefunkt, inzwischen waren sie verheiratet, glücklich, wie Thomas wusste. Sie arbeitete auf einem Champagnerweingut in der Nähe von Metz. Thomas hatte bereits überlegt, ob er sie fragen sollte, ob sie nicht anstelle von Manuel bei ihnen einsteigen wolle, aber bis nach Metz war es sicher viel zu weit.

»Du bist nicht der Typ, der sich mit fadenscheinigen Ausreden zufriedengibt, Pascal.« Thomas war überzeugt, dass der Freund eine Vermutung hatte, weshalb gemauert wurde. »Was könnten die Gründe dafür sein?«

Es dauerte einen Moment, bis Pascal sich zu einer Antwort durchrang. »Ich vermute, das Ding ist dicker, als du denkst. Nach dem, was du mir von dem Treffen in der Waschstraße berichtet hast, steckt mehr dahinter. Haben sie über diesen Winzer, diesen …«

»Lamarc«, ergänzte Thomas.

»… gut, über diesen Lamarc nichts weiter gesagt, als dass seine Leiche entdeckt wurde?«

»Nein. Sie hätten *Didier* gefunden, hat er gesagt, mehr nicht. Mit *sie* waren sicher die Behörden gemeint.«

Wenn jemand in dieser Weise über einen anderen sprach und beide ihn beim Vornamen nannten, musste nach Ansicht Belliers eine Beziehung bestanden haben, dann handelte es sich nicht lediglich um das Austauschen von Neuigkeiten. »Was genau haben Vitrier und Verlinden zum Concours gesagt?«

Thomas war sich nicht ganz sicher. »Verlinden meinte, dass Vitrier endlich mal den Concours gewinnen solle, weil es sonst wieder Ärger geben würde.«

»Was meinte er mit Ärger? Hat er mehr dazu gesagt?«

»Nein. Was er damit meinte – woher soll ich das wissen?«

»Hat er ihn umgebracht, ich meine einer von beiden?«

»So bescheuert sind die nicht, obwohl …«

»Ja? Weiter, du bist auf dem richtigen Weg. Die Leute sind schlimmer und dümmer, als du denkst. Vergangene Woche kommt ein Mann nachts betrunken nach Hause, und die Frau bringt ihn mit der Bratpfanne um, so dumm sind die Leute. Eine andere steigt aus dem Auto eines Kollegen, der sie lediglich nach Hause bringt, und der Göttergatte sticht sie nieder. Zweimal lebenslänglich. Mit so einem Dreck muss ich mich beschäftigen. Irgendwann schmeiße ich das alles hin und komm zu dir in den Weinberg. Traktor fahren kann ich auch, Unkraut jäten, Keller putzen und vor allem probieren!«

»Die ganze Posse hier spielt sich im Weinberg ab, du kannst ja herkommen, das wäre mir sogar lieb.«

»Ich wollte dir sowieso raten, vorsichtig zu sein. Die beiden führen die Diebesbande, da bin ich mir sicher.«

»Verlinden vielleicht, aber Vitrier? Der hat das nicht nötig.«

Bellier lachte auf. »Was glaubst du, was die Leute alles nötig haben? Essen, schlafen, eine gute Frau an der Seite – das würde reichen. Aber sie brauchen Schlösser, Paläste, goldene Teller, dicke Anlagen, so viel Geld, dass nicht mal ihre Enkelkinder hungern müssten, dann Weine für fünfundvierzig Euro, vielleicht ist es auch der Kick, der Offizier braucht eine Einheit, die er kommandieren kann …«

»Wie kommst du auf fünfundvierzig Euro?«

»So viel kostet der Pechant, den der Onkel von deiner neuen Flamme in Saint-Émilion vertreibt. Was ist da drin in der Flasche?«

»Woher kennst du den Preis?« Thomas war perplex. »Spionierst du mir nach?« Er fühlte sich ausgehorcht.

»*Mon ami*, ich bin eben ein Superbulle. Nimm's nicht tragisch. Ich könnte mir vorstellen, dass es bei Vitrier, wenn er reich ist, um den Nervenkitzel geht, oder es hat mit seiner militärischen Vergangenheit zu tun. Offiziell ist nichts zu machen, aber ich hab 'ne Quelle. Mehr nicht am Telefon, gerade wenn's ums Militär geht, besonders heute, bei der Terrorscheiße.«

»Warst du beim Militär?«

»Ich war zu jung für die Wehrpflicht, und heute reicht denen ein Vorbereitungstag für die Landesverteidigung, unser *Journée défense et citoyenneté*. Jetzt mal zu den Kollegen in Bagnols-sur-Cèze. Ich schlage vor, du fährst hin und siehst dir den Laden an. Sprich mit den Ermittlern. Die Gendarmerie findest du in der Avenue Roger Salengro. Der Mann, der die Mordermittlungen leiten soll, liegt im Krankenhaus, hat sich beim Rugby die Hüfte gebrochen. Sein Vertreter ist Major Brigitte Rossignol.«

»Eine Frau?«

»Wieso nicht? Du kannst doch gut mit Frauen. Die sind häufig bissiger und misstrauischer als Männer. Wir haben hier einige. Mit denen legt man sich besser nicht an.«

»Auch als Superbulle nicht?«

»*Fous-moi la paix!* Und fühle Madame Major ordentlich auf den Zahn. Sie ist nicht mehr ganz jung, sie hat bereits als Soldatin gedient. Das ist eine ganz Harte. Aber bei den Ermittlungen in Sachen Einbruch ist sie anscheinend weich wie Butter. Es ginge mich nichts an, sagte sie, sie würden ihre Arbeit machen. Es gäbe noch etliche andere Einbrüche, alles bräuchte seine Zeit. Es entscheide letztlich sowieso der Untersuchungsrichter, an den solle ich mich halten. Das ist nicht üblich. Normalerweise hilft man Kollegen auf dem kleinen Dienstweg. Ich weiß auch nicht, wie sie ermittelt. Vielleicht kennt sie die Akten nicht, vielleicht interessiert es sie gar nicht? Ich will damit nichts gesagt haben, deinen Namen habe ich selbstverständlich nicht erwähnt. Du als Zeuge und sogar als Beteiligter hast einen guten Grund, einfach bei ihr aufzutauchen, du wärest zufällig in Bagnols und wolltest dich erkundigen … na, du weißt schon …«

Anschließend sprachen sie darüber, wie es in der Pfalz weiterging, und über Manuel, den Bellier auch kannte und den er wie Thomas für leicht manipulierbar hielt. Das habe damals der Fall um die Studentin Alexandra gezeigt.

»Und was läuft mit der Braut aus Saint-Émilion? Du hast sie in diese Sache mit reingezogen, ihr Name ist den beiden Typen bekannt. Dann pass verdammt noch mal gut auf sie auf!«

Vom Telefonat mit Bellier sagte Thomas Simone nichts, er wollte vorher den Besuch bei Major Rossignol hinter sich bringen. Belliers Worte hatten ihn beunruhigt. Da er abends häufig lange arbeitete, hatte Alain nichts dagegen, dass Thomas sich einen Tag freinahm, um, wie er erklärte, bei der

Gendarmerie in Bagnols-sur-Cèze seine Aussage zu machen, denn die Ermittlungen stagnierten seines Erachtens. Er sei bislang noch immer nicht vernommen worden.

»Was ist der Grund dafür?«, fragte er die Dame in Uniform hinter dem Schreibtisch, die sich nach anfänglichem Widerstand dazu bereit erklärte, ihn zu empfangen. Obwohl die Abneigung auf beiden Seiten gleichermaßen vorhanden war, blieb man höflich. Thomas wusste, dass mit französischen Behördenvertretern überhaupt nicht zu spaßen war.

Im Gefühl, Vertreter des Staates, der *République*, zu sein, die nicht begriff, dass sie den Zenit ihrer Macht längst überschritten hatte, plusterten die Beamten sich auf, wurden rabiat und wähnten sich über dem Bürger stehend, dem sie eigentlich zu dienen hatten.

Major Brigitte Rossignol war Mitte fünfzig und wurde rundlich, was ihr zum Bubikopf geschnittenes und schwarz gefärbtes Haar noch unterstrich. Als junge Frau mochte sie gut ausgesehen haben, jetzt glich sie mehr der alternden, herben Schönheit. Sie wirkte spröde, ihre starre, aufrechte Haltung, ihr herrischer Ausdruck und der abfällige Blick signalisierten Abwehr. Thomas meinte darin mehr zu erkennen als nur Antipathie. Bei ihr würde er mit seinem Anliegen nicht weit kommen. Aber jede unbeantwortete Frage war auch eine Antwort.

»Major als Anrede reicht völlig, *Monsieur Œnologue.*« Bei diesen Worten reckte sie den Hals wie damals seine Mathematiklehrerin, die ihm einen Tadel wegen Schwätzens erteilte. »Sie wollen wissen, weshalb Sie noch nicht vernommen wurden?« In einer Geste des Desinteresses breitete sie pathetisch die Arme aus. »Sie verkennen unsere Situation. Schauen Sie!« Jetzt tat sie vertraulich. »Ich leite zurzeit zwei Abteilungen, einmal die Organisierte Kriminalität und zum anderen die Mordkommission – kommissarisch. Die Situation in Frankreich ist wesentlich angespannter als in

Deutschland. Bagnols-sur-Cèze ist eine Stadt von knapp zwanzigtausend Einwohnern. Zum einen haben wir bedeutend weniger Personal und Mittel zur Verfügung, zum anderen sind wir, ist Frankreich wesentlich härter vom islamistischen Terror betroffen. Ich möchte nicht wissen«, hier hielt sie einen Moment inne, was die Worte unterstreichen sollte, »wie anders Ihre Regierung reagiert hätte, wenn es in Deutschland zu derart brutalen Anschlägen gekommen wäre. Wir behalten trotz der Katastrophen doch die Nerven.«

Dass nach mehr als einem Jahr nach den Attentaten noch immer der Ausnahmezustand herrschte, erwähnte Thomas besser nicht. Ausgangssperren, Hausarreste und Durchsuchungen – alles ohne richterlichen Befehl! Auch das war Frankreich.

»Im Fall des Einbruchs bei Château des Trois Verres in Lirac sehen wir diese Tat als Teil einer Serie in der Region. Die Täter gehen äußerst geschickt vor, professionell, sie hinterlassen keine Spuren …«

»… was Sie nicht untersucht haben, jedenfalls ist es mir nicht bekannt. Es wurden nicht einmal die Reifenspuren des Transportfahrzeugs vermessen.«

»*Monsieur Œnologue,* ich spreche von der Serie, nicht von jenem einzelnen Ereignis in Lirac, bei dem nichts gestohlen wurde. Wir untersuchen die Fälle strukturell, nur so werden wir fündig. Wir sind dabei, das Profil dieser Bande zu erarbeiten. Aus dieser Erkenntnis heraus entwickeln wir unsere Fahndung. Für unser Vorgehen benötigen wir keinen Rat von außen!«

Alles, was die Frau sagte, empfand Thomas als Geschwätz, auch dass sie ihn mit »Monsieur Œnologue« titulierte. Es wirkte nur lächerlich.

»Was ist mit dem …« Er suchte nach dem passenden Wort für den Mann, den er niedergeschlagen hatte. Ihm fiel nichts anderes ein als »Mensch«. Im Grunde war es ein armer Teufel, wahrscheinlich aus Südosteuropa, der von Vitrier und Verlinden benutzt wurde.

»Was ist mit dem Menschen, den Sie festgenommen haben?«, wiederholte er. »Hat er geredet?«

»Dazu darf ich Ihnen leider nichts sagen. Ich habe selbstverständlich vollstes Verständnis für Ihre Frage, sicher, Sie wollen wissen, was dahintersteckt. Es hängt natürlich alles vom Untersuchungsrichter ab, der entscheidet über unser Vorgehen und auch darüber, was wir an die Öffentlichkeit gelangen lassen. Ich werde mit ihm reden.« Major Rossignol nahm einige Schriftstücke vom Schreibtisch, legte sie in eine Schublade, die sie nach einem misstrauischen Blick auf ihn abschloss, und erhob sich. »Sie entschuldigen mich einen Moment?« Sie schenkte Thomas ein kaltes Lächeln. »Fünf Minuten!«

Als sie gegangen war, sah er sich in dem Raum um und prüfte, ob von irgendwo eine Kamera auf ihn gerichtet war. Die Frau wusste mehr, ihm hingegen war nicht klar, ob sie nichts sagen durfte oder wollte. Er stand auf und trat zur Wand, wo neben der französischen und europäischen Fahne einige Fotografien von Uniformierten und Fahnenträgern hingen, und mittendrin hing eines von ihr: Ein herausgeputzter Vorgesetzter heftete ihr einen Orden an die Brust, daneben stand ein Adjutant mit einem Kissen, auf dem der Orden wohl gelegen hatte. Thomas stutzte. Die Uniform! Das war nicht die der Nationalpolizei oder Gendarmerie, das war die Tarnuniform einer Kampfeinheit. Die blau-gelbe Fahne mit den Sternen im Hintergrund war ihm unbekannt.

Thomas nahm blitzschnell sein Mobiltelefon und fotografierte das Bild ab. Irgendwer würde ihm sagen, worum es auf dem Bild ging. Dann verließ er den Raum, schlenderte zum Empfang und fragte nach einer Kantine. Der freundliche ältere Polizist wies ihm den Weg zum Kaffeeautomaten. Dort stand ein jüngerer Gendarm und schimpfte, weil der Kaffee miserabel sei. Thomas kannte diesen Mann, er hatte zum

Einsatzkommando gehört, das nach dem Einbruch nach Lirac gekommen war und den Gefangenen entgegengenommen hatte. Auch der Gendarm erinnerte sich.

»Wo haben Sie den Stockkampf gelernt? Ich würde das auch gern können, aber wir haben hier in der Region keine Schulen. Zum Karatetraining muss ich bis nach Avignon fahren. Die Sportschule in Orange gefällt mir nicht.«

Thomas erzählte, dass er als Vierzehnjähriger mit Kampfsport begonnen und es bis zum ersten Dan mit dem Schwarzen Gürtel gebracht habe. Später erst sei der Stockkampf hinzugekommen, bei einem chinesischen Lehrer, aber seit sein Vater und er ein Weingut betrieben, fehle ihm die Zeit zum Training.

»Dafür waren Sie aber verdammt gut«, meinte der Gendarm bewundernd. »Sind Sie zur Vernehmung hier? Bei Madame Major?« Er verdrehte die Augen.

»Sie war früher beim Militär?«

»Merkt man das? Ja, sie hat ein … kriegerisches Wesen, sie geht immer hart ran und verlangt das auch von uns. Mir gefällt das nicht so gut.« Dadurch entstehe meistens mehr Ärger. Von Deeskalation habe sie nie gehört. Das würde nur auf der Polizeischule gelehrt. »Aber das haben Sie nicht von mir«, fügte er leise hinzu. Aus einer der Türen war ein weiterer Beamter getreten.

»Wissen Sie, wo sie stationiert war? War sie im Einsatz?«

Der Gendarm dachte nach. »Soweit ich weiß, war sie in Bosnien, aber darüber spricht sie nie.«

»Und sind auch Sie mit den Ermittlungen wegen des Einbruchs in Lirac betraut?«

Der Gendarm schüttelte den Kopf und blickte auf den dünnen Strahl des Kaffees, der gluckernd in den Becher lief. »Da wird nicht groß ermittelt, sagt sie, andere Fälle hätten Vorrang. Das verstehe, wer will, ich jedenfalls nicht.«

Der Kollege war hinzugetreten, Thomas verabschiedete

sich und ging mit dem Becher zurück ins Dienstzimmer von Major Rossignol.

»Danach hätte ich Sie auch gefragt«, sagte sie mit ihrem kalten Lächeln, als sie zurückkam und den Becher mit dem Kaffee entdeckte. »Wie ich sehe, haben Sie bereits für sich selbst gesorgt.« Sie setzte sich, warf einen prüfenden Blick über die auf dem Schreibtisch verstreuten Dokumente, als vermutete sie, dass Thomas herumgeschnüffelt haben könnte. Etwas in ihrer Haltung war anders, seit sie den Raum wieder betreten hatte. Thomas merkte sofort, worum es ging.

»Wo Sie schon einmal hier sind, sollten wir doch die Gelegenheit nutzen, und Sie erzählen mir alles, was sich in jener Nacht ereignet hat.« Sie selbst nahm einen Block und einen Kugelschreiber und begann, sich Notizen zu machen. Eigentlich hatte er erwartet, dass sie ein Tonband zu Hilfe nehmen würde. Und er staunte über den Sinneswandel.

Die erste Frage war, was ihn mitten in der Nacht geweckt hatte, dann fragte sie ihn nach der Zahl der möglichen Beteiligten und wieso er auf die Idee mit dem Besenstiel gekommen war und wer oder was genau von den Einbrechern zu sehen gewesen war. Immer wieder kehrte sie zu der Frage zurück, ob er jemanden erkannt hätte, wen er beschreiben könne, was zu der Person zu sagen sei, die seiner Meinung nach diese Aktion geleitet habe. Dass es Daan Verlinden gewesen war, daran bestand für Thomas nicht mehr der geringste Zweifel. Doch um Simone und sich selbst zu schützen, formulierte er seine Aussagen derart vage, dass die Personenbeschreibung sich auf alle und jeden beziehen konnte. Der plötzliche Sinneswandel, die Intensität der Fragen nach jedem Detail sowie das »Foto« und das Wort »Bosnien« hatten ihn vorsichtig gemacht.

Es entging Major Rossignol natürlich nicht, bei ihrer Erfahrung als vernehmende Beamtin, dass es Thomas war, der jetzt mauerte und sich auf keinerlei Theorie oder Vermutung einließ, obwohl sie mehrmals insistierte. Er erinnerte sich an die Fragetechnik von Polizisten, damals, im Fall Manuel, da war er heftig mit dem ermittelnden Kommissar aneinandergeraten. Der hatte versucht, ihm ständig die gewünschten Antworten in den Mund zu legen.

Zuletzt kam Madame Major zu seiner Überraschung auf Didier Lamarc zu sprechen und fragte nach dem Grund, weshalb Simone Latroye, mit der er augenscheinlich bekannt sei, die Witwe des Winzers besucht habe.

Auf seine Frage, woher sie von der Bekanntschaft mit Simone wisse, antwortete sie, dass sie es eben wisse, jeder kenne jeden, und alles spräche sich herum, auch die Anwesenheit von Fremden. Man würde schließlich ermitteln.

»Wenige Tage, nachdem Sie, Monsieur, als Nachbar von Gustave Vitrier in Erscheinung treten, wird dort eingebrochen. Auch das könnte zu Vermutungen Anlass geben. Aber nun sagen Sie mir, weshalb war Mademoiselle Latroye bei Madame Lamarc?«

»Ich schlage vor, Sie fragen sie das selbst.« Es war für Thomas klar, dass es längst nicht mehr um den Einbruch ging. »Ich weiß lediglich, dass sie zuerst bei ihr um den Praktikumsplatz nachgefragt hat. Ihr Patenonkel kennt das Weingut aus seiner früheren Tätigkeit.«

»Martin Bongers, ist das richtig?« Sie blickte auf ihren Block.

»Das ist richtig.«

»Gut, das war's dann. Sie haben uns nicht sehr geholfen.« Sie stand auf, und mit der Ankündigung, dass der Untersuchungsrichter ihm einen Termin zur offiziellen Vernehmung übermitteln würde, komplimentierte ihn die Polizistin hinaus.

Woher weiß sie von Martin, woher von Simone, fragte sich Thomas und blickte zurück, als er in den Wagen stieg, und was geht es sie an? Stand dort jemand am Fenster und sah ihm nach? Der zweite Teil des Gesprächs war zum Verhör geworden. Hatte sie sich mit jemandem in der Gesprächspause beraten? Bestand über die gemeinsame Vergangenheit im Militär eine Verbindung zu Verlinden und Vitrier? Möglicherweise war sie in Bosnien entstanden. Den Namen Brigitte hatte er bereits gehört. Hatte Vitrier ihn nicht in der Waschstraße genannt? Thomas nahm sein Smartphone und gab ›Bosnien‹ und ›Flagge‹ ein. Sein Verdacht bestätigte sich: Hinter Madame Rossignol hing während der Ordensverleihung die bosnische Flagge am Mast.

Er hatte sich richtig verhalten, hatte nichts preisgegeben, was über das hinausging, was er in der Nacht des Einbruchs zu Protokoll gegeben hatte. Der Umstand, dass er der Angelegenheit weiter nachging, würde Verlinden und Vitrier beunruhigen, er wusste auf jeden Fall zu viel. Sie würden sich nicht an ihn halten, nicht an Martin Bongers.

Als er den Wegweiser der Supermarktkette Carrefour sah, hatte er eine Idee. Während er dort nach einer Beanie suchte, musste er lächeln, denn es erinnerte ihn an die Duschhaube, die er seinerzeit in Geisenheim gekauft hatte, und die Gummihandschuhe aus der Apotheke, um in die Wohnung der ermordeten Kommilitonin Alexandra einzubrechen und dabei keine Spuren zu hinterlassen. Einen Augenbrauenstift würde er sich auch besorgen. Damit konnte er sich einen Schnurrbart anmalen, wie es Groucho Marx getan hatte, der Zyniker der Marx Brothers. Auf die Entfernung würde niemand den Unterschied feststellen. Dass Grouchos Bart aufgemalt war, hatte Thomas erst während des dritten Films der Komikertruppe begriffen. Mit Bart, Sonnenbrille und Beanie, der Schlafmütze des deutschen Michel, würde ihn niemand im »Café des Athlètes« erkennen, wenn er lediglich dort vorüberging.

Was würde sich das Trio einfallen lassen, um Simone und ihn von ihren Ermittlungen abzuhalten? Sie wussten sogar von Martin Bongers. Wenn die Polizistin mit von der Partie war, waren sie über alles informiert. Sie konnte die Untersuchungen behindern, sie verzögern, was sie anscheinend auch tat. Akten verschwanden, wurden »fälschlicherweise« geschreddert. Das wusste man von jedem parlamentarischen Untersuchungsausschuss, besonders wenn es um so heikle Themen ging wie die NSU-Morde. Franzosen und deutsche Behörden nahmen sich da nichts.

Drei Personen, die etwas wussten, konnte man nicht beseitigen. Der Wirbel wäre riesig gewesen. Was würden sie sich einfallen lassen? Major Rossignol hatte Zugriff auf den Polizeicomputer, dann wusste sie auch, wie sein Vater und er sich damals in der Champagne verhalten hatten, dann wusste sie, dass er keine Ruhe geben würde.

Auf die Mütze verzichtete Thomas, es wäre zu lächerlich, bei der herrschenden Hitze damit herumzulaufen. Es hatte in den Wochen, seit er hier war, nur ein einziges Mal geregnet. Stattdessen kaufte er ein Gel, um sein langes, welliges Haar zu bändigen, und ein billiges Oberhemd, das er über die Hose fallen ließ. Die schmale Sonnenbrille für vier Euro fünfzig zog sich wie eine Maske über die Augen.

Das Gebäude der Genossenschaft Laudun-Chusclan war kaum zu übersehen. Es war zu früh fürs »Café des Athlètes«. Was gab es Besseres, als sich die Zeit mit dem Verkosten schöner Weine zu vertreiben? Kurz vor Feierabend kehrten viele Bewohner hier ein, um sich den Wein fürs Abendessen zu holen, und gingen mit ihren Korbflaschen oder Kanistern direkt zur »Tankstelle«. Die Zapfpistole in Händen füllten sie den Wein wie Benzin in ihre Reservekanister. Man war nicht wählerisch. Der Flaschenwein war für Feiertage reserviert, die Franzosen verdienten etwas weniger als die Deutschen, dafür waren ihre Lebensmittel um ein Drittel teurer. An der Zapfsäule aber war der zwölfprozentige Tafelwein bereits für ein Euro fünfzig zu haben, etwas für harte Kampftrinker, die nicht mehr viele Fragen stellten. An der Spitze lagen der weiße und rote Côtes du Rhône mit strammen zwei Euro neunzig.

Das wird in etwa die Qualität sein, die in der antiken römischen Amphore gewesen war, vermutete Thomas, die gleich daneben an der Wand stand. Das mannshohe Gefäß, in dem sich gut drei Personen verstecken konnten, war hier gefunden worden, einst in die Erde eingelassen, wie es heute in Georgien praktiziert wurde, und mittels Eimer wurde der Wein wie aus einem Brunnen geschöpft.

Die Vorurteile gegenüber Genossenschaften waren groß, besonders wenn sie die Trauben von dreitausend Hektar Land verarbeiteten (einem Zehntel der Pfälzischen Fläche) und jährlich zehn Millionen Flaschen produzierten. Simone, die ihm berichtet hatte, dass sie die Genossenschaft von Châteauneuf-du-Pape bei Bédarrides besucht hatte, war von den Weinen dort längst nicht so begeistert gewesen wie von Bois de la Garde und Château Jas de Bressy. Dahin hätte er sie gern begleitet. Er musste es allein nachholen. Aber das, was er hier bei den Genossen von Laudun-Chusclan probierte, hätte Thomas jederzeit den Kritikern der Genossenschaften vorgeführt. Der weiße Excellence, aus vier Rebsorten und im Barrique gereift, war so gut wie der von der Lage Camp Romain. Der Terra Vitae, ein Biowein aus Grenache und Syrah, war eigenwillig und gleichzeitig typisch für die Rhône und so überzeugend wie der Les Genêts, als Einziger mit Rappen vergoren, wohl kräftig, aber nicht zu hart und mit diskreten Aromen von Pfeffer und Lakritz keineswegs aufdringlich. Thomas probierte noch drei weitere Weine, die ihm alle gefielen, und kaufte schließlich je zwei Flaschen vom Excellence und Les Genêts, um sie Alain mitzubringen.

Den Wagen in der Rue Montesquieu abzustellen, hatte sich bei seinem ersten Besuch in Laudun als richtig herausgestellt. Als er sich unbeobachtet fühlte, zog er das Hemd über, schmierte sich das Gel ins Haar und malte sich den Schnäuzer ins Gesicht. Er musste aufpassen, dass er nicht so übertrieben wirkte wie Groucho Marx, es hätte den gegenteiligen

Effekt gehabt. Die Sonnenbrille zerstörte seine Physiognomie vollends, und als er sich in einer Schaufensterscheibe spiegelte, hätte er sich selbst nicht erkannt. Bei anderer Gelegenheit hätte er es als witzig empfunden, hier aber war ihm nicht wohl, seine Gegner waren keine normalen Kriminellen. Es waren ausgebildete Kämpfer, mit Waffen vertraut und womöglich sogar mit dem Töten …

Bin ich zu auffällig, fragte sich Thomas, als er das erste Mal am an der Vorderfront des »Café des Athlètes« vorbeiging. Obwohl es früh am Abend war, hatte man drinnen das Licht eingeschaltet. Die großen Scheiben gaben den Blick auf Gäste und Bar frei, wo Verlindens Frau am Zapfhahn stand. Er selbst saß vor dem Fernsehgerät und las Zeitung. Er sah kurz auf, als ein Mann das Café betrat, zu ihm ging und ihm auf die Schulter klopfte. Thomas ging weiter zur nächsten Bar O'Pimiento, dort standen Tische und Stühle auf dem Trottoir, und er setzte sich mit Blickrichtung zum Café, doch da die Straße einen Bogen schlug, sah er nicht, was dort geschah. Ein Beobachtungsposten im Haus gegenüber, hinter der Gardine, das wäre ideal gewesen. Zu oft durfte er auch nicht vorbeigehen, das würde auffallen. So wartete er – und wusste nicht worauf, aber etwas würde passieren. Er legte das Geld für das Bier auf den Tisch, stand auf und ging zum Café zurück. Eine halbe Stunde war vergangen, jetzt saßen vier Männer mit Verlinden am Tisch, vier Galgenvögel, Gesichter wie die Einbrecher. Dass sie zur Bande gehörten, war anzunehmen. Dann hielt ein grüner Peugeot und blieb mit eingeschalteter Warnblinkanlage stehen. Die Blonde am Tresen machte Verlinden darauf aufmerksam. Er ging hinaus, die Scheibe auf der Fahrerseite glitt herunter. Thomas blieb hinter einer der gewaltigen Platanen stehen. Am Steuer des Wagens saß eine Frau, und trotz der Reflexe auf der spiegelnden Frontscheibe erkannte er sie. Es war Major Rossignol. Da war die Verbindung. Statt ihn anzurufen, kam sie selbst. Verlinden beugte sich nur kurz zu ihr, küsste sie, richtete sich auf, sah sich um und eilte zurück ins Café.

Habe ich sie aufgescheucht?, fragte sich Thomas. Verlinden kam nach einer Minute zurück, er hatte eine schwarze Lederjacke übergezogen und stieg in den Peugeot, der sofort abfuhr. Thomas schaute ihm nach und hätte zu gern gewusst, wohin die Fahrt ging. Traf man sich mit Maurice Vitrier?

Kapitel 24

»Mein lieber Grivot! Stellen Sie sich nicht an.«

»Es handelt sich um militärische Geheimnisse, Monsieur Bongeeers.«

»Es fällt mir schwer, mir das vorzustellen. Außerdem haben Sie Freunde.«

»Nicht beim Militär, da hat man keine Freunde, nur Kameraden, vorausgesetzt, man war dabei. Bei den Geheimdiensten ist es noch schlimmer.«

Der Exkommissar, einst zuständig für die Verfolgung korsischer Nationalisten und Extremisten, stellte Martins Geduld an diesem Morgen auf eine harte Probe. »Sie haben Freunde, Grivot, die haben wieder Freunde. Ich will nichts Offizielles, ich will es nur wissen.«

»Sie sind schlimmer als alle anderen, das war bei der Sache in Rumänien nicht anders, Sie haben mich bis an die Grenze des Machbaren getrieben.«

»Das Machbare ist immer relativ und zu jeder Zeit anders interpretierbar. Ich will nicht wissen, worum es ging, nur ob die beiden in Bosnien oder im Kosovo zur gleichen Zeit gemeinsam dienten, vielleicht unter demselben Kommando. Das ist alles. Oder zieren Sie sich derart, weil mehr dahintersteckt? Wenn ich Sie wäre …«

»… freuen Sie sich, dass Sie es nicht sind …«

»… dann würde mich gerade das hellhörig machen.«

»Sie haben doch nicht etwa von mir gelernt?«

»Doch …«

»Das freut mich sehr.«

»... andere hinzuhalten, sich hinter vagen Äußerungen zu verschanzen und Nebelkerzen zu werfen. Also, was ist?«

»Monsieur Bongeeers, Sie gehen mir entsetzlich auf die Nerven, ich bin pensioniert!«

»Genau, deshalb haben Sie Zeit und Muße, eine mögliche Verbindung zu ermitteln. Schließlich geht es um Simone. Ich appelliere unter anderem an Ihr Verantwortungsbewusstsein als französischer Staatsbürger für ein deutsch-französisches Projekt, ein Weingut. Wie wär's mit einer Zwölfer-Kiste von meinem Pechant, fünf Jahre alt, perfekt gelagert?«

»*Très bien, formidable*, endlich sprechen Sie Französisch. Man merkt, dass Sie Deutscher sind, wenn man Deutsche kennt. Ich werde sehen, was sich machen lässt, aber, Monsieur Bongeeers, ich verspreche nichts.«

Charlotte, die gegenüber am Schreibtisch im Büro saß, hatte sich während des Gesprächs das Lachen verkniffen, Sichel hingegen, seit zwei Tagen aus Frankfurt zu Besuch, hatte kein Wort verstanden. Trotz eines entfernten Zweiges der Familie, der in Bordeaux in weitaus größerem Maßstab als Martin und Charlotte Weinbau betrieb, sprach er nur elf Wörter Französisch, wie er eindringlich betonte, »*onze mots*«: Außer *mon Dieu, non, au revoir, excuséz-moi, Madame* und *je t'aime* hatte er nichts zu bieten. Er war kein Freund von Gartenarbeit, gab seine Wäsche in die Reinigung, konnte lediglich harte Eier kochen und war dankbar, wenn man ihm das Bett machte.

Doch wenn Martin Hilfe benötigte, war er da – nicht, um Fässer zu reinigen oder einen Reifen zu wechseln, sondern mit Zuspruch, klaren Situationsanalysen, immer guter Laune und Geld oder vielmehr Kapital. Darum ging es bei seinem Besuch, um die Finanzierung von fünf Hektar Land ganz in der Nähe, die Martin zusätzlich bewirtschaften wollte, und um den Kauf einiger Maschinen, die seine Betriebsvergrößerung erforderlich machte. Sichel stellte keine Bedingungen, bis auf eine Kreditversicherung, und legte auch keinen Rückzahlungstermin fest. Er wusste einfach nicht, wohin mit seinem Geld.

Er hatte langfristige Versicherungsverträge für Industrieanlagen abgeschlossen, und seine Provisionen wurden pünktlich gezahlt, sie hatten ihn reich gemacht. Geld zu verdienen, war ein Sport für ihn geworden, er wusste nichts Besseres mit sich anzufangen. Er konnte nicht schnell laufen, wie er sagte, war in Bezug auf Billard kaum lernfähig, ihm fehlte die Geduld dazu, sich Linien und Wege vorzustellen. Er dachte in Zahlen. Er sah ganz gut aus, aber für einen charmanten Umgang mit Frauen fehlte ihm die Lust. Und jede Art zinsbringender Anlage hielt er inzwischen für unmoralisch. Da war Charlottes und Martins »Drogenanbau«, wie er das Weingeschäft nannte, noch das geringste Übel. Ihn interessierte weitaus mehr, auf welchem Hintergrund Martins Anruf bei Exkommissar Grivot zu verstehen war, von dessen Existenz er bereits seit der Fälschung eines Bordelaiser Grand Cru wusste.

Martin erklärte ihm, dass Simone an der Rhône einen jungen deutschen Winzer getroffen hatte.

»Ich verstehe«, unterbrach ihn Sichel.

»Nein, das auch, ja!« Aber dieser junge Mann habe eine Diebesbande bei einem Einbruch in die benachbarte Kellerei aufgescheucht und ein Bandenmitglied unschädlich gemacht. Von dort schlug Martin einen Bogen zu den zwei toten Winzern und möglicherweise involvierten Personen.

»Und du lässt dein Patenkind in einer solchen Situation allein?« Sichel fasste sich an den Kopf. »Wie nah ist Simone an der Sache dran?«

»Vitrier ist ein Spitzenwinzer. Eigentlich ist er über jeden Verdacht erhaben, er betreibt ein sehr bekanntes Château, es liegt gegenüber von Simones Arbeitsplatz.«

»Ist über jeden Verdacht erhaben? Dann bräuchtest du diesen Grivot nicht. Dir kann man gar nichts glauben. Bist du völlig verrückt geworden? Wenn du dich – wie du es bekanntermaßen nicht lassen kannst – in riskante Abenteuer stürzt, dann ist das deine Sache. Aber eine Dreiundzwanzigjährige mit hineinzuziehen, die kaum etwas von dieser verdammten Welt kennt, die sich nicht vorstellen kann, wozu Menschen in der Lage sind? Entweder nimmst du es ernst, dann holst du sie zurück und machst dir Gedanken über Angenehmeres, oder du fährst hin und klärst die Sache.«

»Um rauszukriegen, ob Vitrier etwas damit zu tun hat, brauche ich Grivots Hilfe.« Martin fühlte sich in die Enge getrieben.

»Du hast schlechte Erfahrungen mit ihm gemacht …«

»So ganz stimmt das nicht«, Charlotte schüttelte energisch den Kopf.

»Was hat Grivot damals erreicht? Nichts. Er hat ausschließlich eigene Ziele verfolgt. Reicht dir die Arbeit auf deinen zehn Hektar nicht mehr? Musst du wachsen? Sonst hast du dich immer dagegen ausgesprochen: Wachstum führe zum Absturz. Brauchst du einen härteren Kick, Martin? Passt zumindest dieser Jungwinzer auf sie auf?«

»Thomas Achenbach? Davon gehe ich aus«, antwortete Martin, völlig überrascht von der Heftigkeit des Ausbruchs. So emotional, so aufgebracht kannte er Sichel bisher nicht. »Der Jungwinzer steht auf sie.«

»Weiß Simone von alldem? Charlotte, sag du was!«

»Ja, sie weiß davon.«

»Hast du dich so sehr an Martins Marotten gewöhnt, dass du ihm das durchgehen lässt? Es ist verantwortungslos, sie dortzulassen. Ein offenes Wort müsst ihr mir gestatten, ich mische mich sonst nicht ein. Einer wurde erschossen, der andere überfahren? Und was verbindet die beiden Toten?«

An Martins Stelle erzählte Charlotte vom Concours de la St. Marc: »Beide haben in den letzten zwei Jahren den Wettbewerb um den besten Rot- und Weißwein von Châteauneuf-du-Pape gewonnen – einer wurde erschossen, der andere überfahren. Das hört sich merkwürdig an, klar, aber es war ein Verkehrsunfall …«

»Ach … das war in Rumänien angeblich auch nichts anderes, Martin, wenn ihr euch recht erinnert. Da ging es um diese Frau aus dem Agrarministerium, eine Sofia soundso …«

»Sofia Rachiteanu.«

»So geläufig ist dir ihr Name noch? Nun gut. Bei ihr warst du damals überzeugt, dass sie absichtlich überfahren wurde, obwohl es keine Beweise gab. Schon vergessen? Und bei dem Winzer hat es sich um einen Unfall gehandelt, sicherlich mit Fahrerflucht.«

»Ja, das war es.«

»Na bitte, sag ich doch!« Sichel sah seine beiden Gesprächspartner an, als wäre alles sonnenklar.

»Hör mal, Sichel.« Martin wehrte sich gegen den Vorwurf, Simone im Stich gelassen zu haben. »Wer sollte ein Interesse haben, die Gewinner eines Wettbewerbs umzubringen? Wem nutzt das? Dadurch rückt kein anderer auf der Siegerliste weiter nach oben, falls du das meinen solltest. Die Position wird nicht in der Werbung verwendet, da hängt höchstens die Urkunde in der Kellerei – gut, der eine kann in irgendetwas verstrickt sein, der Grund für einen Mord liegt immer in der Person des Opfers, natürlich nicht die Schuld, außer es handelt sich um Rache. Man müsste tiefer bohren, weitergraben …«

»Wozu? Was geht dich das an? Wenn ihr meint, Simone sollte unbedingt ein Praktikum absolvieren, dann bringe sie woanders unter. An der Rhône gibt es andere schöne Cru-Lagen, weit weg von dem möglichen Ärger: Vacqueras zum Beispiel, Hermitage, Cairanne oder Vaison-la-Romaine.«

»Der Einbruch hat in Lirac stattgefunden, gleich neben Tavel, außerdem arbeitet dieser Thomas dort.«

»Dann in Hermitage, das ist weit weg.«

»Woher kennst *du* diese Orte?« Martin war mehr als erstaunt.

»Wenn man mit dir befreundet ist, bleibt das nicht aus. Hol sie da weg, Martin. Weshalb hast du sie dorthin gebracht?«

Martin erzählte, wie die Verbindung zustande gekommen war. »Als ich erfuhr, dass Lamarc verschwunden ist, habe ich mich an die Domaine Clément erinnert. Da wusste ich noch nicht, dass er ermordet worden war.«

Châteauneuf-du-Pape hatte Martin in bester Erinnerung, der Name mache sich gut in einem Lebenslauf, die anderen Orte der Cru-Lagen waren bei Weitem nicht so bekannt.

»Plötzlich gibst du was auf Namen? Das war sonst nicht der Fall. Ich sag's noch einmal: Hol sie da weg!«

»Das wird sie nicht wollen, es war schwer genug, sie zum Gehen zu bewegen. Sie kommt bei den Leuten gut an, sie kann was, das wird bemerkt. Und sie ist nicht allein. Sie wohnt auf der Domaine, ich kenne die Winzer.«

»Hol sie da weg, oder ich tu's! So, erst einmal gehe ich in die Küche«, sagte Sichel und stand kopfschüttelnd auf. »Auf den Schreck brauche ich einen Kaffee. Soll ich euch einen mitbringen?«

»Wie? Du kannst Kaffee kochen?«, fragte Charlotte erstaunt.

»Kaffee muss man nicht kochen, bei eurer Maschine reicht ein Knopfdruck …«

Als Sichel gegangen war, sahen sich Charlotte und Martin ratlos an. Er bezweifelte, dass die Vorbehalte seines Freundes berechtigt waren. Charlottes Augen hingegen sprachen eine deutliche Sprache.

»Gegen seine Argumente ist nichts vorzubringen. Besonders nachdem Thomas Achenbach verfolgt wurde und Vitrier die beiden zusammen gesehen hat. Dann war sie mit Madame Clément bei seiner Frau eingeladen, er kam später dazu. Simone hielt die Atmosphäre für … bedrohlich hat sie es genannt. Vitrier wusste, dass Thomas den Dieb kampfunfähig gemacht hat. Du warst dabei, als die Brüder Vitrier Thomas ausgefragt haben.«

»Woher weißt du das?«

»Simone hat mich angerufen. Manches bespricht man besser von Frau zu Frau. Sie hat mir alles erzählt, auch dass sie sich in diesen Thomas verliebt hat, sie wollte von mir wissen, wie sie sich verhalten soll.«

»Bist du der Ansicht, dass es besser, vielmehr sicherer ist, wenn sie nach Hause kommt? Ist das nicht übertrieben?«

Martin hatte das Gefühl, sich lächerlich zu machen, er war unschlüssig. Es konnte hilfreich sein, Thomas anzurufen und ihn zu fragen, wie er die Lage einschätzte. Er kannte die Verhältnisse vor Ort besser. Martin hielt ihn für verlässlich. Martin griff unter Charlottes kritischem Blick nach dem Telefon und rief Simone an, doch sie hatte das Telefon abgeschaltet.

»Sie wird irgendwo auf ihren steinigen Weinbergen sein«, sagte Martin. »Ich rufe sie später an, und dann sehen wir weiter.«

Charlotte drängte ihn, auf jeden Fall mit Thomas zu reden. »Du hattest einen guten Eindruck von ihm. Ich kümmere mich um Simone. Sollte sie die Befürchtungen teilen, brechen wir das Experiment ab, und sie kommt zurück. Jetzt werde ich besser in der Küche nachsehen, ob unser Gast auf die richtigen Knöpfe drückt.«

Martin und Charlotte versuchten abwechselnd, Simone zu erreichen, doch es kam immer wieder lediglich die Ansage, dass ihr Mobiltelefon derzeit ausgeschaltet sei. In der Mittagszeit würde Simone mit der Familie Clément essen, deshalb rief Martin gegen vierzehn Uhr an. Simone sei heute nicht da, ihr Mann, so Madame Clément, hätte sie gebeten, in Orange bei einem Ausrüster für Weinbaubetriebe ein Ersatzteil abzuholen. Sie sei mit ihrem eigenen Wagen gefahren. Und wenn sie schon mal dort sei, sollte sie das Städtchen genießen, sich ins Café setzen, einer jungen Frau bekäme die Einsamkeit im Weinberg und im Keller manchmal nicht so gut. Ein wenig Abwechslung täte jedem gut, ein Schaufensterbummel belebe die Sinne und zeige, dass es noch anderes gäbe als nur Flaschen, Fässer und Schläuche. Sie wollte Simone ausrichten, sich gleich nach der Rückkehr in Saint-Émilion zu melden.

Das war eine Nachricht, die beide erleichtert aufatmen ließ. Doch als Martin und Sichel vom Gespräch mit dem Verkäufer der fünf Hektar zurückkamen, hatte Simone noch immer nicht zurückgerufen. Von Madame Clément erfuhr Charlotte, dass Simone noch unterwegs sei. Schließlich sei sie eine selbstständige junge Frau, um die man sich keine Sorgen machen müsse.

Aber genau das tat Martin. Er rief Thomas an. Der war im Labor mit Messungen der pH-Werte der Weine unterschiedlicher Lagen beschäftigt. Es ging Alains Vater darum, durch Verschneiden dieser Weine einen günstigeren Säurewert zu erreichen. Thomas wusste nichts von Simones Ausflug, sie waren für den Abend auch nicht verabredet, obwohl er glaubte, dringend mit ihr über seine Beobachtungen sprechen zu müssen.

»Das können Sie auch mit mir!« Martin war heute kurz angebunden, ihm war nicht mehr nach Konversation zumute. »Von welchen Beobachtungen reden Sie? Klären Sie mich auf!«

Er empfand es als ungewöhnlich, mittlerweile sogar beängstigend, dass niemand von Simones Verbleib wusste. Er konnte sich nicht vorstellen, dass sie bis jetzt in Orange herumstromerte, Shopping war nicht ihre Sache. Außerdem hatte Avignon weitaus mehr und schönere Läden und Restaurants zu bieten. Das römische Amphitheater in Orange, wie er von Thomas erfuhr, hatten sie sich für den kommenden Samstag vorgenommen.

Thomas hörte sich recht kleinlaut an, als er Martin vom

Treffen in der Waschstraße berichtete. Martin war entsetzt, auch darüber, dass ihre Namen bekannt waren, und die Schlüsse, die er auf die Schnelle zog, bestätigten Sichels Befürchtungen. Jetzt drehte er den Spieß um und beschimpfte Thomas als leichtfertig und verantwortungslos, wohl wissend, dass er auf diese Weise seinen Frust abreagierte.

»Das muss ich mir von Ihnen nicht anhören, Herr Bongers. Maßgebend ist für mich Simone, und sie meinte, sie würde mit Ihnen darüber sprechen, deshalb sah ich keine Veranlassung, Ihnen davon zu erzählen. Wenn sie es nicht getan hat, dann ist es nicht meine Schuld. Ich habe sie nicht in diesem Sinne beeinflusst. Ich mache mir jetzt selbst Sorgen.«

Thomas habe einen Freund in Metz angerufen, einen Kommissar bei der dortigen Kripo. Der gehe der Frage nach, was mit dem Satz gemeint war, dass dieser Belgier sich um die Bullen kümmern wolle, wie er gesagt habe. »Für mich heißt es, dass es irgendwelche Beziehungen geben muss. Anders kann ich den Satz nicht interpretieren.« Dazu passe auch, dass man ihn wegen des Einbruchs bislang nicht offiziell zur Gendarmerie nach Bagnols-sur-Cèze bestellt habe. Außerdem seien der Fremdenlegionär und die Chefin des Einbruchsdezernats miteinander bekannt.

Martin schwieg, er dachte nach. Eine Verbindung vom Militär über die Fremdenlegion hin zur Gendarmerie? Alte Seilschaften – ehemalige Kameraden? Die schoben dann die Akten unter den Stapel …

»Waren Vitrier und dieser Verlinden gemeinsam im Kosovo?«

»Ja, nach allem, was ich bisher weiß.« Thomas erwähnte, dass der Belgier gefragt hatte, ob Vitrier beim nächsten Concours wieder mit dabei sei. »Er beschimpfte Vitrier in dem Zusammenhang als besessen und sagte, dass er letzten Endes ein Problem hätte, wenn Vitrier wieder nicht gewinnen würde. Er solle auf die Teilnahme verzichten, die Scheiße nannte er das, dann hätten alle ihre Ruhe. Verlinden meinte noch, dass Vitriers Ehrgeiz ihn eines Tages umbrächte.«

»Wissen Sie, Thomas, was Sie da andeuten?«

»Das ist mir klar. Nur sehe ich keinen Grund dafür.«

»Glauben Sie, dass man für alles einen Grund braucht?«

»Eine fixe Idee tut es auch oder krankhafter Ehrgeiz.«

»Oder eine Wahnvorstellung. Ich hoffe nur, dass ich nicht gerade darunter leide.«

Er bat Thomas, falls er es einrichten könne, nach Châteauneuf-du-Pape rüberzufahren und auf Simone zu warten. Das war für Thomas eine Selbstverständlichkeit. Er würde auch Madame Clément aufsuchen und diskret im Château der drei Engel vorbeischauen.

»Das ist zu riskant. Es könnte auffallen, falls was dran ist, an Ihrer Geschichte. Sie geben mir Bescheid, heute Abend noch. Falls Simone nicht auftaucht, komme ich sofort runter.«

Das Abendessen verlief in gedrückter Stimmung. Ulrich Becker hatte sich mal wieder verausgabt. Martin hatte anfangs befürchtet, dass er mehr Zeit in der Küche als im Weinberg verbrächte, aber der Junge hatte sich sofort zurechtgefunden, wusste, was an Küchengeräten sinnvoll war und wo sie lagen, und war derart geschickt mit den Händen, dass man ihm mit den Augen dabei kaum zu folgen vermochte. Jeder Handgriff saß. Er hatte die Rotbarben filetiert, die Gräten mit einer Pinzette entfernt, Tomaten sowie Oliven entkernt und eine Balsamico-Vinaigrette zubereitet. Aus den Fischabschnitten hatte er eine kleine Fischsuppe mit Safran, Fenchel und Porree gezaubert, und trotzdem hellten sich die Mienen seiner Gäste am Küchentisch nicht auf. Ihm war die Enttäuschung anzusehen.

Charlotte beruhigte ihn, das Essen sei vorzüglich, aber sie hätten ernste Probleme. Bisher hatten sie Ulrich Becker nichts von ihren Sorgen berichtet, nun aber schien es auch

Martin an der Zeit, darüber zu sprechen. Der Praktikant sah Simones Ausbleiben längst nicht so dramatisch.

»Vielleicht hat sie jemanden getroffen«, bemerkte er vielsagend, »und wenn er nett ist, wird man das nicht gleich an die große Glocke hängen. In solchen Situationen denkt man nicht unbedingt an die Folgen und redet auch nicht mit seinen Eltern darüber, man macht es einfach. In unserem Alter ist man froh, dass man nicht mit jedem Kram mehr zu den Eltern rennen muss, ich bin auch froh, weit weg zu sein. Meine Eltern waren übrigens dagegen, dass ich herkomme.«

»Das sagen Sie jetzt?« Charlotte ließ entgeistert die Gabel sinken. Sichel hingegen, erleichtert, endlich der auf Deutsch geführten Unterhaltung folgen zu können, hatte wieder etwas zum Nachdenken.

»Hätte es Ihre Entscheidung beeinflusst?«, fragte der Praktikant.

»Ja und nein«, antwortete Martin und wusste es selbst nicht genau. »Es wäre mir darauf angekommen, die Gründe zu erfahren. Was meinten Ihre Eltern?«

»Sie mögen keine Ausländer.«

Charlotte lachte laut auf. Mit einem derart banalen und dummen Argument durfte man ihr nicht kommen, das wusste Martin. Hoffentlich fühlte sich der Junge jetzt nicht beleidigt.

»Wir sind hier ein gemischtes deutsch-französisches Weingut, verstehen Sie?« Charlotte nahm es glücklicherweise auf die leichte Schulter. »Unser Freund Sichel hier hat jüdische Vorfahren. Unsere Patentochter ist womöglich lesbisch, und zwei Nachbarn in unserer Nähe leben eine Homo-Ehe. Und demnächst beginnt hier ein Muslim aus dem Irak als Kellermeister. Sie können Ihren Eltern schreiben, Sie wären in der Hölle angekommen.« Das waren in Bezug auf Simone und den Kellermeister zwar Hirngespinste, aber Charlotte amüsierte sich köstlich. Für einen Moment lockerte die

Stimmung sogar auf, doch dann fiel man in ernstes Schweigen und sorgenvolle Blicke zurück.

Um zehn Uhr abends, es war noch hell, rief Thomas an. Er sei jetzt im Haus der Familie Clément, habe mit dem Ehepaar gesprochen, auch hier sei man inzwischen sehr besorgt. Monsieur Clément habe sich bei der Gendarmerie in Orange erkundigt, wo und ob es Verkehrsunfälle gegeben habe, in die eine junge Frau verwickelt sei.

»Bisher sind alle Antworten abschlägig beschieden worden. Auch von dieser Seite der Rhône, aus Bagnols, liegen keine Informationen vor. Eine Vermisstenmeldung will die Gendarmerie heute noch nicht entgegennehmen, schließlich handele es sich um eine Erwachsene, die wer weiß wohin gefahren ist.«

Thomas erklärte, dass er in Laudun vorbeifahren würde, er hielt das »Café des Athlètes« für den Treffpunkt der Beteiligten.

Martin riet ihm zu größter Vorsicht. »Lassen Sie sich auf nichts ein, was Sie in Gefahr bringen könnte.«

Die Worte, dass Simone wer weiß wohin gefahren sein könne, klangen in Martins Ohren weiter nach. Es war dasselbe Argument, weshalb die Gendarmerie nicht nach Didier Lamarc gesucht hatte. Martin sah die Stelle vor sich im Wald, an der man seine Gebeine gefunden hatte.

»Ich gehe packen«, rief er Charlotte von der Treppe aus zu. »Ich fahre sofort, und ich verspreche dir eins: Ohne sie komme ich nicht zurück!«

Kapitel 25

Es war ein wunderbarer Tag. Simone freute sich auf den Ausflug nach Orange, über das Vertrauen, das man ihr mittlerweile entgegenbrachte, und den Ratschlag von Madame, sich den Tag freizunehmen und Orange kennenzulernen. Auch war sie glücklich über ihr kleines Auto, das sie beweglich machte, und sie überlegte, ob sie nicht Thomas am Abend mit einem Blitzbesuch überraschen sollte.

Vorbei an der Kellerei Pierre Usseglios, die sie mit Thomas zusammen besucht hatte, nahm sie die Route d'Orange durch die Weinberge und blickte auf die Ebene, wo sich weit hinter der Autobahn, die das Gebiet als scharfe Linie durchschnitt, das Städtchen ausbreitete. Dahinter hob sich das grüne Land wieder und stieg weiter an, wurde bergig und gipfelte schließlich im mächtigen Mont Ventoux. Es gab einiges hier, was sie gern sehen würde, auch die Gorges du Verdon, ebenso die tiefen Schluchten auf der anderen Seite der Rhône bei Sault, beides auf dem Besuchsplan, genau wie der Pont du Gard, der römische Aquädukt. Sicher konnte sie Thomas dazu bewegen, mit ihr hinzufahren, allein schon ihretwegen.

Bis zum Stadtrand von Orange brauchte sie kaum eine Viertelstunde, da war sie bereits unter der Autobahn hindurch und auf der Route de Châteauneuf in Richtung Zentrum. Als gäbe es nur ein Ziel, führte sie die Straße geradewegs zum antiken römischen Theater. Das, so war es mit Thomas abgesprochen, wollten sie auf jeden Fall am Samstag gemeinsam besuchen. Vor den Römern waren andere hier gewesen, Frankeichs Ureinwohner, die Kelten, eine heilige Quelle sollte der Grund für die frühesten Siedlungen gewesen sein. Vor den Kelten waren sicher andere hier gewesen, es hatte immer andere davor gegeben, vor denen wieder andere. Eine Zahl war ihr aus dem Geschichtsunterricht in Erinnerung geblieben, etwas, das sie sich nicht hatte vorstellen können, weil es so schrecklich war. Als die germanischen Kimbern und Teutonen eingefallen waren, hatten sie hier die römischen Legionen vernichtend geschlagen. Dann trennten sie sich, und drei Jahre später gewann Rom die Oberhand bei Aix-en-Provence, und alle Teutonen wurden getötet oder versklavt, Frauen, Kinder und Männer, es soll sich um hundertfünfzigtausend Menschen gehandelt haben. Die Kimbern wurden später in der Poebene vernichtet. Simone begriff nicht, dass Menschen anderen Menschen Derartiges antun konnten. Über die Gründe wurde viel geschrieben, aber bei ihr blieb lediglich übrig, dass die meisten Menschen von Grund auf schlecht waren. Und in Frankreich sowie in Deutschland standen auch heute wieder die Hetzer vorn, die Aufhetzer, die logen und sich schamlos bereicherten.

Wütend schüttelte sie diese Gedanken ab und konzentrierte sich auf ihren Auftrag. Madame Clément hatte ihr den Weg zum Ausrüster für Weinbaubetriebe am östlichen Stadtrand genau beschrieben. Trotzdem verfuhr sie sich, verwirrt von ihren eigenen Gedanken. Ein Mitarbeiter des Geschäfts stellte ihr das Ersatzteil für die große pneumatische Presse in den Kofferraum. Gut gelaunt fuhr sie zurück ins Zentrum. Das römische Theater interessierte sie, wegen der vielen Wegweiser war es nicht zu verfehlen, auf dem großen Parkplatz dahinter war sogar noch ein Platz frei. Das gewaltige Bauwerk machte sie neugierig, gern hätte sie es sich angesehen. Dort ein Rockkonzert mitzuerleben, müsste grandios sein. Sie passierte die gewaltige Vorderfront, die Rückwand der Bühne musste es sein, und besorgte sich an der Kasse ein Programm, das sie im Café gegenüber studierte. Leider war es enttäuschend: Auf Oper stand sie gar nicht, aber zwei Symphoniekonzerte waren angekündigt. Es wäre schön, das mit Thomas gemeinsam zu erleben. Heute Abend würde sie ihn fragen.

Sie zahlte den Kaffee und das Sandwich mit Schinken, stand auf und wollte gehen, als sie das merkwürdige Gefühl beschlich, sie würde von irgendwoher angestarrt. Es war ein unangenehmes Gefühl, das ihr die Vorfreude auf den Abend verdarb und sie unsicher machte. Sie verhielt ihren Schritt, blieb schließlich stehen und sah sich ruckartig um. Sie drehte sich einmal um sich selbst, entdeckte aber niemanden, den sie kannte, auch niemanden, der sie heimlich beobachtete. Langsam ging sie an der Häuserfront gegenüber des Theaters in Richtung des großen Parkplatzes, hielt vor dem Schaufenster einer Bäckerei inne und suchte in der Glasscheibe nach einem möglichen Verfolger. Zwei Männer gingen hinter ihr her, aber die unterhielten sich so angeregt miteinander und lachten, dass von ihnen keine Gefahr ausgehen konnte. Aber das schlechte Gefühl blieb.

Sie ging schneller, sah ihren Wagen, und als sie zwischen dem Kastenwagen und ihrem Auto in der Handtasche nach dem Autoschlüssel suchte, drückte ihr jemand von hinten eine weiche, stinkende Masse auf den Mund. Sie wollte atmen, wollte schreien, doch je mehr sie Luft holte, desto mehr atmete sie etwas ein, das ihre Sinne schwinden ließ. Das Letzte, was sie fühlte, war, wie jemand sie an den Haaren nach unten zog, die Beine weich wurden und die Knie einknickten.

Der Kopfschmerz war rasend. Ihr kam es vor, als hätte ihr jemand ins Genick geschlagen. Von dort aus schoss der Schmerz unter der Schädeldecke bis zu den Augen. Sie wagte nicht, sie zu öffnen, aus Angst, dass der Schmerz zunehmen könnte. Ihr Mund war trocken, und in der Nase hatte sie den grässlichen Geruch von Desinfektionsmitteln. Der süßliche Geschmack im Mund war grauenhaft, sie glaubte, sich jeden Moment übergeben zu müssen. Das zwang sie, die Augen zu öffnen und sich nach einem Eimer umzusehen. Wo war sie? Was war das hier? Wie war sie hierhergekommen? Wer hatte sie hergebracht? Und vor allem – warum?

Über sich sah sie ein Geflecht aus Sprungfedern, oberhalb des Kopfes und am Fußende des Bettes, auf dem sie lag, befanden sich Pfosten. In ihrem Gehirn setzte sie die Einzelteile langsam zu einem Doppelstockbett zusammen. Gegenüber an der Wand und am Fußende stand ein weiteres. In dem Raum, den jemand vor vielen Jahren weiß gestrichen haben musste, war es düster. Das Fenster war mit Brettern vernagelt, durch die Ritzen fiel kaum Licht. Es gab auch eine Tür, grau war sie, sowie eine zweite, an der Schmalseite des Zimmers, direkt neben ihrem Kopf. Jetzt entdeckte sie die nächste Schlafstelle. Also standen hier insgesamt drei Doppelstockbetten, nur mit Matratzen ausgestattet, ohne Bettzeug.

An die Wände waren Worte gekritzelt, *fuck you* und noch viel schlimmere, ekelhafte Sprüche, die zum Jargon ihrer Brüder gepasst hätten, und sie erkannte widerliche Zeichnungen und Flecken auf der weißen Wand, die zurückblieben, wenn man Fotos mit Klebestreifen an den Wänden befestigte und wieder abriss, und Wörter in einer fremden Sprache und Schrift. Was war das hier? Eine Unterkunft für Lesehelfer? Wohl kaum, die benahmen sich nicht wie die Schweine. Sie hatte viele kennengelernt, Lesehelfer waren anständige Leute. Dann dämmerte es ihr. Konnte es die Unterkunft der Diebesbande sein, die Thomas vertrieben hatte? Thomas! Wo war Thomas? Oder Martin? Sie musste Thomas anrufen …

Sie setzte sich auf die Bettkante, starrte auf den Fußboden, erhob sich trotz rasender Kopfschmerzen und suchte ihre Handtasche. Sie war verschwunden und damit auch ihr Telefon sowie ihre Armbanduhr. Wie spät mochte es sein? Mühsam um ihr Gleichgewicht kämpfend, taumelte sie zur Tür und rüttelte daran. Natürlich war sie abgeschlossen. Sie fühlte sich kalt an, sie war aus Eisen, wie eine Feuertür. Und die andere, wohin führte die?

In einen fensterlosen, stickigen Raum mit Waschbecken und einer dreckigen Hocktoilette. Es war besser, nicht hinzusehen oder darüber nachzudenken, was aus dem schwarzen Abfluss herauskriechen könnte. Unter Aufbietung ihrer ganzen Kraft gelang es ihr, den Wasserhahn zu öffnen. Rostrotes Wasser kam heraus, sie ließ es laufen, bis es sich so weit aufgeklart hatte, dass sie sich das Gesicht waschen konnte. Danach ging es ihr besser, und als nach einer endlosen Weile das Wasser wieder eine ungefährliche Farbe angenommen hatte, spülte sie sich den Mund und trank davon. Zumindest war sie diesen widerlich süßen Geschmack los. Sie hatte eigentlich erwartet, über dem Waschbecken in einen Spiegel zu blicken, aber da waren lediglich die Federklammern geblieben, die ihn gehalten hatten. Sie ging zurück zum Bett, setzte sich, starrte vor sich hin, auf ihre Füße, auch die Schuhe waren weg, die braunen halbhohen Stiefeletten, ein Vermögen hatten sie gekostet, und sie kämpfte mit den Tränen.

Nur dieses Scheusal von Verlinden, der Fremdenlegionär, konnte sie hier eingesperrt haben. In Bosnien hatten sich die Leute gegenseitig umgebracht, Serben die Albaner, soweit sie wusste, und Bosniaken, und ethnische Konflikte hatte es auch gegeben. Zu der Zeit war sie gerade mal auf die Welt gekommen, und es hatte Krieg geherrscht. Heute herrschte Krieg im ganzen arabischen Raum, in den Banlieus von Paris und Marseille, auch wenn es von den Politikern weggeredet wurde. Und wenn sie eines Tages nicht mehr da war, würden sie sich noch immer gegenseitig die Schädel einschlagen. »Es ist das größte Vergnügen der Menschen«, pflegte Charlotte zu sagen, »die anderen totzuschlagen.« Simone hatte es nie verstanden, doch wenn sie sich umschaute, wenn sie an die vergangenen Tage dachte und an das, was sie und Thomas mitbekommen hatten, blieb auch die schöne Welt der Winzer mit den ach so schönen Weinbergen und den wunderbaren köstlichen Weinen nicht davon verschont. Aber das hier hatte nichts mit Wein zu tun, rein gar nichts, lediglich mit kranken, kaputten Männern.

Langsam lichtete sich der Nebel in ihrem Gehirn, dafür packte sie die Verzweiflung – und die Angst.

Was hatten sie mit ihr vor? Wenn sie sich an den Moment erinnerte, als man ihr das stinkende Tuch vor den Mund gehalten hatte, fast war sie daran erstickt, dann waren da mehr als zwei Hände an ihrem Körper gewesen, also waren es mindestens zwei Männer. Aber würde der feine Monsieur Vitrier mit dem herrlichen Château und der supereleganten Gattin und der Dienerin, die jeden Krümel auflas, selbst Hand anlegen? Nein, niemals, Vitrier nicht. Diese Leute hatten Knechte, die dankbar waren für jedes bisschen Macht, das vom Herrn für sie abfiel. Und wenn diese Kleingeister Macht ausüben durften, andere in den Schmutz traten, fühlten sie sich groß. Aber der feine Monsieur Vitrier war sich nicht zu fein, eine Bande von Dieben anzuführen. Und jetzt gewann dieser Verbrecher vielleicht sogar den Concours. Schluchzend rollte sich Simone auf der Matratze zusammen und weinte sich in den Schlaf.

Als sie wach wurde und noch bevor sie die Augen öffnete, hoffte sie, dass alles ein Traum gewesen war, doch er erfüllte sich nicht. Nichts hatte sich in ihrer Umgebung verändert, lediglich das Licht war anders geworden. Im Raum war es dunkler geworden, durch die Ritzen des vernagelten Fensters fiel ein anderes Licht. Mit den Fingern versuchte sie, die Ritzen zu vergrößern, was ein unmögliches Unterfangen war. Nach draußen zu schauen, war ebenfalls vergeblich, vor das Fenster war eine Plane gespannt, sie war oben ins Fenster geklemmt und unten irgendwie befestigt, was ihr gänzlich die Sicht nahm, nur der Mistral zerrte an der grauen Plane und beulte sie wie ein Segel aus.

Wieder setzte sie sich auf die Bettkante, allmählich bekam sie Hunger. Würde ihr jemand etwas bringen? Wozu hatte man sie eingesperrt? Sicher weil sie zu viel wusste, dabei wusste sie gar nichts. Eigentlich hätte man Thomas entführen müssen, der wusste alles, er hatte den Belgier verfolgt. Weshalb war dann sie eingesperrt?

Sie trat an die Tür und begann zu schreien: »*Au secours! À l'aide!*« Sie wartete einen Moment, dann wiederholte sie die Hilferufe: »*Au secours! À l'aide!*« Sie trommelte an die Tür.

Du kannst einen Trecker mit Anhänger rückwärts einparken, sagte sie sich, also kannst du hier auch rauskommen! Und wieder schrie sie. Sie trommelte weiter, bis ihre Hände schmerzten. Du musst deine Kräfte einteilen! Sie versuchte, klarer zu denken. Sie begann, konzentriert zu lauschen. Vielleicht halfen die Geräusche, ihren Aufenthaltsort zu bestimmen. Es gab Vogelstimmen, verschiedene Töne, sie hörte das Flattern der Tiere, den speziellen Flügelschlag von Tauben kannte sie. Auch Hühner musste es in der Umgebung geben. Schritte waren nicht zu hören. Jetzt, in der Stille, wurde ihr bewusst, dass sie in regelmäßigen Abständen ein fernes Rauschen hörte. Und dann hörte sie ein Auto kommen, ganz nah musste es sein, ihr kam es vor, als würde es direkt vor ihrem Gefängnis halten. Sie sprang auf und wummerte wieder an die Tür und schrie.

Die Autotür schlug zu, jemand musste ausgestiegen sein, sie meinte, Schritte zu hören, ein Schlüssel drehte sich im Schloss, die Tür ging auf … und in einem Anfall rasender Wut ging sie auf den Unbekannten los, sprang ihn an und schlug ihm die Finger wie Krallen ins Gesicht.

Der Mann taumelte zurück, prallte gegen eine Wand, Simone duckte sich unter einem Schlag weg, wollte aus der offenen Tür des Hauses, doch der Unbekannte packte sie am

Haar – Simone schrie vor Schmerz – und zerrte sie zurück in ihr Gefängnis, und während sie noch taumelte, schlug er zu. Er traf sie im Gesicht. Ihr war, als hätte jemand mit einer Keule zugeschlagen, und sie rollte über den Boden. Das Flimmern der Sterne in ihrem Kopf war das Letzte, was sie wahrnahm.

Als sie wieder zu sich kam, war es stockdunkel. Ihr Kopf dröhnte, als hätte sie wirklich eine Keule getroffen. Schwindlig war ihr auch, und ihr geschwollenes Gesicht durfte sie nicht berühren. Mit dem linken Auge sah sie kaum etwas, aber das war in der Dunkelheit sowieso egal. Sie kroch zur Wand, quälte sich daran hoch und ertastete den Weg zum Wasserhahn, um ihr Gesicht zu kühlen. Sie fand eine Stellung, die es ihr ermöglichte, den Kopf übers Becken zu halten und sich den Wasserstrahl über die linke Wange laufen zu lassen. Die gekrümmte Haltung ertrug sie nicht lange und sackte kraftlos an der Wand nach unten. Welchen Schweinen war sie in die Hände gefallen?

Sie erwachte, alle Knochen taten ihr weh, und sie kroch hinüber zum Bettgestell, wo sie sich frierend zusammenrollte. Sie war selbst schuld. Sie war vollkommen kopflos gewesen. Sie war auf den Mann losgegangen wie einst auf ihren Bruder, der sie bis zur Weißglut hatte ärgern können, nur um sich vor seinen Stiefbrüdern aufzuspielen. Sie musste überlegt handeln. Aufgeben ist keine Option, sagte sie sich, und wiederholte den Satz immer wieder. Ihr Vater hatte damals auch nicht aufgegeben. Es hatte ihn das Leben gekostet. Aber das würde bei ihr nicht geschehen. Schließlich hatte sie Freunde, Menschen, die ihr helfen würden, die bereits jetzt in Aufruhr sein würden und nach ihr suchten. Ihr Vater hatte nicht auf die Hilfe seiner Freunde gesetzt, das war sein Fehler gewesen, das hatte ihn das Leben gekostet. Wenn Martin davon gewusst hätte, wäre die Sache damals anders verlaufen, dann wäre er noch am Leben. Martin war zu spät gekommen, was nicht sein Fehler gewesen war. Martin würde alles für sie tun, so wie sie es für ihn tun würde. Auf Charlotte war absoluter Verlass – nur bei Thomas war sie sich nicht ganz sicher. Aber das lag nicht an ihm, es lag mehr an ihrer zögerlichen Haltung. Sie musste hier raus. Sie brauchte einen Plan. Dazu musste sie wissen, wo sie war. Wieder schleppte sie sich zum Wasserhahn und kühlte ihre brennende Wange. Es verschaffte ihr ein wenig Linderung, zumindest so viel, dass sie sich wieder hinlegen konnte, und mit dem Gedanken, wie sie Thomas in Zukunft begegnen würde, schlief sie ein.

Aber diese Begegnung verlief anders als erwartet. Sie stand an der Stelle, an der die Gendarmerie die Gebeine von Didier Lamarc gefunden hatte. Thomas sah zu, wie Madame Vitrier, angezogen wie bei ihrer Soiree, im Kleid und mit Pumps, im Wald die Knochen des Winzers einsammelte. Sie lagen bereits wie ein Strauß langer Gladiolen in ihrem Arm, doch Madame Vitrier fand immer neue, und immer schob sie das Absperrband zur Seite, kletterte in die Grube, und immer neue Knochen kamen zum Vorschein. »Ich darf nichts liegen lassen, was meinen Mann in Verruf brächte«, sagte sie, »schließlich hat er den St. Marc gewonnen, dreimal hintereinander.« Thomas stand dabei, ihn interessierte das alles gar nicht, er wollte seinen Wagen waschen lassen, aber die Waschstraße war besetzt, dort wuschen sich Fremdenlegionäre Blut von den Armen und Beinen, aber sosehr sie auch wuschen, es blieb an ihnen kleben …

Schweißgebadet wachte Simone auf. Im Raum war es vor Hitze kaum auszuhalten, die Luft war zum Schneiden dick, das Atmen fiel ihr schwer, die Wange schmerzte, und aus dem Klo kam ein übler Geruch. Trotzdem ging sie zum Wasserhahn und kühlte ihr Gesicht. Es war das einzig Angenehme in dieser nicht enden wollenden Nacht. Als sie etwas sehen konnte, entfernte sie aus einer der Sprungfedermatratzen ein Metallplättchen und schob es zwischen die Bretter am Fenster, um es als Hebel zu benutzen. Leider war es zu weich, es verbog sich. Und auch als Beitel oder Schaber ließ es sich wegen der abgerundeten Kanten nicht verwenden. Sie ging ins WC und begann, die Kacheln abzuklopfen. Sie dachte, in Erinnerung an ihr eigenes Bad in Saint-Émilion, wo eine Kachel aus der Umrandung der Dusche gebrochen war, die Scherbe als Schaber zu benutzen. Systematisch, wie sie auch sonst arbeitete, klopfte sie leise, um draußen nicht gehört zu werden, Reihe für Reihe der Kacheln ab. Schließlich fand sie kurz über dem Boden zwei nebeneinanderliegende, unter denen es hohl klang. Sie überlegte, ob sie ein Tischbein als Werkzeug benutzen könnte, und erst jetzt, wo es schummrig geworden war, sah sie die Tüte, die auf dem Tisch lag. Sie enthielt drei Croissants auf einem Pappschälchen. Am Boden des Schälchens entdeckte sie einen Prägestempel: Jérôme. Das war auch der Name ihres Großvaters, nicht des leiblichen, aber der ihrer Wahl. Jérôme. Hieß so die Firma, die solche Pappen herstellte, oder war es der Name des Bäckers, bei dem die Croissants gekauft worden waren? Wollte man sie damit vergiften, oder waren sie essbar? Sie schnüffelte daran, roch von allen Seiten, auf ihre Nase konnte sie sich verlassen, sie war nicht so gut wie die Martins, doch sogar die Gefahr auf dem Parkplatz am römischen Theater hatte sie gerochen, nur leider nicht den richtigen Schluss gezogen. Sie stopfte sich das erste Croissant heißhungrig in den Mund, aber der Schmerz zwang sie zum vorsichtigen Kauen, ihren Hunger hatte sie über die anderen Schmerzen vergessen, das zweite aß sie langsamer, trank Wasser, das dritte hob sie sich für später auf.

Als sie den Tisch anhob, wurde der Schmerz im Gesicht unerträglich. Ein Bein ließ sich nicht abbrechen. Nein, der Tisch half ihr nicht. Stattdessen lehnte sie sich mit dem Rücken an die Wand und trat mit der Hacke gegen die Wand. Irgendwann würde das Material nachgeben. Irgendwann gab alles nach.

Als es klirrte, ein Teil der Kachel war zerbrochen zu Boden gefallen, war sie selbst überrascht. Sie riss einen Ärmel von ihrer leichten Bluse, die sie über dem Top trug, und wickelte den Stoff um den hinteren Teil der Scherbe. Faustkeile waren seit Menschengedenken in Gebrauch, dachte sie lächelnd, dann zwang der Schmerz im Gesicht sie wieder zur ernsten Miene. Nein, leicht würde es nicht werden, aber aufzugeben war keine Option. Wenn die Spitze ihres Faustkeils ein Gesicht traf – die Spitze war scharf wie ein Messer!

Sie machte sich an die Arbeit, Faser für Faser schabte sie ab und verbarg die Späne unter dem Bett. Von draußen half der Mistral, er zerrte an der Plane über dem Fenster.

Der Spalt, den Simone sich geschaffen hatte, war fünf Millimeter breit, als es geschah. Mit einem Knall flog die Plane auf und schlabberte laut im Wind, sein Pfeifen war deutlich lauter geworden, fast jaulte er im Dach. Die Bäume, die sie gegenüber sah, bewegten sich heftig, und Blätter flogen vorbei. Jetzt sah Simone auch das Haus, vielmehr den Schuppen gegenüber. Im Anbau daneben stand ein Auto, sie nahm an, dass es ihr Wagen war. Also würde man ihn nicht in Orange finden. Dann war es so wie bei Didier Lamarc, dessen Wagen bis heute nicht gefunden worden war?

Jetzt setzte sie ihren Faustkeil an der Stelle an, wo sie meinte, dass sich dort die Klinke befand, um das Fenster zu öffnen. Sie arbeitete schneller, bis ihr die Hände zitterten, den Moment fürchtend, an dem ein Bewacher käme und ihren Ausbruchsversuch bemerken würde. Was tat Thomas gerade? Vermisste er sie? Suchte er nach ihr? Wo sollte er suchen? Wo war sie überhaupt? Mit Martin konnte sie nicht rechnen, der war mit seinem Weingut beschäftigt. Aber Madame Clément würde sich um sie sorgen, da sie nicht zurückgekommen war und das Ersatzteil gebracht hatte. Sie würde den Mechaniker anrufen, und er würde bestätigen, dass sie da gewesen war. Das war eine Chance. Und die Gendarmerie? Die hatte erst kürzlich die Erfahrungen gemacht, dass kleine Mädchen einfach wegliefen. Sie würden sich also Zeit lassen. Das bewog Simone, noch schneller und verbissener zu arbeiten als bisher. Der Spalt wurde größer, das Holz im Inneren des Brettes war weicher als außen, und je größer der Spalt wurde, desto schneller kam sie voran.

In das Pfeifen des Windes mischten sich Schritte, die sie verharren ließen. Ein Mann, so kurz geschoren wie die Fremdenlegionäre, die sie in der Bar gesehen hatte, versuchte, die Plane wieder zu befestigen. Seine Versuche waren vergeblich, er entfernte sich, und Simone arbeitete fieberhaft weiter, bis er zurückkam. Da war eine zweite Stimme, zweifellos die einer älteren Frau. Simone steckte ihren Faustkeil in die Tasche.

»Red mit deine Tochter, ich kann hier nix entscheide. Sie hat das gesagt, also mach ich. Wir bringen sie rüber.«

»Sie werden dem Mädchen nichts tun, ist das klar? Außerdem braucht sie was zu essen.«

»Lass Sie das mein Sorge sein.«

»Das lasse ich nicht zu«, sagte die alte Frau energisch.

»Hör zu, Oma, du hast nix zu melde!«

»Da irren Sie sich, mein Junge. Noch hab ich hier das Sagen und nicht meine Tochter, ist das klar? Das ist schließlich mein Haus!«

Wer war die Frau? War es die Mutter der Besitzerin vom »Café des Athlètes«? Wer war der Mann, der mit fremdländischem Akzent Französisch sprach?

Die Außentür wurde geöffnet, dann der Schlüssel an ihrer Tür herumgedreht und die Tür einen Spalt geöffnet. Wer draußen stand, konnte Simone nicht erkennen, sie saß längst wieder auf der Bettkante.

»Dreh dich an Wand, Mädchen! Wenn du umdrehst, kriegst du was auf Fresse, wie gestern von Kamerad!«

Er hatte *camarade* gesagt und nicht *collègue* oder *copain*, also gehörten beide zum Militär? Doch ein Legionär? Simone gehorchte.

»Hände auf Rücken!«

Sie tat es.

Der Fremde stülpte ihr einen Leinensack über den Kopf, der ekelhaft nach Schuhcreme roch. Er griff ihre Hände und schob sie aus dem Haus.

»Vorsicht, die Stufe!« Das war wieder die Stimme der älteren Frau. Also gab es jemanden, der um sie besorgt war. Hatte sie eine Verbündete? Simone unterdrückte ihre Angst. Angst würde ihr nicht helfen. Nur wenn sie total aufmerksam war, würde sie eine Möglichkeit zur Flucht finden.

Der Weg, den sie gehen musste, war kurz, sie vermutete, dass sie in den Schuppen gegenüber gebracht wurde. Als der Wind sich für einen Moment legte, hörte sie wieder das ferne Rauschen. Es hörte sich nach einem vorbeifahrenden Zug an. Lag dieses Anwesen in der Nähe der TGV-Strecke nach Avignon, oder war es die Autobahn?

Im Schuppen zog der Mann ihr die Kapuze vom Kopf, mit drei Schritten war er draußen und hantierte mit einem Riegel.

»Sie braucht zu essen und zu trinken.«

»Lass das unsere Sorg sein, Oma. Schlüssel hab ich!«

»Wir werden es ja sehen«, sagte die Frau und entfernte sich schimpfend.

Simone sah sich um, noch immer den penetranten Geruch von Schuhcreme in der Nase. Er hatte ihr nichts getan, dieser Mann. Sie war tatsächlich in der Scheune, es gab ein großes Tor mit zwei Flügeln, die Balken reichten bis unters Dach, und weiter hinten lag ein großer Stapel Heu. Dieses Gefängnis schien ihr weitaus weniger gesichert als das vorherige. Wenn sie über den Stapel auf die Querbalken käme und von dort aus weiter, könnte sie die Schindeln entfernen und von dort aus aufs Dach kriechen. Sie musste rasch handeln. Sofort war sie an dem Stapel, das Heu roch alt und staubig und irgendwie nach Öl oder Benzin, und als sie hinaufklettern wollte, gab zu ihrem Erstaunen die lockere Masse nach, sie fand keinen Halt, das Heu rutschte unter ihr weg – und ein heller Wagen kam zum Vorschein. Es war ein Mercedes, ein ziemlich neues Modell. Warum war der hier versteckt? In der Motorhaube war eine leichte Beule.

Sie hörte ein Geräusch an der Tür, jemand machte sich an dem Riegel zu schaffen. Sofort schichtete Simone das Heu notdürftig wieder auf.

Die Tür öffnete sich nur einen Spaltbreit. Draußen stand die alte Frau. Sie lächelte verschwörerisch, brachte ein Sandwich und einen Pott Kaffee. Aus der Tasche ihrer Kittelschürze zog sie eine kleine Wasserflasche.

»Es ist noch mehr Kaffee da. Machen Sie sich keine Sorgen, mein Kind. Wir finden einen Weg, wenn dieser ekelhafte Kerl erst weg ist …«

Kapitel 26

Alain kam zurück in die Küche, wo sich die Familie zum zweiten Frühstück versammelt hatte. In der Tür blieb er stehen und winkte Thomas zu sich.

»Da ist dieser Typ draußen, von dem du gesprochen hast, dieser Manuel. Er will dich sprechen. Er meinte, er sei die ganze Nacht durchgefahren.« Alains Gesicht war ein reines Fragezeichen. Er wusste ja von dem Zerwürfnis. »Willst du mit ihm reden?« Er bot Thomas an, Manuel zu vertrösten oder abzuwimmeln. »Ich habe gesagt, ich müsste erst sehen, wo du momentan arbeitest. Da meinte er, du seiest hier, er hätte deinen Wagen bereits gesehen …«

Thomas war entsetzt. Manuel hier, vor der Tür? Wieso hatte sein Vater ihn nicht gewarnt? Wenn er die Nacht durchgefahren war, musste er direkt nach Feierabend losgefahren sein, es waren achthundert Kilometer. Jetzt hatte er auch noch Manuel am Hals, bei all den anderen Sorgen.

»Was rätst du mir, Alain?« Der junge Winzer war für ihn inzwischen ein ernsthafter Gesprächspartner geworden.

Alain wusste, dass Manuel bereits wieder bei Thomas' Vater auf dem Gut wohnte, die Arbeit dort hatte er nicht einen Tag unterbrochen. Demnach war das Verhältnis der beiden nicht zu sehr beschädigt. Aber bei Thomas lag der Fall anders, auch wenn Kamila, der Stein oder besser die Frau des Anstoßes, nach Hause zurückgekehrt war.

»Red mit ihm, vertröste ihn zumindest, sag ihm, wir hätten zu tun, du hättest erst heute Mittag Zeit für ein längeres

Gespräch. Darum kommst du nicht herum. Dass er hier aufschlägt, das zeigt mir, wie sehr ihn die Sache selbst beschäftigt. Er sah ziemlich gequält aus.«

»Kein Wunder, nach einer Nacht auf der Autobahn.« Thomas war auf Abwehr eingestellt. Er hatte es bisher geschafft, sich die Pfalz vom Hals zu halten, und war wütend, dass ausgerechnet Manuel jetzt auch hier seine Kreise störte.

»Geh!«, sagte Alain und gab Thomas einen freundschaftlichen Faustschlag auf die Brust. »Du vergibst dir nichts. Wenn man was geradebiegen kann, sollte man es tun. Ich möchte nicht wissen, wie schwer es ihm gefallen ist, sich auf den Weg zu machen. Die ganze Nacht allein auf der Autobahn mit einem beschissenen Schuldgefühl, und nicht zu wissen, wie du reagieren wirst, ob du ihn rauswirfst – es muss die Hölle sein.«

»Es war die Hölle für mich, als ich erfuhr, dass er und Kamila …«

»Hör auf zu jammern. Geh!« Alain schob Thomas in Richtung Tür. »Das war gestern. Außerdem hast du eine Neue.«

»Was willst du?« Thomas starrte Manuel an, als wäre ein Geist erschienen, und in ihm stritten sich die Gefühle. »Du hättest wenigstens anrufen und mir mitteilen können, dass du beabsichtigst, mich aufzusuchen.« Die Worte kamen ziemlich gestelzt, aber andere fielen ihm nicht ein.

»Ja, das hätte ich tun können.« Die Antwort kam nicht kleinlaut. »Aber dann hättest du gesagt, dass mich der Teufel holen soll.«

»Ja, das hätte ich gesagt und sage es noch. Was willst du?«

»Dich um Verzeihung bitten!«

Thomas brauchte einen Moment, bis er die Sprache wiederfand. »Mich um Verzeihung bitten?« Er machte eine Pause und schüttelte den Kopf. »Bist du noch bei Trost? Glaubst du, das geht so einfach? Du bringst nicht nur Kamila und mich auseinander.« Er war laut geworden, was er eigentlich nicht hatte sein wollen. »Nein! Du zerstörst gleichzeitig auch unser Zuhause, unsere Freundschaft, unser gemeinsames Studium, das Projekt, das wir zusammen aufgebaut haben, Vater, du und ich …«

»Kamila hätte dich sowieso verlassen. Es ging ihr gar nicht um mich oder dich. Es ging ihr um die Kohle, da ist sie wie die meisten Menschen, denen geht es auch nur um Kohle …«

»… oder um Sex. Und worum ging es dir dabei? Um Sex? War es schön, ja? Hat sie dich genauso eingewickelt wie Alexandra damals?«

»Ja, genau so.« Manuel wurde bissig. »Da staunst du, was? Ja, ich habe mich einwickeln lassen, ich habe es zugelassen, verdammt, ja, ich! An mir liegt es. Was willst du noch? Dass ich mich hier vor dir auf den Boden werfe oder dir die Hand küsse, so wie bei deinem Papst in Avignon? Bist du deshalb hier?« Die letzten Worte hatte auch Manuel laut und wütend vorgebracht. Dass er laut werden konnte, kannte Thomas nicht von ihm, das hatte er nie erlebt, und erstaunt hielt er inne.

»Gut. Du willst reden. Okay. Es gibt in Saint-Laurent-des-Arbres ein Hotel, im nächsten Dorf. Nimm dir ein Zimmer, schlaf dich aus, ich muss arbeiten, ich habe noch eine andere Sache zu regeln, ist super wichtig, und wir treffen uns heute Abend. Einverstanden? Ich komme vorbei.«

Manuel nickte, und Thomas beschrieb ihm den Weg.

Alain gefiel die Lösung, er hatte Verständnis dafür, dass Thomas Zeit brauchte, sich auf die veränderte Situation einzustellen. »Aber jetzt sollten wir uns um Mourvèdre und Cinsault vom letzten Jahr kümmern. Beide Weine pumpen wir in den großen Zementtank.«

Als die Tanks miteinander verbunden waren und der Wein strömte, fand Thomas endlich Zeit, über Manuels Auftauchen und ihre Verabredung für den Abend nachzudenken. Aber zuvor musste er Simone dringend vom Besuch bei der Gendarmerie berichten und dass Major Rossignol ihnen gefährlich werden konnte. Es musste eine Lösung her, denn weder die Rossignol noch Vitrier und schon gar nicht Verlinden würde die Sache auf sich beruhen lassen. Das konnten sie nicht, wenn sie sich nicht selbst gefährden wollten. Daher schwebte Simone in Gefahr.

Thomas musste sie warnen. Er musste dringend zu ihr fahren, unbedingt heute noch. Zur Not musste er das Treffen mit Manuel auf den späten Abend oder auf morgen verschieben, denn vor der Aussprache mit ihm konnte er sich auch nicht drücken, obwohl er es liebend gern getan hätte.

Simone war über ihr Smartphone nicht zu erreichen. Er versuchte es über die offizielle Rufnummer der Domaine Clément. Madame Clément erklärte, dass Simone nach Orange gefahren sei und erst am Nachmittag zurückerwartet werde. Als Thomas sie gegen Mittag noch immer nicht erreichen konnte, wurde er nervös. Aber er wollte Madame Clément nicht auf den Wecker gehen, deshalb verkniff er sich einen weiteren Anruf. Aber als Martin ihn am Nachmittag anrief, war er alarmiert.

Madame Clément war äußerst beunruhigt. Sie hatte gleichfalls versucht, Simone zu erreichen, und auch den Besitzer des Geschäfts angerufen, der bestätigte, dass die junge Frau das entsprechende Teil abgeholt habe und alles in Ordnung gewesen sei. Während Monsieur Clément sich erneut bei der Gendarmerie in Orange nach Unfällen erkundigte, ließ Thomas sich die Strecke erklären, die sie wahrscheinlich genommen hatte. Er fuhr auf demselben Weg nach Orange. Unverrichteter Dinge und ziemlich verzweifelt traf er eine Stunde später auf der Domaine ein.

Dass sie sich komplett verfahren haben könnte, hielten alle für ausgeschlossen und waren überzeugt, dass etwas passiert sein musste, da sie sich bislang stets als verantwortungsbewusst gezeigt hatte. Aber niemand wagte, es auszusprechen.

In einem unbeobachteten Moment nahm der alte Serge

Thomas beiseite. »Sie, Thomas, haben ein besonderes Verhältnis zu unserer Freundin, nicht wahr? Sagen Sie nicht Nein. Ich weiß es besser.«

Thomas wusste nicht, worauf Serge hinauswollte, und reagierte unwillig.

»Bleiben Sie ruhig, mein junger Freund. Mein Eindruck ist, dass Sie beide mehr wissen als wir. Glauben Sie nicht, es ist an der Zeit, uns mitzuteilen, worum es hier geht? Ich denke schon, dass es uns alle betrifft.«

Thomas biss sich auf die Lippen. Was wusste Monsieur Serge? Ihn in die Angelegenheit einzuweihen, hielt er für riskant. Es war möglich, dass der alte Serge mit Maurice Vitrier in Verbindung stand. Bevor er etwas preisgab, wollte er erst Monsieur Cléments Gespräch mit der Gendarmerie in Orange abwarten. Wie gut, dass nicht Bagnols zuständig war.

Wütend trat Madame Clément aus dem Nebenzimmer. Sie hatte nochmals in Orange angerufen, da ihr Mann ihrer Meinung nach nicht energisch genug nachgefragt habe.

»Sie haben mich vertröstet«, meinte sie mit rotem Kopf. »Sie nehmen das nicht ernst.« Sie solle abwarten, auf jeden Fall bis morgen, eine junge Frau sei schließlich kein Kind mehr, und man wisse nie, wen sie getroffen habe. »Als wenn sich Simone zu so was hinreißen ließe, unverschämt!« Heutzutage, so der Gendarm, gingen die Menschen viel zu schnell irgendwelche Verbindungen ein, die morgen wieder brächen, aber man wolle Ausschau halten, und der Gendarm hatte nach Simones Autonummer gefragt.

»Ich musste gestehen, dass ich die Nummer nicht kenne, wer merkt sich so was? Und Sie, Thomas, kennen Sie die Nummer?«

Er konnte auch nicht weiterhelfen.

»Und dann meinte die Gendarmerie noch«, fuhr Madame Clément wütend fort, »dass kürzlich drüben ein ganz junges Mädchen verschwunden sei. Hundertschaften hätte man aufgeboten, um die Kleine zu finden, dabei sei sie nach einem Streit mit der Mutter ausgerissen, man wolle nicht schon wieder Hundertschaften in Bewegung setzen und die Blamage womöglich nochmals erleben, solange es keine stichhaltigen Hinweise gebe. Und die Kosten …«

»Müssen sie erst ihre Knochen finden?«, fragte Thomas aufgebracht, »wie die von Monsieur Lamarc, bevor sie tätig werden?«

»Man muss nicht immer gleich ans Schlimmste denken.« Doch Madame Clément schien wirklich verzweifelt, sie gab sich die Schuld, sie hatte Simone losgeschickt, dabei hatte sie ihr einen quasi freien Tag zuschustern wollen.

Zu aller Erstaunen platzte Maurice Vitrier in die Versammlung. Der Neuankömmling schien die gedrückte Stimmung in den Gesichtern der Anwesenden zu sehen.

Thomas merkte, wie angestrengt er es vermied, dass sich ihre Blicke trafen. Fürchtete er sich vor dem, was er darin hätte lesen können?

»Darf ich wissen, worum es geht? Vielleicht kann man helfen?«

Du bestimmt nicht, dachte Thomas und gab sich Mühe, sich seine feindliche Haltung nicht anmerken zu lassen. Bleib cool, sagte er sich, warne ihn nicht durch dein Verhalten. Halte dich mit deinem Verdacht zurück. Stattdessen fragte Thomas leutselig, ob man Monsieur Vitrier zum dritten Platz beim diesjährigen Concours gratulieren dürfe. Das Ergebnis sei ja gerade bekannt geworden. Es sei überaus beachtlich, jahrelang dieses Niveau zu halten, diesen Standard.

Vitrier war anzusehen, dass er mit der Frage wenig anzufangen wusste, dass er zweifelte, dass hier ein ernst gemeintes Lob ausgesprochen worden war. Er hatte schlechter abgeschnitten als im Vorjahr. Sein Blick wurde feindlich.

Madame Clément schien die Spannung zwischen den beiden Männern zu verunsichern, doch sie sah sich trotzdem veranlasst, Vitrier über Simones Verschwinden aufzuklären, was ihn für einen Moment schweigen und erstarren ließ.

Dann verhaspelte er sich bei beruhigenden und aufmunternden Floskeln. Auch er sei Vater, auch er kenne diese Sorgen um Mitarbeiter.

»Was wollten Sie eigentlich hier, Monsieur?«, fragte Thomas in die nachdenkliche Stille, nachdem Vitrier geendet hatte. »Weshalb sind Sie rübergekommen?«

Pikiert von der Dreistigkeit der Frage eines Fremden, der eigentlich hier nichts zu sagen hatte, richtete er sich zu einer empörten Entgegnung auf.

Madame Clément kam ihm zuvor. »Das wollte ich ebenfalls gerade fragen.«

Die Domaine Clément spielte in einer anderen Liga als Vitrier, das wusste Thomas, Familie Clément war eigentlich kein Umgang für Vitrier, war unter seinem Niveau.

»Die Ehre Ihres Besuchs war uns selten vergönnt«, fuhr die Frau des Hauses fort. »Über die Einladung Ihrer Gattin hingegen habe ich mich sehr gefreut. Bei der Gelegenheit haben Sie auch Simone Latroye getroffen.«

»Ich wollte Sie, Madame, und Ihren Gatten zu uns einladen, und andere Kollegen, die am Concours teilgenommen haben. Ich möchte gern mit Fachleuten die Weine nachprobieren, die zu den ersten fünf zählen, und das Ganze mit einem Diner kombinieren. Ich glaube, wir kommen zu anderen Ergebnissen als die Jury, aber offensichtlich haben Sie momentan andere Sorgen. Wenn ich helfen kann, lassen Sie es mich bitte wissen.«

Monsieur Clément wollte aufstehen, um den Gast nach draußen zu begleiten, als Thomas bereits neben ihm stand. Für ihn war eine Grenze überschritten. »Überlassen Sie es mir, freundlicherweise?« Eine Verbeugung unterstrich die Absicht.

Hier sah sich Vitrier zum ersten Mal allein mit Thomas konfrontiert und wich kaum merklich vor seiner Entschlossenheit zurück. Auch überragte Thomas ihn ein wenig, sodass Vitrier zu ihm aufschauen musste. An der Haustür verstellte Thomas ihm den Weg. Er glaubte, in seinen Augen wenn nicht Angst, so doch Verunsicherung zu bemerken.

»Sie wissen genau, was gespielt wird, Vitrier!« Thomas gab sich Mühe, möglichst abfällig zu klingen. »Sollte Simone etwas passieren, werden Sie dafür zahlen – und für alles andere auch.«

»Was nehmen Sie sich heraus?« Vitrier spielte den Ahnungslosen und Empörten. »Was habe ich mit dieser Simone zu tun? Was weiß ich, wo sich das Mädchen herumtreibt? Was ist das für ein aggressiver, unverschämter Ton? Was erlauben Sie sich, Monsieur?«

»Tun Sie nicht so scheinheilig.« Thomas senkte die Stimme zu einem Flüstern. »Wir beide wissen sehr gut, worum es geht.«

»Sie sollten in Ihrer Wortwahl etwas vorsichtiger sein, *mon cher ami.*« Vitrier war jetzt ganz der Grand Seigneur, aber seine Stimme klang gefährlich. »Die französische Sprache bietet intelligenten Menschen durchaus sehr viele Differenzierungen.«

»Sie haben die Waffen gewählt. Und ich wähle meine Worte – und auf die Waffen stelle ich mich ein.« In einem Anfall von Wut und Verzweiflung packte Thomas ihn am Revers und drückte ihn gegen die Wand des Flurs. Vitrier war zu überrascht, um an Gegenwehr zu denken. »Du weißt, wovon ich spreche. Und wenn Simone was passiert, halte ich mich an dich, ist das klar?« Je leiser Thomas' Stimme wurde, desto mehr verstärkte er seinen Griff. »Das ist ein Vorgeschmack auf das, was dich erwartet, wenn ihr, du und deine sauberen Freunde und Freundinnen, ihr auch nur ein Haar krümmt.«

»Überschätzen Sie sich nicht?« Vitrier röchelte, und es fiel ihm in dieser Haltung schwer, sein überlegenes Grinsen beizubehalten.

»Dich mach ich fertig, das schwöre ich. So wie jetzt. Und dann sehen wir uns mal deinen Keller an und wie du deine feinen Weine fabriziert. Wir werden auch dein Alibi von jener Nacht überprüfen, in der Joseph de Bergerac totgefahren wurde.« Thomas ließ Vitrier los, der heftig nach Luft rang. »Raus! Verschwinde, und sollte Simone nicht bis morgen Abend wieder hier sein … auf den Soldatenfriedhof kommst du nicht. Die Grube von Lamarc ist noch nicht wieder zugeschüttet. Kapiert?«

»*Bien sûr*, aber sicher doch, *mon cher ami*, jedes Wort. Dann verzichten wir auf die Kriegserklärung, mein lieber Freund. Schade eigentlich um Sie, da Sie angeblich ein önologisches Talent sein sollen, wie mein Bruder meint.« Vitrier grinste böse. »So jung und schon so überdrüssig des Lebens? Achtundzwanzig ist eigentlich kein Alter zum Sterben.«

»Raus!«, sagte Thomas leise und musste sich beherrschen, nicht zuzuschlagen. Er hatte hoch gepokert, alles, was er gesagt hatte, basierte auf Vermutungen, aber Vitriers Reaktion hatten sie bestätigt.

»Du Dummkopf hast hier gar nichts zu melden, das merkst du schneller, als dir lieb ist.« Vitrier konnte Thomas nicht das letzte Wort überlassen. »Auf welche Weise willst du sterben?«

Thomas schloss zitternd und atemlos die Tür hinter dem Winzer. Langsam drehte er sich um. Da stand, klein und unscheinbar, Monsieur Serge.

»Ich vermute mal, Sie brauchen Hilfe. Ist es nicht so?«

»Spielst du mal wieder den Ritter ohne Furcht und Tadel?«

Für Manuels Frage, als er ihm den Grund für die Absage des abendlichen Treffens umriss, hätte er ihm am liebsten eine geknallt. Leider ging das nicht am Telefon. Mäßigung war angesagt, und so antwortete er, dass er da hineingeraten war – alles hätte mit einem nächtlichen Einbruch begonnen –, dann hätte er Simone getroffen, sie mit hineingezogen, und jetzt musste er sie da ganz einfach wieder rausholen.

»Ganz einfach? Das scheint mir nach deinen Andeutungen weniger der Fall zu sein. Du gerätst immer in irgendetwas hinein.«

Bei dir war es anders, dachte Thomas, du hast mich reingezogen. »Du hattest dich längst aufgegeben, und wäre ich nicht gewesen, säßest du heute noch im Knast. Kannst ja heute Nacht darüber nachdenken. Du musst mir nicht dankbar sein. *Bonne nuit.*«

Das Schöne am Telefon war, dass man es nach Gutdünken aus- und abschalten konnte. Und das Gute an der deutschen Sprache war, dass die meisten Franzosen sie nicht verstanden, denn Madame Clément und Monsieur Serge saßen mit ihm am Tisch. Alle anderen hatten sich verzogen. Deprimiert waren sie davongeschlichen. Nur diesen beiden wollte er die Hintergründe von Simones Verschwinden erklären. Sie würden helfen.

»Ich hätte so etwas nie für möglich gehalten.« Madame Clément schüttelte ungläubig den Kopf. »Nein! Unser Nachbar soll zu derartigen Taten bereit oder fähig sein? Wie denken Sie darüber, Serge?«

Er kannte die Familienverhältnisse besser als alle anderen, darin erinnerte er Thomas an Madame Cécile, die Lehrerin. Monsieur Serge hatte Vitriers Eltern gekannt und kannte den grenzenlosen Ehrgeiz Maurice Vitriers und wusste, wie er seine Mitarbeiter zu immer neuen Höchstleistungen antrieb, bis sie vom Druck entnervt kündigten.

»Mit Simones Patenonkel habe ich telefoniert.« Das beruhigte Madame Clément ein wenig. »Er ist auf dem Weg hierher. Die Entscheidung, was als Nächstes zu tun ist, falls sie nicht auftaucht, sollten wir ausschließlich gemeinsam treffen. Ich fühle mich auch für Simone verantwortlich. Vielleicht geht alles gut aus? Und morgen steht sie wieder hier vor der Tür!?«

Was die Entscheidungen anging, so stimmte Serge zu, doch er glaubte nach Thomas' Eröffnung nicht an einen friedlichen Ausgang. »Vitrier würde sich zurückhalten, aber dieser Legionär niemals; Fremdenlegionäre marschieren, das sind Kriegsmaschinen, da drückst du auf einen Knopf, und sie führen jeden Befehl aus, ohne Rücksicht auf Verluste. Wenn er weiß, dass Sie, Thomas, ihn erkannt haben, dann sind auch Sie in Gefahr. Wenn Ihre Vermutung stimmt, dass die ermittelnde Polizistin mit von der Partie ist, dann haben die sich im Kosovo …«

»… in Bosnien …«

»… egal, dann eben in Bosnien, dann haben die sich dort gefunden, bereits dort was ausgeheckt und die eine oder andere Leiche im Keller. Krieg fördert die schlimmsten Eigenschaften des Menschen. Möglich, dass sie dort die Leute für ihre Bande rekrutiert haben. Sie werden noch über die entsprechenden Verbindungen verfügen. Aber ich frage mich, ob jeder der drei nicht auch ganz eigene Interessen verfolgt, ob jeder weiß, was der andere tut. Wie sehen Sie das?«

Thomas hätte zu gern gewusst, was Maurice Vitrier jetzt tat. Er glaubte, dass es sowohl gemeinsame wie Einzelinteressen gab. Vitrier musste sein potemkinsches Dorf, genannt Trois Anges, aufrechterhalten, er war Offizier gewesen, strategisches Denken hatte sicher zu seiner Ausbildung gehört, ähnlich mochte es bei Brigitte Rossignol gewesen sein. Die Frau Major würde ihre Karriere nicht gefährden wollen. Daan Verlinden war sicher der Dümmste, er würde gedankenlos um sich schlagen, das machte ihn gefährlicher. Freie Unternehmer, Staatsorgane und Ganoven, andernorts eine erfolgreiche Mischung.

»Was schlagen Sie als nächsten Schritt vor?« Die Frage richtete sich an Madame Clément. Thomas wollte nicht ohne ein Ergebnis nach Lirac zurückfahren, er musste wissen, was zu tun war, er hatte keine ruhige Minute mehr.

»Morgen früh sehen wir weiter, dann wird Monsieur Bongers hier sein. Wir wenden uns sowohl an die Polizei und gehen an die Öffentlichkeit, ich meine die Presse und lokales Radio.«

Und Thomas würde Pascal bitten, schleunigst herzukommen, am besten mit Blaulicht. Von Metz war es nicht so weit. Er hätte ihn längst darum bitten sollen, und um eine Waffe.

Die bekam er schneller als gedacht. Der alte Serge trat mit einem länglichen Gegenstand an seinen Wagen. »Nehmen Sie.« Er hielt Thomas den Gegenstand hin. »Zur Not. Es ist geladen, zwei Schuss, mein altes Jagdgewehr. Und bring mir die Kleine wieder, aber gesund!«

Es war Thomas unheimlich, jetzt durch die Nacht rüber nach Lirac zu fahren. Die Straßen waren einsam. Und irgendwo konnte jemand mit einem Gewehr auf der Lauer liegen. Damit konnte Daan Verlinden garantiert gut umgehen – und Vitrier sicher auch.

Unterwegs entschied sich Thomas anders. Er hielt am Straßenrand und packte das Gewehr aus. Wie von selbst fuhr danach sein Wagen nach Laudun. Er hielt wie programmiert wieder in der Rue Montesquieu. Es war sinnvoller, zu Fuß weiterzugehen. Auf dem Weg zum Café schaltete Thomas das Smartphone aus. Was er dort wollte, wusste er selbst nicht genau, aber hier irgendwo lag der Schlüssel.

Das Café hatte bereits geschlossen, drinnen blinkten Stand-by-Lämpchen von irgendwelchen Aggregaten, Kühlboxen oder Riesenbildschirmen. Gegenüber vom Café stand ein Wagen, Thomas meinte, darin einen Uniformierten zu sehen, auf dessen Epauletten etwas glitzerte. Der Schein der Laternen schuf harte Schatten, die das Erkennen erschwerten. Das Fenster auf der Fahrerseite stand offen, die untere Hälfte eines Gesichts erhellte sich kurz beim Glimmen einer Zigarette, deren Rauch emporstieg und sich im Geäst einer Platane verteilte. Einer der Straßenbäume bot Thomas Deckung. Er ahnte, wer in dem Wagen saß, Gewissheit bekam er in dem Moment, als sie ausstieg. An den Bewegungen erkannte er, dass es sich um eine Frau handelte: Major Brigitte

Rossignol. Daan Verlinden kam auf sie zu, beide traten hinter einen Hausvorsprung, der sie vor Blicken vom Café her verbarg, und fielen sich in die Arme. Aber die Rossignol machte sich schnell los, redete auf ihn ein, er wollte sie wieder umarmen, aber sie schob ihn weg und sprach eindringlich weiter, bis er mit hängenden Armen vor ihr stand. Jetzt zog sie den widerstrebenden Mann mit sich, schob ihn zum Auto und bugsierte ihn auf den Beifahrersitz. Leise, als sollte niemand die Abfahrt mitbekommen, fuhr die Polizistin los.

Was er gesehen hatte, reichte Thomas, für ihn war hier nichts mehr zu holen. Es war Mitternacht. Er ging zum Wagen, setzte sich und schaltete das Smartphone ein, um Pascal Bellier eine Nachricht zu senden. Da bemerkte er die SMS. Freudig überrascht sah er, dass sie von Simone stammte. War sie wieder aufgetaucht? Erwartungsvoll ließ er sich die Nachricht anzeigen. Die Ernüchterung war umso härter. Die Nachricht kam zwar von Simones Smartphone, doch der Absender war unbekannt.

»thomas! stell sofort alle nachforschungen ein. in 12 stunden bist du auf dem weg nach deutschland. dann bleibt simone am leben!«

Kapitel 27

Je weiter er sich dem Tal der Rhône näherte, desto stärker empfand er den Wind. Von Montpellier an, als die Sonne aufging, kam er von der Seite und rüttelte am Wagen, es war deutlich an der Lenkung zu spüren. Auf den letzten Kilometern und besonders auf der Landstraße, als er wieder Richtung Norden fuhr, traf ihn der Mistral direkt von vorn. So stark hatte Martin ihn bislang nicht erlebt. Obwohl er die Nacht durchgefahren war, fühlte er sich längst nicht so zerschlagen wie nach anderen Nachtfahrten. Die Autobahn war leer gewesen, er hatte sich mit Kaffee wach gehalten und eine von Charlottes Wunderpillen genommen, die sie von einer USA-Reise mitgebracht hatte. Er hatte nur einmal angehalten, als Thomas ihm die Nachricht mit dem Ultimatum übermittelt hatte.

Vom nächsten Rastplatz hatte er ihn angerufen und sich mit ihm für den frühen Morgen verabredet. Martins Kopf war die ganze Nacht über klar geblieben, so klar, wie der blaue Himmel jetzt. Er hatte über alles nachgedacht, doch was zu unternehmen war, würde er mit Thomas gemeinsam entscheiden müssen. Er war nah dran, sehr nah an den ehemaligen Kameraden, dieser nicht nur in Frankreich beliebten Verbindung aus Kapital, Staat und Handlangern. Es sah nicht gut aus im Lande, die Armen wurden ärmer, die jungen Männer, besonders die Muslime, wurden zorniger, und die Rechte war auf dem Vormarsch, brutal, einfältig und an der Spitze raffsüchtig. Das Desaster wird größer werden, dachte Martin, die Konzerne mächtiger, das Volk dümmer.

Den Weg zur Domaine Dupret in Lirac fand er auf Anhieb. Am Péage von Roquemaure hatte er die Autobahn verlassen und war über Tavel weitergefahren, um die Stelle zu vermeiden, wo der Weg in den Wald abzweigte, der zum einsamen Grab von Didier Lamarc führte. Am Ortseingang von Lirac fand er den restaurierten Waschplatz, wo er ein Weilchen pausierte. Es war erst fünf Uhr, Thomas schlief sicher noch, er wollte ihn nicht wecken, wenn er unter den gegenwärtigen Umständen überhaupt schlafen konnte. Martin setzte sich an einer windgeschützten Stelle auf die Umrandung und starrte in die Schlucht.

Dass Simone am Leben war, davon ging er aus. Aber wie ging es ihr? Den Gedanken, dass sie gequält worden war, ließ er nicht an sich heran. Wo war sie, wo hielt man sie versteckt? In dieser weiten und teilweise bergigen Landschaft gab es genug einsame Gehöfte, wo jemand von den Nachbarn unbemerkt versteckt werden konnte. Die Gründe für ihre Entführung waren klar, seit Thomas ihm die Nachricht der Entführer geschickt hatte. Charlotte musste Grivot davon überzeugen, dass eine Handy-Ortung nötig war. Man musste ihn kneten und treten, bitten und betteln, damit er seine Kontakte wiederbelebte. Das konnte Charlotte besser.

Martin wusste, dass er letztlich für die Entführung verantwortlich war. Er hatte Simone hergeschickt, und er hatte mit ihr zusammen der Witwe von Joseph de Bergerac einen Besuch abgestattet. Durch die Begegnung mit Thomas Achenbach war letztlich alles ins Rollen gekommen. Hätte er Simone nicht getroffen, hätte er sich allein mit den Gangstern rumschlagen müssen, oder alles wäre im Sande verlaufen. Nein, das waren müßige Gedanken. Ihm war kein Vorwurf zu machen.

Sie hatten nichts gegen diese Leute in der Hand, gegen Verlinden und Vitrier, keinen Beweis, nichts, was die Polizei zum Eingreifen bewogen hätte. Es gab nur Thomas' Aussagen. Da ein Ausländer sie machen würde, besaßen sie so gut wie keinen Wert. Er würde einen der Top-Winzer beschuldigen, ein angesehenes Mitglied der alteingesessenen Gesellschaft, was an sich eine Frechheit war. Der Fremdenlegionär Verlinden wäre den Behörden egal, wahrscheinlich würde man später alles auf ihn abwälzen, vermutete Martin. Dass sie Simone raushauen würden, wie auch immer, davon war er überzeugt. Eine andere Lösung gab es nicht. Er hatte schon tiefer im Dreck gesteckt. Und dass er sie hier rausholte, war er auch Gaston schuldig, wie Charlotte zum Abschied meinte, seinem alten Freund, seinem besten Freund, der ihm das Beste hinterlassen hatte, was es gab: seine Tochter.

Punkt sechs Uhr stand Martin vor Thomas' Tür und klopfte. Der Junge, wie er ihn im Stillen nannte, war angezogen, er hatte ihn erwartet, der Tee duftete. »Assam, First Flush, mit ein wenig Earl Grey«, wie Thomas erklärte. Der Frühstückstisch in dem kleinen Apartment war gedeckt, Martin legte das frische Baguette dazu, das er in der Patisserie von Tavel gekauft hatte.

Sie waren beide befangen, sie mussten sich vertrauen, mussten sich aufeinander verlassen können, dabei kannten sie sich kaum, ach, eigentlich gar nicht. Simone war ihre Verbindung. Ob sie den Jungen schätzte, der da übernächtigt vor ihm auf der Bettkante saß, wie sehr die beiden ineinander verliebt waren, wie sehr ihn das motivierte – wer konnte das wissen? Es würde sich heute und spätestens morgen herausstellen. Mehr Zeit hatten sie nicht.

»Wie ernst nehmen Sie das Ultimatum, wie ernst die Entführung?« Martin kam ohne Umschweife auf den Grund ihres Treffens zu sprechen.

»Beides nehme ich sehr ernst, zumal die Nachricht von Simones Smartphone gesendet wurde.« Er stimmte mit Martin überein, dass sie schnell sein mussten. Dass sie es mit absolut skrupellosen Menschen zu tun hatten, davon gingen sie beide aus, denn zwei Menschen waren bereits tot. Nur vom Motiv hatten sie keinerlei Vorstellung. Auch dass Lamarc mit der Diebesbande zusammenarbeitete, ergab für beide keinen Sinn.

»Sollen wir den neuen Gewinner des Concours warnen?«, fragte Martin, doch dann fiel ihm ein, dass Thomas sich am anderen Ufer nicht auskannte. Aber er wusste, wie der diesjährige Sieger hieß. »Yves Faugeres. Man könnte hingehen und mit ihm reden, aber ich habe keine Vorstellung davon, wie er reagieren wird.«

Doch nach Martins Ansicht war es möglich, dass er sofort nach ihrem Besuch Vitrier anrief und erklärte, dass zwei Deutsche Gerüchte über ihn in die Welt setzten. Dann hätten sie den Ärger.

»Und es gibt noch den Zweitplatzierten«, meinte Thomas, »Vitrier ist dieses Jahr nur Dritter geworden. Es muss schrecklich für ihn sein, der Ehrgeiz frisst ihn auf.«

»Das wäre vorteilhaft für uns, dann brauchten wir es nicht zu tun. Ich hoffe, wir verderben uns an ihm nicht den Magen.«

Thomas meinte, er habe eine gute Verdauung. »Ich hoffe, Sie auch, Herr Bongers?«

»Meine Feuertaufe erhielt ich in Rumänien, doch darüber mehr bei passender Gelegenheit.« Martin wollte vorankommen. »Wie meinen Sie das, mit der Verdauung?«

Thomas holte tief Luft. »Es gibt einen weiteren mächtigen Gegner. Ich wollte am Telefon nicht darüber reden, man weiß nie …«

»Machens Sie's nicht so spannend.«

»Ich war bei der Gendarmerie in Bagnols-sur-Cèze, um mich zu erkundigen, wie weit die Ermittlungen wegen des nächtlichen Einbruchs gediehen sind.«

»Und?«

»Da bin ich an eine Frau geraten, Major Brigitte Rossignol, von der ich jetzt weiß, dass sie ebenfalls gedient hat, und zwar in Bosnien!«

»Nein!«

»Doch.«

Martin sah sich das Foto der Ordensverleihung an. Thomas war der Ansicht, dass es sich um die multinationale Division Süd-Ost der SFOR handelte, in der sowohl Deutsche, Italiener sowie Spanier unter französischer Führung gedient hatten. »Diese Frau, inzwischen Gendarmerie-Major, sitzt auf den Ermittlungsakten. Sie sagte, sie hält den Einbruch bei Gustave Vitrier für nicht so wichtig. Gleichzeitig vertritt sie vorübergehend den Chef der Mordermittlung. Das sind beides unterbesetzte Abteilungen. Meinem Eindruck nach verschleppt sie auch diese Untersuchung. Sie wird nichts unternehmen, bis der Abteilungsleiter wieder gesund ist. Ich musste vorsichtig sein, sie hat zuerst auf stur geschaltet, dann verließ sie das Büro, und als sie wiederkam, war sie plötzlich an jeder Kleinigkeit interessiert. Das Schärfste ist, dass sie Daan Verlinden anscheinend sehr gut kennt, zumindest knutschten sie beide letzte Nacht vor seiner Bar, dann fuhren sie gemeinsam weg.«

Martin sprang sofort darauf an. »Wohin?«

Das hätte Thomas auch gern gewusst. »Ich konnte ihnen nicht folgen, mein Auto stand zu weit weg.«

»Das haben Sie wirklich gesehen? Gendarmerie und Verbrecher zusammen? Mir scheint, dass sich da eine illustre Truppe zusammengefunden hat. Wenn die Polizistin mit drinsteckt …«

Für Thomas war der Sachverhalt eindeutig. »Verlinden hat die Einbrecher kommandiert, und sie ist Chefin der Abteilung für Einbruchsdiebstahl. Passt prima, oder? Man arbeitet Hand in Hand.«

Martin war der Ansicht, dass es die Lage kompliziert machte. »Und welche Rolle hätte Ihrer Meinung nach dann Vitrier?«

Thomas überlegte, und Martin beobachtete ihn, wie er im Tee rührte. »Ich weiß wenig vom Militär«, sagte der Junge und blickte auf. »Ich habe Ersatzdienst geleistet. Mir scheint Vitrier der Ranghöchste zu sein, die Rossignol ist ihm unterstellt, so etwas wie ein Offizier, und Verlinden ist der Unteroffizier, der die Leute kämpfen beziehungsweise klauen lässt. Er schickt sie in den Krieg, und sie sind es, die letztlich ins Gras beißen. Man ist modern, geht arbeitsteilig vor, sicher gibt es Fahrer, Leute, die ausschließlich das Diebesgut transportieren, dann gibt es natürlich noch spezielle Leute, die alles auskundschaften ...«

»Sie meinten, dass Verlinden und die Frau ein Paar wären?«

Der Ansicht war Thomas nicht. »Sie machen lediglich miteinander rum. Verlinden ist mit der Frau zusammen, die das Café in Laudun führt, sie steht als Inhaberin auf der Speisekarte.« Thomas schaute auf die Uhr. »Was sollen wir machen? Ich müsste jetzt mit der Arbeit anfangen.«

»Kann man mit Ihrem Chef reden?«

»Mit Alain? Wir müssen es probieren.«

Eine Frage bewegte Martin noch, die er aus diplomatischer Rücksichtnahme bisher nicht gestellt hatte. »Wieso haben Sie mich nicht sofort verständigt, als Sie von Vitriers Umtrieben wussten?«

Thomas' Antwort war einfach. »Weil Simone mich gebeten hat, es nicht zu tun, sie wollte Sie nicht ängstigen. Sie hätten sie sofort hier weggeholt.«

»Das ist richtig, das hätte ich.«

Eine Viertelstunde später saßen sie zu dritt in Thomas' Apartment und weihten Alain in alles ein. Martin war überrascht, dass Thomas' Chef nicht älter war. Wurden die Leute immer jünger, oder wurde er immer älter? Obwohl er Alains Weine nicht kannte, hatte er eine Vorstellung davon. Er hielt sie für vornehmlich rustikal, handwerklich gut gemacht, aber nicht mit Finesse. Derartige Weine waren nicht besser oder schlechter, sie waren anders und hatten neben all dem teuren, vornehmen Zeug ihre Berechtigung. Alain schien ihm außerdem eher der Sohn eines Weinbauern zu sein als der eines Winzers, was zu den Weinen passen würde. Also setzte er das fort, was sein Vater gemacht hatte, und entwickelte sich weiter.

Dass Alain zuerst ungläubig reagierte, hielt Martin für verständlich. Als er jedoch erfuhr, dass Madame Clément, die er vom Namen her kannte, bereits die Polizei in Avignon eingeschaltet habe, schwanden seine Bedenken. Martin wollte ihn nicht mit zu vielen Details belasten, er musste nur so weit eingeweiht werden, wie nötig war, damit Thomas freie Hand hatte, zumindest in den nächsten beiden Tagen.

Martin fasste die Situation zusammen. »Das alles zu wissen, ist hilfreich, aber wir haben nicht den geringsten Schimmer, wo Simone versteckt wird.« Darum ging es ihm. Was mit Vitrier und Konsorten geschah, war ihm ziemlich egal. Von diesen Typen gab es Tausende. Diese hier jedoch mussten dringend neutralisiert werden.

Als jemand klopfte, fuhren die drei erschrocken zusammen. Thomas war sofort an der Tür. »Du?«

Draußen stand ein Mann in Thomas' und Alains Alter, ein dunkler Typ, er hätte Italiener sein können. »Wir wollten doch reden«, sagte er fordernd zu Thomas, aber als er Martin und Alain bemerkte, schwieg er abrupt.

»Das ist mein alter, äh, mein Partner Manuel Stern, aus der Pfalz, auch ein Önologe, er ist gekommen, um … Wir … wir … hätten was zu besprechen.«

»Ihr Partner? Der von Ihrem Pfälzer Weingut?« Martin wunderte sich, wie Thomas stammelte, aber er sah sofort die praktische Seite. »Ist er zuverlässig? Na, wenn es Ihr Partner ist, wird er es wohl sein. Wir hätten dann noch jemanden, der helfen könnte.«

»Wobei denn helfen?«, fragte Manuel. »Geht es um diese Simone, von der du gestern Abend am Telefon gesprochen hast?«

»Klären Sie ihn auf, Thomas!«, sagte Martin. »Alain denkt inzwischen darüber nach, wer mehr über diese Brigitte Rossignol wissen könnte.«

»Madame Cécile Merathy«, antwortete Thomas.

»Unsere pensionierte Lehrerin?« Alain war perplex. »Die Idee ist gut, die kennt jeden. Ich rufe sie gleich an. Ich selbst kenne niemanden mit Namen Rossignol – aber vielleicht meine Eltern. Aber aus Bagnols? Das ist weit weg.«

»Zwanzig Kilometer sind nichts, eure Welt hier ist klein. Außerdem liegt Bagnols an diesem Ufer der Rhône.«

Thomas wirkte mürrisch, Martin sah ihm an, dass es ihn Überwindung kostete, seinen Partner in die Geschichte einzuweihen. Martin hörte ihnen zu, in der Erwartung, auf ein Detail zu stoßen, das ihm bisher entgangen war. Die Zeit raste, die Uhr tickte, das Ultimatum lief ab. Ihm war übel vor Angst um Simone, aber er durfte es nicht zeigen. Letztlich hatten sie nichts, keinen Anhaltspunkt, nur Worte, die Thomas vernommen hatte. Und es gab zwei Tote, die sie eigentlich nichts angingen.

Alains Eltern konnten mit dem Namen Rossignol nichts anfangen. Im Internet gab es achtundzwanzig Millionen Fundstellen, die ersten Seiten waren von einem Hersteller für Skiausrüstung besetzt. Der Name Brigitte Rossignol kam in Adressverzeichnissen vor, aber es war niemand aus der Gegend dabei. Unter dem Suchbegriff Major Rossignol fanden sich nur Skier und Schneebrillen wieder.

Martin schlug vor, dass Manuel sich als Beobachter ins »Café des Athlètes« begab, dort kannte man ihn nicht. Thomas stimmte zu, zumal sein Partner besser Französisch sprach als er. »Das hier ist wichtiger, über das andere reden wir später.«

Dieser Satz, wie nebenbei an seinen Partner gerichtet, zeigte Martin die erheblichen Spannungen zwischen beiden. Die durften auf keinen Fall ihr Vorhaben behindern. Thomas überspielte die Fotos, die er von den Beteiligten gemacht hatte, auf Manuels Smartphone. »Ruf uns an, sobald eine der Personen im Café erscheint!«

Manuel machte gute Miene zu dem Spiel, das er nur halbwegs verstand, und fuhr los. Danach wurde ein Text aufgesetzt, den Alain von seinem Rechner aus an alle Lokalsender und die örtliche Presse verschicken sowie über Facebook und Twitter verbreiten sollte. Am schwierigsten war die Entscheidung, ob sie Namen nennen sollten. Sie kamen überein, Simone in der Domaine Clément zu verorten, »gegenüber vom Château des Trois Anges, das vom berühmten Winzer Maurice Vitrier geführt wird«. Es gehe um eine auf Weingüter spezialisierte Diebesbande und die Untätigkeit der Gendarmerie in Bagnols-sur-Cèze. So ließ sich vermeiden, einzelne Personen direkt zu beschuldigen. Aber das Feuer unter dem Hintern der Beteiligten war angezündet.

Madame Clément hatte inzwischen erreicht, dass die Polizei in Orange die Aufzeichnungen der Überwachungskameras sichtete. Anhand der Aufnahmen würde sich ihr Weg rekonstruieren lassen, Martin steuerte die Autonummer bei.

Zum Haus der Lehrerin nahm Martin seinen Wagen, seine Autonummer war unauffällig. Während der kurzen Fahrt durchs Dorf meldete sich Kommissar Grivot. Er bestätigte, dass Major Rossignol, damals Leutnant, in Bosnien gedient hatte. Es gebe anlässlich eines Strafprozesses eine Verbindung zu den anderen beiden Namen, leider könne er noch nicht sagen, worum es in diesem Prozess gegangen war.

»Endlich macht die hohe Pension, die Sie als Ruheständler kriegen, einen Sinn, Grivot!«

»Die kriegen wir nur, damit wir uns Ihre maßlos überteuerten Weine leisten können, quasi als Subvention der hiesigen Landwirtschaft, Bongeeers! So betäuben wir die Schmerzen des Alterns.«

In diesem Ton redeten sie immer miteinander, erklärte Martin, seit sie sich kannten. »Erst wenn man Grivot richtig zwiebelt, wird er aktiv.«

Madame Cécile schien wenig erstaunt zu sein, Thomas wiederzusehen. Martin stellte sich vor, und da Alain ihr die Nachricht von Simones Entführung sicher bereits überbracht hatte, redeten sie offen miteinander, auch über Maurice Vitrier und seinen Hintergrund.

»Haben Sie inzwischen mehr Kontakt zum Bruder Gustave?«, fragte Madame Cécile.

Sie hielt es für möglich, dass der Einbruch als Ablenkungsmanöver gedacht war, um die Brüder Vitrier als Verdächtige auszuschließen. Die Familie Rossignol war ihr bekannt, sie seien Weinbauern gewesen, kleine Leute, mit drei oder vier Hektar Weinland. Sie kannte Brigitte, die sie die ersten fünf Jahre unterrichtet hatte, und erinnerte sich, dass sie damals furchtlos auf ihre Klassenkameraden losgegangen war. In einem zerfledderten und vergilbten Notizbuch fand sie ihren Namen und sah, dass sie – eine sehr gute Schülerin – später von ihren Eltern aufs Lyzeum geschickt worden war. Damit war der Kontakt abgebrochen. Sie wusste, wo sie und ihre Familie früher gewohnt hatten, jedenfalls diesseits der Autobahn.

»Ihr habt doch diese Dinger, iPhones oder Smartphones oder wie die heißen. Zeig her. Da sind Landkarten drin und Stadtpläne, wenn ich nicht irre.«

Thomas ließ sich auf dem Gerät zeigen, wo damals das Haus und die Weinberge der Rossignols gelegen hatten, soweit Madame sich erinnerte. Sie beschrieb ihnen den Weg von hier aus über Tavel, dann durch den Ort und am Kreisverkehr hinter der Autobahn links. Dann käme man zum Château Manissy, da müssten sie wieder links abbiegen, unter der Autobahn hindurch, und sich weiter links halten.

Dann kämen die Brücken über die Kanäle, danach ginge es immer geradeaus.

»Ich glaube, dass es da war, sonst fragen Sie die Nachbarn. Aber es ist ziemlich einsam dort. Ob das Anwesen noch der Familie gehört, ob noch jemand lebt – ich weiß es nicht.«

Es ist eine Möglichkeit, dachte Martin, eine von vielen, vielleicht eine Chance, zumindest eine, die sich mit der Rossignol in Verbindung bringen ließ. Für so dumm, Simone in seinem Keller einzusperren, hielt er Vitrier nicht. Der kannte bessere Keller.

Martin saß wieder am Steuer, er ließ sich von Thomas dirigieren, als sich dessen Smartphone meldete. Ein kurzer Seitenblick verriet, dass ihn das Gespräch bestürzte.

»Bitte wenden Sie. Wir müssen in die entgegengesetzte Richtung fahren, nach Laudun. Maurice Vitrier ist im ›Café des Athlètes‹ aufgetaucht, er tobt wie ein Irrer …«

Kapitel 28

Es war für Thomas selbstverständlich, dass Martin Bongers die Führung übernahm. Er war Simones Patenonkel, er war der Ältere, und er hatte eine Feuertaufe hinter sich, wie er es ausgedrückt hatte, mit irgendwelchen Geheimdiensten in Rumänien. Thomas brannte darauf zu erfahren, wie das zugegangen war, aber Bongers wollte nicht darüber sprechen, »noch nicht«, wie er sagte. Irgendwann würde er ihm entlocken, was da vorgefallen war.

Die Straße vor ihnen war frei, Bongers hatte ihm das Steuer seines Wagens überlassen, und Thomas, der die Strecke kannte, fuhr am Limit. Bongers blieb ruhig. Er schien der Typ zu sein, der andere und ihre Meinung gelten ließ. Der Umgang mit älteren Männern war oft schwierig, besonders wenn sie sich im Besitz der Wahrheit betrachteten, auf ihre Lebenserfahrung pochten und Jüngere generell nicht ernst nahmen. Da schien Bongers anders gestrickt. Die Art, wie Simone über ihn sprach, mit viel Respekt und Zuneigung, hatte dazu geführt, dass Thomas ihm offen begegnete.

»Was hat es zu bedeuten, dass Vitrier sich am helllichten Tag in diesem Café in Laudun zeigt?«, fragte Bongers. Er hatte zwar nicht randaliert, aber mit der Frau von Verlinden herumgeschrien. Bongers klammerte sich an den Haltegriff über der Tür. »Soweit ich mich erinnere, hast du mir erzählt, dass die beiden sich nicht öffentlich zusammen blicken lassen.«

»Das war bisher so«, antwortete Thomas und dachte, dass es längst an der Zeit war, sich zu duzen. »Ich halte es für möglich, dass er nach der Entführung und den Informationen der Rossignol über mich nervös geworden ist. Sie hat Zugang zu den Polizeicomputern, darin bin ich erfasst. Sie kommt an sämtliche Ermittlungsergebnisse, und es gab, als dieser betrügerische Champagner-Fonds in Frankreich aufgelegt worden ist, allerhand zu ermitteln.«

»Du wirst mir noch davon erzählen müssen – falls wir diese Fahrt überleben.«

Thomas riskierte einen Seitenblick. »Wenn du mir aus Rumänien berichtest, dann gern.«

»Ist dein Partner Manuel, oder was auch immer er sein mag, zuverlässig?«

Die Antwort fiel Thomas nicht leicht. Die Suche nach den richtigen Worten ließ Martin sicher seine Schlüsse ziehen. »Er ist ... wie soll ich sagen?«

»Also nein?«

Thomas wand sich. »Bis vor drei Monaten war er es, ich hielt ihn für zuverlässig, das hat er auch gezeigt. Er ist gut im Weinberg, er ist spitze im Keller, er hat Geschmack und Stil, ist hilfsbereit und packt mit an. Nur wenn eine Frau auftaucht und begreift, wie sie ihn manipulieren kann, ist es vorbei – na ja, vielleicht auch nicht, es wäre möglich, dass er dazulernt – diesmal hat es zwei Monate gedauert. So wie ich es verstehe, ist er hergekommen, um reinen Tisch zu machen.«

»Dann bringt euer Verhältnis schleunigst in Ordnung. Ich will nicht, dass eure Querelen uns Schwierigkeiten machen. Du weißt besser als ich, mit wem wir es zu tun haben, sie sind hart, alles Exmilitärs, die sind nicht zimperlich.«

»Wenn du darauf hinauswillst – in der Nacht, als die Diebe kamen, wäre Manuel im Bett geblieben.« Thomas fühlte sich nicht wohl bei diesem Urteil, aber es entsprach seiner Überzeugung. Das Gespräch war ihm unangenehm, aber es lenkte ihn von der Sorge um Simone ab. »Manuel ist eigentlich Konzertpianist. Nach einem Tag im Weinberg, wenn mir sämtliche Knochen wehtun, hockt er sich an seinen Flügel.«

»Gut zu wissen. Und wie ist er als Beobachter?«

»Das werden wir gleich erfahren.«

Sie fuhren langsam am Café vorbei. Bei diesem Tempo war zu sehen, dass Manuel einen guten Platz am Eingang gewählt hatte, von dem aus er alles überblicken konnte. Maurice Vitrier hatte sich beruhigt, er stand am Tresen und blickte aus dem Panoramafenster hinab auf die Ebene. Daan Verlindens Frau stand ihm gegenüber, ihrer gebeugten Haltung nach schien sie zu schreiben. Außer ihnen befanden sich nur noch zwei Gäste im Raum.

Thomas hielt direkt gegenüber, so ließen sich die Bewegungen im Café verfolgen. Nach einer halben Stunde tauchte der Wagen auf, der ihn hierhergeführt hatte. Zwei Personen stiegen aus.

»Das ist sie, das ist die Rossignol!« Er hatte die Frau an der Seite Verlindens sofort erkannt, obwohl sie keine Uniform trug. Sie besprachen sich miteinander. »Wir müssen sie im Auge behalten. Wenn wir Glück haben, führen sie uns zu Simone.«

»So unauffällig können wir uns nicht bewegen. Wenn das Versteck einsam liegt, bemerken sie jeden Verfolger«, gab Martin zu bedenken. »Die werden den Teufel tun und uns zum Versteck führen. Es muss mehr passieren, damit einer von denen den Mund aufmacht. Freiwillig sowieso nicht. Ruf deinen Partner an, sie sind da, wir sind da, und er soll sich bereithalten.«

Inzwischen war Vitrier auf die Straße getreten und ging auf das Pärchen zu. Thomas hatte den Eindruck, dass er eine drohende Haltung annahm. Seine ruckartigen Bewegungen und das wilde Gestikulieren schon bei den ersten Worten bestätigten seinen Eindruck. Verlinden versuchte, Vitrier zu beruhigen, er hob die Hände in abwehrender Geste, wollte ihm eine Hand auf die Schulter legen, was Vitrier mit einer Art Handkantenschlag verhinderte. Jetzt mischte sich die Rossignol ein, stellte sich zwischen die Männer und hielt sie mit ausgestreckten Armen auseinander.

Martin stieg aus. »Mich kennt man nicht, ich sehe mir das von Nahem an.« Geräuschlos schloss er die Wagentür und ging mit den Händen in den Hosentaschen auf die Streitenden zu. Wie ein Winzer aus Saint-Émilion sieht er nicht aus, dachte Thomas und wunderte sich, dass er in dieser abgeschabten Lederjacke, in Jeans und T-Shirt herumlief. Nur die Slipper aus weichem Leder waren für diesen Aufzug ein wenig zu edel.

Verlinden sah ihn zuerst und sagte etwas zu Vitrier, der darauf reagierte, als ob es ihn nichts anginge. Dann mischte sich auch die Rossignol ein, und erst jetzt bemerkte Vitrier, dass sich ein Fremder näherte. Er ließ die Arme sinken, wandte sich ab und ließ sich ins Café führen. Manuel musste von drinnen alles mitbekommen haben. Auch Thomas stieg aus, um nicht von der weiteren Entwicklung abgeschnitten zu sein, und ging auf der gegenüberliegenden Straßenseite weiter. Der Streit setzte sich vor dem Tresen fort, jedoch weniger heftig als zuvor, bis irgendetwas Vitrier wieder in Wut versetzte. Er stieß Verlinden vor die Brust.

Das ließ sich der Belgier nicht gefallen, er schlug zurück, aber Vitrier konnte ausweichen. Doch er stolperte über einen Stuhl und strauchelte, hielt sich an einem Tisch fest, der umkippte, und in diesem Moment betrat Martin das Café.

Ist der verrückt?, dachte sich Thomas, und gleichzeitig freute er sich. Gerade bei unkontrollierter Eskalation machen die Leute Fehler, und darauf kam es ihm an. Jeder Fehler der anderen war ein Vorteil für sie, wenn sie ihn zu nutzen verstanden. Hoffentlich verpatzte Martin nichts.

Vitrier war nicht mehr zu sehen, er musste zwischen den Tischen liegen, und vor oder über ihm stand Verlinden und breitete entschuldigend die Arme aus, dann streckte er ihm die Hand hin. Von unten erschien eine Hand, und Vitrier kam wieder zum Vorschein. Die Rossignol klopfte ihm den Staub von der Kleidung und tätschelte ihn, nahm seinen Kopf in ihre Hände, strich ihm übers Haar und redete auf ihn ein, zuletzt führte sie ihn an den Tresen, von wo aus Verlindens Frau den Auftritt verfolgt hatte.

Vitrier ließ sich ein Glas Wasser geben, dann wehrte er jedes weitere Wort und jede Berührung ab, eilte aus dem Café, zog einen Autoschlüssel aus der Tasche, und gegenüber leuchteten die Lampen an einem Porsche auf. Thomas saß Sekunden später im Wagen, startete und folgte dem Winzer.

»Ich bleibe an ihm dran«, sagte er mit dem Smartphone am Ohr zu Martin. »Wartet ihr im Café, Manuels Auto habt ihr ja, ich melde mich.« Ohne eine Entgegnung abzuwarten, beendete er das Gespräch. Er musste sich auf den weißen Wagen konzentrieren. Inzwischen herrschte mehr Verkehr, besonders auf der Nationalstraße, wo er sich andererseits gut hinter Lkws verstecken konnte. Noch vor Saint-Geniès-de-Comolas bog Vitrier ab und fuhr auf Montfaucon zu. Den Ort hatte Thomas sich gemerkt, hier musste er wieder hin, wenn alles vorbei war, hinauf auf die Burg, die das Dorf beherrschte. Sie erinnerte ihn mit ihren Türmen und Zinnen immer wieder an jene Ritterburg, mit der er als kleiner Junge gespielt hatte, und er lächelte. Der Burgherr soll auch Winzer sein – also gab es einen Berührungspunkt – und sehr ausgefallene Weine machen.

Die Straße führte unterhalb der Burg vorbei und ein Stück entlang der Rhône zur nächsten Brücke. In Ortschaften hielt Vitrier stets die vorgeschriebene Geschwindigkeit ein, hinter dem letzten Ortsschild gab er Gas. Thomas verlor ihn, raste hinterher und holte ihn erst auf der Rhônebrücke ein. Den Weg nach Châteauneuf-du-Pape kannte Thomas, und gemächlich folgte er ihm schließlich durch die engen Gassen. Das eigene Château war nicht das Ziel. Vitrier durchquerte den Ort, setzte die Fahrt in Richtung Courthézon fort, bog aber gleich hinter dem Ortsausgang rechts in eine Schotterstraße. Beim Anblick des Wegweisers am Straßenrand glitt Thomas fast das Steuer aus der Hand: Château Yves Faugeres! Das war der Name des diesjährigen Gewinners des Concours de la St. Marc. Hatte Vitrier vollkommen den Verstand verloren? Wollte er … nein, der Gedanke war zu abwegig. Und doch? Dieser Satz, den er in der Waschstraße gehört hatte, kam ihm wieder in den Sinn: »Gewinn mal lieber bei deinem Concours, sonst gibt's wieder Ärger.«

Was war damit gemeint? Dass jemand ein Grab im Wald fand und ein anderer den Tod auf der Straße?

Nein, so sah es nicht aus. Thomas parkte den Wagen neben dem Porsche und spurtete um das Château herum. Im Hof sah er zwei Männer, einer davon war Vitrier, den anderen kannte er nicht. Beide gingen auf einen Treppenschacht zu, Thomas hörte noch die schwere Bohlentür zuschlagen. Er sah sich um. Nirgends war jemand, der ihn hätte aufhalten können. Vorsichtig, sich gleichzeitig eine Entschuldigung für sein Eindringen zurechtlegend, folgte er den Männern in einen schmalen und dunklen Gang. Hatten die oberen Etagen des Châteaus einen modernen Eindruck gemacht, so schätzte er den unterirdischen Teil der Anlage auf das 17. Jahrhundert. Die Gänge waren schmal und für Menschen kleinerer Generationen angelegt, die Wände schimmerten vom schwarzem Schimmel, der in Bärten von Mauervorsprüngen herabhing. Es war beileibe kein Zeichen von Schmutz, diese Art Schimmel griff nicht aufs Holz der Fässer über und schon gar nicht auf den Wein. Weiter vorn hörte Thomas unterdrückte, dumpfe Stimmen, dort öffnete sich eine erleuchtete Grotte, und Thomas zuckte im letzten Moment zurück, fast wäre er ins Licht gelaufen. Was wollte Vitrier in diesen heiligen Hallen?

Die beiden Winzer standen vor zwei langen Reihen von Barriques und betrachteten die Reihe großer Fässer vor der

Wand. Die eisernen Kronleuchter unter der gewölbten Decke verbreiteten ein weiches rötliches Licht, während weißes Licht die harten Schatten der Barriques übergroß an die Wände warf und sie in Szene setzte. Die Fässer waren in bestem Zustand, sowohl das braune lackierte Holz wie auch die schwarzen Fassreifen. Der Boden war mit hellgrauem Kies bestreut. Es war weniger ein Keller als vielmehr ein Tempel zur Verehrung des Weins. Das Gespräch der beiden Winzer, die sich allein wähnten, machte es Thomas leicht, sich ungesehen in eine Nische zu drücken.

»Du hast mir immer noch nicht gesagt, was du eigentlich von mir willst.« Yves Faugeres hatte sich mit in die Hüfte gestemmten Fäusten vor Vitrier aufgebaut. Er war etwas kleiner, dafür stämmiger als sein Besucher.

Der ließ den Blick generös über die Fässer streichen, als wäre dieses Arrangement sein Werk. »Ich würde gerne wissen, wie du deine Weine machst.«

»Nicht anders als du«, sagte Faugeres.

»Das wage ich zu bezweifeln. Du hast gewonnen und nicht ich.«

»Das war reines Glück, Zufall.«

»Oder Betrug?« Vitriers Ton wurde aggressiver.

»Was soll das heißen, Maurice? Willst du mir unterstellen, dass ich unkorrekt arbeite?«

»Und? Tust du das? Es wäre interessant, sich deine anderen Keller mal anzusehen und festzustellen, wo deine SCC steht!«

»Du tickst ja nicht richtig.« Faugeres tippte sich an den Kopf.

Die SCC, das wusste Thomas, war die Abkürzung für Spinning Cone Column, eine Art Zentrifuge, mit der flüchtige Aroma-Verbindungen sowie der Alkohol aus Wein gelöst wurden, um sie nach Geschmack wieder zusammenzusetzen. Das war in Europa verboten, doch mit den Freihandelsabkommen würde bald jeder dreckige Trick erlaubt sein.

»Schau dich mal in Bordeaux um«, sagte Vitrier herausfordernd. »Ich möchte nicht wissen, in wie vielen berühmten Kellern die Schleuderkegelkolonne steht.«

»Du bist nicht mehr zu retten.«

»So? Bin ich das?« Vitrier nahm eine drohende Haltung ein. »Ich wurde um den Sieg betrogen, und du hast ihn nicht verdient.«

»Das ist doch Unsinn. Reg dich ab. Die Jury hat entschieden, beklag dich bei ihr.«

»Sie hat falsch entschieden.«

»Tatsächlich? In den vergangenen Jahren auch? Hattest du den zweiten Platz nicht verdient?«

»Nein, der erste stand mir zu!«

»Maurice, du bist ein schlechter Verlierer.«

»So, bin ich das! Du weißt, was mit den Gewinnern der vergangenen Jahre passiert ist?«

Faugeres machte einen vorsichtigen Schritt zurück. »Was willst du damit sagen? Willst du mir drohen?«

»Du hast die Jury bestochen!« Vitrier ging weiter auf ihn zu, und Thomas befürchtete, dass es zum Äußersten kam. Vitrier wurde lauter, er redete sich immer mehr in Rage. »Du hast dich mit ihr abgesprochen, ihr alle habt euch abgesprochen.«

»Du solltest wirklich dringend einen Therapeuten aufsuchen, dein Ehrgeiz bringt dich um.«

»Sag das noch mal!« Die Drohung in der Stimme war deutlich.

Aber Faugeres hatte keine Angst, und genau das war sein Fehler. Er wiederholte den Satz – und übergangslos schlug Vitrier zu.

Faugeres taumelte, Vitrier setzte nach, schlug wieder zu und wieder, er schien von Sinnen und gleichzeitig kaltblütig. Faugeres in seiner Verwirrung baute keinerlei Deckung auf, jeder Schlag traf ihn am Kopf, dann bewegte sich Vitriers Hand in Richtung der Jackentasche …

Trug Vitrier eine Waffe bei sich? Das war für Thomas das Signal zum Eingreifen. Dass Vitrier sie benutzte, durfte Thomas nicht zulassen, oder dass Vitrier ihn in seinem Hass und seiner Wut totschlagen würde. Aber der Kies verlangsamte Thomas' Schritte, hielt ihn am Boden, er glaubte darin zu versinken, für die acht Meter brauchte er eine Ewigkeit. Dadurch fand Vitrier genug Zeit, sich auf den neuen Gegner einzustellen, und er konnte boxen. Thomas hatte mit einem leichteren Gegner gerechnet, aber Vitrier wehrte sich, doch er kämpfte konventionell. Seine Deckung war schlecht, er hielt die Arme zu weit oben, und so traf ihn Thomas' Fuß im Solarplexus. Vitrier knickte ein, bis ihn Thomas' Knie unter dem Kinn traf, und als ihn dann noch die linke Faust erwischte, gab der Winzer auf und fiel um. Es war eine klassische Kombination gewesen: linker Fuß, rechtes Knie und linke Faust.

Mit zittrigen Fingern zog Thomas sein Telefon aus der Tasche und wählte den Notruf. Für wen von den beiden, die hier im Kies vor ihm lagen, war ein Krankenwagen nötig? Auf jeden Fall für Faugeres, denn er blutete stark aus einer Wunde am Kopf und aus der Nase, und er war noch immer ohnmächtig. Er musste mit dem Kopf auf den Rand eines Barriques geschlagen sein, aber er atmete. Mehr als den Ort und den Namen des Châteaus konnte Thomas gegenüber der Polizei nicht angeben. Doch hier unten hinter dicken, alten Mauern bekam er keine Verbindung.

Vitrier durfte er keinesfalls allein liegen lassen. Auch er schien was abbekommen zu haben, eine gebrochene Rippe vielleicht – und die Nase sah auch nicht gut aus, egal … Thomas griff ihm in die Jackentasche. Da war sie. Die automatische Pistole fühlte sich eiskalt an. Thomas legte sie mit spitzen Fingern außer Reichweite auf ein Fass und setzte sich benommen daneben.

Wozu trug Vitrier eine Waffe bei sich? Wie ließ sich die Situation bewältigen? Thomas überlegte fieberhaft, wo er

Vitrier einsperren könnte, aber er hatte keinen dafür geeigneten Raum gesehen. Wenn der Exmajor zu sich kam, würde er Faugeres in seinem Wahn umbringen. Also musste er ihn rausschaffen und draußen telefonieren oder Hilfe rufen.

Vitrier rührte sich benommen, schlug die Augen auf, versuchte, wieder auf die Beine zu kommen.

»Sie bleiben liegen, sonst trete ich nach.« Thomas stand neben ihm und blickte auf ihn hinab.

»Das kommt dich teuer zu stehen, *fils de pute!*«

»Der Hurensohn sind Sie, Vitrier. Wo ist Simone?« Thomas stellte ihm einen Fuß auf die Brust und verlagerte sein Gewicht nach vorn. Vitrier stöhnte vor Schmerz. »Wo habt ihr sie versteckt?«

Vitrier stieß einen verächtlichen Laut aus. »Deine Kleine? *Fuite mon cul!*« Er drehte den Kopf zur Seite. »In spätestens drei Stunden bin ich wieder frei, dann solltest du besser außer Landes sein. Mit mir legt sich niemand an. Ich habe überall Freunde, wichtige Freunde!«

»Wo ist sie? Sollen wir noch mal …?« Thomas wippte mit den Zehenspitzen, dann nahm er den Fuß von dem Liegenden. Nein. Es widerstrebte ihm, aus jemandem, der bereits am Boden lag, etwas herauszuquetschen.

Vitrier schob langsam die rechte Hand in die Jackentasche, er wurde hektisch, als er nichts fand.

»Sie liegt hier drüben.« Thomas wies auf die Pistole und nahm sie in die Hand. »Auf den Bauch! Los, legen Sie die Hände auf den Rücken.«

Das Gesicht Vitriers wurde zu einer hässlichen Grimasse. »Das werde ich nicht tun, und du wirst auch nicht schießen. Typen wie du sind dazu viel zu feige.« Er betastete seine Nase und verzog schmerzhaft das Gesicht. »In drei Stunden bin ich draußen. Und dann bist du dran.«

Mit einem Griff packte Thomas Vitriers Arm, bog ihn nach hinten und drehte das Handgelenk um. Vitrier schrie vor Schmerz und Überraschung.

»Umdrehen, habe ich gesagt!«

Stöhnend gehorchte er, das Gesicht im Kies.

Es tat Thomas weh, dem Mann Schmerzen zuzufügen, aber was hätte er tun sollen? Vitrier hingegen hätte ihn gnadenlos abgeknallt – und den Winzer, der wieder erste Lebenszeichen von sich gab, ebenfalls. Thomas kniete sich auf Vitriers Rücken, zog ihm die Leinenjacke von den Schultern und verknotete mit den Ärmeln seine Arme. »Jetzt steh auf!«

»Nein.«

»Ich schieße …«

»Das wagst du nicht, du Feigling.«

»Für Sie wäre das kein Problem, was? Wie viele haben Sie schon abgeknallt, in Bosnien und Lamarc hier – und Bergerac?«

»Das war ich nicht«, kam es dumpf aus dem Kiesbett.

»Zusammen mit der Rossignol und Verlinden?«

»Das war ich nicht!«

Thomas nahm die automatische Pistole, und wie er es aus dem Fernsehen kannte, zog er den Schlitten nach hinten, legte den Sicherungshebel um und schoss. Die Kugel schlug knapp neben Vitriers Kopf in den Kies. Der Winzer bäumte sich vor Schreck auf und erlahmte, zumindest schien er gefügig. Thomas packte ihn an den Armen und zog ihn so hoch, dass er knien konnte, dann stand Vitrier von allein auf und sah sich hasserfüllt um. Nein, er war nicht gefügig.

Faugeres hatte sich schwankend aufgesetzt, den Mund weit offen, hielt sich den blutenden Kopf, betrachtete die vom Blut verschmierten Hände und starrte Vitrier wie einen Fremden an.

Thomas konnte sich nicht um ihn kümmern, Vitrier war zu gefährlich. Er stieß ihn vor sich her durch den langen Gang, und als sie den Treppenschacht erreichten, ließ er ihn sich auf die Stufen knien. Hier draußen hatte das Smartphone Empfang. Er verständigte Martin und schilderte ihm kurz, was vorgefallen war.

»Aber das bringt mir Simone nicht zurück«, beklagte sich Martin. Thomas ärgerte sich fürchterlich darüber, gerade nach dem, was er soeben erlebt hatte.

»Mir bringt sie das auch nicht wieder«, entgegnete er schärfer als beabsichtigt. »Aber Vitrier wird wissen, wo sie steckt. Kommt her, ich bin im Château von Faugeres, rechts an der Straße nach Courthézon. Ich warte auf die Polizei. Sie wird vor euch da sein – hoffentlich.«

Als Martin ihm sagte, dass der Belgier und die Rossignol soeben weggefahren seien, hörte Thomas kaum noch hin, denn einer der Mitarbeiter des Weingutes hatte ihn bemerkt. Der verständigte die Kollegen, die wiederum Madame Faugeres benachrichtigten, und gemeinsam brachten sie den verletzten Winzer ans Tageslicht.

Jetzt habe ich die Führung wieder übernommen, dachte Thomas und war sich klar, dass die Sache längst nicht durchgestanden war, als ein Transporter viel zu schnell in die Einfahrt bog und so hart bremste, dass der Kies spritzte. Vier Männer sprangen heraus und gingen auf ihn zu, zwei von ihnen hatten Prügel in Händen. Hatten Verlinden oder die Rossignol ein Rollkommando in Marsch gesetzt? Wen wollten sie holen? Vitrier, Faugeres – oder ihn?

Thomas stöhnte verzweifelt. Auf Faugeres Mitarbeiter konnte er nicht zählen, niemand würde sich dazwischenstellen, also griff er nach der Waffe, er hatte sie nicht gesichert. In ihm tobten die Zweifel, ob er sie benutzen würde. Er entschied sich und schoss vor den Männern in den Boden. Die Männer gingen weiter. Aber dann blieben sie stehen. Alle im Hof, auch die Mitarbeiter verharrten, alle hörten die Sirene. Die Männer rannten zum Fahrzeug, sprangen hinein, der Transporter setzte zurück und wich im letzten Moment dem ankommenden Polizeiwagen aus. Vier Uniformierte sprangen heraus, drei von ihnen mit gezogener Waffe, und zwangen Thomas, seine Pistole wegzuwerfen und sich auf den Boden zu legen. Sie warfen sich auf ihn, rissen ihm die Arme auf den Rücken und legten ihm Handschellen an. Jetzt lag er mit dem Gesicht im Kies. Was er zu sagen hatte, interessierte keinen.

Vitrier traute sich wieder ans Tageslicht und trat aus dem Treppenschacht. »Ich bin Major Vitrier, helfen Sie mir. Der Wahnsinnige da wollte uns alle umbringen, sowohl Monsieur Faugeres wie auch mich. Binden Sie mich los!«

Zuletzt halten die Schweine alle zusammen, dachte Thomas, als Vitrier wieder frei war, und ergab sich in sein Schicksal. Aber jetzt stellten sich Madame Faugeres und ihre Mitarbeiter den Beamten entgegen. Alle umstanden Thomas, alle redeten durcheinander. Thomas rollte sich auf die Seite und sah zwischen den Beinen der Umstehenden, dass Vitrier zu seinem Wagen schlich. »Er haut ab, er hat Lamarc erschossen, er wollte Faugeres töten!«, schrie er. »Er hat Lamarc erschossen, er wollte Faugeres töten …«

Einer der Kellereimitarbeiter rannte los und stellte sich vor den Wagen, trotzdem gab Vitrier Gas, der Mitarbeiter knallte auf die Motorhaube und rollte herunter. Doch jetzt war die Einfahrt endgültig versperrt, der Krankenwagen war eingetroffen. Trotzdem vesuchte es Vitrier. Es krachte, Blech, Kunststoff und Mauerwerk kreischten und knirschten, der Laut war entsetzlich. Der Porsche hatte sich zwischen Ambulanz und Torpfosten festgefahren.

Nachdem jemand Thomas' Fesseln gelöst hatte, ging er zum Wagen und starrte Vitrier wortlos an. Er war eingeklemmt, aber nicht verletzt.

»Sie ist bei der alten Rossignol«, sagte er, »das wollten Sie doch wissen, oder? Verlinden, der Idiot, hat sie dorthin gebracht.«

Thomas wandte sich ab, um die Polizisten und Martin Bongers zu informieren, da rief ihn Vitrier zurück.

»Wie ich gehört habe, waren Sie nie Soldat. So einen wie Sie hätte ich gern in meiner Einheit gehabt.«

Kapitel 29

»Der weiße Mercedes in der Scheune, warum steht der da? Der sieht aus wie neu. Warum fährt keiner damit?« Simone starrte die alte Dame an. »Ist es wegen der Beule in der Motorhaube?«

Die alte Dame schien sie nicht gehört zu haben. War sie verwirrt, schwerhörig? Simone wusste nicht, was sie tun sollte. Ratlos blickte sie aus dem Küchenfenster, vor sich den gepflasterten Hof. Das Grundstück war durch einen Graben von der Straße getrennt, hohe Laubbäume, Eiben und Zypressen schirmten es vor Blicken ab. Zur gegenüberliegenden Seite öffneten sich hinter einem niedrigen Zaun die Weingärten, die sie bereits aus ihrem ersten Gefängnis erspäht hatte. Das hier wird ehemals ein Bauernhof gewesen sein, vermutete Simone, von der Anlage der Gebäude her zu schließen, stand der Wein nicht im Vordergrund. Weiter hinten links befand sich das neue, flache Haus, billig, weiß und hässlich, in dem sie gestern eingesperrt gewesen war. Heute Morgen war sie in die alte Scheune gegenüber gebracht worden, wo sie unter dem Berg von Heu den Wagen entdeckt hatte. Vom Fenster aus sah sie ihr Auto unter dem Dach der Remise, die an die Seitenwand der Scheune grenzte, es war notdürftig mit einer Plane bedeckt, die der Mistral in Fetzen riss.

Simone wiederholte die Frage etwas anders und lauter: »Wem gehört das große Auto, das in der Scheune steht?« Die Antwort auf diese Frage interessierte Simone weitaus mehr als der liebevoll für zwei Personen gedeckte Frühstückstisch in der Küche von Madame Rossignol. Sogar eine Vase mit weißen und lila Feldblumen hatte sie auf den Tisch gestellt. Simone war nicht in der Verfassung zu frühstücken, obwohl der Kaffee sowie das Brot verführerisch dufteten. Nach der Nacht in dem nach Fäkalien stinkenden Zimmer und dem Morgen in der Scheune bei Wasser und zwei Stück Kuchen war ihr nicht nach Smalltalk. Sie musste schleunigst verschwinden. Die Gelegenheit schien günstig. Aber sie brauchte Madame Rossignol. Noch wusste Simone nicht, wo sie war und wie sie hier wegkommen würde.

Wollte die Mutter der Polizistin aus Bagnols-sur-Cèze ihr die Lage des Anwesens nicht beschreiben oder konnte sie es nicht? Um ein Beweismittel oder einen Hinweis auf die Entführer in der Hand zu haben, hatte sie die Kuchentüte in der Scheune zwischen zwei Balken gesteckt. Dann wüsste man, wo und von wem der Kuchen gekauft worden war. Aber das stellte sich als überflüssig heraus, nachdem die alte Dame sie aus der Scheune befreit hatte, mit den Worten: »Das hier ist doch kein Quartier für eine junge Dame.« Sie hatte sich als Edeline Rossignol vorgestellt und stolz erklärt, dass ihre Tochter bei der Gendarmerie sei. Leider hätte sie den landwirtschaftlichen Betrieb des Vaters nicht übernommen, dafür sei sie Soldatin geworden und hätte sogar einen Orden erhalten. Brigitte sei eine wunderbare Tochter, nur der Umgang mit gewissen Männern behage der Mutter gar nicht.

Andererseits hatte sie die Haustür abgeschlossen, damit dieser fiese Kerl, wie sie es ausdrückte, der Simone gefesselt hatte, nicht hereinkam und sie beim Frühstück störte. Es sei schlimm genug, dass ihre Tochter sich mit ihm hier treffe. Angeblich komme der Belgier gegen Mittag wieder.

Am liebsten wäre Simone sofort aus dem Fenster geklettert und im Weinberg zwischen den Rebzeilen abgetaucht. Irgendwohin, möglichst weit weg. Simone hatte längst den

Korb mit Holzscheiten neben dem alten eisernen Herd gesehen, mit einem Scheit konnte sie zur Not die Fensterscheibe einschlagen und abhauen. Eine Option war vielleicht das Fahrrad, das an der Wand neben der Haustür lehnte. Nur hatte Simone keinen blassen Schimmer, wo sie sich befand. Das Rauschen, das sie in der Nacht vernommen hatte, war nicht das des TGV, sondern das der Autobahn. Das gab Simone zumindest eine Idee, wo sie sich befand, auf jeden Fall rechts der Rhône – also am falschen Ufer.

Sie stellte die Frage nach dem Mercedes zum dritten Mal. Er gehöre Daan, meinte die alte Dame, er sei eines Tages damit auf den Hof gefahren, aber sie verstehe auch nicht, warum er ihn nicht benutzte. Nur ein einziges Mal sei er kurz damit weggefahren. Ihre Tochter habe gemeint, er müsse erst mal eine Weile da bleiben.

»Und das Haus, wo ich die Nacht verbracht habe, wozu dient das?« Simone musste sich mit ihren Fragen beeilen, der Boden wurde heiß. Jeden Moment konnte Daan Verlinden auftauchen oder einer seiner Legionäre. Oder die Tochter?

»Wir haben dort früher unsere Lesehelfer untergebracht. Wir hatten einige Weinberge, aber die haben wir längst verpachtet, Brigitte hat das gemacht«, sagte sie voller Stolz, »sie ist ein wirklich patentes Mädchen, sie hilft mir viel. Bei meiner knappen Rente wäre ich längst verhungert.« Nur jetzt kämen die Helfer häufiger, mehrmals im Jahr, und leider seien alles Ausländer, die kein Wort Französisch sprächen, sie könne sich überhaupt nicht mit ihnen unterhalten. »Mal kommen sie im Winter, dann wieder im Frühjahr, und erst kürzlich waren sie da. Aber wir haben ja gar keine Arbeit für sie, erst im September, wenn es Zeit für die Lese ist. Ich weiß nicht, was die armen Leute hier wollen, sie können ja nichts verdienen. Wie wollen sie ihre Familien ernähren?«

»Wie weit sind wir denn hier von Tavel entfernt?«, fragte Simone. Diese Frage hielt sie für unverfänglich. »Da draußen steht ein Fahrrad. Fahren Sie etwa damit zum Einkaufen, in

Ihrem Alter? Wie lange braucht man nach Tavel? Oder ist Lirac näher?«

»*Ma chère* Simone. Bewegung hält jung, und Tavel ist nicht weit. Man muss nur die Straße vor dem Haus immer weiter geradeaus fahren, immer weiter, dann kommt man schon irgendwann an. Eine halbe Stunde, länger dauert es nicht. Vielleicht eine Stunde?«

Eine halbe Stunde nur? Wenn Madame Rossignol mit dem Fahrrad fuhr, war sie selbst zu Fuß genauso schnell. Die Zeit reichte Simone, und in Tavel könnte sie telefonieren. Thomas' Telefonnummer kannte sie auswendig, ebenso die von Madame Clément, Martins sowieso, auf die konnte sie zählen, aber vor der Polizei oder Gendarmerie hatte sie Angst. Die liebe Tochter würde von ihrer Flucht sofort Wind bekommen, ganz bestimmt, und sie würde alle Hebel in Bewegung setzen, sie noch vor Eintreffen wieder in die Hände zu kriegen. Wenn herauskam, dass das Haus der Mutter als Versteck für ein Entführungsopfer diente, war es vorbei mit der Karriere.

Martin rief sie besser nicht an. Er würde ihr nur Vorwürfe machen, mochten sie auch noch so berechtigt sein. Vorwürfe konnte sie im Moment am allerwenigsten gebrauchen.

Als die alte Dame in der Speisekammer nach ihrem hoch gelobten Quittengelee suchte, das Simone unbedingt probieren müsse, schob sie schnell ein Stück Baguette unter ihre Bluse. Sie trank noch einen riesigen Schluck vom Kaffee, eine Plastikflasche mit Wasser war nicht in Sicht, die hätte sie auch gerne mitgenommen. Wer weiß, wie die Flucht ausgeht, wann ich wieder was kriege, dachte sie, von Minute zu Minute nervöser. Das üble Gefühl im Magen nahm zu, stieg ihr in die Kehle, sie musste weg.

»Kindchen, was ist denn mit deiner Bluse passiert?« Madame Rossignol kam mit einem Marmeladenglas zurück. »Da fehlt ja ein ganzer Ärmel. Hat das dieser Wüstling dir angetan, *ma petite?* Ich wusste es immer, Daan taugt nichts.

Die Belgier taugen alle nichts. Aber Maurice, der ist ein feiner Herr, den hätte ich gern zum Schwiegersohn, der würde unserem Hof auch wieder Leben einhauchen.« Madame Rossignol sah sich lächelnd um und geriet ins Schwärmen. »Wie früher hätten wir Pferde, unseren Obstgarten und Getreide, wir würden unseren eigenen Wein keltern. Und meine Rosen – hast du sie gesehen? Unser Wein war immer besonders gut, *ma petite*, glaub mir, schließlich gehören wir zur Appellation Tavel. Wir haben ein wunderbares Terroir und die besten Roséweine Frankreichs.«

Maurice Vitrier soll ein feiner Herr sein? Hatte die Polizistin etwa mit beiden eine Liaison? Was für eine widerliche Frau. Aber die Männer waren mindestens genauso ekelhaft.

Jetzt machte sich Madame Rossignol an Simones Arm zu schaffen. »Das ist unmöglich zu reparieren, der Ärmel fehlt ganz. Ich hole dir von oben eine Bluse meiner Tochter. Ja, das werde ich tun, sie wird nichts dagegen haben.« Froh, diesen Gedanken gefasst zu haben, verließ sie die Küche und ging die Treppe hinauf.

Simone sprang zur Tür. Der Schlüssel steckte von innen. Mit zitternden Fingern schloss sie auf, fast fiel ihr dabei der Schlüssel aus der Hand, die Hausschuhe waren eng, aber sie waren weich, und es war auf jeden Fall besser, als auf Socken zu verschwinden. Sie öffnete die Tür leise und schloss von außen wieder ab.

Dann schwang sie sich aufs Fahrrad und schlug den angegebenen Weg ein. Leider wurde der asphaltierte Wirtschaftsweg nach wenigen Metern zur Schotterpiste, und je heftiger Simone in die Pedale trat, desto mehr Luft verlor der Hinterreifen, bis sie auf der Felge fuhr. Einen knappen halben Kilometer hatte sie geschafft, dann stieß sie das Fahrrad in den Straßengraben. Vom Weg aus war es nicht zu sehen. Simone rannte weiter. Als von hinten ein Auto kam, warf sie sich unter einem Busch keuchend ins Gras. Das Blut pochte wie wild in ihrer geschwollenen Wange. Sobald der Wagen vorbeigefahren war, stand sie auf, war ein wenig zur Besinnung gekommen und orientierte sich. Sie war auf dem richtigen Weg, wie sie erleichtert feststellte. Über den Bäumen waren erste Dächer zu erkennen. Im Dorf würde man ihr helfen, dort war sie in Sicherheit, und niemand würde mehr wagen, sich an ihr zu vergreifen. Je näher sie den Dächern kam, desto schneller lief sie, desto größer wurde ihre Angst.

Als plötzlich ein Wagen neben ihr hielt, blieb ihr fast das Herz stehen.

»Mach keine Dummheiten, Mädchen. Steig ein«, sagte ein Mann zu ihr. Es war Verlinden, der lachend aus dem Wagenfester schaute. »Alte Weiber kannst du an der Nase herumführen, aber uns nicht. Steig ein, sonst hole ich dich!«

»Ich greif sie mir«, hörte Simone jemanden sagen, der mit im Auto saß. Es war eine Frau. Das musste die Tochter von Madame Rossignol sein, die Polizistin.

Ohne nachzudenken, brach Simone links aus, sprang in einem riesigen Satz über den Graben und jagte in Todesangst am Waldrand entlang. Rechts von ihr waren Reben gepflanzt, da war der Boden zu steinig zum Laufen. Dafür versperrten ihr hier auf sandigem Grund die abgestorbenen Äste den Weg, und sie hörte Schritte hinter sich, die Verfolgerin holte auf. Und sie merkte, dass sie sich seitlich von Tavel wegbewegte, nicht aufs Dorf zu. Als sie die Hand auf der Schulter spürte, schlug sie in vollem Lauf um sich und hörte einen Schmerzensschrei. »Du Luder, das zahlst du!« Dann packte die Frau ihr Haar, riss sie herum und schlug mehrmals wie ein Mann zu. »Meine Mutter magst du täuschen, aber nicht mich.«

Im Polizeigriff taumelnd, wurde Simone zum Wagen gebracht, und wie ein Sack wurde sie auf die Rückbank verfrachtet. Die Frau legte ihr Handschellen an. »Du entwischst uns kein zweites Mal, du kleines Aas!«

Simone ließ alles widerstandslos über sich ergehen. Es waren nicht die Handfesseln, die das bewirkten, sie befand sich in einem Zustand, in dem sie nichts mehr merkte, nicht die Schmerzen im Gesicht, nicht die am Rücken, die aufgeschlagenen Knie, sie fühlte sich von oben bis unten kalt und leblos, obwohl sie nicht fror. Sie hatte auch keine Angst mehr. Dazu empfand sie ihre Lage als zu unwirklich. Eigentlich bin ich schon tot, dachte sie, und auch das war ihr gleichgültig, obwohl sie klarer als bisher ihre Umgebung sah und die Worte ihrer Entführer deutlicher vernahm.

»Was machen wir mit ihr?«, fragte Verlinden, der für sich und die Frau gleichzeitig eine Zigarette anzündete. »Die Kleine ist zäher, als ich dachte. Außerdem – die Autos müssen verschwinden.«

»Frag Maurice«, antwortete die Frau. »Ich hoffe, er dreht nicht durch.«

»Das ist bei ihm nicht auszuschließen. Er bringt uns in Gefahr.«

»Du meinst, unsere Wege trennen sich?«

»Genau, das meine ich. Würde dich das … stören?«

»Wenn es sein muss«, sagte Madame Rossignols Tochter. »Man muss Opfer bringen. Ich hätte eine Idee, ruf ihn an … bestell ihn her, heute Nacht, wegen der Autos.«

»Und sie?«

Sicher meinen sie mich, dachte Simone, und fragte sich, ob sie gemeint war oder jemand anders, und stellte sich tot.

»Wir fahren erst einmal zurück, räumen auf. Dann holen wir uns den Deutschen.«

Beide rauchten ihre Zigaretten zu Ende und stiegen ein. Während der Fahrt wechselten sie kein Wort.

Wie kann eine so liebenswürdige alte Dame eine so entsetzliche Tochter haben?, fragte sich Simone. Wieso hat mein Bruder sich von meinem liebsten Spielgefährten in einen Kotzbrocken verwandelt? Wie kommt ein reicher Winzer dazu, eine Gangsterbande anzuführen? Diese Gedanken beschäftigten sie und nicht ihre Schmerzen, nicht der Gedanke an eine erneute Flucht. Nur einmal blitzte die Hoffnung auf, Thomas könne auf der Bildfläche erscheinen. Den wollten sie anschließend holen. Dann war es besser, wenn er nicht kam …

Als der Wagen hielt, zog sie die Frau wie ein erlegtes Wildschwein an den Füßen von der Sitzbank. »Stehen kannst du wohl noch alleine, oder soll ich dir Beine machen?«

Simone konnte sich kaum aufrecht halten. Verlinden packte sie am Arm und ging mit ihr auf das Haus zu, aus dem sie vor Kurzem geflohen war. Wie viel Zeit war seitdem vergangen? Eine Stunde? Zwei Stunden? Einerseits fühlte sie sich hellwach, andererseits war jedes Gefühl ausgeblendet, abgeschaltet, alles schien weggewischt zu sein. Aber sehen konnte sie. Die Haustür stand offen, und aus dieser Tür trat ein Mann in Uniform, in der Hand eine Pistole. Links von ihr, von dort, wo ihr Wagen unter dem Vordach stand, kam jemand, der so ähnlich aussah, und zielte mit einem Gewehr auf sie. Langsam drehte Simone sich um. Die Tochter der alten Dame stand neben dem Kombi und schien den Uniformierten nicht zu bemerken, der sich ihr mit einer Waffe im Anschlag näherte.

»Daan Verlinden! Lassen Sie die Frau los! Auf die Knie! Die Arme in die Höhe. Sofort!« Die Worte kamen von dem Uniformierten an der Tür.

Aber da zog Verlinden eine Waffe, griff Simone blitzschnell ins Haar, riss ihren Kopf nach hinten und hielt ihr die Waffe an die Schläfe.

»Einen Dreck tue ich. Ihr Schweine verpisst euch, sofort. Sonst ist die Kleine tot.«

Simone hörte Schritte, schnelle Schritte hinter sich. Rechts vom Haus hatte sich eine Gestalt gelöst und rannte mit ausgestreckten Armen auf Verlinden zu, der sofort schoss. Der Unbekannte stürzte und überschlug sich. In dem Moment knickten unter Simone die Beine weg, sie ließ sich einfach fallen und riss Verlinden an ihrem Haar mit sich. Zwei weitere Schüsse fielen fast gleichzeitig. Da gab die Hand ihr Haar frei.

Die Stille danach dauerte eine Ewigkeit. Nichts geschah, kein Geräusch, kein Vogelgezwitscher, kein Mistral in den Bäumen, Simone hörte nur ihren eigenen Atem und wartete auf den Schmerz …

Dann war von überallher Gebrüll zu hören, das eine gewaltige Welle über ihr zusammenschlug. Angst stieg in ihr auf, die Schmerzen kamen, ihr Körper brannte überall, das einzig Schöne waren die kühlen Steine an ihrer Wange, mit denen der Hof gepflastert war. Und zwei Stimmen waren da, schälten sich aus der Welle, zwei Stimmen, die sie kannte, man rief ihren Namen. Thomas war da – und auch Martin? Wieso er? Wo kam er her? Wer hatte ihn geholt?

Sie wandte mühsam den Kopf zur Seite und sah, dass auch die Tochter der alten Dame auf dem Boden lag, mit dem Gesicht nach unten. Ein Uniformierter kniete auf ihrem Rücken.

»Sag ihm, Kindchen, dass *ich* dich gerettet habe«, zischte sie. »Ich war's«, schrie sie mit schriller Stimme, »ich habe Daan erschossen, ich hab das Mädchen gerettet, ich …«

Fast unbemerkt trat die alte Dame aus dem Haus, wacklig auf den Beinen griff sie nach dem Gitter neben der Haustür, an dem ihre geliebten Rosen rankten. Unsicher ging sie zu ihrer Tochter und ließ sich von den Sanitätern nicht stören, die sich um den Unbekannten und um Verlinden kümmerten. Tränen liefen ihr übers Gesicht.

»Niemanden hast du gerettet, im Gegenteil. Du hast sie angestiftet, du hast sie aufgehetzt, hast dein Gift versprüht und sie verrückt gemacht, wie ein Flittchen. Jetzt liegst du hier im Dreck, hier vor deinem schönen Elternhaus. Du hättest hier glücklich sein können, aber das reichte dir nicht, du hast den Dreck vorgezogen.« Sie spuckte aus, wischte sich die Tränen weg und ging schnellen Schrittes zum Haus zurück.

»Wer ist das?«, fragte Simone, als man den Unbekannten auf der Trage in den Krankenwagen schob.

»Das ist Manuel«, sagte Thomas, der neben ihr kniete, während ein Notarzt sie untersuchte.

»Dein Partner aus Deutschland?«

»Mein Freund aus Deutschland. Er wollte dich retten.«

»Mich retten? Ist er schwer verletzt? Wird er sterben?« Es fiel Simone in diesem Moment leichter, sich um andere zu sorgen als um sich selbst.

»Nein, aber sie müssen ihn schleunigst operieren.«

»Und Monsieur Vitrier?«

Thomas lachte. »Den habe ich heute Morgen verprügelt.«

»Das hast du gut gemacht.« Simone griff nach seiner Hand, drückte sie und lächelte Thomas an.

Kapitel 30

»Ich würde diesen Grivot zu gern kennenlernen.« Thomas schob seinen Stuhl weiter unter den Sonnenschirm und griff nach der Kaffeekanne. »Führt er sich immer so kryptisch auf?«

»Er ist ein *hurluberlu*, ein sehr eigenwilliger Mensch.«

»Wie lange kennst du ihn?«

»Ach, seit ewigen Zeiten. Er wohnt in Bordeaux, lebt allein und erscheint jedes Jahr bei unserem Hoffest. Es ist ein kleiner, unscheinbarer Mann, er fällt überhaupt nicht auf. Niemand sieht ihm an, dass er ein Profiler war, ein Fallanalytiker, spezialisiert auf korsische Terroristen. Jetzt ist er in Pension.«

Simone brauchte viele Worte, bis Thomas begriff – nicht, was ein Fallanalytiker war, sondern ein *hurluberlu*, was schlussendlich auf einen komischen Kauz hinauslief. Woher das Wort kam, wusste Simone nicht zu sagen.

»Seit dem Einbruch bei deinem Nachbarn hat er uns hingehalten. Dass er die Verbindung zwischen der Rossignol, Vitrier und Verlinden überprüfen konnte, hat mit seinen Verbindungen ins Innenministerium zu tun, besonders natürlich zum Geheimdienst Sécurité.«

»Woher weißt du das?« Thomas streckte die Hand aus. »Gibst du mir noch etwas von dieser fantastischen Feigenmarmelade?« Madame Clément hatte sie gekocht.

Simone tat ihm den Gefallen. »Martin hat's mir erzählt. Grivot sagt grundsätzlich Nein, wenn man was von ihm will.

Ich bin mir nicht sicher, ob das Getue ist oder ob er nicht will, dass jemand weiß, wem er hilft, aber im Hintergrund ist er längst aktiv geworden. Er kann gar nicht stillsitzen.«

»Auf die Dreierverbindung sind wir auch ohne ihn gekommen«, warf Thomas ein, der wenig von Behörden hielt, ob in Deutschland oder Frankreich. Wenn es hart auf hart kam, war man auf sich selbst und seine Freunde zurückgeworfen.

»Ohne Grivot wüssten wir nichts von dem damaligen Prozess gegen Verlinden.«

Simone hatte Thomas erzählt, dass der Belgier der Hauptverdächtige in einem Verfahren wegen des Mordes an einem anderen Soldaten in Bosnien war. Verlinden soll ihn im Streit totgeschlagen haben, einen Schwarzen, wie sie von Martin wusste, was der wieder von Grivot hatte.

Der Mistral nahm an diesem Morgen wieder zu, und Simone wollte ihr durcheinandergewehtes Haar ordnen, aber sie griff ins Leere. Am Tag nach der Festnahme von Vitrier und der Rossignol hatte sie ihr langes Haar im Nacken selbst abgeschnitten. Es sollte nie wieder jemand daran herumzerren, nie wieder! Das hatte sie dabei wütend und unter Tränen geschworen.

»Vitrier hat damals dem Belgier das Alibi gegeben. Ob der Prozess neu aufgerollt wird, wie Grivot sagte, ist noch offen. Dann wäre Vitrier auch wegen Meineids dran. Und dass die Rossignol die Diebesbande vor Polizeikontrollen warnte und die Ermittlungen verschleppt hat, kam auch erst durch Grivots Intervention ans Licht. Aber sie und Vitrier werden alle Schuld auf Verlinden abwälzen, auch den Mord an Didier Lamarc und Joseph de Bergerac. Den hat einer der beiden mit dem weißen Mercedes überfahren.«

»Damit kommen sie nicht durch.« Davon war Thomas überzeugt. Wie sich herausgestellt hatte, war Verlinden an dem Schuss gestorben, den die Rossignol abgegeben hatte, am »finalen Rettungsschuss«. Damit hatte sie sich selbst retten und einen Zeugen beseitigen wollen, es aber so dargestellt, als sei es ihr um Simones Leben gegangen. »Sie hat den Geliebten getötet, um den eigenen Kopf aus der Schlinge zu ziehen.«

»Wieso der Belgier Lamarcs Kletterausrüstung, die Schuhe, die Kleidung, das Sicherheitsseil, nicht entsorgt hat, ist mir ein Rätsel.«

Das war es für Thomas auch. Hatte Verlinden vorgehabt, das Zeug eines Tages zu verkaufen? Hatte es ihm als Trophäe gedient? Oder hatte er es aufbewahrt, um Beweise gegen die anderen zu haben? Die Krähen hackten sich womöglich doch gegenseitig die Augen aus.

Simone räkelte sich, der Tag hatte wunderbar begonnen. Dann lachte sie Thomas an, als fasse sie ihr Glück nicht, dass er ihr an diesem wunderbaren Morgen wie selbstverständlich gegenübersaß, als wären sie schon immer ein Paar gewesen. Sie stand auf, umarmte ihn und begann, den Frühstückstisch abzudecken.

»Wenn wir noch vor den Massen im römischen Theater sein wollen, müssen wir uns beeilen, es ist schließlich Samstag. Sitz nicht faul rum, komm, hilf mir.«

»Traust du es dir wirklich zu?« Thomas warf Simone einen heimlichen Blick hinterher. Ob sie es schaffen würde? Er hatte ernste Zweifel. Gestern Abend hatten sie lange darüber gesprochen, ob sie es sich zutraue, nach Orange zu fahren und den Wagen auf dem Parkplatz abzustellen, von dem sie entführt worden war.

»Wir werden sehen«, sagte sie, ein wenig zu gleichmütig. »Wenn es nicht geht, fahren wir weiter nach Montfaucon, dann haben wir später mehr Zeit, um Manuel im Hospital zu besuchen. Jetzt hört endlich auf, mich wie eine Kranke anzusehen. Madame Clément tut das auch ständig. Ich habe kein Trauma, keinen psychischen Schaden. Schon Martin ging mir mit seiner Betulichkeit auf den Wecker. Ich bin froh, dass er wieder weg ist. Solange mich niemand gefesselt in ein Auto wirft oder neben mir erschossen wird, ist alles gut.«

Diese Kaltschnäuzigkeit nahm ihr Thomas nicht ab, obwohl er maßlos erleichtert war, dass sie sich mit Eifer wieder in die Arbeit gestürzt hatte, statt alles hinzuwerfen und nach Hause zu fahren. Das kam seinen Wünschen sehr entgegen. Er hätte nicht gewusst, was er hätte tun sollen, falls sie abgereist wäre. Ungerecht war das Leben. Sie war diejenige, die am wenigsten aktiv geworden war, und sie hatte am meisten zu leiden gehabt. Er selbst war der Hauptakteur gewesen und hatte nichts abgekriegt, nur ein oder zwei Schläge von Vitrier. Vielmehr hatte er selbst heftig ausgeteilt, bei Vitrier habe er viel zu fest zugeschlagen, wie die Polizisten meinten. Vitriers Anwalt würde versuchen, ihm daraus einen Strick zu drehen. Vor Gericht würde auf jeden Fall zur Sprache kommen, ob ein derart harter Einsatz gerechtfertigt war, um Faugeres Leben zu retten. Thomas war überzeugt, dass Vitrier ihn in seinem Wahn umgebracht hätte. Die Pistole war der Beweis.

Vitriers Anwälte würden auf Unzurechnungsfähigkeit plädieren, auf *aliénation mentale* oder *démence temporaire*, auf zeitweilige Umnachtung. Das waren Worte, die neuerdings Thomas' französischen Sprachschatz bereicherten. Das Plädoyer auf Unzurechnungsfähigkeit würde Vitrier wenig helfen. Seine DNA war in Lamarcs Mercedes gefunden worden und die von Joseph de Bergerac vorn auf der Motorhaube. Damit war klar, dass er ihn mit dem Wagen des ersten Opfers überfahren hatte. Lamarc war angeblich von Verlinden erschossen worden, aber das würde nie aufgeklärt werden, wenn auch die Rossignol bei ihrer Aussage blieb.

Als Thomas aus Simones Apartment trat, um den Rest des Geschirrs zu holen, blieb er unter dem Sonnenschirm stehen und blickte über die Rebzeilen, die bis an ihre kleine Terrasse heranreichten. Simones Apartment war wohnlicher und größer als seines, und man hatte diesen wunderbaren Ausblick.

Im Osten sah er den Hügel mit Château La Nerthe, im Süden lagen die Gebäude der Kooperative La Grenade, und im Westen thronte die päpstliche Ruine über Châteauneuf-du-Pape, angestrahlt von einer goldenen Morgensonne. Auf Château des Trois Anges gleich gegenüber wusste niemand, wie es weiterging. Madame Vitrier stand unter Schock, sie war vollkommen verstummt, kein Wort kam mehr über ihre Lippen. Ihre Kinder hatten sie in ein Sanatorium gebracht.

Einen derartig vielseitigen Ausblick wie von Simones Vorgärtchen durfte Thomas in Lirac nicht genießen. Dort verstellten ihm die Zypressen den Blick. Zwischen den Ästen waren lediglich die hohen Mauern von Château des Trois Verres zu sehen.

Gustave Vitrier war mit den Nerven am Ende. Kopflos raste er zwischen den beiden Châteaus hin und her und wusste nichts mit sich anzufangen. Die Taten seines Bruders empfand er als persönliche Schande, gleichzeitig warf er sich vor, dass nicht er, sondern Thomas den Bruder gestoppt hatte. Seitdem ging er Thomas aus dem Weg. Das war schade.

Sie nahmen ihr Auto, Simone fuhr, bis nach Orange benötigte sie knapp fünfzehn Minuten. Je näher sie der Stadt kamen, desto nervöser wurde sie, und als sie den Parkplatz hinter dem römischen Theater erreichte, bremste sie hart, wendete und machte kehrt. Sie war merklich blass geworden. Ihre Hände umklammerten das Lenkrad.

»Es geht noch nicht«, seufzte sie und schnappte nach Luft. »Gib mir Zeit.«

»So viel du willst, so viel wie du brauchst. Unser Jahr ist noch lang. Bis Mai nächsten Jahres wird sich schon eine Gelegenheit ergeben.«

»Wirst du trotzdem so lange bleiben, obwohl du dich mit Manuel ausgesprochen hast?«, fragte Simone, ihre Stimme ein wenig zitterig.

»Ich bin Alain gegenüber in der Pflicht, ich merke erst

nach und nach, was ich hier alles zu lernen habe, und zu Hause geht alles seinen Gang. Manuel ist bald wieder obenauf, er will weitermachen, und ich bin einverstanden.« Für Thomas war damit alles gesagt.

Sie fuhren über eine Nebenstrecke bis an die Rhône und passierten die Stelle, an der Hannibal mit seinen Truppen vor zweitausendzweihundert Jahren die Rhône überquert haben soll. Am gegenüberliegenden Ufer kam die Burg von Montfaucon in Sicht. Immer wieder war sie Thomas aufgefallen, sie hatte nichts von ihrer Anziehungskraft eingebüßt, als wäre in ihren Tiefen ein Geheimnis verborgen, das Geheimnis seiner Kindheitsfantasien. Der ursprüngliche Bau stammte aus dem 11. Jahrhundert, er hatte der Grenzsicherung zwischen dem Königreich Frankreich und dem Heiligen Römischen Reich Deutscher Nation gedient. Inzwischen war die Burg der friedliche Wohnsitz der Familie de Pins und wurde von drei Generationen bewohnt.

Seit Thomas in Lirac arbeitete und erfahren hatte, dass der Burgherr, Rodolphe de Pins, sich dem Weinbau verschrieben hatte, war die Neugier gewachsen, den Präsidenten der AOC Lirac hier zu treffen. Um dieses Amt auszufüllen und um gleichzeitig guten Wein zu machen, musste man sich zerreißen oder über einen hohen Grad von Besessenheit verfügen. Thomas war gespannt, ob sich der Burgherr fürs Zerreißen oder die Besessenheit entschieden hatte.

Der Weg zu seinem Anwesen begann gleich hinter der Kirche und führte zwischen sehr dörflichen Häusern und aus jedem Mauerspalt üppig sprießenden Blumen bergan. Die Kellerei lag unterhalb der zinnenbewehrten Burg, hier war es einfacher gewesen, die Keller zu graben. Die viele Jahrhunderte alte Baumkelter stand in dem alten Gewölbe an ihrem ursprünglichen Platz inmitten einer Ansammlung von kleinen Holzfässern. Nur der Korb, in dem einst die Trauben gepresst worden waren, fehlte. Es hätte keinerlei Umbauten bedurft, um in diesem Gewölbe einen Ritterfilm zu drehen. Allerdings hätte Monsieur de Pins seine Jeans und das Polohemd gegen ein zeitgenössisches Gewand eintauschen müssen. Doch seinerzeit wäre er als Burgherr niemals in die Keller hinabgestiegen, um Besucher zu empfangen, ihnen Gläser in die Hände zu drücken und über seine Leidenschaft zu sprechen. Er hatte sich nach Thomas' Ansicht für einen gemäßigten Grad von Besessenheit entschieden oder für ein extremes Engagement.

Es gehörte dem Weißwein, und einem Winzer, der bis zu zehn verschiedene Cuvées auflegte, war Thomas an der Rhône bislang nicht begegnet. Vigonier war hier eine unübliche Rebsorte, besonders in Kombination mit der lokalen Clairette und einer weiß gekelterten Grenache, aber so bekam de Pins die Frische in den Wein, die er suchte.

Bereits bei der ersten Probe war Thomas klar, dass man nicht mal eben an die Rhône kommen und sofort begreifen konnte, wie die Weine miteinander reagierten. Monsieur de Pins experimentierte seit zwanzig Jahren und nutzte dafür die Trauben seiner sechzig Hektar. Der zweite Wein – Comtesse Madeleine – enthielt fünf verschiedene Rebsorten. Auf die Idee, eine derartige Cuvée zu machen, wäre Thomas nie gekommen. Die Spitze der Qualität zeigte sich dann beim Vin de Madame la Comtesse. Die Clairette-Trauben stammten von Reben, die bereits um 1870 gepflanzt worden waren. Und entsprechend voluminös und vielschichtig waren die Aromen reifer gelber Früchte, die von Orangenblüten, weißem Pfeffer, Anis und Mandeln. Er hätte noch viel mehr entdeckt, wenn er die Nase noch länger ins Glas gesteckt hätte, aber er wollte nicht unhöflich sein. Simone hielt seine Interpretation für etwas übertrieben. Kein Mensch (außer Martin) konnte ihres Erachtens das alles herausriechen.

Monsieur de Pins vertrat eine Ansicht, die sich mit der von Thomas deckte, nämlich dass kein Unterschied in der Qualität zwischen den Weinen Châteauneuf-du-Papes und Liracs existiere und dass es doch einen gebe.

»Die Böden sind gleich, Sand, Kalk und Steine, die Reben sind uralt, die Klone gleich, das Wetter ist es, und wir ernten auch nur dreißig bis fünfunddreißig Hektoliter je Hektar. Alles redet vom Terroir, aber ich glaube, es kommt entscheidend auf den Winzer an.« Die aus Châteauneuf seien hergekommen und hätten vor langer Zeit auf dieser Seite hier Land gekauft und den Wein nach denselben Methoden wie drüben angebaut. Aber die Weine des Gard würden schlicht nicht akzeptiert. »Für sie stammen unsere Weine vom falschen Ufer der Rhône. Châteauneuf-du-Pape hingegen steht seit Jahrzehnten im Licht, viele dort machen die Weine nur, damit die Presse was zu schreiben hat.« Damit meinte er das einstige Wirken des US-Weinverkosters Robert Parker, der die schweren, vollen, wuchtigen und satt machenden Weine den feinen und eleganten vorgezogen und sie großgeschrieben hatte.

Bei der Zusammenstellung seiner Cuvées sorgte de Pins, wie er sagte, immer dafür, dass seine Frau mit entschied. Er lege viel Wert auf ihr Geschmacksempfinden. Andererseits hänge die Auswahl von der Tagesform ab, vom Wetter und der eigenen Stimmung.

Thomas befand sich heute in bester Stimmung. Gefiel ihm der rote Côtes du Rhône so gut, weil Simone ihn begleitete? Empfand er den Cru aus Lirac als so ausgewogen, kräftig und interessant in den Aromen, weil er übers Glas hinweg ihr in die Augen sah und sie seinen Blick erwiderte? Der Wein, nach dem Sohn dessen benannt, der die Burgruine einst wieder hatte bewohnbar machen lassen, stammte von der ältesten Parzelle. Es war der Duft von roten Früchten, von Brombeere und *garrigue,* eben der von einem sonnendurchglühten Hang am Rand des Waldes. Dieser Duft hatte Simone vorgestern eingehüllt, als er sie nach einem Tag im Weinberg abends vor ihrer Tür abgepasst hatte. Empfand er diesen Wein als so harmonisch, weil er maßlos in sie verliebt war?

In diesem Moment flackerte eine der Kerzen, die Monsieur de Pins entzündet hatte. Ein Schatten schwang sich nur kurz über Thomas' Glas, aber es genügte, um eine bange Frage heraufzubeschwören. Was würde im nächsten Jahr geschehen? Er würde sich ihr Garagenweingut ansehen, selbstverständlich. Aber er würde niemals in Saint-Émilion bleiben, da gehörte er nicht hin. Er hatte sein eigenes Gut. In gewisser Weise hatte Manuel es ihm zurückgegeben. Würde Simone mit ihm in die Pfalz kommen? Sicher, vielleicht nur kurz, zu Besuch, aber dann würde sie zurückkehren und sich das Erbe ihres Vaters erarbeiten. Wie würde es dann mit ihnen weitergehen?

Thomas verwarf den Gedanken. Heute ist heute, sagte er sich und probierte den Vin de Monsieur le Baron, und das war die Gegenwart, eine großartige, ein Wein aus dem Mischsatz des 19. Jahrhunderts – dreizehn Rebsorten zugleich – gemeinsam gewachsen, gemeinsam gekeltert und vergoren. Den würden sie zum Mittagessen trinken, und Simone würde ihm gegenübersitzen.

Danksagung

Befreundete Weinhändler weisen mich zuerst auf bestimmte Weingüter hin, dann sind es Artikel in Fachzeitschriften mit weitergehenden Informationen. Weinführer spielen natürlich auch eine Rolle bei der Auswahl der Weingüter für den neuen Roman. Aber entscheidend ist der Wein, ist die Probe, die mich von der Qualität der Weine überzeugen muss. Wenn dann der Winzer oder die Winzerin noch jemand ist, mit dem man reden kann, der oder die bereit ist, meine vielen Fragen zu beantworten und mir auch zu zeigen, auf welchem Boden die Trauben gewachsen sind und wo genau der Wein herkommt, der letztlich im Glas funkelt, steht einem Besuch nichts im Wege.

Nicht alle Winzer, die ich auf meiner Rechercheriese an die Rhône besucht habe, kann ich im Roman nennen. Es gibt auch stets einige, die ich verschweige, da mir entweder die Weine, der Betrieb oder der Winzer nicht zusagten. Aber die Brüder Maurice und Gustave Vitrier gibt es auch unter anderen Namen nicht. Doch vielleicht schauen Sie mal in Laudun in der Rue de la République vorbei?

Eine sehr große Hilfe bei meiner Arbeit in Châteauneuf-du-Pape waren Béatrice Mialon vom Maison Des Vignerons und ihr Chef, Michele Blanc. Durch sie wurde die Reise auch zu einem sehr familiären und freundschaftlichen Erlebnis. Dann kommen die Winzer beider Seiten der Rhône, die Damen zuerst: Amélie Barrot, Béatrice Mayard und Claire Clavel. Jetzt die Herren: Pascal Lafond, Vincent de Bez, Frédéric

Dejoie, Fabrice Delorme, Rodolphe de Pins, Ralph Garcin, Paul-Vincent Avril, Daniel Stehelin, Pierre Cohen sowie Thierry Usseglio. Ich würde sie alle gern wieder treffen, gern die Proben wiederholen, aber leider bin ich bereits auf dem Weg nach Südtirol, dem Schauplatz der nächsten Verbrechen …

Paul Grote

P. S. Sämtliche Namen finden Sie wahrscheinlich im Internet.